D1240605

Ostatnia debiutantka

Lesley Lokko

Ostatnia debiutantka

Z angielskiego przełożyła
Hanna Kulczycka-Tonderska

Tytuł oryginału
THE LAST DEBUTANTE

Wydawca
Urszula Ruzik-Kulińska

Redaktor prowadzący
Iwona Denkiewicz

Redakcja
Elżbieta Kobusińska

Korekta
Jolanta Spodar
Irena Kulczycka

Copyright © Lesley Lokko 2016
All rights reserved
Copyright © for the Polish translation by Hanna Kulczycka-Tonderska 2020

Wydawnictwo Świat Książki
02-103 Warszawa, ul. Hankiewicza 2

Warszawa 2020

Księgarnia internetowa: swiatksiazki.pl

Łamanie
Joanna Duchnowska

Druk i oprawa
DRUK-INTRO S.A.

Dystrybucja
Dressler Dublin Sp. z o.o.
05-850 Ożarów Mazowiecki, ul. Poznańska 91
e-mail: dystrybucja@dressler.com.pl
tel. + 48 22 733 50 31/32
www.dressler.com.pl

ISBN 978-83-813-9313-3
Nr 90090740

Mojej siostrze Debbie

PODZIĘKOWANIA

Bez żadnych wątpliwości największe podziękowania należą się moim fanom, którzy tak cierpliwie czekali, aż ta powieść wreszcie pojawi się na rynku. Wasze cudowne, przemiłe wiadomości (Hmm, kiedy możemy się spodziewać...?) trzymały mnie na obranej drodze przez ostatnie trzy lata. Dziękuję również dwóm Kate – wydawcy i mojej agentce – za cierpliwość i zrozumienie. Żonglerka pomiędzy dwoma wykonywanymi równocześnie zawodami, delikatnie mówiąc, nie jest łatwa, lecz sądzę, że wzbogaciła oba. Lista materiałów źródłowych, z których korzystałam podczas pisania tej powieści, zapewne sięgnęłaby kilku stron, jednak na jej szczycie bez wątpienia znajduje się *Small Island* autorstwa Andrei Levy (*Wysepka*, Warszawa 2006). To wspaniała książka. Jak zawsze najserdeczniejsze podziękowania składam całej mojej rodzinie i przyjaciołom, którzy cierpliwie przetrzymywali każdy mój kolejny ruch. Obiecuję, że ten będzie ostatni. Na pewien czas.

GŁÓWNI BOHATEROWIE

KATHERINE ALGERNON-WATERS (KIT)
ur. 9 września 1923

ELIZABETH ALGERNON-WATERS (LILY)
ur. 27 maja 1920

SYN KIT
ur. 23 listopada 1939

EARL HIGHTOWER
ur. 4 kwietnia 1917

ELIZABETH KENTRIDGE (LIBBY)
ur. 25 listopada 1942

ELUNED KENTRIDGE
ur. 13 grudnia 1956

MAEV KENTRIDGE
ur. 10 kwietnia 1961

RO KENTRIDGE
ur. 9 października 1964

PHOEBE KLEIN
ur. 9 października 1999

W początkach istnienia tej tradycji debiutantki były prezentowane zarówno jako młode damy wchodzące w dorosłe życie, lecz także jako panny na wydaniu. Niektórzy badacze historii twierdzą, że w rzeczywistości zjawisko „debiutowania" pojawiło się w tym samym czasie, w którym rodziny o historycznie zagwarantowanej przynależności do klas wyższych zaczęły tracić na znaczeniu ekonomicznym w stosunku do umacniającej się burżuazji. Debiutantka jako towar wystawiony na sprzedaż spełniała podstawową funkcję ekonomiczną poprzez zasilenie swojej spłukanej z gotówki arystokratycznej rodziny „nowymi" pieniędzmi.

Robert Weir, *Class in America: An Encyclopedia*
(Klasy wyższe w Ameryce: zestawienie encyklopedyczne)

PROLOG

Posiadłość Crabtree Wood w hrabstwie Kent
wrzesień 2014

Libby Mortimer stała przez chwilę bez ruchu, obserwując oddalające się światła samochodu, dopóki nie zniknęły za drzewami. Słyszała jeszcze warkot silnika, gdy auto mozolnie pięło się na szczyt wzgórza, a potem dom i najbliższa okolica zatonęły w ciszy. Otuliła się mocniej długim kardiganem i wsłuchała w odgłosy nocy: pohukiwania sowy, szelesty dobiegające z kwiatowych rabat, odległy szum silnika jakiegoś samochodu, zjeżdżającego z pagórka gdzieś wśród pól. Dom stał w pewnym oddaleniu od głównej drogi, ukryty za rzędem wysokich topoli. Kiedyś była to wiejska posiadłość, otoczona kilkoma hektarami lasów, lecz prowadzona systematycznie wyprzedaż gruntów leśnych ograniczyła ten teren do ogrodu i sadu w najbliższym otoczeniu domu. Jesienią Libby zbierała tam jabłka i gruszki dla wnuków, które przyjeżdżały do niej w odwiedziny.

Odwróciła się i popatrzyła na okazały budynek. Mimo że upłynęło już trzydzieści lat, jego wyważona elegancja wciąż robiła wrażenie. Jej dom. Wychowała tu czworo dzieci. Stworzyła im pełne ciepła, bezpieczne niebo na ziemi, czego jej matce, Kit, nigdy nie udało się dokonać. Fasada domu z bladożółtego piaskowca skierowana była wprost na rząd topoli, którymi obsadzono podjazd. Prawdziwe oblicze domu kryło się jednak po przeciwnej jego stronie, gdzie na zboczu opadającym w stronę długiej doliny przecinającej hrabstwo Kent założono ogród pełen kwiatów, z mnóstwem pszczół i motyli.

Ktoś w końcu wpadł na to, żeby wyłączyć odtwarzacz grający w salonie od kilku godzin. Zanim zaczęli popijać porto i palić cygara, ponad godzinę tańczyli do muzyki, o której – jak sądziła – już dawno zapomnieli. Puszczali płyty Beatlesów, Rolling Stonesów i zespołu The Clash. Kiedy Kit weszła do pokoju, popatrzyła na młodzież z udawanym przerażeniem.

– Babciu! Chodź tu do nas! Zatańcz ze mną! – krzyknął do niej Tim, najstarszy syn Maev.

– Co za niedorzeczny pomysł! W moim wieku?! – półżartem odpowiedziała mu Kit, choć nieco wbrew własnej chęci.

– Babciu, rusz się! Dobrze ci to zrobi! – Nie dawał za wygraną.

– Przestań, wariacie! Zostaw mnie w spokoju!

Jednakże Tim zignorował protesty Kit i wyciągnął ją na środek parkietu. Babcia to nieprzeciętna kobieta. Była już po dziewięćdziesiątce, ale jej zgrabne nogi wciąż miały eleganckie przewężenia pod kolanami i nad kostką. Z lekkością, choć ostrożnie, złapała rytm tańca. Wszyscy patrzyli na nią z prawdziwą przyjemnością. Miło było widzieć, że dobrze się bawi.

Libby zatrzymała się i przeciągnęła dłonią po krzewach lawendy, rosnących w donicach ustawionych po obu stronach głównego wejścia do domu. Wciągnęła do płuc ostry zapach, aż załaskotało ją w nozdrzach. Zbliżała się północ i powietrze nagle się ochłodziło. Wstrząsnął nią dreszcz. Wrześniowe noce stawały się coraz zimniejsze. Jesień, widoczna w kolorze liści, nabierających złocistego zabarwienia, była tuż-tuż. Pchnęła ciężkie drewniane skrzydło drzwi i weszła do domu, ale nie zamknęła ich za sobą na klucz. Pewnie z godzinę zajmie Toby'emu odwiezienie babci do domu seniora, odprowadzenie jej do pokoju i powrót tutaj. Otworzyła drzwi do kuchni i rozejrzała się po pomieszczeniu. Długi dębowy stół zastawiony był nie do końca opróżnionymi kieliszkami i pustymi butelkami wina, kilkoma talerzykami z niedojedzonymi tartaletkami oraz tym okropnym puddingiem, którego zawsze domagała się Eluned (na wierzchu pianka, pod spodem coś mętnego i galaretowatego), a którego nikt poza nią nie tknął. Skrzywiła się paskudnie (o tej porze nikt nie zobaczy!) i zamknęła drzwi za sobą. Katie, dziewczyna ze wsi, która pomagała przy sprzątaniu, przyjdzie jutro z samego rana i uporządkuje wszystko ze zwykłym u niej zapałem.

W całym domu panowała cisza, a jednak żył on, jak każdy stary dom: poskrzypywaniem drewnianych podłóg, odległym stuknięciem domkniętych mocniej drzwi od łazienki gdzieś na górze, pacnięciem czegoś (jabłka? kamienia?) na ziemię na zewnątrz. Libby policzyła jeszcze raz w pamięci swoich gości. Eluned i Luca oraz Loïca, ich siedemnastoletniego syna, zakwaterowała w przebudowanym na dom letni budynku gospodarczym przy sadzie. Maev i jej mąż Bill spali w pokoju gościnnym na parterze, a Tim, ich najstarszy syn, w małym pokoju na półpiętrze, razem ze swoim przyrodnim bratem Cameronem, synem Billa z pierwszego małżeństwa. Daisy i Zoe, ich córki, wybrały mały pokoik na piętrze, który kiedyś służył za pomieszczenie gospodarcze. Trin rozgościła się w swoim dawnym pokoju, Emily w swoim, wraz z Declanem, chłopakiem, którego bez uprzedzenia przywiozła na przyjęcie. Została jeszcze Ro i jej trzynastoletnia córka Phoebe – obie spały w dawnym pokoju Ro. Brakowało tylko Duncana. Przebywał akurat w Tajlandii. Zajmował się tam nauczaniem języka angielskiego szczerbatych, czarnowłosych dzieciaków, które wpatrywały się z zaciekawieniem w okienko aparatu fotograficznego jego dziewczyny Pim, wyglądającej na niewiele starszą od swoich uczniów. Libby obawiała się, że syn może nigdy nie wrócić do Anglii.

Razem naliczyła czternaście osób: pełny dom. Rozkoszowała się tym uczuciem, jako że od miesięcy nie udawało jej się zebrać rodziny razem. Organizację późnego śniadania dla wszystkich w dniu jutrzejszym pozostawiła Maev, która uwielbiała takie wyzwania. Natomiast ona razem z Ro wymkną się do Rye na małe zakupy, na lunch, a może nawet zdążą pospacerować nad rzeką. Uśmiechnęła się na samą myśl o tym. Całe wieki minęły, odkąd ostatnio miały czas tylko dla siebie. Oczywiście rozmawiały ze sobą przez telefon co tydzień, ale to nie to samo. Żadne z jej czworga dzieci nie mieszkało w pobliżu. Ro osiadła w Hammersmith, gdzie kupiła mieszkanko niewiele większe od holu wejściowego ich rezydencji, i twierdziła, że jest całkowicie wystarczające dla niej i dla Phoebe. Jake, eks-mąż Ro, ojciec jej jedynego dziecka, nadal mieszkał w Nowym Jorku, gdzie Phoebe przyszła na świat. Wnuczka wciąż miała lekki amerykański akcent, choć Ro odeszła od męża dobre pięć lat temu, z dwiema walizkami i siedmioletnią córką. Jake brał do siebie córkę na lato i na co drugie święta Bożego Narodzenia – i pewnie dlatego jej amerykański akcent nie zniknął na dobre, choć Libby podejrzewała, że mogła być inna, znacznie poważniejsza przyczyna tego stanu rzeczy. Jake nie miał nic do gadania w sprawach dotyczących Ro. Temat utrzymującego się uparcie amerykańskiego akcentu Phoebe nie był w ogóle poruszany. Libby zupełnie nieoczekiwanie ciężko westchnęła. Troje dzieci, dwa rozwody. Tak szybko. Co poszło nie tak?

Wzrok Libby nagle spoczął na pudle ze zdjęciami, które na odchodnym wręczyła jej matka.

– Włóż je do swoich pięknych albumów – powiedziała, trzymając córkę za przedramię w niespodziewanie mocnym uścisku.

– Co tu masz? – zainteresowała się Libby.

– Och, nic takiego... – odrzekła Kit. – Kilka starych zdjęć. Znalazłam je ostatnio podczas sprzątania w jednej z szafek. Może spróbowałabyś je posegregować, kochanie? Mogą zaciekawić dzieci. Pokaż im, jak wygląda prawdziwy taniec. – Oczy matki rozjarzyły figlarne ogniki.

Libby z roztargnieniem skinęła głową i odstawiła pudło na bok, zapominając o nim nieomal natychmiast, ponieważ musiała pożegnać się z kolejnymi opuszczającymi dom gośćmi. Teraz podniosła pudło i zdziwiła się, że jest ciężkie. Musiało tam być o wiele więcej niż tylko kilka starych fotografii. Zaniosła je do najbliższej kanapy, postawiła na siedzisku i usiadła obok. Na stoliku kawowym stała do połowy opróżniona butelka wina. Wzięła ją do ręki i zaczęła się wpatrywać w etykietkę, jednocześnie szukając okularów. Bordeaux – najprawdopodobniej jedna z butelek, którą przywieźli z Francji Eluned i Luc. Nalała sobie pół kieliszka. Pomoże jej zasnąć. Upiła mały łyk i poczuła na języku przyjemny, aksamitny, pełen aromatu trunek. Postawiła sobie na kolanach pudło ze zdjęciami i otworzyła je. Prosto w nos buchnął jej zapach starych fotografii, lekko stęchły, zmieszany z nutką perfum L'air du Temps i dymu z papierosów – bez żadnych wątpliwości mieszanka woni kojarząca się z matką. Zamknęła na chwilę oczy. To był zapach dzieciństwa, zapach dzieciństwa ich wszystkich. Potem wzięła do ręki zdjęcie, które leżało na samej górze. Przedstawiało Kit jako małą dziewczynkę, może sześcio- lub siedmioletnią, siedzącą okrakiem na kucyku. Rozpoznała ogrodzony padok za lasem w Chalfont Hall. Zdjęcie było oczywiście czarno-białe, lecz mimo upływu lat Kit patrzyła na świat tym samym spojrzeniem, będącym zręcznym połączeniem ciekawości i zuchwałych oskarżeń, typowym tylko dla niej.

Libby ostrożnie przewróciła pudełko do góry dnem. Wysypało się zeń kilkadziesiąt fotografii w kolorze sepii, wymieszanych z kolorowymi, zrobionymi ostatnimi czasy, i utworzyło spory stosik na dywanie u jej stóp. Pochyliwszy się, szybko rozsuwała kartoniki na boki i już układała je w myślach w nowym albumie ze skórzaną oprawą, z welinowymi kartkami, z opisem wykonanym odręcznie odpowiednio dobranym krojem pisma. Uwielbiała to zajęcie. Kiedy odstawiała na bok pusty karton, poczuła, że coś przesunęło się gdzieś w środku. Ściągnęła brwi i potrząsnęła pudełkiem koło ucha. Mimo że było puste, usłyszała znów głuche postukiwanie czegoś ukrytego pomiędzy ściankami. Zajrzała jeszcze raz do środka i zauważyła, że papier, którym je wyłożono, został oderwany i ponownie niezbyt dokładnie przyklejony. Zaczęła podważać paznokciem wyściółkę, uważając, żeby jej przypadkiem nie rozerwać. Okazało się, że kartonowe pudło ma podwójne dno, a w środku, w wąskiej szczelinie, ukryta jest gruba koperta. Wyciągnęła ją ostrożnie. Nie była zaklejona i Libby otworzyła ją bez problemu. Spomiędzy cienkiej błękitnej papierowej przekładki wyśliznęły się dwa zdjęcia. Odwróciła je i natychmiast rozpoznała pismo matki, tyle że kreślone pewną ręką młodej dziewczyny. *18 grudnia 1958, Maskat* – brzmiał pierwszy podpis. Na drugim w poprzek nakreśliła jedno zdanie: *Jedziemy do Dagmaru z al-Saidem na spotkanie z Edenem i starym Glubbem.* Nieomal słyszała dziewczęcy, rozkazujący ton głosu matki z perfekcyjną wymową i dykcją charakterystyczną dla arystokracji z tamtych czasów.

Następnie wyjęła list i zaczęła go czytać. Był bardzo długi, zajmował pełne pięć kartek. Napisany został zupełnie niedawno.

Jest coś, o czym już dawno chciałam Ci opowiedzieć. Wiele razy się do tego przymierzałam, lecz zawsze w końcu rezygnowałam. Brakowało mi odwagi – dobrze to wiem. Jak sądzę, to dla Ciebie co najmniej dziwne, że piszę o sobie w ten sposób, ale taka jest prawda. Zachowałam się jak ostatni tchórz, szczególnie w stosunku do Ciebie.

Serce Libby zaczęło bić jak oszalałe. Odkładała kartkę listu za kartką ze ściśniętym gardłem, z narastającym niedowierzaniem.

Było już dobrze po północy, kiedy skończyła czytać. Przeniosła się na fotel, zbyt oszołomiona, by rozsądnie myśleć.

Kit! Och, Kit! Dlaczego czekałaś z tym tak długo?

CZĘŚĆ I

WOJNA

1938–1939

Kit

1

Rezydencja Chalfont Hall, Portersham, Dorset, 1938

Po wijącej się zboczem wzgórza drodze prowadzącej ku domowi jechał powoli samochód. Obserwowała go kątem oka, stojąc na krześle i obracając się powoli – pół stopy i znów zatrzymanie w bezruchu – w oczekiwaniu, aż krawcowa skończy swoją pracę. W ten sposób mogła spokojnie śledzić wzrokiem samochód, mozolnie wspinający się pod górę ponad czubkami okazałych cedrów, które porastały wzniesienie od brzegu rzeki aż po dom. Stanęła na palcach i wyciągnęła szyję, żeby zobaczyć, jak wóz zajeżdża pod dom szerokim łukiem, rozrzucając na boki żwir. Z pomieszczeń służby, położonych na dolnej kondygnacji, dobiegł jej uszu słaby dźwięk dzwonka i trzaśnięcie drzwi. Przybył jakiś ważny gość.

– Na litość boską, Kit, stój prosto i się nie ruszaj! Ona nigdy nie skończy podkładać dołu sukienki, jeśli będziesz się tak wiercić! – skarciła ją matka, siedząca w rogu pokoju.

Krawcowa miała usta pełne szpilek, więc nie mogła nic dodać od siebie. Na podłodze leżało pełno ścinków materiału, przypominających rozsypane kawałki potłuczonego szkła. Bladozielona suknia miała podwyższony stan i długie bufiaste rękawy. Niespecjalnie się podobała Kit. Materiał był sztywny i źle się układał, a przede wszystkim uważała, że w tym kolorze jest jej nie do twarzy i wygląda jak nieboszczyk. (Wprawdzie nigdy jeszcze nie widziała nieboszczyka, ale opis ciała pechowca Ratchetta z *Morderstwa w Orient Expressie* okazał się tak niezwykle obrazowy, że była święcie przekonana, iż przez chwilę naprawdę go widziała: skóra blada, podbarwiona sino, z widoczną siatką naczyń krwionośnych). Aż nią wstrząsnęło. Znów się obróciła. A potem znów. Powoli. Jeszcze raz spojrzała przez okno na idealnie błękitne niebo bez jednej chmurki. Czerwiec, upalna pogoda, dni długie i zdające się ciągnąć bez końca, a ona zamiast uciec od wszystkich i skryć się z książkami i kanapką z dżemem przy stawie na samym dnie doliny – myślała z urazą – musiała sterczeć na krześle w bawialni, podczas gdy klęcząca przy niej Francuzka o ziemistej cerze kłuła ją szpilkami po łydkach. Całe zamieszanie spowodowała jej starsza siostra Lily. Lily skończyła właśnie osiemnaście lat i miała wkrótce wziąć udział w balu debiutantek. Od tygodni więc dom postawiony był na głowie w ferworze przygotowań. Nikt nie potrafił mówić i myśleć o niczym, co nie wiązało się w jakiś sposób z Lily. Kit również.

– Och! Nie mogę się już doczekać! – Na początku od rana do wieczora co chwila wznosiła egzaltowane okrzyki w stronę każdego, kto akurat znalazł się w pobliżu, łapiąc się rękami za piersi w przerysowanej pozie, mającej wyrażać rosnące zniecierpliwienie. – Naprawdę nie mogę się już doczekać! To dopiero będzie zabawa!

Teraz jednak coraz bardziej przestawało się jej to wszystko podobać. Jak można uważać za dobrą zabawę stanie w jakimś pełnym przeciągów holu w stroju, którego włożenie na siebie zajmuje dwie godziny, w dodatku w ciasnych butach i z głupawym uśmieszkiem przyklejonym do twarzy, słuchając jakiegoś tępego, pryszczatego młodziana, który znalazł się obok ciebie tylko dlatego, że jego rodzice znają twoich rodziców?

– Kit! Może byś trochę uważała z łaski swojej. Obróć się. Powoli. Powoli!

– Jak długo jeszcze, mamo? – spytała z westchnieniem Kit.

– Tyle, ile będzie trzeba. Dopóki krawcowa nie skończy. Unieś ręce nad głową, bo w przeciwnym razie sukienka nie będzie się dobrze układać. Czy nie mam racji, mademoiselle Founard?

– *Oui,* madame.

Mademoiselle Founard nie wypowiadała zwykle ani słowa więcej oprócz tych dwu. Kiedy w końcu kobieta z trudem podniosła się na nogi, Kit wreszcie uzyskała pozwolenie na zejście z krzesła. Wydostała się ze zwojów bladozielonej materii i szybko wrzuciła na siebie swój stary bezrękawnik w nadziei, że uda jej się wymknąć z pokoju, zanim znów znajdzie się coś, co będzie musiała przymierzyć, aby krawcowa mogła to przyszpilić, dociągnąć i dopiąć na niej tak, żeby nabrała chociaż odrobinę kobiecych kształtów... jakichkolwiek kształtów. Dziewczynie brakowało trzech miesięcy do ukończenia piętnastu lat, a wciąż była chuda jak tyczka i płaska jak deska – w przeciwieństwie do siostry, której kształty w budzący niepokój sposób zaczęły się wylewać ze wszystkich sukienek. Kit raczej nie miała szans, żeby jakakolwiek część jej ciała wylała się z jakiegokolwiek ubrania, a już na pewno nie z sukienki.

– Kit? – Głos matki zatrzymał ją, gdy znalazła się tuż przy drzwiach.

– Tak, mamo. – Odwróciła się zniecierpliwiona, z ręką na klamce.

– Dziś zjesz kolację w dziecięcej bawialni. Lily dołączy do mnie i papy. Wydajemy proszony obiad.

– Ale to niesprawiedliwe! – jęknęła Kit. – Wczoraj powiedziałaś, że...

– Żadnych „ale"! Zjesz kolację z nianią i ani słowa więcej, proszę.

Twarz matki szybko przyjęła wyraz zdystansowanego chłodu, którego Kit nie znosiła. Przełknęła chęć zaprotestowania.

– Tak, mamo – powiedziała potulnie.

Otworzyła drzwi i zamknęła je dokładnie za sobą. Zegar stojący w holu wybił głośno godzinę piątą. Jeśli się szybko uwinie, zdąży pobiec do stajni i dać koniom trochę smakołyków, zanim nadejdzie czas na samotną kolację.

*

Schodziła ze wzgórza na tyłach domu, głośno tupiąc piętami o ziemię, co miało dać wyraz jej buntowniczemu nastawieniu. Maisie, długoucha cocker-spanielka matki, biegła posłusznie truchcikiem przy jej nodze, zwracając co chwila wilgotne, zaniepokojone spojrzenie w górę, w oczekiwaniu na jakiekolwiek polecenia. Kit szła przed siebie zamyślona, wciąż rozdrażniona zamieszaniem spowodowanym przez Lily i jej zbliżające się nieuchronnie wejście do świata dorosłych, pełna obaw, że za trzy lata to samo może spotkać i ją. Po części taki debiut wiąże się ze sprawami finansowymi. Wszyscy snuli rozważania, czy Lily uda się – jak to oni nazywali – „zrobić dobrą partię". Bardzo dobrze zdawała sobie z tego sprawę, mimo że nikt nie mówił o tym otwarcie, a już na pewno nie rozmawiał o tym z nią. W oczach wszystkich, a szczególnie Lily i rodziców, Kit nadal uchodziła za dziecko niebędące w stanie zrozumieć spraw ważnych, a w szczególności spraw świata dorosłych. Jednakże Kit już dawno doszła do wniosku, że jedynym sposobem dotarcia do sedna czegokolwiek nie było zapytanie rodziców o coś wprost, lecz zwyczajne słuchanie. W tym akurat okazała się bardzo dobra, w przeciwieństwie do swojej siostry, która zajmowała się głównie mówieniem, i to o sobie samej. Kit zawsze trzymała się nieco z boku. Już jako małe dziecko nauczyła się wykorzystywać umiejętność milczenia, kiedy trzeba, i czerpania z tego korzyści. Podczas gdy Lily absorbowała uwagę otoczenia, bo nie mogła znieść sytuacji, gdy oczy wszystkich wokół nie były skierowane wyłącznie na nią, Kit wręcz przeciwnie: umiała zachowywać się tak, żeby nie zwracać na siebie uwagi. Jeśli ludzie rozmawiali, uważnie się im przysłuchiwała, a jeszcze większą uwagę niż na słowa zwracała na towarzyszące im reakcje: znienacka poczerwieniałą twarz, szybkie spojrzenie w bok, zdradzające nerwowość, skrzyżowanie rąk na piersi, drapanie się bez wyraźnej przyczyny. Prawdziwa rozmowa toczyła się na zupełnie innym poziomie – do takich wniosków doszła Kit w zaskakująco młodym wieku – i była niezmiennie prowadzona gdzieś indziej, skryta pośród mnóstwa wysyłanych bezwiednie i nieświadomie przez ciało znaków, które często nie współgrały lub nawet nie miały nic wspólnego z wypowiadanymi słowami.

Pewnego razu Kit przypadkiem usłyszała rozmawiającą z kimś matkę, która stwierdziła, że „z Lily nie będziemy mieć żadnych kłopotów. Wyjdzie za mąż, kiedy tylko skończy osiemnaście lat. Zapamiętaj moje słowa! Ale Kit... Sama nie wiem. Kit jest... No wiesz, jest inna". Tu matka roześmiała się krótko i dodała: „Jest trudnym dzieckiem. Moja matka zawsze twierdziła, że zada nam ona jeszcze fernepiksu".

Kit nie czekała, żeby się dowiedzieć, z kim też rozmawia matka, lecz czym prędzej odeszła od drzwi i udała się prosto do biblioteki. Ściągnęła z półki gruby tom słownika, oprawiony w tłoczoną skórę, który był jedną z jej ulubionych książek. Z niecierpliwością ją kartkowała w poszukiwaniu nieznanego określenia.

fernepiks, farnapiks (łac. infernalis pix, smoła piekielna) – w wyrażeniu: dać komu fernepiksu = dać się komu we znaki, sprawić łaźnię.

Zamknęła z trzaskiem słownik i zmarszczyła brwi. Smoła piekielna? Dam się wszystkim we znaki? Nie zabrzmiało to zbyt sympatycznie.

Pchnęła drewniane wrota, które prowadziły do stajni, a potem dokładnie je za sobą zamknęła. Nie dalej jak w zeszłym tygodniu Lily nagle zachciało się pojeździć konno i kazała Benny'emu, chłopakowi stajennemu, który akurat miał służbę w stajni, osiodłać jej ulubioną klacz. W ostatniej chwili, jak to u Lily było w zwyczaju, zmieniła zdanie i kazała osiodłać sobie jednego z wierzchowców papy. Zostawiła Midnight osiodłaną na placu przed stajnią i wyjechała galopem, zostawiwszy otwartą bramę na dziedziniec. Midnight nie dała szczęściu długo czekać i oczywiście czmychnęła. Benny i pan Hinkley, gajowy papy, szukali jej przez cały wieczór, zanim w końcu udało im się przyprowadzić ją z powrotem.

– Naprawdę? – zdziwiła się uprzejmie Lily następnego dnia przy śniadaniu i dodała jeszcze: – Co za niesforne stworzenie!

Kit wstrzymała oddech w oczekiwaniu na wybuch gniewu papy zza płachty porannej gazety. Nic takiego nie nastąpiło. Gazeta zaszeleściła tylko raz i drugi, lecz żadne słowa nie padły. Kit siedziała naprzeciwko niepomiernie zdumiona, że wszystko uchodzi siostrze bezkarnie. Nie poczuła się urażona; szczęśliwie dla obu tak się składało, że każda z nich chciała czegoś zupełnie odmiennego – nawet jako małe dziewczynki – i nigdy o nic ze sobą nie rywalizowały. Kit podziwiała Lily (oczywiście jeśli akurat nie była przez nią zirytowana) i już dawno temu zrozumiała zasadniczą różnicę pomiędzy sobą a siostrą. Ona, Kit, wykazywała niezwykłe wprost zainteresowanie otaczającym światem i wszystkim, co miał do zaoferowania: tym dobrym, złym, okropnym czy też tym radosnym. Lily wcale. Ją interesowało tylko jedno: Lily. Świat – na tyle, na ile raczyła go dostrzec – po prostu istniał, w ogólnym zarysie możliwy do zaakceptowania jako tło jej pasji, które koncentrowały się głównie wokół imprez, ubrań, młodych mężczyzn i wesołej zabawy, przy czym najważniejsza była oczywiście dobra zabawa.

Kit weszła w wilgotny chłód podcienia, gdzie stały konie. Miejsce to miało swój niezapomniany klimat, było przesiąknięte wilgocią i swoistą słodkawą wonią. Uniosła wieko beczki, gdzie Benny przechowywał przejrzałe jabłka, które zbierał w sadzie z ziemi specjalnie dla koni, i wyjęła kilka sztuk. Maisie wciąż podążała krok w krok za nią, węsząc dokoła w podnieceniu. Kit zatrzymała się obok boksu swojego ulubionego kuca Hands-Down. Musiał wyczuć jej obecność, bo kiedy otworzyła górną część drzwi jego stanowiska, od razu wystawił smukłą głowę na zewnątrz i zaczął z niecierpliwością wpatrywać się w wypchane kieszenie jej fartuszka.

– Mam coś dla ciebie – powiedziała z uśmiechem na twarzy i wyjęła małe rumiane jabłuszko, które zniknęło nieomal natychmiast.

Przez chwilę w stajni słychać było tylko odgłos chrupania.

Kit obserwowała konia pałaszującego przysmak z widocznym zadowoleniem. Wróciła myślami do domu i przyjazdu nieznanych gości. Zaczęła się zastanawiać, kim mogli być. Doszła do wniosku, że to jacyś ważniacy. W innym wypadku nie zostałaby odesłana do swojego pokoju. Dobrze, że w końcu ktoś ich odwiedzi, bo atmosfera w domu ostatnimi czasy stała się dość ponura. W powietrzu wisiała niepewność jutra, którą musiały wyczuwać nawet zwierzęta. Widać ją było w sposobie, w jaki ojciec palił fajkę: z desperacją, jakby chciał wraz z gryzącym dymem wciągnąć do płuc cały zakrzywiony drewniany cybuch. Dostrzegała ją w twarzy matki za każdym razem, kiedy dzwonił telefon, i w zachowaniu ojca, kiedy znów zapominał wyłączyć radio, jak wychodził z jadalni. Twarze rodziców wyrażały stałe napięcie i przemęczenie, jakby wciąż oczekiwali na jakieś okropne wieści. Kit wyczuwała tę niepewność również na dolnej kondygnacji, gdzie rezydowała służba. Działo się tak za każdym razem, gdy wchodziła do kuchni, szczególnie wśród męskiej części personelu. Caruthers, lokaj jej ojca, walczył kiedyś w zamierzchłej przeszłości na jakimś odległym lądzie w wojnie burskiej. Pewnego razu prawie wpadła na niego, jak akurat rugał Billy'ego Marchmonta.

– Jeśli tylko wybuchnie wojna, zaraz się zaciągnę. Nie mogę się już doczekać! – usłyszała głos Billa, kiedy otworzyła drzwi do kuchni.

– Mój chłopcze, wojna wcale nie jest czymś wspaniałym – odrzekł ze stanowczością Caruthers. – Nie ma niczego wzniosłego w wojnach. Tej informacji mogę ci udzielić zupełnie za darmo. A ci, którzy twierdzą, że jest, są albo zwykłymi ignorantami, albo głupkami, albo i jednym, i drugim.

– Mówię tylko, że... – zaczął widocznie urażony Bill zirytowanym tonem głosu.

– To nie mów – uciął krótko Caruthers. – Sam nie wiesz, o czym mówisz, i nie będziesz wiedział, człowieku. Teraz lepiej mi powiedz, czy skończyłeś pastować i polerować buty, które dałem ci po południu? Nie? No to na co jeszcze czekasz? Dawaj, z życiem, Bignell! Jaśnie pan nie płaci nam za wystawanie w miejscu i wygadywanie byle czego. – Powiedziawszy to, Caruthers odszedł gdzieś dalej, stukając obcasami o kamienną posadzkę.

Kit odczekała jeszcze chwilę za drzwiami, bo chciała usłyszeć, co Billy Marchmont i Bignell naprawdę myślą o wojnie, lecz rozeszli się bez słowa, każdy w swoją stronę.

Opróżniła kieszenie przed wpół do szóstej. Zniknęły wszystkie owoce, łącznie z ogryzkami, pestkami, skórkami i czymkolwiek, co mogłoby pozostać po zjedzeniu jabłka. Pogłaskała po raz ostatni Hands-Down i przywołała do nogi Maisie. Ruszyły energicznym marszem z powrotem pod górę. Zbliżała się pora kolacji, a jeśli się spóźni, nie dostanie puddingu. Gdy przechodziły obok ogrodzonego murem ogrodu i szklarni, zobaczyła długą, czarną, błyszczącą limuzynę, przemykającą za drzewami w stronę domu, a za nią kolejną. Zatrzymała się. Maisie stanęła obok i zaniepokojona uniosła pysk do góry w oczekiwaniu na polecenia. Kit wzięła ją na ręce i poczuła przyspieszone bicie serca podenerwowanego psa.

– Wiesz co, Maisie? – szepnęła, gładząc jasną, kudłatą sierść suczki. – Chodźmy do kucharki. Dowiemy się, kto przyjechał.

Zaciekawiona Maisie nastawiła uszy, choć z innego powodu niż Kit. Za każdym razem, gdy kucharka stawała na jej drodze, zawsze mogła liczyć na jakąś drobną przekąskę. Kit pospieszyła do tylnego wejścia do domu, z wysiłkiem trzymając na rękach psa i o włos mijając się w drzwiach z dwoma lokajami, którzy wybiegli na spotkanie samochodom.

W kuchni i przyległych pomieszczeniach wrzało jak w ulu.

– Kto przyjechał? – spytała kucharkę, wytrzeszczając oczy ze zdumienia. Nigdy jeszcze nie widziała ponadtrzydziestoosobowego personelu uwijającego się jak w ukropie. Kucharka pokrzykiwała na trzy pomoce kuchenne nieomal bez przerwy; kamerdyner Doyle wybierał wina do obiadu z takim zaangażowaniem, jakby od tego zależało jego życie; trzech lokajów polerowało z zacięciem srebrne tace. Maisie, podekscytowana zgiełkiem i hałasem, zaczęła szczekać.

– Zabieraj stąd tego psa! – Kucharka odwróciła się w stronę Kit i zaczęła na nią krzyczeć. – Zmiataj stąd! Wiesz dobrze, co sądzę o psach w kuchni.

Kit przytuliła Maisie mocniej z miną winowajcy.

– Zabiorę ją na górę. – W drzwiach pojawiła się nieoczekiwanie Sophie, pokojówka mamy, ze stosem zwiewnych półprzezroczystych ubrań na rękach. – Chodź, Maisie! – Odwróciła się i zaczęła szybko wchodzić po schodach, a w ślad za nią pobiegła Maisie.

– Kto przyjechał? – Kit spytała ponownie.

Nastąpiła chwila konsternacji. Kucharka i pani Baxter, ochmistrzyni, wymieniły pospieszne ukradkowe spojrzenia. Kit ściągnęła brwi. Coś było na rzeczy.

– Nie interesuj się – opryskliwie rzuciła kucharka. – A teraz zmiataj stąd, umyj twarz i zrób porządek z włosami. Jaśnie pani zarządziła, że za pół godziny masz zjeść kolację. W pokoju zabaw przy waszych sypialniach – dodała stanowczo.

– Ale...

– Żadnych „ale". Już cię tu nie ma!

Kit przygryzła dolną wargę. Lepiej się nie kłócić. Kucharka potrafiła być równie przerażająca jak matka, kiedy się rozzłościła, więc sobie poszła. No cóż, jeśli nawet tutaj nie chcą jej powiedzieć, kto będzie na obiedzie, to zna kogoś, kto na pewno ją o tym poinformuje: jedyna osoba w całym Chalfont, która nigdy nie potrafiła utrzymać języka za zębami, to jej własna siostra.

Otworzyła drzwi do pokoju Lily, dwa razy większego niż jej własny i niemal tej samej wielkości co mamy, ze względu na „ubrania i różne inne drobiazgi", jak ujęła to Lily w jednej z rozmów z kuzynkami, które z rzadka przyjeżdżały do nich z Borders. Glenda, najstarsza z nich, uznała, że nigdy jeszcze nie widziała tylu sukien w jednym miejscu, „nawet w żadnym ze sklepów przy Princes Street". Lily – co zapamiętała Kit – była komicznie uszczęśliwiona takim komentarzem.

– Czy ty nigdy nie pukasz do drzwi? – spytała ze złością Lily, spoglądając na odbijający się w lustrze obraz tego, co miała za swoimi plecami.

Siedziała przed toaletką z rozmarzoną miną, podziwiając swoje odbicie. Tuż za nią stała pokojówka, bez końca poprawiając sposób upięcia jej włosów.

– Przepraszam – wymamrotała Kit. Dlaczego właściwie siostra była w tak złym humorze?

– No co? Wykrztuś wreszcie! O co chodzi? – spytała zniecierpliwiona Lily.

Kit przysiadła ostrożnie na brzegu łóżka. Wprawdzie były siostrami, lecz to jedyne, co je łączyło. Nie trzymały się ze sobą blisko, miały całkowicie odmienne gusta i zainteresowania. W obecnej sytuacji, gdy Lily była o krok od debiutu w świecie dorosłych, jej szanse na szybki wyjazd z Chalfont stawały się coraz większe i coraz bardziej prawdopodobne. W tej sytuacji Kit chciała się też dowiedzieć, jak starsza siostra się na to wszystko zapatruje. W Chalfont obie wiodły samotne życie. W okolicy mieszkało niewiele osób w ich wieku. Kiedy były młodsze, miały wspólny pokój do zabawy, obie uczyły się w tym samym pokoju, odkąd sięgała pamięcią. Obie spacerowały w tych samych miejscach, obie zajmowały te same sypialnie na piętrze, które pozostawały w ich rodzinie sypialniami od wielu pokoleń, i spędzały w swoim towarzystwie całe godziny, szczególnie we wczesnym dzieciństwie. Właściwie nie za bardzo lubiła Lily. Już dawno dotarło do niej, że skoro jest się rodziną, nie oznacza to, że wszyscy jej członkowie powinni się lubić, jednak kochała siostrę. Wydawało jej się, że nigdy nie nadejdzie ten czas, kiedy Lily przeniesie się do świata dorosłych, który znajdował się poza jej światem. Teraz tak się stało. Kit odczuła to dotkliwie, obserwując siostrę wpatrującą się w swoje odbicie z jeszcze większym roztargnieniem, niż robiła to mama, gdy zatracała się bez reszty w identycznej milczącej kontemplacji własnego piękna.

Prawdę mówiąc, nie dało się temu zaprzeczyć: Lily była naprawdę piękna. Na początek zwracały uwagę jej włosy: gęste, ciemnokasztanowe, opadające lśniącymi kaskadami na ramiona i plecy, potem zielone oczy w kształcie migdałów, okolone gęstymi czarnymi rzęsami, i mały, kształtny, zadarty nos. Nosek. „Kochany malutki guziczek", jak mawiała o nim ich babka, wdowa po pierwszym lordzie Whartonie. Po tych słowach zawsze następowało rzucone z ukosa spojrzenie na nos Kit, który za nic nie chciał być ani odrobinę zadarty. Wręcz przeciwnie. Ona odziedziczyła po ojcu rysy twarzy: mocną, kwadratową szczękę i szaroniebieskie oczy o przeszywającym spojrzeniu, które byłyby interesujące u mężczyzny, lecz drażniły u nastoletniej dziewczyny. A także gęste włosy w kolorze ciemnego blondu.

Jednakże – jak zwykła dodawać babcia – nic się nie poradzi. Dziecko musi się nauczyć żyć z tym, co ma.

Kit nie była pewna, co też takiego miała lub mieć mogła, ale to coś zupełnie wystarczało, żeby zadowolić matkę.

– Dlaczego schodzisz na dół na obiad z nimi, a ja nie? – spytała w końcu siostrę. – Kto do nas przyjechał? I dlaczego wszyscy nagle dostali amoku?

– Bo tak – odpowiedziała Lily w ten nowy dla niej, wkurzająco dorosły sposób.

– Bo jak?

– Ponieważ to obiad dla dorosłych.

– Przecież jeszcze nie jesteś dorosła! No i przecież jeszcze nie zadebiutowałaś w towarzystwie! – wybuchła Kit.

– Ma to nastąpić za trzy tygodnie. A zresztą papa czyni specjalne ustępstwo na dzisiejszy wieczór. To bardzo ważny obiad i papa uważa za niezwykle istotne, żebym akurat ja uczestniczyła w tym obiedzie.

– Ale dlaczego? I dlaczego nie chcesz mi powiedzieć, kto przyjechał?

W tej samej chwili na podjazd pod oknem zajechał kolejny automobil. Głośno zachrzęścił żwir pod jego kołami. Kit wstała z łóżka i podeszła do okna. Na podjeździe stało teraz sześć, może siedem limuzyn z szoferami, ustawionych w półokrąg przed wejściem do domu. Zerknęła za siebie, na siostrę, która wciąż nie mogła się zdecydować, który naszyjnik założyć. Pokojówka stała cierpliwie obok, gotowa na każde skinienie. Kit pokręciła głową. Nic więcej z niej nie wyciągnie. Lily pogrążyła się w rozważaniach, jak doprowadzić do perfekcji swój wygląd.

– Wychodzę! – oznajmiła Kit głośno z ręką na klamce.

Ani Lily, ani pokojówka nawet nie spojrzały w jej stronę.

Kit jednakże nie dała za wygraną. Trzasnęła za sobą drzwiami najmocniej, jak się dało, i ruszyła szybkim krokiem korytarzem w stronę klatki schodowej. Na półpiętrze znajdowała się przechodnia szafa na szczotki i akcesoria do sprzątania, przez którą można było się dostać na schody dla służby, lecz zanim tam dotarła, doszły do niej głosy z korytarza na parterze. Zatrzymała się i przykleiła do ściany. Serce waliło jej jak młotem. Gdy mama ją zauważy, będzie miała szczęście, jeśli uda jej się wyjść z tego bez porządnego klapsa. Jedyne, czego nie tolerowała matka, to podsłuchiwanie.

– Jak to miło z pana strony, że zdołał pan do nas przyjechać, panie ministrze! Oczekujemy pańskiej wizyty od dobrych kilku tygodni. – Głos matki był jedwabisty, z radością witający gościa.

– No właśnie! – przemówił ojciec, poświadczając tymi słowami swoją obecność i przy okazji przypominając o własnym autorytecie.

– Ależ, lordzie Wharton! To ja dziękuję za zaproszenie.

Głęboki, niski głos z mocnym obcym akcentem. Nazwisko wypowiedział twardo „Łorrten". Kit zmarszczyła czoło. Powoli coś zaczynało jej świtać. To na pewno Niemiec.

– Baronowo von Riedesal... Czuję się zaszczycony, że jest pani z nami.

To głos ojca.

Teraz zadźwięczał krótko kobiecy śmiech.

– Bardzo państwu dziękujemy, my również czujemy się zaszczyceni. Chciałabym przedstawić mojego kuzyna, Hansa-Georga Schmidta von Altenstadta.

– To dla nas zaszczyt! Proszę, panowie... Baronowo... Zapraszam tędy. Obiad zostanie podany za godzinę, a najpierw musicie się rozgościć. Mam nadzieję, że podróż przebiegła bez zakłóceń?

– *Ja, ja.* Wszystko w porządku. Jechaliśmy przez Paryż. Na promie też nie było tak źle.

– Mimo to z Berlina jest jednak kawał drogi. Zapraszam tędy.

Kit się skrzywiła. A więc jednak wszyscy oni to Niemcy. Czy to możliwe, że wizyta miała coś wspólnego z mową wygłoszoną przez premiera, którą słyszała kilka dni temu w radiu? Coś wspólnego z Hitlerem i złamaniem postanowień traktatu wersalskiego? Pytała nawet pannę Frogworth, ich nauczycielkę, co to wszystko miało znaczyć, lecz ta albo nie chciała, albo nie umiała udzielić jej odpowiedzi.

Poczekała, aż odgłos oddalających się kroków ucichnie, a potem ostrożnie otworzyła drzwi do przechodniego schowka gospodarczego i drugimi drzwiami wyszła na klatkę schodową dla służby. Schodziła szybko po kamiennych stopniach, wymyślając kolejne pytania, na które nie znała odpowiedzi.

Kolacja była niemiłym przeżyciem. Wszystko w dziecinnej bawialni wzmacniało przekonanie Kit, że została skazana na banicję z ekscytującego świata dorosłych. Nawet ciastka, które przysłała na górę kucharka – klementynki z polewą lukrową i wiórkami ze skórki cytrynowej – nie poprawiły jej nastroju.

– Nie chcesz ani jednego ciasteczka? – spytała niania i sama zaczęła jeść ze smakiem, nie czekając na odpowiedź.

– Nie! – Kit buntowniczo potrząsnęła głową.

– Są pyszne – powiedziała, biorąc kolejne. – Naprawdę pyszne – dodała na wszelki wypadek, gdyby do dziewczyny nie dotarło przesłanie.

– Mogę już sobie iść?

– Iść dokąd? – zdenerwowała się niania.

– Do łóżka. Mam zamiar poczytać książkę.

Dochodziło dopiero wpół do ósmej. Niedawno rozbrzmiał gong zwołujący gości na obiad. Niania była rozdarta pomiędzy chęcią spałaszowania ostatniej klementynki a zmuszaniem się do rozmowy z nadąsaną nastolatką.

– Niech ci będzie – złamała się w końcu, gdy zwyciężyło łakomstwo. – Poproszę Mary, żeby przygotowała ci kąpiel.

– Kąpałam się wczoraj – pospiesznie odpowiedziała Kit już spod drzwi. – Mama mówiła, że nie muszę się kąpać aż do weekendu.

Zobaczyła cień niedowierzania na twarzy niani. Niestety, nie mogła ona teraz zweryfikować tego u źródła.

– Niech ci będzie – powtórzyła i otwierała usta, żeby wygłosić kolejne przykazania, ale dziewczyny już nie było.

Kit zamknęła cichutko drzwi za sobą i pobiegła korytarzem ile sił w nogach. Była zdeterminowana, żeby się dowiedzieć, dlaczego rodzice zaprosili akurat tych Niemców do Chalfont Hall i dlaczego tak im zależało, żeby Lily zasiadła z nimi do obiadu. Dobrze wiedziała, jak powinna postąpić, aby osiągnąć zamierzony cel. Choć było to rozwiązanie nikczemne i niesmaczne, tylko tak mogła się czegoś dowiedzieć: musiała zacząć ich szpiegować. Zdawała sobie sprawę z tej niegodziwości, lecz wobec zaistniałych okoliczności uznała swoje działanie za jedyny sposób, by się dowiedzieć, o co naprawdę w tym wszystkim chodzi, a skoro miała zaspokoić własną ciekawość, wydało jej się to wystarczającym powodem. W dążeniu do prawdy nic nie mogło – i nie powinno – być wykluczone. Co też takiego czytała nie dalej jak wczoraj?

„Piękno jest prawdą, prawda pięknem” – bo z tą wiarą
*Żyjesz i nic do szczęścia nie trzeba ci więcej.**

Keats. Wydało jej się to najdoskonalszą oceną życia, jaką kiedykolwiek przeczytała, choć całościowo wolała poezję lorda Byrona. Cechowała go mądrość pełna humoru i sarkazmu, która

* John Frogworth, *Oda do urny greckiej*, przeł. Maciej Froński, *Nowy Filomata*, nr 1, 2002, s. 39–40.

niezwykle do niej przemawiała. Szczególnie podobały jej się opisy kobiet.

Miłość mężczyźnie nie jest życiem całym –
Dla kobiet miłość – jedyne istnienie (...)

W pierwszej miłości kochanka kobieta
*Kocha, w następnych już miłość jedynie (...).**

Pamiętała dokładnie ten dzień, kiedy panna Frogworth dała im obu po cienkim tomiku poezji Byrona do przeczytania. Otworzyła go na czwartej czy piątej stronie i zaczęła chłonąć wers za wersem, uśmiechając się szeroko.

– Co cię tak śmieszy w tych wierszach, Kit? – spytała z lodowatą miną nauczycielka.

Kit, zdziwiona, oderwała wzrok od książeczki.

– Nie, to nie to. Poezja wcale nie jest śmieszna – odrzekła. – Uważam po prostu, że ma całkowitą rację. – Zwróciła spojrzenie na Lily, która, podpierając brodę dłonią, patrzyła gdzieś w dal za oknem. – A ty, Lily, co o tym sądzisz?

Siostra odwróciła powoli głowę w jej stronę z nieprzytomnym spojrzeniem. Leżała przed nią jeszcze nieotwarta książka.

– O czym? – spytała Lily zdziwiona, że ktokolwiek mógł skierować do niej jakieś pytanie.

– O tym, czy to prawda – wyjaśniła Kit.

– Nie mam pojęcia, o czym mówisz. – Lily wzruszyła ramionami. – A zresztą nic mnie to nie obchodzi. Czy możemy już skończyć lekcję, panno Frogworth? Siedzimy tutaj w zamknięciu od niepamiętnych czasów.

Panna Frogworth otworzyła usta – być może, żeby nie wyrazić zgody – ale najwidoczniej się rozmyśliła i zrezygnowana, pozwoliła im wyjść z klasy.

Kit spoglądała to na jedną, to na drugą. Jak zwykle jej zdanie okazało się zupełnie nieistotne. Nikogo nie interesowało, czy lekcja się jej podobała, czy nie. Liczyło się tylko zdanie Lily –

---

* George Byron, *Don Juan*, przeł. Edward Porębowicz, Warszawa 1954.

a największy paradoks sytuacji polegał na tym, że ona generalnie nie miała zdania na żaden temat.

Kit wzięła ze sobą książeczkę, która wywołała całe zamieszanie, i powlokła się smętnie do wyjścia. Lekcje się skończyły. Kiedy wróciła do swojego pokoju i rzuciła się na łóżko, książeczka otworzyła się przez przypadek na zdaniu jakby napisanym specjalnie dla niej. Tylko dla niej.

*Gdybym tak mógł zawsze czytać, nie odczuwałbym w ogóle potrzeby towarzystwa.**

Teraz, w oczekiwaniu na odpowiednią chwilę, nasłuchiwała, aż ucichł odgłos kroków dwóch lokajów, którzy schodzili po schodach, i szybko jak błyskawica przebiegła na drugi koniec korytarza, gdzie wśliznęła się do biblioteki. Serce waliło jej mocno w piersi zarówno z ekscytacji, jak i ze strachu. Podeszła do półki z książkami za biurkiem ojca, wyciągnęła dwa tomy skrywające zatrzaskowy zamek, zwalniający obrotową półkę, i naparła na nią całym ciałem. Odsunęła się, poskrzypując. Wionęło zza niej stęchłym, zimnym powietrzem. Kit odetchnęła mocniej i zamknęła ją za sobą. Opanowała ściskający za gardło strach. We wnęce za półką było ciemno jak w nocy, a miejsca między jadalnią a biblioteką trochę więcej niż szerokość kredensu, znajdującego się od strony jadalni. Bała się ciemności, lecz strach to niewielka cena, jak postanowiła z niezwykłą stanowczością. Jeśli mocno przyłoży ucho do ściany, usłyszy dokładnie każde słowo wypowiedziane przy stole, jakby się znajdowała wśród gości. Przysunęła się jeszcze bliżej do ściany i zrobiła tak, jak zaplanowała. Usłyszała nagły wybuch śmiechu i odgłos odsuwanych od stołu krzeseł.

– Czy mógłbym wznieść toast? – To był ten sam głos, który wcześniej witał się z ojcem i matką.

---

* George Byron, *Listy i pamiętniki*, przeł. Z. Kubiak, S. Kryński, B. Zieliński, H. Krzeczkowski, M. Skroczyńska, Warszawa 1960.

– Cisza! Cisza! – Zewsząd odezwały się odgłosy aprobaty. Ilu gości znajdowało się w jadalni? Trudno było powiedzieć...

– Za naszych gospodarzy, lorda i lady Whartonów! Chcemy wam podziękować... Całe Niemcy chcą wam podziękować za waszą niesamowitą gościnność. Dobrze wiedzieć, że mamy przyjaciół w tych trudnych czasach.

– Słusznie! – To odezwał się ojciec. – Najważniejsza jest solidarność. Szczególnie teraz.

– Solidarność! – A słowo poniosło się echem wokół stołu.

– Oraz, za pozwoleniem, kolejny toast. – Modulowany z niemiecka głos przykuł uwagę wszystkich. – Tym razem za państwa piękną córkę, Lilliane. Za Lilliane!

– Za Lilliane! – Po raz kolejny toast obiegł echem cały stół.

Kit skrzywiła się, nie wierząc własnym uszom. Przecież siostra nie miała na imię Lilliane, lecz Elizabeth! Słyszała nowy śmiech Lily, pełen uprzejmości, o dźwięcznej, wysokiej nucie, który ani trochę nie przypominał jej prawdziwego śmiechu. Kit poczuła falę zażenowania. To było takie... głupie!

Przez ścianę dotarł do niej basowy głos ojca:

– Pozwolą państwo!

Był to znak dla wszystkich, żeby wstać od stołu. Panie udadzą się zaraz do salonu od frontu, gdzie Lily, o ile zostanie poproszona, będzie mogła zagrać na fortepianie, a mężczyźni podążą za ojcem do biblioteki na kieliszek porto i cygaro. Rozległ się przytłumiony gwar rozmów. Skończyła się pierwsza część wieczoru i po chwili jadalnia opustoszała. Kit zza półki słyszała kroki mężczyzn wchodzących do biblioteki, a zza ściany po przeciwnej stronie – służących, krzątających się w jadalni. Przykucnęła, uwięziona pomiędzy dwoma światami, przysłuchując się obu.

– ...Macie tutaj imponujące domostwo, lordzie Wharton. Musicie koniecznie przyjechać do nas, do Niemiec, kiedy to wszystko się skończy.

– Byłoby wspaniale, doprawdy. Nie byłem ponownie w Niemczech od czasu, kiedy... hm... od dłuższego czasu.

A od drugiej strony:

– ...Eddie! Ruszaj się żwawiej, chłopcze! Nie jesteś tutaj, żeby gapić się na obrazy.

– Przepraszam, panie Edwards, już idę, panie Edwards.

– Kto idzie ze mną, żeby podać porto? Annie, masz napoje dla pań?

– Tak, panie Edwards, mam już tutaj przygotowaną tacę.

Głosy zza półki:

– ...w takiej sytuacji, lordzie Wharton... może moglibyśmy...?

– Ach, tak... tak, oczywiście... Może porozmawiajmy o tym tam, przy oknie. Nie wypada, żeby wszyscy słyszeli.

I znów zza ściany:

– ...Pospiesz się, James! Nie możemy pozwolić, żeby jaśnie pan na nas czekał...

Kit wydawało się, że sprzątnięcie resztek obiadu ze stołu zajęło służbie całe wieki, lecz w końcu doczekała się chwili, kiedy ich kroki ucichły na końcu długiego korytarza. Otworzyła drzwiczki kredensu i wystawiła ostrożnie głowę na zewnątrz. W jadalni nikogo nie było. Szybko podeszła do drzwi, sprawdziła, że korytarz jest pusty, i ruszyła chyłkiem w stronę schodów. Była już w połowie biegu, gdy do jej uszu dotarł głos Lily. Przykucnęła i zerknęła w dół zza tralek balustrady. Lily stała w holu na parterze, ukryta za ogromną palmą. Rozmawiała z kimś niewidocznym z góry. Jej głos nabrał wysokich tonów, tak bardzo coś ją podekscytowało.

– Naprawdę tak umiesz? Och! Strasznie chciałabym to zobaczyć!

– No cóż, musimy umówić się na spotkanie. Z największą przyjemnością ci to pokażę.

I znowu ten niemiecki akcent!

Kit odetchnęła głęboko. Ten facet był Niemcem! Lily rozmawiała z jednym z Niemców! Przez dłuższy czas żadne z nich nie odezwało się ani jednym słowem. Wyciągnęła szyję, ale dojrzała jedynie parę wypolerowanych na błysk oficerek, a potem drzwi do biblioteki się otworzyły i mężczyzna zniknął. Znów zaległa głucha cisza. Przez liście palmy Kit zobaczyła rękę siostry unoszącą się ku górze, jak na zwolnionym filmie, do swoich ust. Znaczyło to, że została pocałowana! Po chwili drzwi do biblioteki znów się otworzyły i nastąpiła lawina przeprosin ze strony służącego, który wychodząc, wpadł prosto na Lily stojącą wciąż bez ruchu, jakby wrosła w ziemię. Za chwilę rozległ się głos matki:

– Lily? Gdzie się podziewasz? Panie oczekują, że nam zagrasz.

– Już idę, mamo. Już idę.

Oddech Kit stał się krótki i urywany. Nagle ów kres, którego nadejścia spodziewała się od dłuższego czasu, nastąpił. Granica została przekroczona. Lily przepadła.

2

Rezydencja Chalfont Hall, 1939 (sześć miesięcy później)

Dlaczego zawsze tak się działo – zastanawiała się Kit, nakładając sobie pospiesznie na talerz dodatkową porcję tłuczonych ziemniaków, zanim spostrzeże to matka – że o wszystkich ważnych rodzinnych sprawach musiała się dowiadywać z rozmów zasłyszanych od innych, a nigdy, przenigdy nikt nie mówił jej niczego wprost? Przez te sześć miesięcy od pospiesznego ślubu Lily i równie pospiesznego wyjazdu do Niemiec nieomal wszystko, czego dowiadywała się o siostrze i jej nowym życiu, pochodziło z drugiej ręki, z czyichś wspomnień lub relacji. Dlaczego nikt a nikt, włączając w to Lily, nie uznał za istotne, żeby poinformować ją, co się dzieje? Dlaczego nikt nie pomyślał, że to może mieć dla niej znaczenie?

– Co, u licha, chcesz przez to powiedzieć?! – Głos ojca przerwał ciszę panującą za stołem.

Kit zastygła z łyżką w pół drogi do ust i wpatrzyła się w matkę, która z trudem próbowała rozczytać tekst z cienkiej kartki pergaminu.

– Ja... Ja nic z tego nie rozumiem – wykrztusiła w końcu ledwie słyszalnym głosem.

Nastąpiła chwila milczenia, a potem pięść ojca rąbnęła z całej siły w blat stołu, aż podskoczyły szkła i sztućce. Kątem oka Kit zauważyła, że Bignell się wzdrygnął.

– Powiedz to, do cholery! Co ta przeklęta dziewucha narobiła i dokąd ją zaniosło?

– Ja... Ja nie... Tak dokładnie to ja nie wiem – wyjąkała matka. Kit po raz pierwszy słyszała, żeby matce zabrakło słów. Ona, zawsze komenderująca wszystkim i wszystkimi, zawsze w pełni kontrolująca każdą swoją wypowiedź, zaczęła się jąkać! – Ona... wygląda na to, że... że poznała tam kogoś. Ma przyjaciółkę w swoim wieku, również Angielkę.

– Kogo? Mów, kobieto, do jasnej cholery, co tu się dzieje!

– Ja... Ona pojechała z U...

– Katherine! Wyjdź, proszę. – Głos ojca, nieoczekiwanie spokojny, zabrzmiał groźnie.

– Ale...

– Kit, zrób to, o co prosi ojciec.

– Ale...

Pięść ojca po raz drugi wylądowała na stole. Tym razem grzmotnął mocniej. Nawet Bignell, usiłujący stać spokojnie na baczność, podskoczył.

Kit nie czekała na kolejną powtórkę. Ześliznęła się z krzesła i cichcem opuściła pokój. Przeszła na drugą stronę korytarza, lecz zamiast iść w stronę schodów, otworzyła drzwi do biblioteki i pospieszyła w najdalszy kąt pokoju, gdzie mieściła się jej wypróbowana kryjówka. Drzwi otworzyły się ze skrzypnięciem, dziewczynę owiało chłodne powietrze. Wśliznęła się w ciemność i przykucnęła. Głos matki przedostał się przez ściankę kredensu.

– Sądzę, że tym razem naprawdę tam była i to zrobiła.

– Wykrztuś wreszcie, kobieto, co takiego zrobiła!

– Ona... Ona jest z tą przeklętą dziewuchą Mitfordów. Razem pojechały zobaczyć się z... z... z Hitlerem.

Nagle zapadła cisza jak makiem zasiał.

– Bignell! Wyjdź!

– Tak jest, jaśnie panie.

Kit usłyszała odgłos otwieranych, a potem cicho zamykanych drzwi, zagłuszony przez swój chrapliwy, głośny oddech.

– A więc co proponujesz? Czy powinniśmy... wysłać tam kogoś? – spytała matka.

– Masz na myśli kogoś konkretnego? I co właściwie ten ktoś miałby zrobić? – prychnął ojciec.

– Przywieźć ją z powrotem do domu! – Głos matki był pełen udręki.

– Przecież jest mężatką, na litość boską! Wyszła za tego nieznośnego szkopa. Nie pamiętasz już, jak skakałaś z radości, gdy to wszystko się działo? No i patrz, dokąd nas to przywiodło!

– Jesteś niesprawiedliwy, Haroldzie! Ty też piałeś z zachwytu. Zresztą jakie mieliśmy wyjście? Był nią całkowicie zauroczony. A teraz, kiedy to pójdzie w świat... Ech, kto by tam chciał po tym wszystkim, żeby opowiedziała się po stronie naszych? Nikt!

Znowu zapanowała pełna napięcia cisza.

– No cóż, nie ma co wałkować dalej tych przykrych spraw – stwierdził w końcu skwaszony ojciec. – Chodzi o to, że my nie możemy nic zrobić. Ona stanowi teraz problem dla niego, nie dla nas.

– Haroldzie! Jak możesz tak mówić! Przecież musimy myśleć o przyszłości Kit... Jeśli się wyda, że Lily spiknęła się z tą Mitfordówną...

– To już poszło w świat, kobieto! – Ojciec stracił panowanie nad sobą. – Możesz mi wierzyć lub nie, ale Liddell już się o tym dowiedział. A jeśli on wie...

– Nie możemy tak po prostu się od niej odwrócić. Ona jest naszą córką, Haroldzie. I tak jak przed chwilą wspomniałam, jest jeszcze Kit, o której nie możemy zapominać. To o Kit przede wszystkim musimy teraz myśleć. Jakie będzie miała szanse, jeśli...

– Och, na litość boską! Czy nie mamy dość innych problemów, żeby teraz martwić się jeszcze o przyszłość tej pokręconej dziewuchy? Choć swoją drogą nie widzę, żeby robiła cokolwiek w celu zwiększenia swoich szans. I ta jej pociągła twarz... Zaczyna się upodabniać do tych cholernych koni, z którymi spędza całe dnie. Nie wierzę, żeby taka kiedykolwiek...

– Haroldzie! – przerwała mu przerażona jego słowami matka.

– No cóż, taka jest prawda. Och, na miłość boską! Zmieńmy lepiej temat. – Kit usłyszała, że ojciec podnosi dzwonek i ze złością zaczyna nim wymachiwać. – Ach, Bignell, jesteś wreszcie! Już zaczynałem się obawiać, że o nas zapomniałeś.

– Nie śmiałbym, jaśnie panie!

– Dobrze. Co mamy na deser?

I tyle. Na tym skończyli tę kwestię. Kit czekała w napięciu, lecz więcej nie poruszyli tego tematu. Słyszała tylko odgłosy sztućców, postukujących o porcelanową zastawę, gdy ojciec pałaszował ze smakiem galaretowaty, mięsny pudding, najpierw swój, a potem matki. Kit obserwowała kucharkę poprzedniego wieczoru, gdy przygotowywała to danie, bynajmniej nie na słodko. Żadnych dżemów, oczywiście. Był rok tysiąc dziewięćset trzydziesty dziewiąty i cukru wciąż brakowało. Nie zmarnuję przecie pół kilograma cukru na pudding! – prychnęła kucharka. – Musi polubić puddingi bezcukrowe! Za każdym razem śmieszyło Kit niepomiernie, jak kucharka wyraża się o jego lordowskiej mości, kiedy jej słowa nie mają szans dotrzeć do jego uszu. W jego obecności ośmielała się najwyżej unieść brew lub zrobić niezadowoloną minę.

Teraz słyszała z jadalni kroki Bignella roznoszącego talerze. Atmosfera była napięta i ostra jak brzytwa.

– Dziękuję ci, Bignell.

– Dziękuję jaśnie panu.

Nie padło więcej żadne słowo. Matka i ojciec wstali od stołu i w milczeniu opuścili pokój.

Kit usiadła na podłodze, zbyt oszołomiona tym, co usłyszała, żeby tak po prostu wyjść. Wzięła do ręki koniec grubego warkocza i zaczęła przesuwać nim po ustach. To wszystko się nie kleiło. O jakie „przykre sprawy" chodziło ojcu? „Ta dziewucha Mitfordów" to zapewne Unity Mitford*. Czytała o niej w egzemplarzu „Daily Mirror", który ojciec zostawił w jadalni. W artykule pisali o liście nazwisk, którą najprawdopodobniej wręczyła niemieckiemu przywódcy. Znaleźli się na niej ludzie, którzy według niej powinni zostać rozstrzelani. Naturalnie wywołało to głosy protestu w Wielkiej Brytanii. Jednakże w jaki sposób wmieszała się w to wszystko Lily? Polityka nigdy jej nie interesowała, wręcz jej nienawidziła! Cóż, cokolwiek się działo, było to o wiele bardziej interesujące niż drugi wątek rozmowy: „To o Kit przede wszystkim musimy teraz myśleć... Zaczyna się upodabniać do tych cholernych koni...".

Często się zastanawiała, czy oni wiedzieli, jak mało ją to wszystko obchodziło. Zawsze to samo. Była w pełni świadoma delikatnego, acz skomplikowanego związku pomiędzy swoją „przyszłością" (gdziekolwiek i jakkolwiek miałaby się toczyć) a powierzchownością. Nic poza tym zdawało się nie mieć znaczenia, a już całkiem nie doceniali tego, że w wieku lat piętnastu stała się najbardziej kompetentną znawczynią koni w całej okolicy i że przeczytała praktycznie każdą książkę z biblioteki ojca. Mogła – i często to robiła – prowadzić dysputę w zasadzie na każdy temat, o ile ktokolwiek zechciał zwrócić się do niej z zapytaniem. Nie dalej jak miesiąc temu z tego właśnie powodu panna Frogworth załamała ręce w rozpaczy i z goryczą westchnęła, że niczego więcej nie da rady dziewczyny nauczyć.

– Nie mam pojęcia, skąd ona to wszystko wie. – Kit pewnego razu usłyszała rozmowę matki z lady Wendham, ich sąsiadką z posiadłości zza rzeki, jedną z niewielu odwiedzających ich dom ostatnimi czasy. – Na pewno nie ode mnie. Harold powia-

---

* Unity Valkirie Mitford – postać autentyczna; brytyjska arystokratka, faszystka, domniemana kochanka Hitlera. Pochodziła z rodziny spokrewnionej z Winstonem Churchillem. (Wszystkie przypisy pochodzą od tłumaczki).

da, że nie powinnam jej zachęcać, ale co ja mogę zrobić? Przecież nie mogę zakazać córce czytania, nieprawdaż?

– Lepiej położyć temu kres, zanim będzie za późno! – przyciszonym głosem doradziła matce lady Wendham.

– Sądzę, że już jest za późno – odparła z westchnieniem matka.

Na co właściwie jest za późno? – zaczęła się zastanawiać Kit. Teraz, siedząc w niewygodnej pozycji z kolanami pod brodą, gdy już wszystko zaczynało ją boleć, wytężała słuch, żeby zrozumieć ostatnie fragmenty rozmowy, które mogły rzucić nieco światła na to, co działo się z Lily setki kilometrów od rodzinnego domu. Jasne było, że wszystko skomplikuje się jeszcze bardziej. Już teraz zaczęło się jej mieszać w pamięci: Lily, „dziewczyna od Mitfordów", państwo niemieckie, rozmowy o zbliżającej się wojnie, „szanse" Kit. Fakty i urywki rozmów zaczęły zlewać się ze sobą, aż w końcu nie mogła ich rozróżnić i wybrać, czego naprawdę warto było słuchać, żeby ona sama miała z tego jakąś korzyść.

Wysuwała się stopniowo z drzwiczek kredensu, zatrzymując się co pewien czas, żeby sprawdzić, czy na pewno nikogo nie ma po drugiej stronie, zanim w końcu się wyprostowała i otrzepała z kurzu. Poprawiła warkocz i jeszcze raz rzuciła okiem na sukienkę, czy się przypadkiem nie ubrudziła. Musiała porozmawiać z matką, żeby się koniecznie czegoś dowiedzieć.

– Skąd znasz to nazwisko? – Matka oderwała wzrok od pasjansa i popatrzyła na córkę z niepokojem.

– Eee... Ja... – Kit się zająknęła. Na takie pytanie nie była przygotowana. – Ja... Usłyszałam w wiadomościach w radiu.

– A co takiego usłyszałaś?

– Nic takiego – skłamała Kit. – Tylko... Tylko nazwisko. Pomyślałam, że znam... To znaczy pomyślałam, że może to być ktoś, kogo znasz.

– Nie, chociaż znam oczywiście rodzinę o takim nazwisku. Bardzo dobrą rodzinę – dodała pospiesznie matka.

– A co takiego ona zrobiła?

– Kto?

– Unity. Ta dziewczyna... Mitfordów.

Nastała chwila kłopotliwej ciszy. Matka zaczęła się wpatrywać w karty, przełożyła kilka z nich zdecydowanym ruchem ręki, a potem podniosła wzrok na córkę.

– Pojechała razem z twoją siostrą i przedstawiła ją Hitlerowi. Temu odpychającemu małemu człowieczkowi.

– To właśnie powiedzieli.

– Kto?

– No w radiu. Prezenter wiadomości. Powiedział, że ona... że one pojechały do Norymbergi na zjazd partii. Podobno zrobili im tam zdjęcie.

– Święty Boże! – Matka pobladła. – A więc już po wszystkim – dodała ze ściśniętym gardłem. – Przypieczętowała swój los.

– To znaczy, że co?

Znów zapadła pełna udręki cisza. Po chwili matka się odwróciła i popatrzyła prosto w oczy córki. W jej twarzy było tyle bólu, że Kit bezwiednie cofnęła się o krok. Nigdy jeszcze nie widziała matki tak przerażonej. Pod pudrem na policzkach czaiła się bladość, która świadczyła o emocjach dotąd obcych rezydencji Chalfont Hall. Matka należała do generacji i sfery kobiet, które zawsze wszelkie uczucia pozostawiały dla siebie: skryte głęboko, schowane za zaciśniętymi zębami, w cichych westchnieniach i tylko czasami – z rzadka – przejawiające się w mocniejszym oddechu.

– Słuchaj, obawiam się, że nic już nie da się z tym zrobić... Musisz tam pojechać i namówić ją do powrotu, Kit. Musisz ją przywieźć z powrotem! Z powrotem do domu. Zanim stanie się coś okropnego i nie będzie już mogła stamtąd wyjechać.

Dziewczyna wpatrywała się w matkę zdumiona. Nie spodziewała się takiego obrotu sprawy.

– Ja?! – spytała z taką dozą niedowierzania, że w innej sytuacji zapewne zostałaby surowo upomniana. – Przecież ja mam dopiero piętnaście lat!

– Mówisz po niemiecku, prawda? I możesz pojechać z wujkiem Faunce'em – ciągnęła matka, jakby nie usłyszała głosu córki. – Tak, to by było najlepsze rozwiązanie. Nie ma sensu wysyłać po nią ojca. Pewnie by się pokłócili, a potem już na pewno nie chciałaby wrócić do domu. Myślę, że tobie i wujkowi Faunce'owi może się to udać. Musisz spróbować przemówić jej do rozsądku. Wiem, że nie zawsze się zgadzałyście z siostrą, ale teraz to zupełnie co innego. Wkrótce będzie wojna. Na pewno to wiesz, prawda? Wszyscy tak mówią.

– Ale mój niemiecki wcale nie jest aż taki dobry – zaprotestowała Kit tak wystraszona sugestiami matki, że nawet nie dosłyszała końcówki o zbliżającej się nieuchronnie wojnie. – Dlaczego akurat ja?

– Dlaczego? Bo jesteś jej siostrą – odrzekła matka, patrząc na nią z przyganą. – Potrzebujesz jeszcze jakiegoś dodatkowego powodu?

3

– Na pewno masz wszystko? Będzie tam zimno, wiesz? Na pewno zimniej niż u nas. Nie jestem pewna, czy ci Niemcy w ogóle mają ogrzewanie. – Niania obserwowała z kwaśną miną Kit, która kończyła się pakować do małej skórzanej walizki, ozdobionej okazałymi, tłoczonymi inicjałami *H. L. P. G. A-W.* Walizka należała do dziadka, a wcześniej – sądząc po jedwabiście gładkiej powierzchni – zapewne do jego ojca. Wszyscy pierworodni synowie w rodzinie Algernon-Watersów nosili te same imiona: Harold Lawrence Peregrine Gordon. Ojciec był drugim baronem noszącym nazwisko Wharton w hrabstwie Dorset, a jego przodkowie nosili tytuł pierwszego barona lub jedenastego hrabiego – kto by tam zresztą spamiętał.

– Oczywiście, że mają ogrzewanie – odpowiedziała słabym głosem Kit. – Przecież czytałaś chyba ostatni list od Lily? – Zerknęła znad walizki na nianię, która wciąż narzekała.

– Nie, nie czytałam. A gdzie masz palto? Nie to. To niebieskie z mosiężnymi guzikami. Jest cieplejsze, a wciąż ci powtarzam, że podczas przeprawy będzie zimno.

Kit się nie odezwała. Pomimo trudnej sytuacji i atmosfery przygnębienia, którą odczuwali już wszyscy ze służbą włącznie, Kit była podekscytowana. Przeprawa promem! Razem z wujkiem Faunce'em pojadą pociągiem do Londynu na dworzec kolejowy Victoria Station, gdzie przesiądą się do pociągu do Folkestone. Stamtąd wyruszą na wspomnianą przeprawę promem przez Kanał Angielski. La Manche, jak nazywa go panna Founard. Około czwartej po południu będą już we Francji, wrotach do Europy. Z Paryża wyruszą pociągiem sypialnym do Monachium, a stamtąd do małego miasteczka w Bawarii, gdzie mieszka obecnie Lily ze swoim mężem.

Od dłuższego czasu Kit nie mogła porządnie się wyspać. Cała misja była utrzymywana w najgłębszej tajemnicy. Matka absolutnie zakazała Kit informować siostrę o prawdziwym celu ich wizyty.

– Tylko żebyś przypadkiem jej nie uprzedziła, że masz zamiar przywieźć ją z powrotem. Tak będzie lepiej. Musisz osobiście ją przekonać, żeby nie mogła ci odmówić. Tobie na pewno nie odmówi – orzekła. Pełna niedowierzania mina Kit nie została dostrzeżona. – Musisz jej tylko powiedzieć, że zdecydowałaś się na wyjazd całkiem spontanicznie. Zdaję się w zupełności na ciebie w sprawie obmyślenia powodu, dla którego powinna natychmiast wracać do domu. Jesteś w tym dobra.

Wtedy Kit szczęka już całkiem opadła z wrażenia. Od kiedy to matka zaczęła zauważać, w czym Kit jest dobra?!

Matka ponownie to zignorowała.

– A teraz muszę już lecieć. Lady Hemsley będzie u nas na obiedzie i tym razem ma przyprowadzić ze sobą tego nudziarza, swojego męża.

Tylko matka potrafiła tak gładko przejść w rozmowie od kłopotliwej sytuacji swojej starszej córki do perspektywy nudnego obiadu, pomyślała Kit częściowo z podziwem. Prześliznąć się.

Glisser. To było jej słowo *du jour*. A jak „prześliznąć się" brzmiałoby po niemiecku? – zaczęła się zastanawiać.

– Kit! – Okrzyk niani sprowadził ją z powrotem na ziemię. – Przestań bujać w obłokach. Pytałam, czy nie zapomniałaś zabrać zapasowej pary wełnianych skarpet.

– Och, tak, tak! Wzięłam dwie pary. – Pokazała grube wełniane skarpety, co do których miała pewność, że nigdy ich nie będzie nosić. Myślami już była w podróży: w końcu coś będzie się działo. Podróż będzie ratunkiem i ucieczką od monotonii codziennego życia w Chalfont, które teraz, po wyjeździe Lily, ograniczało się do lekcji z panną Frogworth w chłodnej salce lekcyjnej oraz do ukochanych koni. Nikt w jej wieku nie odwiedzał Chalfont. Wprawdzie Kit nigdy nie trzymała się z Lily, lecz dopiero po jej wyjeździe przekonała się, jak samotne może być życie bez siostry. Cokolwiek by się mówiło o Lily Algernon-Waters, to przynajmniej trzeba przyznać, że była z niej rozrywkowa dziewczyna.

Doszło już do tego, że Kit zaczynało brakować codziennych odzywek siostry przy obiedzie: „Maman! Papo! Nigdy nie zgadniecie, co mi się dziś przytrafiło!...". Miała rację. Naprawdę nigdy nikomu się to nie udało. Jej beztroska paplanina rozpędzała przygnębienie rodziców, rozmawiających zawsze – albo przynajmniej przy córkach – tylko na konkretne tematy dotyczące interesów lub spraw mniej znaczących. Lily potrafiła przypiąć się do czegoś zupełnie zwyczajnego i nijakiego, dodając mu blasku swoim zainteresowaniem. Gdyby ona nie spojrzała na to ze swojej perspektywy, nikt by na to „coś" w ogóle nie zwrócił uwagi. Kiedyś drażniło to Kit; starsza siostra umiała tak podejść młodszą, że ta czuła się tak, jakby Lily czegoś od niej oczekiwała. Może jakiegoś odzewu, lecz Kit nigdy nie miała jej nic do powiedzenia. Po prostu nie wiedziała, jak skomentować słowa siostry, i czuła się sfrustrowana, że ona znów zrobiła ją w trąbę. Potem uwagę Lily zaprzątał inny temat i cała afera samoistnie wygasała. Już po wszystkim Kit dochodziła do wniosku, że nie warto było w ogóle się denerwować. Teraz jednak zauważała zdecydowaną różnicę na niekorzyść, bo obecnie przy obiedzie panowała cisza, a ta przynależna jest jedynie bibliotekom oraz tysiącu i jednej ucieczce w książki. We wszechobecnej ciszy Kit nie wiedziała, co ze sobą zrobić. Książki były jej jedynym towarzystwem i jedyną rozrywką, oczywiście oprócz koni – ale z nimi nie dało się porozmawiać, choć niejeden raz przyłapała się na tym, że do nich mówi. Tak często, jak tylko się dało, uciekała od obowiązków szkolnych i ukrywała się w bibliotece. Gdy już się tam znalazła, opierała się plecami o drzwi i wciągała mocno do płuc zapach lekko zalatującego stęchlizną powietrza, zmieszanego ze słodkawą wonią cygar, jakby chciała wchłonąć równocześnie wszystkie słowa, zdania, historie i całe światy, zawarte w setkach tomów, ustawionych starannie na półkach w porządku alfabetycznym.

Nie umiała precyzyjnie określić, co takiego było w bibliotece, że dała się tak bardzo oczarować temu miejscu. Nie chodziło tylko o odkrycie, że można żyć inaczej, nie tylko tak, jak ona i jej rodzice. Widziała w tym coś więcej. Czuła tu pewnego rodzaju wolność, którą niesie poddanie się dyscyplinie i zasadom. Alfabetyczna segregacja według nazwisk autorów była podstawową zasadą, lecz istniało jeszcze tematyczne grupowanie książek: podróże, filozofia, sztuka, botanika... Gdy chodziła wśród półek, odkrywała zasadę i system, co wprawiało ją w zadziwiający stan szczęśliwości – jak we śnie – w którym otwierała każdą kolejną książkę. Błądziła po niezbadanych terytoriach, nie tylko biorąc pod uwagę tematykę, ale również miejsce. Granice były hipotetyczne: w jednej chwili mogła czytać o życiu wieśniaków w carskiej Rosji, a za chwilę o dzioborożcu szarym, zamieszkującym południowe Indie. Składający się z setek tomów zbiór książek przechodził od pokoleń z ojca na syna w rodzinie Algernon-Watersów. Sęk w tym, że tym razem syn się nie urodził. Były trzy poronienia. Za każdym razem potencjalny dziedzic.

– Nie ma takiej możliwości – usłyszała kiedyś głos matki, lecz Kit nie zdołała się zorientować, z kim rozmawiała. – Nie jestem już w stanie. Nie mogę nawet dać mu dziedzica.

Kit była wtedy zbyt młoda, żeby zrozumieć znaczenie tego wyznania. Teraz rozumiała. Łączyło się to w jakiś tajemniczy sposób z bezustannym grymasem niezadowolenia na twarzy ojca oraz jego ciągłymi obawami o pieniądze i o to, kto co odziedziczy. Był jakiś daleki kuzyn w trzeciej linii – najbliższy potomek męski, który mógłby odziedziczyć posiadłość – lecz sposób, w jaki ojciec potrafił godzinami o tym opowiadać, rodził pewną wątpliwość, czy w ogóle zostanie cokolwiek dla kogokolwiek w spadku, o dalekim kuzynie w trzeciej linii nie wspominając.

– Kit! – Niania znów zgromiła ją wzrokiem.

– Co?

– Nie „cokaj", młoda damo. Bądź uprzejma odpowiadać: „Słucham". A teraz pokaż mi rękawiczki, które zabierzesz.

Dziesięć minut później, po dwukrotnym skrupulatnym przejrzeniu zawartości walizki, niania ogłosiła, że Kit jest gotowa do wyjazdu.

– Dobrze, to ci wystarczy – powiedziała i poprawiła kapelusz Kit, wciskając go nieco mocniej na jej głowę. – Chodźmy. Słyszałam samochód podjeżdżający pod dom. To na pewno twój wujek Faunce. Chodźmy już.

– Ach! Oto i ona! Moja ulubiona kuzynka! – Wujek wstał na widok wchodzącej do salonu Kit.

Było to właściwie prawdą, choć może tylko dlatego, że Lily nie lubiła specjalnie wujka Faunce'a i wcale nie starała się tego ukrywać. Jak dla mnie to oślizły typek, twierdziła, choć jak zwykle nie umiała podać konkretnego powodu takiej oceny.

Faunce był najmłodszym z trzech braci ojca. Dwóch pozostałych zginęło na wojnie. Wujek nigdy się nie ożenił. Kit pewnego razu usłyszała, jak kucharka mamrocze coś z marsową miną o tym fakcie niani, ale nigdy nie śmiałaby tego powtórzyć.

– Witaj, wujku Faunce – powiedziała, nagle zawstydzona.

Ojciec stał sztywno nieco z boku; matka siedziała z nogami

elegancko skrzyżowanymi na wysokości kostek i jak zawsze wyglądała promiennie.

– Boże! W jakież to tarapaty wpędziła się twoja siostra na własne życzenie! – Wuj Faunce celowo mówił lekkim tonem, jak zauważyła z ulgą Kit. Najwyraźniej postanowił potraktować to zadanie jako wielką przygodę. Weszła w jego żartobliwy ton chętnie i z wdzięcznością.

– O, doprawdy? Lilasek Głuptasek! – odparowała, przywołując błyskawicznie przezwisko siostry z lat dziecinnych.

– Tak, racja, w rzeczy samej. Jesteś gotowa? Nie ma co przeciągać pożegnań dłużej niż to konieczne, jak sądzę. Ruszajmy, kuzynko. Przed nami długa droga. Dobrze, Haroldzie. Myślę, że powinniśmy już jechać.

Ojciec wykonał zabawny, sztywny ukłon, prawie identyczny jak ten, który kiedyś zrobił na powitanie mąż Lily, Hans-Georg Schmidt von Altenstadt, kiedy jeszcze nie był jej mężem, lecz zwykłym gościem. Kit przyglądała się im obu, oczekując poniekąd, że wuj Faunce trzaśnie obcasami w taki sam sposób, jak to zaobserwowała u barona von Riedesala, kiedy wyjeżdżali. Niania wyjaśniła jej, że wszyscy Niemcy tak robią, marszcząc przy tym nos w taki sposób, jak to czyniła za każdym razem, gdy była mowa o czymkolwiek związanym z Niemcami. Jedyny, ukochany brat niani zginął podczas pierwszej wojny światowej – powiedziała kiedyś do Kit matka, tłumacząc stosunek niani do tej nacji.

– Przecież wujek Peregrine i wujek Charles zginęli podczas wojny, a ty jakoś nie nienawidzisz Niemców – odrzekła dziewczyna, ściągając brwi w zadumie, lecz matka pominęła to milczeniem.

Kit patrzyła teraz na matkę z niepokojem: zaciskała usta dłuższą chwilę, aż całkiem zbielały i nagle z jej oczu popłynęły łzy. Matka płakała! Ten fakt córka przyjęła z mieszanymi uczuciami, z niedowierzaniem i zażenowaniem. Matka nigdy nie płakała.

Ojciec wydawał się równie skonsternowany.

– Och, na litość boską, Delphine! Pozbieraj się! Wrócą, zanim się obejrzysz. Razem z Lily.

– Wiem, wiem – chlipnęła matka, z gracją osuszając kąciki oczu. – Jestem taka... niemądra.

– Tylko znów nie zaczynaj – przestrzegł ją swoim czarującym tonem głosu wuj Faunce i przekomarzając się, dodał: – Nie mogę mieć dwóch głuptasów w rodzinie. Jest dokładnie tak, jak mówi Harold: wrócimy, zanim się obejrzysz, prawda, kuzynko?

Kit z entuzjazmem pokiwała głową. Podobało jej się, jak wujek się do niej zwracał, mówiąc: kuzynko. Sugerował w ten sposób, że ma tylko jedną ulubioną kuzynkę. Przynajmniej w jego oczach była kimś niezwykłym.

– Zbieraj się! Samochód czeka. Musimy zdążyć na pociąg, zobaczyć kontynent... przywieźć kogoś do domu. Wiem, wiem. Wszystko jest takie przyjemne i ekscytujące, ale musimy ruszać. Chodźmy już, chodźmy wreszcie!

Przejechali obok ciemnozielonych cedrów pod ich szeroko rozpostartymi, mocnymi konarami, obok wysokiego muru, odgradzającego ogród warzywny od domu, obok porośniętych bluszczem dębów, rosnących wzdłuż drogi tam, gdzie schodziła w dół aż do samej rzeki...

Kit przyciskała twarz do szyby, znosząc cierpliwie drapiące palto i wełniane rękawiczki, w których już pociły się jej dłonie. Wuj Faunce kręcił się przez chwilę niezdarnie w swojej tweedowej marynarce, szukając fajki, a potem zapalił ją z westchnieniem ulgi. Wnętrze samochodu – Wolseley 14/60, seria II, jak powiedział jej wuj Faunce, uśmiechając się życzliwie – natychmiast wypełniło się słodkawym, ostrym i przy tym gryzącym zapachem tytoniu. Podziałało to dziwnie uspokajająco. Dymiąca fajka przywiodła Kit na myśl nieoczekiwane wspomnienia. Dawno temu, kiedy jeszcze do rezydencji Chalfont Hall często przyjeżdżali goście, ojciec czasem po obiedzie rejterował do biblioteki z dużą szklanicą brandy i swoją nieodłączną fajką. Pewnego razu, kiedy była jeszcze bardzo małą dziewczynką, wśliznęła się za nim i ku zaskoczeniu – nawet wtedy ją to zdziwiło – pozwolił jej wdrapać się sobie na kolana i tam pozostać, podczas gdy on czytał i palił fajkę. Zdrzemnęła się wówczas z policzkiem wtulonym w jego sweter i zapach dymu z fajki wypełnił jej nozdrza. Teraz to wspomnienie wróciło do niej z niezwykłą ostrością.

4

Na dworcu kolejowym Victoria Station w Londynie panował straszny hałas. Świdrujące w uszach gwizdy, zgrzytające hamulce, młodzi chłopcy krzyczący ile sił w płucach, wrzeszczące w wózkach bobasy i zdenerwowane nianie służące za przyzwoitki dla młodych mam, przesiadających się z jednego pociągu do drugiego, przechodzących z jednego peronu na inny. Wujek Faunce najwyraźniej doskonale znał drogę: maszerował dziarsko z przodu, nurkując zręcznie w kolejne luki w gęstym tłumie i nie zawracał sobie głowy oglądaniem się za siebie, żeby sprawdzić, czy Kit za nim nadąża.

W końcu udało im się znaleźć odpowiedni peron i wsiąść do pociągu. Mieli zamówiony przedział tylko dla siebie. Konduktor z ważną miną prowadził ich na miejsce, torując im drogę między pasażerami. Rozległ się kolejny przeszywający gwizd, drzwi wagonów zaszczękały przy zamykaniu i cały skład powoli ruszył. Stacja została w tyle, pociąg zaczął nabierać prędkości. Jechali na południe. Brudne ulice Londynu szybko zniknęły z pola widzenia; miejska zabudowa stawała się coraz bardziej rozproszona. Zbliżał się czas lunchu i Kit poczuła, że burczy jej w brzuchu z głodu.

Wujek Faunce odłożył na bok egzemplarz „Timesa" i uśmiechnął się do niej, zerkając znad okularów.

– Wkrótce podadzą lunch. Możemy go zjeść tutaj lub w wagonie restauracyjnym. Jak wolisz?

– Możemy zjeść tutaj? Naprawdę? Jak w hotelu? – Kit o mało nie zaczęła klaskać w ręce. Myślała: wreszcie wyjeżdżam z Anglii. Oczywiście przebywała już wcześniej za granicą. Raz w Wiedniu, ale była wtedy taka malutka, że ledwie cokolwiek pamiętała, i dwa razy w Paryżu, a kilka lat temu wyjechali z kuzynami na Wybrzeże Amalfitańskie. I czy Szkocja to „zagranica"?

Zamknęła na chwilę oczy. Ogarnęła ją lekka dezorientacja, gdy znalazła się w miękkiej ciemności własnych powiek. Wtedy wróciły do niej obrazy z podróży samochodem do Londynu. Uśmiechnęła się w duchu, gdy zaczęła sobie przypominać pewne określenia. „Jadę w górę do Londynu". To było jedno z powiedzeń ojca. Dla niego Londyn znajdował się na wierzchołku świata. Tak więc każdą podróż do Londynu odbywali „w górę". Różne wizje zaczęły się ze sobą mieszać jak kawałki rozbitego lustra: zmęczona twarz matki, cedry rosnące wzdłuż drogi, migotanie powierzchni rzeki, gdy auto przemknęło przez bramę z kutego żelaza, powolne zbliżanie się do miasta kilometr za kilometrem i mijane po drodze wioski, pozostawiające po sobie niewyraźny, rozmyty obraz za szybą.

Wróciła myślami do ostatniego razu, kiedy widziała Lily. Wyjeżdżała wtedy z Chalfont z mężem, a za nimi jechał drugi samochód, cały upchany starannie spakowanymi walizkami z rzeczami siostry. Lily ukryła swoje długie kasztanowe loki pod popielatym kapeluszem z szerokim, miękkim rondem. Wszystkie ubrania miała specjalnie uszyte na wyjazd. Odbywała niekończące się przymiarki z panną Founard. Obracała się powoli w rozmarzeniu przed lustrem, a na jej szczupłej figurze upinano szpilkami kolejne zwoje szyfonu, jedwabiu czy tiulu. Lily. Lily Algernon-Waters, najstarsza córka lorda i lady Wharton, była teraz hrabiną Lilliane Schmidt von Altenstadt. Została prawdziwą hrabiną – miała tytuł arystokratyczny wyższy rangą niż ojciec. Trudno w to uwierzyć. Listy od niej nie zmieniły się pod względem stylu: wciąż brzmiały tak samo świeżo i dziewczęco, pełne były wykrzykników i plotek. Do Kit zwracała się „najdroższa" i „kochana”, sugerując w korespondencji bliskość, której nigdy w prawdziwym życiu nie zaznały. Kiedy zaczęły przychodzić listy od niej – zadziwiająco regularnie – Kit ze zdumieniem odkryła, że naprawdę brakuje jej siostry. Sięgnęła do kieszeni po list, który dostała jakieś cztery miesiące temu, a przed wyjazdem w ostatniej chwili zabrała ze sobą.

Schloß Gattendorf
Hof, Bavaria

9 grudnia 1938

Najdroższa Kit!

Muszę Ci to napisać: dzisiaj byłam na lunchu z Wolfem! Hans-Georg boczył się na mnie całą drogę. Pojechaliśmy do tej ślicznej małej oberży zaraz za wsią. Pojechaliśmy tylko w trójkę nowym autem Hansa-Georga! Było wspaniale! Wolf wygląda niesamowicie przystojnie w mundurze! Powinnaś koniecznie ich zobaczyć, moja najdroższa siostrzyczko. Oni wszyscy prezentują się tak elegancko i dystyngowanie, w przeciwieństwie do mężczyzn u nas. Poprosiłam Hansa-Georga, żeby dał mi kilka lekcji jazdy autem. Wyobrażasz sobie mnie za kierownicą! Widoki tutaj są takie śliczne i na pewno by Ci się spodobały, moja kochana Kit. Wiem, że by Ci się tu podobało. Tak bardzo bym chciała, żeby matka i ojciec pozwolili Ci przyjechać. Widzieliśmy Führera w Berlinie w zeszłym tygodniu, tylko dlatego, że mieliśmy wielkie szczęście. Pasjonujące przeżycie. Jechaliśmy akurat autem, a on zdążał w przeciwnym kierunku i wszyscy rzucali się w jego stronę i krzyczeli „Heil!”. To było takie porywające! Nic podobnego nie zdarza się w Chalfont!

Och, żebym nie zapomniała, poproś matkę, by przesłała mi kilka par jedwabnych pończoch, a przynajmniej z jedną, o ile uda jej się jakoś je zdobyć. I czy pamiętasz tę kremową suknię wieczorową od Wortha, której matka nie chciała nosić? Jeśli dałabyś radę przesłać mi ją również, byłabym Ci dozgonnie wdzięczna. Wybieramy się w styczniu na bal do Wiednia i oszalałabym z radości, gdybym mogła w niej wystąpić.

No cóż, kochana Kit, tęsknię za Tobą i chciałabym Cię zobaczyć. Nie wiem, czy Hans-Georg pozwoli mi pojechać do Anglii, a szczególnie teraz, w tym całym zamieszaniu z Nadrenią. Pozostaje mi mieć nadzieję, że tak.

Mocne uściski od Lily.

PS Twój ostatni list był najmilszy, jaki otrzymałam od wieków. Poproś, proszę, ojca, żeby pisał.

PPS Och, tak strasznie za Tobą tęsknię!

Kit się uśmiechnęła. Trudno było sobie wyobrazić Lily tęskniącą za kimkolwiek, a szczególnie za siostrą, ale z treści listu wynikało, że jest szczęśliwa i zadowolona, choć po swojemu. Kim był Wolf? – zaczęła się zastanawiać. Chociaż nie miała ku temu żadnych podstaw, zdecydowała, że go nie lubi. Nawet jego imię brzmiało złowieszczo, a podkreślał to jeszcze sposób napisania go przez Lily: z ogromnymi zakrętasami przy „W" i z długim, wywiniętym „f". I właściwie dlaczego Hans-Georg się dąsał? Miała nadzieję, że Lily nie robiła żadnych głupot. Kremowa szyfonowa suknia, o którą prosiła, znajdowała się w dużym skórzanym kufrze; bagażowy zabrał go na wózek i gdzieś z nim odjechał zaraz po ich przybyciu na stację kolejową. Niestety Kit nie udało się zdobyć żadnych jedwabnych pończoch. Lily będzie zawiedziona. Nienawidziła rozczarowań. Zawsze tak było. Kit złożyła list i schowała go z powrotem do kieszeni. Spojrzała ukradkiem na wujka Faunce'a, ale on był pogrążony w lekturze gazety i nawet nie podniósł wzroku.

Wkrótce wezwał kelnera, naciskając guzik małego mosiężnego dzwonka przy drzwiach do przedziału, i nie minęło pół godziny, a pojawił się z całkiem sporą tacą z kanapkami, udkami kurczaka na zimno i czymś, co wyglądało jak różowy budyń, a okazało się musem z łososia. Taca została opróżniona błyskawicznie. Kelner przyniósł jeszcze lemoniadę dla Kit oraz kieliszek czerwonego wina i srebrny dzbanek z kawą dla wujka. Wszystko to było bardzo emocjonujące.

Kit myślami wróciła do listu. *Widzieliśmy Führera w Berlinie w zeszłym tygodniu, tylko dlatego, że mieliśmy wielkie szczęście.* To zdanie budziło obawy. Słyszała, jak ojciec rozmawiał z kimś przez telefon kilka dni przed ich wyjazdem: powiedział, że Neville Chamberlain jest jeszcze większym głupkiem niż MacDonald. Musiała przejrzeć gazety z kilku tygodni, żeby się dowiedzieć, kim był Ramsay MacDonald i dlaczego ojciec ma o nim tak marne zdanie.

– Wujku Faunce – wyrwało się Kit, zdumiewając ją samą. Nie zamierzała mu przeszkadzać.

Spojrzał na nią znad gazety i mrugnął porozumiewawczo.

– Najadłaś się? – spytał.

Skinęła pospiesznie głową. Nie o jedzeniu chciała z nim porozmawiać.

– Tak – odrzekła. – Kanapki z jajkiem były całkiem niezłe.

– To dobrze. Obiad zjemy w Calais. Zarezerwowałem pokój w najwspanialszym małym hoteliku nieopodal dworca kolejowego. Zatrzymałem się w nim w zeszłym roku. Jutro rano wsiadamy do *Le Train Bleu**. Słyszałaś o nim? Nie? Czego, u licha, oni was uczą w dzisiejszych czasach? To bardzo elegancki pociąg. Wzięłaś jakieś odpowiednie ubrania?

Kit popatrzyła w dół na swoją praktyczną wełnianą spódnicę i sweterek z wykrochmalonym białym kołnierzykiem i przygryzła wargę.

– Czy nie jestem odpowiednio ubrana?

– Niezupełnie. – Wujek pokręcił głową. – Wyglądasz jak uczennica.

– Bo jestem uczennicą.

– Hmm. Co racja, to racja.

– Wujku Faunce... Czy mogę cię o coś spytać? – Kit znowu zaczęła z wahaniem.

---

* *Le Train Bleu (Niebieski Pociąg)* – luksusowy francuski nocny pociąg ekspresowy, funkcjonujący w latach 1886–2003, nazwany tak z powodu malowanych na niebiesko wagonów. Łączył Calais z Lazurowym Wybrzeżem. Podróżowali nim najbogatsi.

– Pytaj, o co tylko chcesz, kuzynko.

– Czy... Czy to prawda, co mówią o Lily i Unity Mitford? – spytała pospiesznie. – Czy one naprawdę pojechały na zjazd partii do Norymbergi*?

– Skąd o tym wiesz? – Wujek Faunce odłożył gazetę na kolana i wpatrzył się w dziewczynę z uwagą.

– Słyszałam o tym w radiu – odpowiedziała szybko. Nie była to do końca prawda, ponieważ, owszem, słyszała co nieco w radiu, ale słyszała też Caruthersa i Bignella, dyskutujących o tym w nieskończoność.

– Ach! Mówiłem Haroldowi, że radio to wielki błąd. – Wydął usta w zamyśleniu. – No, może nie błąd. Źle to ująłem. Raczej zbyt duże ryzyko, szczególnie gdy ktoś taki jak ty kręci się w pobliżu. Ciekawska z ciebie pannica, co? A na dodatek niezwykle spostrzegawcza.

– Skąd o tym wiesz, wujku? – zdziwiła się Kit. I matka, i ojciec zdawali się tego nie zauważać. Komentarze matki ograniczały się do: „Och, doprawdy?" lub „Coś takiego!" albo „Daj spokój, Kit. To nikogo nie interesuje!". Nie zamierzała być nieuprzejma; po prostu miała inne ciekawsze sprawy na głowie.

– Dla mnie to raczej oczywiste, nie uważasz? Jesteś wspaniałą małą naśladowczynią. Ci, którzy naśladują innych, muszą być doskonałymi obserwatorami. To posiadana przez nich umiejętność.

Kit poczuła, że się rumieni. To było przyjemne zawstydzenie. Nie pamiętała, żeby kiedykolwiek zdarzyło jej się usłyszeć jakiś komplement pod swoim adresem. W porównaniu z Lily postrzegano ją jako osobę o postawie roszczeniowej, a w dodatku wciąż ganiono za to, że zachowuje się inaczej niż dziewczynki w jej wieku. W takiej sytuacji już dawno temu przestała oczekiwać, że może ktoś kiedyś wreszcie ją doceni. To, że wujek Faunce pochwalił ją akurat za tę cechę, którą inni uważali za „niebez-

* Zjazd partii w Norymberdze – coroczne wiece nazistowskiej partii NSDAP w latach 1923–1939, odbywające się w Norymberdze. Po dojściu Hitlera do władzy w 1933 roku stały się wielkim propagandowym wydarzeniem.

pieczną" (albo jeszcze gorzej: za „nieprzystojne zachowanie"), było dla niej niepokojące. „Nie bądź taka wścibska!" lub „Dlaczego tak bardzo interesują cię sprawy innych?" – z takimi komentarzami się spotykała, nigdy zaś z: „Jesteś wspaniałą małą naśladowczynią", choć trudno byłoby ją nazwać „małą", pomyślała, robiąc przy tym głupią minę. Zdążyła już przerosnąć i matkę, i siostrę, i to całkiem sporo. Nawet jej wzrost był bezustannie komentowany. Kiedyś usłyszała, jak matka mówi do kucharki: „Mój Boże! Mam nadzieję, że więcej już nie urośnie. Nigdy nie znajdzie męża! Pocieszam się, że przynajmniej nie jest gruba".

Gruba czy chuda, wysoka czy niska, znalezienie dla niej męża stawało się sprawą w dużej mierze nieprzewidywalną, a przy tym z dużą szansą na niepowodzenie. Popatrzcie tylko na Lily: jedna przypadkowa wizyta gromadki Niemców i puff! – i już jej nie ma. Konkury trwały sześć miesięcy, głównie korespondencyjnie. Nie zniechęciło to Lily. Zakochała się i koniec dyskusji. Hans-Georg był niewyobrażalnie bogatym hrabią, bardziej obytym w świecie niż ktokolwiek znany Lily. Piętnaście lat starszy od niej, zdążył już wiele w życiu osiągnąć. Dopiero sześć miesięcy po ślubie siostry dotarło do Kit, że jej szwagier należał do grona lojalnych, zaufanych oficerów Hitlera. Kiedy czytała jej listy, wstrząsały nią dreszcze. Jednakże wtedy, w dniach i miesiącach, które nadeszły po tamtej pierwszej wizycie, Lily nie potrafiła rozmawiać o niczym innym jak o miłości. „Bycie zakochaną jest takie emocjonujące!" – wykrzykiwała po kilka razy dziennie.

Kit za każdym razem przewracała oczami. Ona nie widziała w tym niczego pasjonującego.

– Przecież widziałaś go tylko raz – wytykała zirytowana swojej siostrze.

– No tak, ale ja to po prostu wiem – odpowiadała Lily. – Wiedziałam od pierwszej chwili. Och, Kit! On jest hrabią! Jest niebotycznie bogaty! Przysłał mi zdjęcie swojego zamku. Pomyśl tylko! Będę mieszkała w prawdziwym zamku jak księżniczka! Będę miała wszystko, czego zapragnę! Będę mogła robić to, na co tylko przyjdzie mi ochota! Nie będę się musiała o nic martwić, w przeciwieństwie do mamy!

– Znudzi ci się... – Wieszczyła ponuro Kit.

– Nie, nigdy! – ripostowała Lily. – Jesteś zwyczajnie zazdrosna. Nigdy nie chciałaś, żebym miała choć odrobinę radości z życia.

To stwierdzenie tak daleko odbiegało od prawdy, że na pewien czas zamknęło Kit usta.

Teraz obserwowała wujka Faunce'a, który siedział naprzeciwko i czytał, lecz cały czas sygnalizował jej swoje zainteresowanie, a to spoglądając na nią, a to puszczając do niej oko. W pewnej chwili odniosła dziwne wrażenie, że patrzy na siebie z boku, oczami obcej osoby. Mała elegantka, siedząca z wyprostowanymi plecami, w wełnianym płaszczu zapiętym sztywno pod samą szyję. Wysoka, szczupła, z poważnym wyrazem twarzy, skromna i dobrze wychowana, nierzucająca się w oczy. Zawsze taka była. Zawsze! A co widział wujek Faunce, kiedy na nią patrzył? – zaczęła się zastanawiać z zaciekawieniem. Kogo widzieli przed sobą inni? Wrażenie rozwiało się z wolna, lecz jego ślad pozostał we wspomnieniach z podróży jak wiszący na stałe w powietrzu obłoczek lekko aromatyzowanego dymu z fajki.

5

Budowla zupełnie nie przypominała zamku. To była pierwsza myśl Kit, kiedy taksówka wjechała przez bramę na dziedziniec. Wyglądała bardziej na nieprzystępne więzienie ze ścianami w kolorze ochry o nietypowym różowawym odcieniu. Nigdy wcześniej czegoś takiego nie widziała. Zamek pokrywał dach z ciemnoszarego łupku, sterczącego we wszystkie strony, jakby miał zaraz spaść, a kulminację tego stanowiła samotna wieża po lewej stronie fasady. Wszystkie okna były identyczne: niewielkie, ciasne, prostokątne otwory, a raczej szczeliny, zbyt małe, żeby urozmaicić monotonię ogromnej różowej płaszczyzny ściany frontowej.

– No, no, no! Schloß Gattendorf – mruknął pod nosem wujek Faunce. – W końcu.

Kit skinęła jedynie głową. Taksówka zajechała przed główne wejście: gładkie, ciężkie drzwi bez żadnych zdobień, które Kit nieodłącznie kojarzyła z reprezentacyjnymi budowlami. Wejście bez portyku, bez kolumnady. Do drzwi prowadziły proste kamienne schody bez balustrady. Architektura była tak ascetyczna, że graniczyła z brzydotą. Pomyślała przelotnie o wejściu do Chalfont z eleganckimi neoklasycystycznymi kolumnami i ogromnymi donicami po obu stronach, o pięknych rzeźbionych ornamentach na drzwiach, o błyszczącej mosiężnej klamce i kołatce, które Bignell polerował każdego ranka.

Kątem oka zarejestrowała jakiś ruch. W odległym narożniku ponurej fasady powiewała na wietrze podniszczona flaga ze swastyką narodowych socjalistów. Nieomal się zakrztusiła z wrażenia.

– Ach, *guten Morgen*! – Wuj Faunce uchylił kapelusza, witając się z młodą kobietą w uniformie pokojówki, która stanęła w drzwiach. Na jej twarzy pojawiło się zdziwienie. Za plecami służącej widać było ciemny hol, który prowadził gdzieś w nieznane zakamarki domostwa. Kit przełknęła nerwowo ślinę. W zadziwiająco płynnym niemieckim wuj Faunce spytał, czy *Gräfin* jest na pewno *zu Hause*.

– *Wen soll ich sagen, bittet für sie?* – Pokojówka spoglądała z widocznym zdenerwowaniem to na jedno, to na drugie.

– *Ich bin ihre Schwester* – szybko wtrąciła Kit swoim najlepszym niemieckim.

– *Ein Moment*. – Pokojówka odwróciła się i zniknęła.

Wujek Faunce i Kit wymienili zdziwione spojrzenia. Nagle pojawiła się przed nimi o wiele starsza kobieta, również w uniformie. Miała równie niepewną minę jak jej poprzedniczka, lecz przynajmniej wprowadziła ich do holu. W środku panował przeszywający chłód, jak to przewidziała niania. Kit opatuliła się mocniej płaszczem i zerknęła na wujka. Miał nieprzenikniony wyraz twarzy. Straciła całkiem dobry nastrój. Powitanie wypadło ozięble.

Obie pokojówki zaprowadziły ich do zimnego salonu z kolekcją krzeseł o wysokich, twardych oparciach. W jednym kącie pokoju znajdował się pusty kominek. Z pomalowanych na ciemno ścian spoglądał na nich cały zestaw posępnych malowideł. Wysoko umieszczone okna, zasłonięte wewnętrznymi okiennicami, sprawiały wrażenie srogich i czujnych, aż dreszcz grozy przebiegł po plecach Kit. Pokojówka wskazała im siedzenia i w milczeniu opuściła pokój, zamykając za sobą cicho drzwi.

– Hm. Nie takiego powitania się spodziewałem – powiedział wesoło wujek Faunce. – Może źle zapamiętali datę naszego przyjazdu? Wygląda na to, że zrobiliśmy im niespodziankę.

Zbliżała się trzecia po południu. Podróż pociągiem z Monachium zajęła im cały ranek, a potem długo szukali taksówki, która zawiozłaby ich do zamku. Powoli nadciągał zmierzch. Światło wpadające przez okna coraz bardziej szarzało. Dzień nieuchronnie zbliżał się ku końcowi. Kit była głodna i zmęczona. Ogarniało ją coraz większe przygnębienie, aż w końcu poczuła, ku własnemu zdziwieniu i zakłopotaniu, że zaraz się rozpłacze.

– Weź się w garść, kuzynko! – próbował podtrzymać ją na duchu wujek Faunce, wyczuwając jej przygnębienie. – Wszystko będzie dobrze. Obiecuję.

Kit w milczeniu przytaknęła głową, nie ufając własnemu głosowi. Nagle usłyszeli zbliżające się kroki. Serce zabiło jej mocniej. Minął już prawie rok, odkąd ostatnio widziała siostrę. Czy się zmieniła? Z listów nie wynikało nic konkretnego, lecz jak to z Lily – trudno było wyczuć.

Drzwi otworzyły się szeroko. Kit spojrzała w tamtą stronę. W progu stała jakaś kobieta ze zdumioną miną, jakby nie mogła uwierzyć własnym oczom, kogo ma przed sobą. Kit aż otworzyła usta ze zdziwienia. Czy to na pewno była Lily?

Przez dłuższą chwilę wszyscy mierzyli się wzrokiem, a Kit z tego wszystkiego zapomniała języka w gębie. Kobieta stojąca w drzwiach nie miała nic wspólnego z jej siostrą. Zniknęły długie kasztanowate włosy, a zastąpiła je przystrzyżona na krótko blond fryzurka, ułożona w fale ciasno przylegające do głowy. Lily zawsze była szczupła, ale teraz wychudła jak szczapa. Wyglądała tak krucho, jakby zaraz miała się rozsypać. Jej błękitne jak chińska porcelana oczy, kiedyś tak ożywione i pełne wyrazu, teraz przypominały ogromne spodki o pustym spojrzeniu, zajmując większą część wymizerowanej, zmęczonej twarzy.

– Lily! – wyrwało się w końcu Kit. Nie udało jej się ukryć szoku wywołanego widokiem siostry.

– Kit?! – Lily wpatrywała się w nią ze ściągniętymi brwiami. – Wujek Faunce?! Co tu robicie, na litość boską?

– Nie pamiętasz? Pisaliśmy do ciebie! Prosiłaś mnie, żebym przywiozła ci pończochy. Och, Lily! Przyjechaliśmy, żeby zabrać cię do domu! – Kit nie mogła się powstrzymać i od razu wygadała się, jaki jest cel ich przyjazdu. – Matka i ojciec nas przysłali. Powiedzieli, że...

Kit! – Wuj Faunce powstrzymał potok jej wymowy, kładąc rękę na ramieniu. – Moja droga – rzekł, podchodząc do Lily. – Wyglądasz bosko! Wspaniała jest ta nowa fryzurka, prawda, Kit? Ładnie ci w niej.

– Naprawdę? – Lily z roztargnieniem uniosła rękę ku włosom. – Tak sądzisz? Sama nie wiem. Hans-George... – zamilkła. Patrzyła znów na nich ze ściągniętymi brwiami, jakby próbowała coś sobie przypomnieć. I nagle klapki się jej otworzyły. Zaklaskała. – Oczywiście! Pisaliście, że zamierzacie przyjechać! Oczywiście, że tak! Co też ja sobie ubzdurałam! Chodźcie koniecznie ze mną na górę! Musicie coś zjeść i się napić. Maria! – zawołała. – Magda!

Obie pokojówki, które ich powitały, pojawiły się w drzwiach.

– *Zu Ihren Diensten, Gräfin* – odpowiedziały równocześnie i wbiły wzrok w podłogę.

Kit wpatrywała się w siostrę z niedowierzaniem. Lily niespodziewanie się ożywiła, wyrzucała ręce na boki w szaleńczej gestykulacji i rugała pokojówki, jakby to była ich wina, że nikt nie powitał gości w progu.

– Musimy w końcu iść na górę! Trzeba ich nakarmić! Chyba zaraz umrą z głodu! – Darła się Lily w płynnym niemieckim, choć z nieco zbyt twardym akcentem.

Kit zaczęło się z tego wszystkiego kręcić w głowie. Lily nawet nie podeszła do niej, żeby się z nią uściskać. Zakręciła się na pięcie i prawie pobiegła korytarzem, a służące popędziły za nią. Wujek Faunce spojrzał na Kit i uniósł zdziwiony jedną brew. Ruszyli oboje korytarzem, Kit z dziwnym przeczuciem, że to dopiero początek czegoś nie do pojęcia dla niej. Szła za wujkiem, wpatrując się usilnie we wzór na jego tweedowej marynarce, starając się ze wszystkich sił powstrzymać piekące łzy rozczarowania.

Kolejny salon, do którego zaprowadziła ich Lily, był bardziej zbliżony wyglądem do wyobrażeń Kit: przestronny i elegancki, z wysokim bladoniebieskim sufitem, pokrytym ozdobnymi sztukateriami o wirujących i wijących się nad ich głowami wzorach. Kilka wąskich okien otwierało się na krajobraz bawarskiej wsi, ginący teraz w zapadającym zmroku. Światła wioski w dolinie pod nimi połyskiwały jak gwiazdy na ciemniejącym złowrogo niebie. Ciężkie jedwabne i adamaszkowe kotary upięte w skomplikowanych drapowaniach po obu stronach każdego okna stanowiły obramowanie coraz bardziej szarzejącego pejzażu. Wszystko tu było urządzone pięknie i ze smakiem, lecz sprawiało wrażenie chłodnej scenografii, a nie miejsca, w którym się spędza czas, prowadzi rozmowy czy choćby spotyka na chwilę, żeby zamienić słówko.

Wszyscy troje usiedli sztywno obok siebie. Wcześnicjszy wybuch energii Lily zgasł równie szybko, jak wcześniej się rozpalił. Zachowywała się nerwowo, z roztargnieniem. Miała rozbiegane oczy – nie zatrzymywała spojrzenia na dłużej na żadnej rzeczy w pokoju, o Kit nie wspominając. Co pewien czas wyrzucała przez zęby polecenia do jednej ze służących. „Rozpal w kominku. Przynieś wino. Czy w tym domu nie ma chleba?”. W końcu do salonu przyniesiono pełną tacę. Została z największą ostrożnością ustawiona na stole pod oknem. Znajdowały się na niej pokrojone wędliny, kromki żytniego chleba, brandy dla wujka Faunce'a oraz sok jabłkowy dla Kit. Goście podjedli nieco, a Lily konsekwentnie odmawiała wszystkiego. Nie wypiła nawet kieliszka wina.

W pokoju wreszcie zaczęło robić się ciepło. Kit pogryzała kawałek suchego chleba, podejrzliwie patrząc na nieomal przezroczyste kawałki cienko pokrojonej ciemnoczerwonej szynki, zupełnie niepodobnej do tej w domu. Lily i wujek Faunce siedzieli na przeciwległych końcach jasnoszarej aksamitnej sofy z górą poduch pomiędzy nimi. Rozmawiali przyciszonymi głosami. Zeszli na tematy, które wykluczały Kit z konwersacji. Prawdę mówiąc, nie bardzo wiedziała, o co chodzi. Mówili o ludziach, których nie znała, o miejscach, których nie kojarzyła, o wydarzeniach, o których nigdy nie słyszała. *Die Reichspartei*; ktoś o nazwisku von Blomberg, nieoczekiwanie usunięty z pełnionego stanowiska; jakieś *Fall Grün*. Co to wszystko miało znaczyć? Kit była zbyt zmęczona, żeby z uwagą śledzić tok ich rozważań.

Na zewnątrz zapadła noc. Wściekle zimna noc, zbyt zimna, by zaczął padać śnieg – jak zauważył wujek Faunce – lecz groźbę opadów niosły ze sobą ciężkie chmury, pełne ładunku, gotowego w każdej chwili zasypać ziemię. Kit siedziała razem z nimi i przysłuchiwała się jednym uchem rozmowie. Z każdą chwilą wydawało jej się coraz bardziej, że cały świat wokół zaczął się rozsypywać na niesformułowane do końca pytania, których nikt nigdy nie zada, na mroczne pasma intuicyjnych przeczuć, których potwierdzenia nie znajdzie w twarzach osób siedzących naprzeciwko niej. Podwinęła nogi pod siebie, prawą stopą wybijając rytm zniecierpliwienia, zmieszanego z obawą. Cała ich trójka najwyraźniej trwała w oczekiwaniu, aż coś się wydarzy, lecz nikt nie miał pojęcia, z której strony i co właściwie nadejdzie.

Nagle obudził ją jakiś dźwięk. Drzwi się otworzyły. Musiała się zdrzemnąć na chwilę, ukołysana buzującym w kominku ogniem i przyciszoną rozmową, która nie wymagała jej uwagi. Otworzyła oczy. W drzwiach stało dwóch mężczyzn. W jednym od razu rozpoznała Hansa-Georga. W przeciwieństwie do Lily nie zmienił się ani odrobinę. Był w mundurze: dopasowanej czarnej marynarce z charakterystyczną czerwoną opaską ze swastyką na ramieniu, w czarnych bryczesach oraz niemożliwie błyszczących czarnych oficerkach. Mężczyzna stojący za nim skrywał się w cieniu.

– Ach, tu jesteś, Lilliane. Zastanawiałem się, dokąd mogłaś pójść. – Jego głos również się nie zmienił.

– Kochanie! – Głos Lily zabrzmiał fałszywą nutą zaskoczenia. – Popatrz no, kto tu jest! Możesz w to uwierzyć? – Mówiła, jakby zabrakło jej tchu po długim biegu. Najwyraźniej nie uprzedziła męża o zbliżającej się wizycie siostry.

– Tak. Widzę – stwierdził oschle Hans-Georg, ani nie zdziwiony, ani też zadowolony. Wykonał taki sam śmieszny, formalny, nieznaczny ukłon, jaki widywała u swojego ojca. Przyjrzał się dokładnie gościom i przywitał się z Kit: – Jak się masz, moja szwagierko! – A następnie zwrócił się ku wujkowi: – Witam pana!

Było coś dziwnego w sposobie, w jaki przywitał się z wujkiem Faunce'em. W jego głosie zabrzmiała poufałość, jakby dobrze się znali, lecz przecież widzieli się tylko raz w życiu, na weselu Lily.

– A to, moja najdroższa Kit, jest Wolf! – Lily przerwała Hansowi-Georgowi. Mówiła tak, jakby jeszcze bardziej brakowało jej tchu.

Wzrok Kit prześliznął się po Hansie-Georgu i spoczął na jeszcze wyższej postaci za nim. Mężczyzna ruszył do przodu, wprost w światło rzucane przez kominek. Zobaczyła bardzo jasne włosy, prawie w całości ukryte pod wojskową czapką z daszkiem, twarz zimną i beznamiętną, z niemożliwie kanciastą szczęką i wąskimi ustami, bez których ta fizjonomia byłaby chyba całkowicie pozbawiona wyrazu, oraz bladoniebieskie, niezwykle jasne oczy.

– No i co? – spytała Lily figlarnie, prezentując obu mężczyzn, jakby byli swego rodzaju podarunkiem dla nich. – Jak sądzicie? Czy nie są obaj najprzystojniejszymi mężczyznami, jakich spotkaliście w życiu?

Kit poczuła falę gorąca, oblewającą jej szyję i wpełzającą na twarz, a potem niewytłumaczalne uczucie paniki. Zaczęła lekko drżeć na całym ciele, jakby wpadła w niewidzialną pajęczą sieć, która pasmami oblepiła całe jej ciało. Zapadła cisza. Spojrzenia Lily i obcego mężczyzny się spotkały, a Kit poczuła, jakby przebiegł pomiędzy nimi jakiś impuls. Było to coś zupełnie dla niej niezrozumiałego. Odwróciła się w stronę wujka Faunce'a, szukając w nim niepewnie oparcia, lecz jego twarz pozostała nieprzenikniona. Ogarnęła ją czarna rozpacz. Poczuła taki atak paniki, jak kiedyś dawno temu, kiedy podczas pobytu u babci nad morzem poszła na spacer po klifach zatoki Mupe Bay. Zabrała ze sobą Lupo, czarnego labradora babci, ignorując obawy matki. „Zgubisz się, kochanie!" – przestrzegała ją, ale Kit odkrzyknęła: „Na pewno nie!" i ruszyła przed siebie skrajem ogrodu. Lupo biegł karnie przy jej nodze.

No i się zgubiła. W jednej sekundzie warunki się zmieniły: szła kamienistą ścieżką wzdłuż krawędzi białego skalnego urwiska i nagle znad morza nadeszły gęste kłęby mlecznej mgły. Świat wokół zniknął. Ląd, morze, horyzont, chmury – wszystko zlało się ze sobą. Zrobiła jeszcze kilka kroków, aż w końcu instynktownie się zatrzymała i zamarła bez ruchu. Lupo wyczuł niepokój Kit i przypadł do ziemi u jej stóp z wywieszonym jęzorem, dysząc nierówno i uderzając lekko ogonem o kamienne podłoże.

Kiedy mgła zniknęła równie nagle, jak nadeszła, Kit zobaczyła, że stoi o pół stopy od krawędzi klifu. Usłyszała znów w uszach oddalony, leniwy pomruk fal, przetaczających się dwadzieścia metrów pod nią. Gdyby zrobiła jeszcze jeden krok... Runęłaby w dół, a potem zsuwałaby się przerażona, koszmarnie poobijana, wprost na skały. Cofała się powoli, krok po kroku, jakby w obawie, że zasłoni komuś widok na morze.

Teraz jej gardło ściskała taka sama, niczym nieuzasadniona panika.

6

W pokoju panował chłód pomimo rozpalonego mocno kominka w narożniku pomieszczenia. Powietrze było stęchłe i zastałe jak w starych kościelnych murach. Małe mosiężne łóżko stało pośrodku. Kit trzęsła się z zimna w koszuli nocnej, kiedy kilkoma susami, ledwo dotykając gołymi stopami posadzki, przeskoczyła do łóżka od toaletki, gdzie zostawiła szczotkę i grzebień. Uniosła kołdrę i ostrożnie wsunęła się w sztywną jak tektura pościel, wykrochmaloną tak mocno, że zaprasowany pośrodku poszwy kant sterczał pionowo w górę. Położyła się na plecach i podciągnęła kołdrę aż pod samą brodę, wyczerpana ciągłym wysiłkiem, żeby nadążać za nieprzewidywalnymi zmianami nastrojów i przesunięciami znaczeń, które aż buzowały w powietrzu przez cały wieczór. Kilka razy podczas obiadu zauważała znaczące spojrzenia, wymieniane a to tu, a to tam pomiędzy dorosłymi, z wujkiem włącznie. Czuła się, jakby oglądała jakiś spektakl; nikt nie oczekiwał, że w pełni zrozumie jego sens.

Na obiedzie tego wieczoru było osiem osób. Trójka pozostałych dołączyła do ich dziwacznej pięcioosobowej imprezy tuż przed posiłkiem. Wszyscy mężczyźni – na szczęście oprócz wujka Faunce'a – mieli na sobie mundury o identycznym eleganckim kroju, składające się z bryczesów pumpiastych na udach i marynarek ze stójkami. Kobiety wystroiły się w suknie wieczorowe, i to takie, na jakie w Anglii nikogo już nie było stać:

jedwabie, futra, perły... Wszystko bogato zdobione i niezwykle wytworne.

Obserwowała siostrę bardzo dokładnie przez cały wieczór, a Lily odpłynęła daleko w swój własny świat, świat stłumionych westchnień, uniesionych brwi, przesadnie uwidocznionych uczuć i kokieteryjnych gestów, które Kit wcale nie pociągały. W obecnej Lily nie mogła się dopatrzyć nawet cienia dawnej żywiołowej, towarzyskiej dziewczyny z Chalfont. Teraz siostra wyglądała, jakby cały czas była czymś odurzona, jakby prawdziwa osobowość została z niej wypreparowana, a na to miejsce wklejono powolniejszą, stłamszoną jej wersję. Mimo to co pewien czas pojawiały się przebłyski niespożytej energii dawnej Lily: a to w śmiechu, a to w klaskaniu w ręce. Kit zdawała się coraz bardziej tym wszystkim oszołomiona i zdezorientowana. Co tu właściwie się działo? Nawet wuj Faunce zachowywał się podejrzanie. Znów pojawiła się ta dziwna zażyłość pomiędzy nim a Hansem-Georgiem, która zdawała się całkowicie nie na miejscu. Podczas obiadu Kit znalazła się w samym centrum trójstronnej męskiej wymiany zdań pomiędzy wujkiem Faunce'em, Hansem-Georgiem oraz Wolfem. Raz, podczas długiej przerwy pomiędzy kolejnymi daniami, roześmiała się z czegoś, co któryś z nich akurat powiedział, i dopiero wtedy wszyscy trzej ze zdumieniem i niesmakiem dostrzegli jej obecność. Poczuła się, jakby podsłuchiwała ich z ukrycia, i zamknęła się w sobie.

Ogień w kominku w końcu się porządnie rozpalił. Ledwo widoczne przebłyski przelewających się kolorowych płomyków zamieniły się w skupisko olśniewających, płomiennych jęzorów. Obserwowała je, gdy jej ciało pod kołdrą w końcu zaczęło się rozgrzewać. Gdzieś na zewnątrz, kilka pięter poniżej, szczęknęła otwierana żelazna brama i przetoczyły się po bruku koła samochodu. Rozległ się stłumiony okrzyk, a potem pisk hamulców. Jej uszu dobiegł odgłos otwierania ciężkich drewnianych drzwi wejściowych. Najwyraźniej przyjechał ktoś jeszcze. Na korytarzu otworzyły się i zamknęły kolejne drzwi, jakby w odpowiedzi na poprzednie odgłosy. Nie miała pojęcia, ilu gości zostaje na noc. Nie wiedziała nawet, gdzie w pełnym przewiewów zamczysku może spać wuj Faunce. Kiedy tylko deser dobiegł końca, pojawiła się pokojówka i zabrała Kit z grona dorosłych. Przeszły razem kilka biegów schodów i przez długi, zimny korytarz dotarły do równie zimnego pokoju, w którym leżała teraz, zastanawiając się, gdzie się właściwie znajduje.

Usłyszała jakiś hałas pod swoimi drzwiami. Uniosła głowę w oczekiwaniu, że ktoś zapuka, lecz nic takiego nie nastąpiło. Czekała. Ktoś stał pod drzwiami, była tego pewna. Otworzyła usta, ale okazało się, że nie jest w stanie wydobyć z siebie głosu. Odrzuciła więc kołdrę i bezgłośnie zsunęła się z łóżka. Podeszła na palcach pod same drzwi i stanęła w pogotowiu jak przyczajone zwierzę, gotowa w każdej chwili czmychnąć. Ktoś stał po drugiej stronie. Wiedziała, że to mężczyzna; nieomal czuła jego oddech przez grube drewno. Nikt się nie poruszył: ani on, ani ona. Poczuła delikatne ugięcie się desek podłogi pod stopami i wywnioskowała, że ten ktoś przeniósł ciężar ciała z nogi na nogę. Usłyszała skrzypnięcie podłogi, potem kolejne i następne... Ktokolwiek znajdował się po drugiej stronie, zaczął się powoli, prawie bezszelestnie wycofywać. Jego kroki odczuwała jako lekkie drżenie podłogi pod bosymi stopami. W końcu, kiedy już upewniła się, że ten ktoś zza drzwi sobie poszedł, chwyciła za klamkę i powoli ją nacisnęła. Drzwi otworzyły się bezgłośnie. Na korytarzu było ciemno choć oko wykol. Gdy wyszła z pokoju, ogarnęła ją upiorna cisza.

Na zewnątrz zaczęło wiać. Kiedy skradała się przy ścianie, widziała w świetle padającym z holu na parterze lekko falujące na wietrze firanki w oknie korytarza piętro niżej. Zaczęła zbliżać się do okien i wyobraźnia podsunęła jej obraz poruszających się na wietrze koron drzew. Kiedy mijała pierwsze okno, zobaczyła wysoko w górze księżyc, ta część zamku była jednak skryta w całkowitych ciemnościach. Zbliżyła się do końca korytarza i usłyszała wyraźne odgłosy rozmowy. Zatrzymała się i zaczęła nasłuchiwać, żeby zlokalizować ich źródło. Na samym końcu znajdowały się drzwi. Kiedy akurat patrzyła w tamtą stronę, uchyliły się.

Instynktownie przesunęła się w bok i zmrużyła oczy. Zobaczyła postać mężczyzny. Zatrzymał się na chwilę, rozejrzał, a potem wrócił do środka i zniknął jej z oczu. To był on. Wolf. Poznała go po budowie ciała i po ruchach. Zebrała się na odwagę i, mimo że ściskało ją w dołku, podkradła się do drzwi, pchana jakąś tajemniczą siłą, której nie umiała jeszcze nazwać. Coś nią sterowało, jakieś ukryte głęboko, niewytłumaczalne pragnienie zobaczenia czegoś – ale czego? Uświadamiała sobie tylko jedno: pragnienie konfrontacji z tym, co skrywało się za drzwiami. Zmusi się, żeby tam zajrzeć; da wiarę wszystkiemu, co zobaczy.

Podkradła się do uchylonych drzwi i zajrzała do środka. Na tle okna dostrzegła sylwetkę Wolfa, wyprostowaną jak struna, w pełnej gotowości, żeby ruszyć do akcji. Wyczuwała całą zgromadzoną w nim energię jako pewien rodzaj ciepła skumulowanego w pokoju. Wpatrywał się w coś, co znajdowało się poza zasięgiem wzroku Kit, lecz w sposobie, jaki to obserwował, wydawało się, że nie tyle patrzy, ile nastawia się w odpowiednią stronę, jak dzikie zwierzę, które łapie wiatr w nozdrza, żeby wyczuć interesujący je zapach. Było coś napastliwego w jego postawie, pewność własnej siły, co nakierowało jej myśli ku konkretnemu zwierzęciu. Jest jak kot, uświadomiła sobie niezwykle jasno. Ona również znajdowała się w pułapce; jej serce waliło jak młotem. Z drugiego końca pokoju usłyszała westchnienie jakiejś kobiety. Wolf stał do niej profilem i patrzył w inną stronę, na drugi koniec pokoju. Na jego ustach błądził leciutki uśmieszek. Pokój był oświetlony światłem księżyca, wpadającym do środka przez okno bez zasłon, oraz migotliwym ogniem kominka. Całe to światło skupiało się na postaci Wolfa. To, czego szukała w nim Kit, nie tkwiło jednak w jego powierzchowności, lecz o wiele głębiej, pod lekkim uśmiechem, pod szaroniebieskimi tęczówkami oczu. Aż jej zaparło dech, gdy zdała sobie sprawę, że patrzy przez maskę twarzy na jego prawdziwe oblicze, ukryte za fasadą lodowatej beznamiętności, którą demonstrował cały wieczór.

Stała cała drżąca w drzwiach, dygocząc znów z tych samych emocji, które już wcześniej spowodowały u niej podobny efekt. Widziała krawędź łóżka. Czyjaś noga znajdowała się dokładnie na linii jej wzroku. Goła noga, przywiązana czymś do stelaża łóżka. Kit podniosła nieco wzrok i teraz spostrzegła u wezgłowia łóżka jedną z kobiet, która jadła z nimi obiad, ubraną tylko w halkę. Bettina jakaś tam. Paliła papierosa, unosząc leniwie rękę do ust, potem łapczywie się zaciągała i ręka jak bezwładna ponownie opadała jej na kolana. Dym nie pachniał jednak tytoniem; to było coś innego, o wiele słodszego i ostrzejszego. Ktoś po drugiej stronie pokoju, kogo nie mogła widzieć, coś powiedział, i po pokoju przetoczył się pomruk śmiechu. Przebywało tam sześć, może siedem osób. Chyba wszyscy, którzy uczestniczyli w obiedzie. Kit zaschło w gardle z wrażenia. I tak zobaczyła więcej, niż była w stanie znieść, i o wiele ponad to, co mogła zrozumieć. Po cichu, najostrożniej jak umiała, oddaliła się od drzwi. Kiedy się odwracała, zdawało się jej, że kątem oka dostrzegła smugę światła z pokoju w dalszej części korytarza, lecz kiedy zaczęła wpatrywać się w ciemność, ta jasność zniknęła.

Wróciła do swojego pokoju po omacku, wyciągniętą przed siebie ręką szukając drogi. W końcu znalazła drzwi, wymacała klamkę i pchnęła je barkiem. Wyczuła ten sam dziwny zapach, który unosił się w tamtym pokoju. Aż zakręciło ją w nosie. Kiedy weszła do środka, woń stała się mocniejsza, ale nie umiała zlokalizować jej źródła. Serce Kit waliło jak młotem. Przemknęła przez pokój na palcach i wśliznęła się do łóżka. Ogień w kominku wygasł, choć w pokoju wciąż było ciepło. Podciągnęła kołdrę pod brodę i leżała na wznak, starając się wyrównać oddech. Zęby wciąż jej dzwoniły, ciałem zaczęły wstrząsać dreszcze, tylko tym razem ze strachu, nie z zimna. Mimo że właściwie niczego strasznego nie zobaczyła – a przynajmniej nie była świadkiem niczego konkretnego – wciąż miała poczucie, że uciekła przed czymś zbyt straszliwym, by nazwać to po imieniu, co czaiło się tuż-tuż jak całun gęstej jak mleko mgły.

7

– Do domu? – Lily patrzyła na siostrę, jakby ta powiedziała coś tak niedorzecznego, że nie mogło być prawdą. – Co ty bredzisz? Tu jest mój dom. To wszystko tutaj. – Machnęła ręką gdzieś w stronę terenów posiadłości.

– No nie, miałam na myśli... Dobrze wiesz, co miałam na myśli – odrzekła Kit szczerze. – Do domu, do Anglii. Maman i papa pragną z całego serca, żebyś wróciła. Mówią, że jest...

– Czy ty niczego nie rozumiesz? – przerwała jej siostra ze złością.

Znajdowały się w jednym z wielu pokoi na parterze z widokiem na dolinę, całą okrytą zamieniającą się w szron siwą mgłą. Na południe od zamku wznosiło się pasmo wysokich gór; ich ostre, postrzępione szczyty wbijały się w mgłę, jakby wytykały ją oskarżycielsko palcami wzniesionymi ku niebu. Widok tak bardzo różnił się od miękkich pagórkowatych terenów w Dorset, że Kit nie mogła od niego oderwać oczu. Jak to się stało, że wylądowała akurat tutaj?

Lily odsunęła krzesło i wstała. Śniadanie zostało podane tylko dla dwóch sióstr, lecz żadna z nich niczego nie tknęła. Kit nie piła kawy, a herbata, którą przyniosły pokojówki, była okropna w porównaniu z tą w domu: czarna i gorzka, a w dodatku listki z parzenia zostawiali tutaj w imbryku!

Lily podeszła do komody i wzięła paczkę papierosów. Zapaliła jednego i założyła ręce na piersi. Miała na sobie długą, rozkloszowaną tweedową spódnicę i jedwabną kremową bluzkę, przymarszczoną przy kołnierzyku, z długimi, szerokimi rękawami, zebranymi w bufkę przy mankiecie. Zmieniła styl ubierania się; trudno było uwierzyć, że ma dopiero dziewiętnaście lat.

Wyglądała – i zachowywała się – jak kobieta o wiele, wiele starsza. Była zdecydowanie steraną, wymęczoną wersją siebie sprzed kilku miesięcy. Kit popatrzyła w dół, na swoje ręce, ułożone na kolanach. Czuła się tak młoda, a przy tym głupiutka i całkowicie zagubiona. Dlaczego maman uparła się, żeby to właśnie ona przyjechała tutaj? Ta sytuacja zdecydowanie wymagała interwencji dorosłych, nie jej. I gdzie właściwie zawieruszył się wujek Faunce? Nie widziała go od chwili, kiedy została wyprowadzona z ogromnej jadalni poprzedniego wieczoru. Dochodziła już dziesiąta. Gdzie on, do diabła, się podziewał?

Lily wróciła do stołu, wciąż paląc papierosa. To był kolejny nieznany widok dla Kit. Wiedziała, że matka od czasu do czasu paliła cienkie cygaretki, jak wiele jej przyjaciółek, ale one paliły wieczorami, po kolacji, nie przy śniadaniu i nie na czczo. Podniosła wzrok na siostrę, która właśnie podciągnęła rękawy aż za łokcie. Kit wpatrzyła się w jej odsłonięte ręce. Lily miała posiniaczoną skórę dookoła nadgarstków: paskudne granatowe plamy, które kontrastowały z porcelanowo białą skórą. Wyglądały jak kleksy z atramentu. Wyżej również miała sińce, a w delikatnych zgięciach rąk niebieskawe smugi i mnóstwo czarnych kropeczek, jakby ktoś pokłuł ją szpilką. Kit zaschło w gardle. Lily zorientowała się nagle, w co wpatruje się siostra, i ze złością obciągnęła rękawy. Zdusiła niedopałek ile sił.

– Nie wracam! – rzuciła z werwą. – Nigdy! A jeśli masz odrobinę oleju w głowie, również zostaniesz. Na pewno wygramy, wiesz? Jestem zaskoczona, że jeszcze to do ciebie nie dotarło, skoro zawsze byłaś taka mądra i w ogóle.

– Nie rozumiem... – Kit zaskoczył jad, który zupełnie nieoczekiwanie zaczął się sączyć ze słów siostry.

– Och, nie udawaj przede mną takiego niewiniątka! To nie przejdzie, wiesz? Zawsze naigrawałaś się ze mnie! Lilasek Głuptasek i Kit Mądrala, starająca się zadowolić papę. Zawsze się mu podlizywałaś tymi swoimi bzdurnymi kawałkami. Popatrz tylko na mnie, papo, patrz, jaka jestem mądra! Wszyscy wiedzą, że pragnął syna, a skoro mamie się nie udało... No cóż, zawsze chciałaś mu pokazać, jaka mądra jesteś ty, a jaka głupia ja. Ale to nie zadziałało, słyszysz? Wszystko się teraz zmieni, a ty będziesz...

– O czym ty mówisz?! – Głos Kit zaczął się łamać w rozpaczy. – Nigdy niczego takiego nie robiłam!

– Och, doprawdy? Och, papo! – Lily zaczęła przedrzeźniać młodszą siostrę: – Wyobraź sobie, co przed chwilą przeczytałam! W encyklopedii piszą, że...

– Przestań! Przestań wreszcie!

– A co? Mówię samą prawdę, czyż nie? A jaka byłaś zadowolona, kiedy wreszcie wyszłam za mąż i wyjechałam do Niemiec! Nawet nie kupiłaś mi żadnego ślubnego prezentu! Wyobrażasz sobie, jak się z tym czułam? Moja własna siostra! Nie mogłaś się doczekać, żeby się wreszcie ode mnie uwolnić i mieć papę tylko dla siebie! I nie myśl sobie, że cię nie znam, Kit! Znam cię lepiej niż ty sama. Zawsze byłaś o mnie zazdrosna, zawsze! A teraz papa, tylko dlatego, że za bardzo boi się zmierzyć z przyszłością, wysłał tu ciebie, Panno Mała Mądralo, żebyś spróbowała mnie stąd wyciągnąć. No cóż, to nie zadziałało! Zostaję tutaj. Kiedy już podbijemy Anglię, zobaczysz, jak bardzo wszyscy się myliliście, w jakim błędzie tkwisz ty teraz. Tak na pewno się stanie – i nie zrozum mnie źle, Kit: dopiero wtedy pożałujesz, że nie byłaś dla mnie milsza!

Kit otworzyła usta ze zdumienia w tej samej chwili, kiedy w drzwiach kuchni stanął wujek Faunce.

– Witajcie, dziewczęta! – Wujek Faunce przerwał im grzecznie. – Usłyszałem głosy i pomyślałem, że zobaczę, kto jest już na nogach.

Kit starała się ze wszystkich sił, żeby się nie rozpłakać. Nie dałaby rady mówić. Jeszcze nie teraz. W jej piersi kłębiła się niebezpiecznie mieszanka emocji, od niedowierzania po złość. Jak to wszystko mogło przejść siostrze przez gardło?! Czy zaczęło ogarniać ją jakieś szaleństwo? Lily spoglądała to na Kit, to na wujka, zaczerwieniła się i zrobiła taką minę jak wtedy, kiedy przyjechali. Wybiegła z kuchni. Obcasy jej butów wybijały złowieszczy rytm na kamiennej posadzce.

– A niech mnie! – Wujek Faunce podszedł do stołu i przysunął krzesło, opuszczone przed chwilą przez Lily. Usiadł ciężko i ujął dłoń Kit. – Co nieco usłyszałem... – zaczął spokojnie.

Kit popatrzyła na niego przez stół. Jego jabłko Adama pulsowało jak podgardle ropuchy. Wyglądał, jakby chciał powiedzieć coś bardzo ważnego, coś o ogromnym znaczeniu. Kit czekała, czując, jak mocno bije jej serce. W przeciwieństwie do ojca wujek Faunce należał do mężczyzn, którzy w wieku lat sześćdziesięciu ważyli tyle samo, co w wieku dwudziestu. Jasną skórę twarzy miał całą w zmarszczkach, która mimo to pozostawała napięta, co wyglądało osobliwie: jakby ktoś zmiął doszczętnie kartkę papieru, a potem z czułością ją rozprostował. Robił wrażenie, jakby się przyglądał Kit, choć ona na tyle już poznała wujka, że wiedziała, iż w ten sposób okazuje komuś uwagę, mimo że sam pogrążony jest we własnych rozmyślaniach.

– Jesteś trochę za młoda na lekcję tego rodzaju już teraz – zaczął ostrożnie – jednakże Lily ma rację. Jesteś mądra. Obawiam się, że wraz z tą dodatkową porcją inteligencji łączy się dodatkowy ciężar odpowiedzialności. Przykre to, lecz prawdziwe.

– Na jaką lekcję, wujku Faunce? – spytała Kit, starając się mówić spokojnym głosem.

Wujek zamilkł na chwilę, a jego jabłko Adama znów zaczęło nerwowo pulsować. Dziewczyna skupiła na nim wzrok, unikając jego spojrzenia.

– Chodź, moja mała kuzynko-uczennico. Może byśmy poszli na krótki spacer? Jest mroźny dzień, wiem, ale otul się dokładnie tym swoim okropnym niebieskim płaszczykiem. Ruszmy się, odrobina świeżego powietrza dobrze nam zrobi.

Podniosła na niego wzrok. Zdawało się jej, że wujek skrywa coś jeszcze pod maską wesołych słów.

– Pójdę tylko po płaszcz – odrzekła cicho.

*

Miał rację. Panowało lodowate zimno. Ściągnęła paskiem plączące się pod nogami poły płaszcza i okręciła szyję szalikiem powyżej uszu. Wujek Faunce ujął jej dłoń i wsunął sobie pod ramię. Razem przeszli pod imponującym łukiem bramy, prowadzącej do ogrodów warzywnych i zabudowań gospodarczych na tyłach zamku.

– Nie zawsze jest tak... jak na to wygląda – rzekł w końcu, dokładnie w chwili, kiedy pomyślała, że panujące milczenie należałoby jakoś przerwać.

– A jak wygląda?

– Właśnie tak. Wszystko tutaj... – Tu powiódł leniwie ręką dokoła, po otaczającej ich górskiej okolicy. – I w tym wszystkim my. A dokładniej ja.

– Ale... Czy nie przyjechaliśmy tutaj, żeby zabrać Lily do domu?

– Hm, tak, to byłoby szczęśliwe zakończenie naszej wizyty, ale nie jest to główny powód mojego przyjazdu tutaj.

– A co jest tym powodem? – Kit nerwowo przełknęła ślinę. – Dlaczego wuj się tutaj znalazł?

Wujek Faunce puścił jej rękę i się zatrzymał, po czym odwrócił się do niej.

– Nie sądzę, żebyś wiedziała o mnie zbyt wiele – powiedział z namysłem – ponad to, że jestem młodszym bratem twojego ojca. Nie sądzę, żebyś kiedykolwiek poświęciła choć jedną myśl temu, jak i gdzie mieszkam, co robię, dokąd udaję się każdego ranka, kiedy jestem w Londynie, bo właściwie dlaczego miałabyś to robić?

– A jednak trochę wiem – odrzekła ostrożnie Kit. – Wiem, że nie jesteś żonaty. – Zawahała się. – Nikt mi nigdy nie mówił dlaczego, ale... ale... sądzę, że wiem dlaczego.

Wujek Faunce pokiwał głową.

– W to akurat mogę uwierzyć. Lily co do jednego ma rację: jesteś małą mądralą. Ale ogólnie jest w błędzie. Co do Niemiec, chciałem powiedzieć. Och, wojna będzie, w to nikt nie wątpi. Hitlera nic i nikt nie powstrzyma, niezależnie od tego, co wszyscy idioci, łącznie z twoim ojcem, gadają w Anglii. O nie! Jest tylko jeden sposób na Hitlera. Przeciwstawić się mu!

Kit się nie odezwała. W głowie czuła mętlik. Jednak miała rację. Wujek chciał jej coś powiedzieć

– Wujku Faunce... – zaczęła z wolna. – Jest coś... o co chciałabym cię zapytać. Byłeś tu już kiedyś wcześniej, prawda? Kiedy przyjechaliśmy tu wczoraj... odniosłam takie wrażenie. Sama nie wiem dlaczego.

Wujek Faunce przyjrzał się jej uważnie.

– Dobra z ciebie obserwatorka – przyznał w końcu. – Mówiłem ci to, zanim wyszliśmy na spacer.

Kit się zaczerwieniła po korzonki włosów.

– A więc... Czy to dlatego tutaj jesteśmy? – spytała, zamyślając się. – Czy naprawdę uważasz, że Lily powinna wrócić do domu?

Wuj Faunce zawahał się, a potem uśmiechnął.

– I w dodatku nieustępliwa mała mądrala, co?

– Wujku Faunce, przestań, proszę, nazywać mnie „małą". Nikt tak na mnie nie mówi. A poza tym jestem prawie tego samego wzrostu co ty.

– Masz rację. To głupie z mojej strony. Rozmawiam z tobą jak z osobą dorosłą, jak z kimś w moim wieku... Wiem, że tak nie powinienem, ale inaczej nie potrafię. Obiecuję od tej chwili nie używać słowa „mała", żebyś nie musiała mnie upominać. Przepraszam, moja najdroższa kuzynko. To niewybaczalne z mojej strony, że chcę obciążyć cię tym wszystkim. Naprawdę nie powinienem.

– To nie ma dla mnie większego znaczenia – wyznała szczerze Kit. – Naprawdę. Jednakże tak będzie lepiej. To zdecydowanie uprości sprawę.

– O czym ty mówisz? – Wujek popatrzył na nią uważniej. – Z czym ma mi być łatwiej?

Skierowała swoje szaroniebieskie oczy prosto na wujka.

– Przecież chcesz, żebym ci w czymś pomogła. Wyduś w końcu, czego musisz się dowiedzieć.

8

Pchnęła drzwi i lekko je uchyliła. W środku było ciemno i cicho. Jakieś odgłosy dochodziły jedynie z jadalni dwa piętra niżej. To już ich czwarty wieczór w zamku Gattendorf i jak w trzy poprzednie wszyscy zajmowali się wyłącznie przygotowaniami do późnego obiadu. Dzisiejszego wieczoru przybyło tylu gości, że trudno było ich zliczyć. Samochody zjeżdżały całe popołudnie. Mijały ogromny łuk kamiennej bramy, potem skręcały na prawo od głównego wejścia i znikały z pola widzenia. Wszyscy goście najpierw udawali się reprezentacyjnymi schodami do salonu na piętrze na popołudniową herbatę. Pokojówki biegały w tę i z powrotem z naręczami świeżej pościeli do niezliczonych pokoi na piętrach zamku.

Lily ogłosiła tego popołudnia głosem nieznoszącym sprzeciwu, że obecność Kit przy obiedzie nie będzie pożądana.

– To niezwykle ważny obiad – oświadczyła wyniośle. – O wiele za ważny dla ciebie, Kit. Możesz zjeść kolację w kuchni z Marią, tak jak robiłaś to w domu.

Kit nie skomentowała decyzji siostry. Od rozmowy z wujkiem robiła wszystko, żeby nie dać się podpuścić starszej siostrze. Miała o wiele ważniejsze sprawy na głowie.

Tak jak teraz. Pchnęła drzwi jeszcze trochę i czekała. Nie usłyszała nawet najlżejszego szmeru. W pokoju nikogo nie było. Wśliznęła się do środka i zamknęła za sobą drzwi. Wiedziała, czego ma szukać: pewnej listy.

– Co to ma być za lista? – spytała wujka Faunce'a.

– Lista nazwisk – odrzekł. – Lista nazwisk Brytyjczyków sympatyzujących z faszystami. Unity Mitford sporządziła listę zdrajców, ale ta nas nie interesuje. Chcemy się dowiedzieć, kto popiera faszyzm.

– Na jakiej podstawie sądzisz, że akurat Lily jest w jej posiadaniu?

– To ona ją sporządziła. Słyszano ją, kiedy przechwalała się tym Mitfordównie. Ja osobiście uważam, że przekazała ją już Wolfowi von Schupplerowi.

– Naprawdę myślisz, że to Wolf ją ma? Ale gdzie?

Wujek Faunce wzruszył ramionami.

– Gdzieś w zamku, jak sądzę. Najprawdopodobniej w swoim pokoju. Muszę się zastanowić, w jaki sposób wejść w jej posiadanie. On zostaje tu do niedzieli, później jedzie prosto do Berlina. Przypuszczam, że zabierze ją ze sobą, żeby osobiście wręczyć Hitlerowi.

– Znajdę ją – przemówiła Kit zwyczajnie, jakby podjęcie takiej decyzji leżało wyłącznie w jej gestii.

– Nie żartuj. Nigdy ci na to nie pozwolę. I bez dyskusji. Jeśli twój ojciec kiedykolwiek się dowie, że szepnąłem ci choć słówko na ten temat, zabije mnie jak psa. Jestem pewien. Nie, lepiej trzymaj się z daleka. Będziemy potrzebować twojej pomocy przy sprowadzeniu siostry do domu, ale tylko tyle. Nie powinienem był ci o tym wspominać nawet słowem.

– Mnie będzie łatwiej. On mnie nawet nie zauważa. Jestem ostatnią osobą, którą może podejrzewać.

– Nie, Kit! Koniec. I więcej ani słowa na ten temat.

Oparła się na chwilę plecami o drzwi, włączyła światło i rozejrzała się po pokoju. Pośrodku stało wielkie łoże z czterema kolumnami, z nienagannie udrapowanymi i podpiętymi aksamitnymi zasłonami. Ściany pomieszczenia były krwistoczerwone, naprzeciw łóżka pysznił się ogromny kominek. Wąskie drzwi prowadziły do łazienki. Każdy centymetr kwadratowy podłogi przykrywały grube orientalne dywany. W efekcie wnętrze wyglądało niezwykle bogato, lecz również dziwnie kobieco, co pozostawało w jawnej sprzeczności z surowym, prostym urządzeniem innych wnętrz w zamku. Przy samym oknie znajdowało się biurko z papierami porozrzucanymi w nieładzie po całym blacie.

Podeszła do niego szybko, żeby rzucić okiem. W większości były to jakieś oficjalne pisma w języku niemieckim. Wzięła jedno do ręki, przejrzała i odłożyła na miejsce. Otworzyła jedną z małych szufladek, lecz nie zauważyła tam niczego interesującego: guzik, jakaś odznaka, pióro, mała złota broszka... Zamknęła szufladę i odwróciła się w stronę łóżka. Dostrzegła to nieomal natychmiast: kilka kartek, spiętych razem spinaczem. Od razu rozpoznała odręczne pismo Lily. Szybko podniosła je do oczu. Trzy kartki błękitnego listowego papieru zapisane dziecinnym pismem siostry: *Lord i lady Fane-Bertie; hrabia Shaftesbury; hrabia Denbigh; wicehrabia Torrington (ale nie jego żona – jest niezwykle przeciwna Niemcom!).* Zauważyła tam jakieś trzydzieści do czterdziestu nazwisk, co zajmowało dwie i pół strony. Kit głęboko odetchnęła. Nie miała jak skopiować nazwisk; zabranie kartek z łóżka było z kolei zbyt ryzykowne. Musiała szybko je zapamiętać. Natychmiast pogrupowała nazwiska alfabetycznie, stosując trik, którego nauczyła się od ojca. Cztery nazwiska zaczynały się od litery „A”: *Arscott, Arbuthnot, Alderton, Ashkeaton.* Potem przeszła do „B”. Tylko jedno nazwisko: *lord Bagshawe.* Przechodziła po kolei w dół, wyobrażając sobie, że przepisuje nazwiska na swoją kartkę. Zatrzymała się przy „M” i jeszcze raz powtórzyła wszystko w pamięci. Tak, zapamiętała wszystkie... Prawie wszystkie. Ominęła *lorda Matthiesena.* Wróciła do początku i powtarzała nazwiska po kolei, aż w końcu zapamiętała wszystkie bezbłędnie. Potem zabrała się do drugiej kartki. Tu znajdowało się więcej nazwisk, kartka zapisana została gęściej, Lily dodała także więcej komentarzy. *Syna nie włączać do listy. Ma zbyt liberalne poglądy.* Zatrzymała się przy „W”. Nie dowierzała własnym oczom. Byli tam. Oboje ich rodzice. *Lord i lady Wharton, ale nie Katherine Algernon-Waters. Młoda, lecz z komunistycznymi inklinacjami.* Kit utknęła na tym komentarzu.

Nagły hałas za oknem przywrócił ją do rzeczywistości. To sowa albo inne latające stworzenie szurnęło skrzydłem po szybie. Pospiesznie dokończyła czytanie i zapamiętywanie nazwisk, spięła starannie kartki i odłożyła dokładnie na to samo miejsce, z którego je wzięła. Podeszła na palcach do drzwi, wyłączyła światło, odczekała chwilę i uchylając je, zrobiła małą szparę. Korytarz był pusty. Wyśliznęła się z pokoju, zamknęła delikatnie drzwi za sobą i ruszyła w pełnym cieni mroku w stronę klatki schodowej. Jej sypialnia mieściła się piętro niżej. Przyjęcie trwało w najlepsze. Słyszała gwar ożywionych rozmów i śmiechy dobiegające z parteru. Po rozległych korytarzach niosło się bicie zegara z kurantem. Jedenasta w nocy. Zbiegła lekko na półpiętro z sercem walącym w piersi jak młotem, z głową pełną nazwisk, które udało się jej zapamiętać. Jak tylko znajdzie się bezpiecznie w swoim pokoju, zaraz je zapisze. Nie mogła się doczekać miny wujka Faunce'a, gdy mu pokaże tę listę. Po raz pierwszy w życiu zrobiła coś tak niezwykle ważnego. Kiedy stała w pokoju Wolfa, rozglądając się za tym, czego szukał wujek Faunce, odkryła w sobie niezwykłą odwagę. Nie bała się; jak tylko to zobaczyła, wiedziała, co ma robić – i zrobiła to.

Doszła już do biegu schodów, którym miała zejść na swoje piętro. Potem wystarczyło przejść obok kilku pokoi i już znalazłaby się u siebie. Nagle usłyszała odgłos zbliżających się kroków. Ktoś wchodził po schodach. Miała tylko krótką chwilę, żeby zareagować. Ruszyła biegiem w stronę najbliższych drzwi, nacisnęła klamkę i pchnęła je. Otworzyły się z głośnym skrzypnięciem. Wpadła do środka, ale za późno. Kiedy zamykała je za sobą, złapała spojrzenie mężczyzny wchodzącego na górę. To był Wolf. Obok, trzymając go pod rękę, szła Lily. W ułamku sekundy zarejestrowała złe, podejrzliwe spojrzenie siostry. Zamknęła drzwi już na ich oczach. Stała w środku, szczękając zębami. Tak jak wcześniej w ogóle się nie bała, teraz trzęsła się ze strachu. Usłyszała, jak wchodzą po kilku stopniach, które im zostały, a potem się zatrzymują. Kit nie włączyła światła. Nie miała pojęcia, gdzie się znajduje, do czyjego pokoju zabłądziła. Czekała w całkowitych ciemnościach, tak jak pierwszej nocy, mając absolutną pewność, że osoba po drugiej stronie grubej płyciny drzwi, która ich oddzielała, to mężczyzna. Jednakże tym razem ten mężczyzna nie był sam. Naciskana powoli klamka cicho zachrobotała, aż wreszcie drzwi otworzyły się szeroko. Do pokoju wlało się światło z korytarza. Wolf i Lily stali po jednej stronie progu, Kit po przeciwnej.

– A więc... Co my tu mamy? – mruknął pod nosem Wolf, wchodząc do środka.

Lily pozostała na swoim miejscu. Miała chyba problemy z koncentracją. Kit zaczęła uważnie się jej przyglądać. Oczy siostry wyglądały jak dwa ogromne czarne doły w twarzy, której wyraz zmieniał się co chwila. Nie dawała rady patrzeć na Kit: przy każdej próbie skupienia wzroku na młodszej siostrze jej spojrzenie ześlizgiwało się w inną stronę.

– J-ja właśnie szłam do łóżka – wyjąkała Kit, spoglądając to na jedno, to na drugie.

– Ach, ale twój pokój jest zupełnie gdzie indziej, *mein Kind*. Znowu węszyłaś, co? *Du bist ziemlich neugierig auf die Dinge, nicht wahr?*

Kit zaschło w gardle.

– Nie... wcale. – Kręciła głową, powtarzając: – Ja... Ja właśnie szłam do łóżka.

– Co z nią zrobimy? – Wolf odwrócił się do Lily, która stała wsparta o framugę drzwi, z jedną ręką założoną niedbale nad głową. Chłodno wpatrywała się w siostrę, trzęsącą się przed nimi ze strachu. Nikt się nie odzywał przez dłuższą chwilę. Słychać było tylko odgłosy przyjęcia z jadalni na dole, podczas gdy ich trójka jakby wstrzymała oddech w oczekiwaniu na następny ruch, kolejne polecenie, nowe zagranie.

– Daj jej lekcję, Wolf! – zakomenderowała Lily, spuszczając wzrok. – Zawsze lubiła wsadzać nos w nieswoje sprawy. Zawsze węszyła dokoła. Złościła mnie, no wiesz. Tak, to będzie dobre. Daj jej lekcję. Jesteś w tym niezły. – Energicznie skinęła głową, jakby do swoich myśli, odwróciła się i odeszła.

Przerażenie odebrało Kit oddech i ścisnęło ją za gardło. Poczuła, że się dusi. Wolf patrzył na nią z uśmiechem, a raczej charakterystycznym dla niego, beznamiętnym grymasem twarzy.

Kiedy zamknął drzwi i ruszył w jej stronę, znów miała wrażenie, że widzi jego ukrytą pod maską uśmiechu twarz – jego prawdziwą twarz.

– *Kom!* – powiedział, wyciągając rękę. – *Kom!* – Złapał Kit za nadgarstek najpierw delikatnie, po czym wzmocnił uścisk i przyciągnął ją do siebie.

9

Szła przez pokój w ciemnościach, ledwo przestawiając nogi, wyciągniętymi przed siebie rękami sprawdzając, czy nic nie stoi na przeszkodzie. Nie śmiała włączyć światła i w końcu uderzyła kolanami o łóżko. Uniosła kołdrę i wśliznęła się pod nią. Trzęsła się od pięt po czubek głowy. Podciągnęła kołdrę pod samą brodę i leżała na wznak, odczuwając jedynie straszliwy ból pomiędzy nogami. Miała przyspieszony oddech i poczucie, jakby coś w jej brzuchu wciąż biegało w kółko, usiłując się uwolnić z pułapki. Od chwili, kiedy tamten ją dotknął, przestała myśleć, czuła taką pustkę w głowie, jakby własny mózg próbował ją chronić, zmuszając, aby niczego nie zapamiętała, jeszcze zanim cokolwiek się zaczęło. Wiedziała, do czego Wolf zmierza – aż taka naiwna nie była – lecz miała też świadomość, że dzieje się coś tak niezmiernie poważnego, co przewyższy ją, niebezpiecznego Wolfa i zimną, okrutną Lily... Coś, co zmieni ją na zawsze. Sięgnęła ręką po omacku do stolika nocnego obok łóżka i odszukała notes, który wcześniej tam położyła. Już wyciągała rękę w stronę włącznika lampki nocnej, ale w ostatniej chwili zmieniła zdanie. Odszukała jeszcze ołówek, który leżał obok notesu, i położyła jedno i drugie na wierzchu kołdry. W świetle księżyca było widać wystarczająco dobrze. Usiadła na łóżku i otworzyła notes na pustej stronie. Napisała wyraźnym, dziecinnym pismem: *Lista* i podkreśliła tytuł dwa razy. Potem zaczęła pisać, poruszając powoli ustami, gdy uważnie wydobywała kolejne nazwiska z pamięci i zapisywała je linijka po linijce, nazwisko po nazwisku, grupując według tego, jak je zapamiętała. Wydarła ostrożnie stronicę z notesu i wsunęła ją pod poduszkę. Leżała potem jeszcze długo w ciemnościach, wsłuchując się w stłumione, odległe odgłosy nocy.

Z samego rana, kiedy tylko się rozjaśniło, a w zamku wciąż panowała cisza, wstała i wykąpała się, dokładnie zmywając zaschniętą krew z nóg i brzucha. Ubrała się, krzywiąc się z bólu, gdy wciągała pończochy. Sprawdziła jeszcze swoje odbicie w lustrze łazienkowym, zanim opuściła pokój. Zupełnie nic. Absolutnie niczego nie było po niej widać.

Zeszła na dół do kuchni. Przez ostatnie trzy dni wujek Faunce codziennie był na nogach wcześniej od niej. Otworzyła drzwi. Już siedział przy oknie z filiżanką gorącej kawy w ręce. Podniósł na nią wzrok, kiedy weszła, i poszukał jej spojrzenia. Niczego specjalnego nie dostrzegł. Podeszła do niego ze złożoną kartką w dłoni.

– Co to? – spytał, kiedy kładła kartkę na stole.

– Tego wuj szukał. Znalazłam.

Znów spojrzał jej w oczy z nieukrywanym zdumieniem.

– Ale... Ale to przecież twoje pismo.

– Zgadza się. – Skinęła głową. – Zapamiętałam nazwiska. Spisałam je wszystkie dzisiaj nad ranem. Są tu wszystkie co do jednego.

– Ale... jak? Kiedy?

– Wczoraj wieczorem. Kiedy wy byliście na przyjęciu. Wiele czasu mi to nie zajęło.

– Nie przyłapał cię? Nikt ciebie nie widział? – Wuj Faunce wziął kartkę do ręki i szybko ukrył w kieszeni marynarki.

Kit pokręciła głową.

– Nie. Nikt mnie nie widział. Weszłam do jego pokoju, a lista leżała na łóżku. Wystarczyło zapamiętać nazwiska. Panna Frogworth nauczyła mnie, jak najlepiej to zrobić. Nikt mnie nie widział, przysięgam. Na liście na pewno są wszystkie nazwiska.

Wujek Faunce wyglądał przez chwilę tak, jakby miał trudności z oddychaniem.

– Nie denerwuj się, wujku – szybko powiedziała Kit. – Wszystko jest w porządku. Zapamiętałam dobrze, co mówiłeś mi na temat konieczności zachowania spokoju. Zachowałam spokój. W ten sposób zdołałam zapamiętać wszystkie nazwiska. Potem, kiedy tylko znalazłam się z powrotem w swoim pokoju, spisałam je wszystkie z pamięci.

Zorientowała się jednak po wyrazie twarzy wujka Faunce'a, że jego wiara w jej słowa nie jest tak niezachwiana, jak jej wiara w samą siebie.

CZĘŚĆ II

STRATA

1939 – 1940

Kit

10

Chalfont Hall, Dorset, listopad 1939

W salonie panowała cisza, gdy służąca nalewała herbatę. Duży talerz kruchych bułeczek – wprawdzie bez masła, ale chociaż z niewielką ilością dżemu – stał przed dwiema kobietami, ale żadna nawet nie popatrzyła na nie dłużej. Lady Wharton i jej gość czekały, aż służąca oddali się z pokoju, żeby dyskretnie zacząć rozmawiać.

Kiedy tylko za służącą zamknęły się drzwi, lady Wharton wybuchła:

– Chyba nie sugerujesz, że miałaby wrócić tutaj?! – Te słowa wystrzeliły jej z ust, zanim zdążyła pomyśleć, że nie powinna ich w ogóle wymawiać. – O czym, do licha, miałybyśmy rozmawiać?

Margaret Arscott popatrzyła chłodno na lady Wharton. Sięgnęła po papierosa, nie zważając na wyraźne obrzydzenie na twarzy gospodyni.

– Co rozumiesz przez „O czym miałybyśmy rozmawiać?". Przecież ona jest twoją córką, Delphine. Twoją młodszą córką. O ile zaś gazety są wiarygodnym źródłem informacji, może się równie dobrze skończyć na tym, że będzie twoją jedyną córką.

– Jak możesz mówić takie rzeczy! Nie wierzę, że Lily byłaby zdolna do czegoś takiego! Poza tym nie wierzę gazetom. Nigdy nie zdradziłaby własnego kraju! Nigdy! Och, poczęstuj mnie, proszę, jednym.

Margaret wysunęła jeszcze jeden papieros z paczki i obserwowała, jak lady Wharton go zapala. Jej drżące dłonie świadczyły o zdenerwowaniu.

– Trzeba jeszcze wziąć pod uwagę pozycję Harolda w hrabstwie. Co ludzie powiedzą?

– A co tu jest do gadania? To ty ją tam wysłałaś. Nie zapominaj o tym. Oboje przyłożyliście do tego rękę.

– Faunce miał się nią opiekować... – zaczęła lady Wharton.

Wyraz twarzy Margaret na chwilę złagodniał.

– Są jakieś wieści o nim? – spytała.

– Nie. – Lady Wharton pokręciła głową. – Słyszeliśmy... Słyszeliśmy, że widziano go ostatnio w Berlinie, około dwóch miesięcy temu. Nigdy nie zrozumiem, dlaczego nie wrócił zwyczajnie z Kit.

– Co za bałagan! – westchnęła Margaret. – Co za okropny bałagan! A więc gdzie ona jest teraz?

– Nie wiem. Ostatni list od niej dostałam w marcu. Napisała go zaraz po wyjeździe Kit...

– Nie, nie pytam o Lily. Pytam o Kit. Obie wiemy, gdzie jest Lily. Dokąd wysłałaś biedną Kit?

– Och, Kit. No tak, oczywiście. No cóż... Wysłałam ją do Szkocji. Dalej już nic nie przyszło mi do głowy. Pamiętasz panią Baxter? Zarządzała u mnie personelem przed panią Hudges. Jej siostra mieszka gdzieś daleko na jednej z wysp... Zapomniałam już na której. Prowadzi dom dla dziewcząt, które... Hm... No wiesz... Znalazły się w tarapatach. To bardzo przyjemne miejsce, a przynajmniej tak nam powiedziała. Stosownie oddalone, a w pobliskiej wsi mieszka doktor, który zawsze jest pod ręką. W razie... Hm, w razie czego.

– A co masz zamiar zrobić potem? Śmiem przypomnieć, że jeden skandal w rodzinie to aż nadto, nie sądzisz? – spytała zgryźliwie Margaret Arscott.

Lady Wharton zaczęła się wpatrywać w swoje dłonie.

– No tak – stwierdziła smętnie. – Jeden zupełnie wystarczy. Jednakże ona nie może wrócić tutaj! – powtórzyła, podnosząc na swoją towarzyszkę ogromne, zaczerwienione oczy. – I tak mieliśmy dużo szczęścia, że udało się nam ją stąd wyekspediować, zanim cokolwiek zaczęło być widoczne. Och, Margaret, ja po prostu nie wiem, co mam robić.

Znów zapadła długa cisza. Margaret Arscott popijała herbatę małymi łyczkami.

– No dobrze – odezwała się po długim namyśle. – Pozwól jej przyjechać do mnie.

– Naprawdę byś się zgodziła? – spytała trwożnie lady Wharton. – Nie byłam pewna... Nie śmiałam prosić.

– No cóż, ktoś musi ją przyjąć. Ona ma szesnaście lat, Delphine. Zdaję sobie sprawę, że w obecnej sytuacji twoje myśli zajmuje wyłącznie Lily, ale szczerze... Przecież jesteś jej matką.

– Wiem, wiem. – Głos lady Wharton zaczął drżeć. – Ale muszę przecież myśleć o naszym nazwisku. Ja po prostu... Ja nie mogę myśleć jasno. A co będzie po? Dałabyś radę znaleźć kogoś? No wiesz, żeby wziął dziecko na wychowanie. Ty na pewno wiesz, jak to się robi. Zawsze byłaś bardzo praktyczną kobietą, Margaret. Zawsze.

– Hmm. – Margaret Arscott wydęła usta. – A jeśli nie dam rady? Co wtedy?

– Chyba da radę odesłać ją dokądś, jak sądzę – orzekła lady Wharton. Jej głos odzyskał władczy ton, gdy wpadł jej do głowy pewien pomysł. – Wyślemy ją w jakieś nowe miejsce, gdzie nikt jej nie zna. Do Irlandii? A może do Ameryki? Harold ma tam rodzinę... Musiałaś o nich słyszeć: Crichfordowie? Lord Dunboyne? Mieszkają gdzieś na Zachodnim Wybrzeżu. Nie pamiętam, gdzie dokładnie. W Los Angeles, San Francisco czy jakoś tak. Będzie tam mogła zacząć wszystko od nowa.

– Delphine! Chyba nie mówisz poważnie. Właśnie straciłaś jedną córkę, którą pochłonął faszyzm, a teraz chcesz wyrzucić z domu drugą?! O nie! Ja już podjęłam decyzję. Zabieram ją do siebie zaraz po tym, jak urodzi i poczuje się na tyle dobrze, żeby wyruszyć w podróż. Zajmę się też znalezieniem odpowiedniej rodziny, która adoptuje dziecko. Kit może przyjechać do mojej posiadłości w Norfolk. Nikt tam nie będzie jej niepokoił. Zostanie tak długo, jak zechce. Jest rok tysiąc dziewięćset trzydziesty dziewiąty, nie tysiąc osiemset trzydziesty dziewiąty. Wojna wszystko zmieniła. Wiem, że ty z Haroldem wciąż skłaniacie się ku przeszłości, ale co się stało, to się nie odstanie. Musimy iść z duchem czasu. Poza tym, jak przed chwilą wspominałam, straciłaś już jedną córkę. Bóg jeden wie, co się wydarzy w najbliższej przyszłości, ale ja ci to mówię: Hitler nigdy nie wygra. Nigdy! A kiedy ta okropna wojna się skończy, trzeba się będzie wytłumaczyć z tego, jak komuś wychowanemu w Dorset mogło przyjść do głowy, żeby go popierać. Odrażający mały człowieczek. Tak nikczemny, że nie sposób wyrazić tego słowami. Jak Lily mogła tak postąpić?! Jak mogła być taka zaślepiona?

Lady Wharton kręciła głową z niedowierzaniem i w końcu sięgnęła po chusteczkę.

– Też tego nie rozumiem – przyznała, łkając. – Już w ogóle przestałam rozumieć cokolwiek. Co zrobiliśmy nie tak? Obie nasze córki zrujnowały sobie życie. A Lily była przecież taka piękna...

Margaret Arscott wzniosła oczy do nieba. Że też ta niemądra kobieta w takiej chwili myśli tylko o jednym!

– Jak już mówiłam, Delphine, co się stało, to się nie odstanie. Najważniejsze jest teraz, żeby Kit wraz z dzieckiem bezpiecznie do mnie dotarła – powiedziała i wstała. Miała modną, krótką fryzurę z włosami przystrzyżonymi równo z linią szczęki. Spojrzała na przyjaciółkę, która osunęła się jak omdlała na oparcie fotela. Wstanie na nogi zdawało się ponad jej siły. – Twojej córce będzie u mnie dobrze, Delphine – dodała po chwili cieplejszym tonem głosu. – Będziesz musiała stopniowo zaakceptować ten fakt.

Lady Wharton nie odezwała się. Przez pewien czas obie kobiety trwały w bezruchu w zapadającym powoli mroku. Wiszący wciąż w powietrzu zapach dymu z papierosów zmieszał się z lekką wonią ich perfum. W końcu lady Wharton odważyła się podnieść wzrok na Margaret Arscott, którą znała dobre pół wieku. Tak jak wśród wielu innych kobiet w tamtych czasach, należących do ich sfery, łączące ich więzy stały się bardzo mocne i głębokie. Przyjaźnili się ich rodzice, a przed nimi ich dziadkowie. Mimo że Margaret była dziesięć lat młodsza od lady Wharton, to gdy przebywały wciąż ze sobą w młodości, zżyły się, a w końcu zawiązała się między nimi mocna nić przyjaźni, która przetrwała po dziś dzień. Margaret jednak odnosiła się z widoczną dezaprobatą do pewnych spraw, a wiadomo, że miała jeszcze jeden powód niechęci do wojen. Wyszła raz, dawno temu, za mąż, za człowieka o wiele starszego od niej. Jego nagła śmierć w wieku lat pięćdziesięciu czterech zszokowała wszystkich. Byli małżeństwem jedynie przez pół roku. Jako wdowa spędziła tyle lat życia, co lady Wharton jako żona i matka. Nie zdążyła przez ten czas nawet zajść w ciążę. Kiedy zbliżała się do czterdziestki, wyrzuciła ze swojego nazwiska „Lewes" po mężu. Lady Wharton pamiętała jak przez mgłę jej długie włosy, staromodny sposób ubierania się i konserwatywnych rodziców. Chociaż były przyjaciółkami nieomal przez całe życie, to gdy Margaret odsunęła się od kół towarzyskich Londynu i Dorset, gdzie spotykały się głównie pary małżeńskie, ich drogi nieco się rozeszły. Lady Wharton uważała, że stało się tak tylko ze względu na okoliczności. Z czasem fortuna Margaret zaczęła rosnąć prawie w tym samym tempie, co ich własna upadać. Samotna kobieta nie musiała się jednak martwić o przyszłość; jej dostatnia wdowia renta oraz ogromny spadek po rodzicach były wystarczającym zabezpieczeniem. Zawsze prowadziła aktywne życie, zawsze angażowała się w jakieś charytatywne przedsięwzięcia. Była również bystra i inteligentna. Urodziła się w czasach, kiedy wizja kobiety pracującej dla chleba była na tyle obca jej współczesnym, że nawet gdyby otworzyła się przed nią taka możliwość, nie wiedziałaby, jak z niej skorzystać. Może przez to stała się tak wrażliwa na kłopoty innych – myślała lady Wharton. W tak młodym wieku przeżyła tragedię i to odcisnęło na niej piętno na resztę życia. Bez wahania wyruszyła ze swojej posiadłości w Norfolk, kiedy tylko dotarły do niej najnowsze wieści. Dziwne – zastanawiała się dalej, obserwując przyjaciółkę zbierającą po kolei swoje rzeczy: bardzo elegancką torebkę (co zauważyła z pewnym roztargnieniem), rzucający się w oczy modny płaszcz w kolorze karmelu oraz czerwony toczek – że po tak długim czasie zwróciła się z tym akurat do Margaret.

– Marge – powiedziała powoli, używając zdrobnienia z czasów młodości, i spojrzała na nią uważnie. – Nie sądzisz chyba, że... że jestem okropną matką? – Z trudnością przyszło jej wypowiedzieć to pytanie.

Margaret odwróciła się do niej. Wydawało się, że minęły całe wieki, zanim pokręciła przecząco głową.

– Nie, Del, nie sądzę. Chodzi o to, że... Czasami musisz przedkładać własny instynkt ponad wszystko. Ponad zdanie Harolda, Lily czy wszystkich tych śmiesznych ludzików, których zwiesz swoimi przyjaciółmi. Czasami jednak musisz zrobić to, co jest dobre dla ciebie, a nie dla kogokolwiek innego. Kit wkrótce urodzi dziecko. Ona potrzebuje twojej pomocy. Nieważne, co o tym myśli cała reszta tych idiotów.

– Łatwo ci mówić – westchnęła smętnie lady Wharton. – Nigdy nie musiałaś dostosowywać się do innych. Zawsze robiłaś wszystko po swojemu.

– To nie jest prawda i dobrze o tym wiesz. Czy już zapomniałaś, jak trudno mi było choćby uzyskać zgodę ojca na poślubienie Donalda? I potem te kłopoty z powrotem do panieńskiego nazwiska po jego śmierci? Jaka afera się z tego zrobiła? Ojciec groził, że nie da mi ani grosza. Nie pamiętasz? Nie mógł mnie jednak wyrzucić ze swojego życia, tak jak ty prawdopodobnie nie umiałabyś wyrzucić Kit. Chociaż z tego, co mówiłaś, wynika, że chciałabyś, by teraz znalazła się gdzieś daleko, a ty wolałabyś pogodzić się z Lily. Nigdy nie zrozumiem, dlaczego zawsze faworyzowałaś Lily. Nie, tylko nic nie mów. Zawsze traktowałaś obie inaczej, już odkąd były małymi dziećmi. Nie oceniam cię. Chcę tylko powiedzieć, że Kit cię teraz potrzebuje, a Lily wcale, a przynajmniej nie w tej chwili i nie aż tak mocno. Nie odtrącaj Kit. I nie zwlekaj zbyt długo z przygarnięciem jej z powrotem pod swoje skrzydła. To chcę powiedzieć.

– Oczywiście, że nie będę czekać nie wiadomo na co! – Lady Wharton niespodziewanie się uniosła. – Nie jestem tak całkiem bez uczuć, chyba wiesz. To po prostu niełatwe... Kit zawsze była trudnym dzieckiem. Nigdy nie wiedziałam, co jej chodzi po głowie. Sama wiesz, jaka była. Zupełnie inna niż Lily. A teraz jeszcze to... Nawet nie wiem, czy ktoś inny jeszcze o tym nie słyszał.

– A czy to ma jakiekolwiek znaczenie, Del? Czy to naprawdę ma jakiekolwiek znaczenie? Zabierzmy ją do domu. Pozwól mi wziąć ją do siebie razem z dzieckiem. Zrobimy wszystko jak trzeba, po kolei. W przyszłym roku o tej porze będzie już po wojnie, a Kit wróci do Chalfont Hall. Znajdziemy dobrą rodzinę dla dziecka... Wszystko się ułoży, zobaczysz. Znów wszystko wróci do normalności.

– Do normalności? – Lady Wharton przeciągała każdą sylabę. – Do normalności? Ja już nie pamiętam, co to normalność. Nie wiem, czy kiedykolwiek jeszcze zaznamy normalności.

Lady Wharton podeszła do okna i stanęła w cieniu udrapowanych zasłon, obserwując samochód Margaret opuszczający z wolna podjazd. Było to długie ciemnozielone auto – bez żadnych wątpliwości najnowszy model. Wstrząsnął nią zimny dreszcz. Naciągnęła rozpinany sweter mocniej na ramiona. W salonie było przejmująco zimno. To kolejna rzecz, z której musieli zrezygnować: węgiel. Po maśle, dżemie, puddingach, mięsie, benzynie... Bóg jeden wie, bez czego będą się musieli obywać w najbliższej przyszłości. Margaret nie musiała. Jej Foulden Hall, przynajmniej trzy razy mniejszy od ich rezydencji, był łatwy w utrzymaniu, szczególnie w tych ciężkich czasach. Miała jeszcze dom w ekskluzywnej dzielnicy Londynu, Belgravii, mieszkanie w centrum Paryża, nie wspominając o wiejskim domu na południu Francji, gdzie spędzała co roku lato. Och, jej nic nie sprawiało kłopotu.

Kiedy błyszczące zielone auto zniknęło za szczytem wzgórza,

dała w końcu upust długo tłumionemu żalowi nad sobą. W którym momencie wszystko zaczęło się sypać? Zapaliła kolejnego papierosa. Harold wyjechał do Portsmouth w interesach. Nie wróci do następnego poniedziałku. Miała całą cholerną rezydencję tylko dla siebie i na samą myśl o tym ogarniał ją strach. Bywały czasy, kiedy zdarzała się sytuacja zupełnie odwrotna; weekend bez Harolda oznaczał coś jeszcze. Znów wstrząsnął nią dreszcz. Tego kawałka swojego życia nie lubiła wspominać. Komentarz Margaret trafił w czuły punkt. *Nigdy nie zrozumiem, dlaczego zawsze faworyzowałaś Lily. Nie, tylko nic nie mów. Zawsze traktowałaś obie inaczej, już odkąd były małymi dziećmi.* To prawda, lecz Margaret nigdy się nie dowie, dlaczego tak się stało. Nikt tego nie wiedział, a pewnie i sama Kit. Jak do tego doszło? Była wtedy za mała, żeby zapamiętać, a na pewno nie mogła zrozumieć. Lady Wharton próbowała przestać myśleć o tym okropnym sobotnim poranku, lecz nie dała rady powstrzymać wspomnień. Były jak piętno wypalone w jej pamięci na zawsze.

Leżeli w łóżku w jej pokoju, w jej osobistej sypialni, znajdującej się naprzeciwko sypialni małżeńskiej, w której czasem spędzała noc u boku męża. Co zabawne, to jej własna matka uparła się, żeby trzymali się starych zwyczajów.

– Pamiętaj, powinnaś mieć swoją własną sypialnię! – pouczała ją jeszcze kilka tygodni wcześniej, zanim się pobrali z Haroldem. – Wiem, że wy młodzi chcecie robić wszystko inaczej, ale uwierz mi, przyjdą takie czasy, że będziesz wdzięczna za odrobinę prywatności. Kobieta musi mieć własne sanktuarium.

Nigdy więcej matka nie wdała się z nią w żadną dysputę na temat pożycia małżeńskiego. Wprawdzie wątpliwe było, żeby przewidziała taki przebieg wypadków, myślała Delphine, obracając się na bok i wpadając wprost w objęcia leżącego obok niej, gotowego do działania mężczyzny. Tak, była wdzięczna za odrobinę prywatności, lecz z zupełnie innego powodu. Harold wyjechał akurat „w górę" do tego swojego Londynu. Byli mał-

żeństwem od dziesięciu lat. Po takim czasie, jeśliby mu się choć przez chwilę wydawało, że żona się nie zorientowała, co on wyprawia na tych swoich wyjazdach, okazałby się głupszy, niż był w rzeczywistości.

– Tak to jest – stwierdziła jej matka ze znudzoną miną, kiedy któregoś razu Delphine próbowała się poskarżyć. – Mężczyźni! Wszyscy są tacy sami, kochanie. Zresztą nieważne. Masz przecież dziewczynki. I dom. Przynajmniej tyle.

I to był koniec rozmowy.

Właściwie sama nie wiedziała, jak do tego doszło. Jak to się zaczęło. Jak śmiała o tym pomyśleć. Pamiętała, że podawał jej śniadanie w jadalni, a nim się obejrzała, znalazł się w jej pokoju. Nagi. W jej łóżku. Młody, silny i nieprzyzwoicie przystojny jak na służącego. Prawdę mówiąc, było to najmniej ważne w ich układzie, ale czyniło ten związek jeszcze bardziej podniecającym. Ona miała nad nim władzę absolutną i oboje zdawali sobie z tego sprawę. W łóżku jednakże panowały inne zasady i wszystko stawało się jeszcze bardziej smakowite. Nigdy nawet nie podejrzewała, że jest zdolna do takich myśli, takich czynów. I właśnie w trakcie jednego z takich aktów nagle uświadomiła sobie, że coś w pokoju się porusza. Leżała akurat na brzuchu, z twarzą w puchowej kołdrze, z rękami i nogami rozrzuconymi na boki w taki sposób, że przeraziłoby to każdą ze znanych jej osób, gdyby tylko mogła ją teraz zobaczyć. W owalnym lustrze toaletki stojącej nieopodal okna widziała wszystko, co działo się w pokoju: jego bladą, gładką skórę, mocne mięśnie rąk, swoją odchyloną do tyłu głowę i gęstwinę potarganych, rozpuszczonych włosów. Coś się poruszyło. Jakiś cień przesunął się w lustrze. Usłyszała jakiś dźwięk. Zdrętwiała z przerażenia. Peters niczego nie zauważył. Był zbyt zajęty osiąganiem szczytu własnej przyjemności.

– Hej, co się dzieje? – rzucił, sapiąc, kiedy spróbowała się przekręcić. – Spokojnie. No nie! Nie ruszaj się teraz!

– Złaź ze mnie! – syknęła, szarpiąc się w więzach. – Rozwiąż mnie! Szybko!

– Co się dzieje?

– Złaź! Ktoś tu jest.

To go powstrzymało. Błyskawicznie, drżącymi palcami, z sercem walącym jak młot, w absolutnej ciszy owinęła się szczelnie kołdrą.

– Jest tu kto? – Pytanie zabrzmiało głośno jak grzmot w jej uszach.

– Ktoś ukrył się za zasłoną – wyjąkał Peters głosem tak roztrzęsionym, że w życiu czegoś podobnego nie słyszała.

– Wyłaź natychmiast! – Gdyby to była jedna ze służących, problem łatwo dałoby się rozwiązać. Zostałaby zwolniona jeszcze tego samego dnia. – Wychodź stamtąd, kimkolwiek jesteś!

To ona wstała, wciąż owinięta kołdrą. On zajął się wciąganiem swojego uniformu, a jego piękne, silne ciało szybko zniknęło z widoku. Odsunęła zasłonę. To była Kit. Wyraz jej twarzy nie pozostawiał złudzeń. Tuliła w objęciach swojego pluszowego misia. Jak udało się dziecku wejść do pokoju, nie wiedzieli. Oboje w szoku wpatrywali się w pięciolatkę, która odwróciła się i wyszła z pokoju. Nie padło ani jedno słowo.

Peters czym prędzej się oddalił, pozostawiając ją w opadającej zabawnie kołdrze, z kaskadą rozpuszczonych włosów zakrywających plecy. W głowie miała całkowitą pustkę ze strachu i wstydu. Po raz pierwszy w życiu nie miała pojęcia, co robić. Czy powinna pobiec za Kit i próbować jej coś wyjaśnić? Ale co tu wyjaśniać? Przecież ona miała dopiero pięć lat. Nawet nie umiałaby ubrać w słowa tego, co widziała. Pod tym względem było bezpiecznie. Ale czy na pewno? Gdyby jednak próbowała coś powiedzieć... No cóż... Zwali się to na karb dziecięcej fantazji. Ale czy jakiekolwiek dziecko umiałoby samo z siebie coś takiego wymyślić?

Na szczęście żadne związane z tym wydarzeniem słowa nigdy nie padły. Kiedy niania jak co dzień przyprowadziła obie córki na dół do salonu tamtego wieczoru, Kit spokojnie nadstawiła mamie policzek do pocałowania. Wciąż trzymała pod pachą tego samego miśka z długimi jak u psa uszami. Delphine patrzyła za nimi, kiedy odchodziły: Lily, podskakując radośnie, jak miała w zwyczaju, Kit natomiast spokojnie i z godnością. Matka wreszcie odetchnęła, spięta przez całe popołudnie. Skończy z tym. Natychmiast. To nie może się nigdy więcej powtórzyć.

Aż do chwili obecnej nie mogła się uwolnić od uczucia wstydu zmieszanego z niechęcią, które odczuwała za każdym razem, kiedy widziała młodszą córkę. Margaret miała rację. Traktowała każdą z nich inaczej, lecz kochała obie, choć jedną mniej. Właśnie ze wstydu. Sama była zaskoczona, gdy zrozumiała, że to wstyd wisiał nad nimi jak cień, niszcząc wszystko, łącznie z miłością.

11

Zmiana pogody nadeszła od strony Kanady, mknęła z odległego lądu przez setki kilometrów. Jakieś siły natury gdzieś daleko, nad bezkresnym oceanem na północy, wywołały spadek ciśnienia i nad Atlantykiem rozpętała się burza. Ruszyła na Irlandię, a potem na wyspy Tiree, Coll, Rum i Uist, w drodze na północ, wprost na Lochmaddy. Kawałek dalej przystanęła, zbierając siły i wyciszając wszystkie dźwięki, i nagle skręciła ku jednemu z brzegów wyspy, zginając drzewa tak mocno, aż cienkimi gałęziami omiatały ziemię raz w jedną stronę, raz w drugą. Czoło burzy skręciło na wschód, pozostawiwszy gwałtowną ulewę, która smagała bez litości lustrzaną powierzchnię jeziora, zajmującego centralną część wyspy, biła w kamienne płyty, tłukła w szyby okien, waliła w drzwi. Trwała przez cały dzień.

– Deszcz dobry – zauważyła pani McPherson. – Potrzebujemy go po lecie.

Powiedziała także, że ziemia jest spieczona czy coś w tym rodzaju.

W drzwiach stała młoda kobieta. Spoglądała ponad wodą na pazury lądu, znaczące kraniec wyspy. Milczała. Poruszała się niezgrabnie: wysoka, nie radziła sobie z nadmiernym ciężarem, który musiało dźwigać jej ciało. Deszcz lał całą noc i cały kolejny dzień.

– Leje jak z cebra. Tak tutaj mówimy – powiedziała pani McPherson następnego poranka, kiedy wpadła do pokoju z mahoniową tacą, na której stał talerz pełen połyskujących jajek w koszulkach i tosty. Odstawiła ją na toaletkę i przeszła szybkim krokiem przez pokój.

Leżąca dotąd na plecach dziewczyna wsparła się na łokciach, co uwydatniło jej znacznych rozmiarów brzuch.

– Jak się czujesz dzisiaj? – zainteresowała się pani McPherson. Rozsunęła kotary i ukazało się pochmurne niebo.

Zapytana aż się wzdrygnęła. Wyglądała na oniemiałą z wrażenia, jednak trudno byłoby orzec dlaczego. Czy może z powodu zbyt słabego światła dziennego wpadającego przez okno, czy też apatii spowodowanej jej stanem? Dźwignęła się w końcu do pozycji siedzącej, lecz bardzo ostrożnie.

– N-nic mi nie jest – odparła w końcu, lecz tak, jakby kosztowało ją to dużo wysiłku.

– Nie powinnaś już wstawać – stwierdziła dziarsko pani McPherson, oceniając ją na oko, choć było to oko nieomal profesjonalistki. – Zanim się obejrzysz, będzie po wszystkim.

Dziewczyna nie odpowiedziała. Wpatrywała się w ten skrawek nieba, za którym kryło się słońce, przeświecając słabo przez grubą warstwę chmur.

– Czy... Czy mogłabym poprosić o herbatę? – spytała uprzejmie.

– Tak, oczywiście! Tu jest imbryk. – Pani McPherson pokazała na wełniany ocieplacz, niedorzecznie zabawny w pokoju, który wydawał się pogrążony w smutku. – Zostawię cię samą, mogę?

Odpowiedzią było skinienie głową. Nastąpiła chwila niezręcznej ciszy, gdy obie kobiety patrzyły na siebie, biorąc pod uwagę swoje dotychczasowe krańcowo różne doświadczenia życiowe.

Potem pani McPherson spuściła wzrok, mruknąwszy coś niezrozumiałego pod nosem, i opuściła pokój.

Dłuższą chwilę zajęło dziewczynie wyplątanie się z poskręcanego prześcieradła i puchowej kołdry, a następnie odszukanie stopami porzuconych wieczorem obok łóżka kapci. Zaczęła wstawać ostrożnie, najpierw stawiając jedną stopę na ziemi, potem drugą i dopiero później dźwigając cały ciężar ciała, a przy tym jedną ręką podtrzymując wielki brzuch, który wywoływał grymas bólu na jej młodym obliczu. Podeszła do okna i wyjrzała na zewnątrz. Znów lunął deszcz. Patrzyła, jak mężczyzna w żółtym sztormiaku zachwiał się, gdy próbował przejść przez drogę poniżej. Rozstawił szeroko ramiona, żeby złapać równowagę, lecz znów się zachwiał, i wtedy zmienił zdanie: wyciągnął ręce z powrotem w stronę schronienia, które przed chwilą opuścił. Spojrzała na wzburzone morze za jego plecami, na linię wzgórz rozmywających się w deszczu i ginących gdzieś w mokrej dali.

Lało i lało bez przerwy.

12

– To twoje wody. Odeszły. – Pani McPherson przyglądała się badawczo przemoczonej pościeli. – Wszystko z tobą w porządku. Wezwę położną. Teraz to już długo nie potrwa. Pomogę ci wstać. Zmienię pościel, choć za chwilę będzie równie mokra.

– Czy... Czy ja umieram? – spytała przerażona Kit. Nigdy jeszcze nie doświadczyła tak okropnego bólu w podbrzuszu.

Pani McPherson zdusiła śmiech.

– Nie, jeszcze nie umierasz. Zaczynasz rodzić. Teraz się podnieś... O tak. I do góry. Bridie! – krzyknęła głośno do dziewczyny na dole. – Postaw czajnik na ogniu i znajdź kilka garnków. Będziemy potrzebować tyle gorącej wody, ile tylko się da. – Pomogła Kit wstać z łóżka. – Tak dobrze, przytrzymaj się mnie.

Pamiętaj, że to jest najbardziej naturalne na świecie. Nie ma się czego bać.

Była przytomna przez cały czas, ale właściwie pracę wykonało jej ciało. Słyszała głosy, odróżniała kształty, widziała dłonie... W pewnej chwili zdawało się jej, że w małym pokoiku znajdowało się z sześć osób, ale potem zorientowała się, że musiała mieć przywidzenia z bólu. Czuła się, jakby coś wyrywano z jej ciała. Coś, nie kogoś. Jakoś nie potrafiła myśleć o dziecku jako o osobie – żyjącej, oddychającej istocie. Wciąż uważała, że to „rzecz". Rzecz, którą jej zrobiono. Już w chwili, kiedy Wolf wyciągnął rękę, żeby złapać ją za przedramię, coś się w niej zamknęło. Wiedziała, co ją czeka. Nie była aż tak nieświadoma jak inne dziewczęta w jej wieku. Wiele o różnych faktach z życia dowiedziała się z książek ojca. W tej samej chwili napłynęło inne wspomnienie i zatarło to tu i teraz, co na szczęście pozwoliło jej skryć się w odległej przeszłości, gdzie to, co miało dopiero stać się z nią, wówczas działo się z udziałem kogoś innego. Nie potrafiła określić precyzyjnie, kiedy to miało miejsce; w jakiś swój dziwny sposób, rekonstruując po latach wydarzenia, doszła do wniosku, że przyłapała matkę na czynie niedozwolonym. Ciało poruszające się nad matką nie należało do ojca – to wiedziała na pewno. Było w tej sytuacji coś potwornie wstydliwego, choć nawet nie dlatego, że ich widziała razem, lecz bardziej w tym, jak matka zachowała się po wszystkim w stosunku do córki: odepchnęła ją. Zrozumiała jakimś cudem, że nie powinna już nigdy do tego wracać nawet w myślach. Nigdy nie mogłaby się bezpiecznie poruszać w ponurych wspomnieniach przeszłości. Musiała wyprzeć obrazy, zablokować dźwięki... uciec od tego, co widziała. To samo instynktowne działanie uratowało ją zarówno wtedy, jak i ostatnio. Właśnie dlatego Wolf mógł robić, co chciał, a ona czuła się tak, jakby to jej nie dotyczyło.

Kiedy kilka miesięcy później ciąża stała się widoczna, Kit potrafiła żyć w przekonaniu, że nic podobnego nigdy nie miało miejsca.

Aż do teraz. Teraz ból stał się nie do wytrzymania, a jego natężenie przebiło ochronne zasłony pamięci i wyrzuciło ją jak z katapulty z powrotem ku rzeczywistości, gdzie rozlegające się krzyki pochłonęły pozostałe dźwięki do tego stopnia, że sama już nie wiedziała, kto krzyczy głośniej: ona czy jej nowo narodzone dziecko.

13

Otwierały się przed nią kolejne widoki pokrytych śniegiem pól, które przemierzała kilometr po kilometrze po rozmiękłych, wąskich drogach o oszronionych brzegach. Były jak scenki z innego życia, które wiodła w zamierzchłej przeszłości. Nawet w uścisku zimy najsroższej od niepamiętnych lat (za pamięci żyjących, jak ktoś ośmielił się to ująć) miękko falujące pagórki i obramowane żywopłotami drogi miały w sobie coś łagodnego, nieomal kobiecego. Żywopłoty stały jak parawany z zielono-srebrzystych koronek, czasami podparte niskimi kamiennymi murkami; kanciaste stodoły wznosiły się dumnie na szczytach pagórków, a nie kuliły w deszczu jak w Szkocji. Tam pogoda wydawała się raczej wrogiem niż zwykłym żywiołem; całe życie koncentrowało się wokół chronienia się przed jej zachciankami i kaprysami. Jednego dnia niebo było błękitne jak kacze jajo, a już następnego rozszalałe morze wznosiło się ku niebu, pełnemu burzowych chmur. Kit spędziła okrągły miesiąc w malutkim pokoiku na wyspie Uist, ostatnim skrawku nieurodzajnych wzgórz i urwistych wąwozów, za którymi otwierał się ocean tak szeroki i przepastny, że trudno sobie wyobrazić za nim gdzieś stały ląd. Wciąż jeszcze brzmiał jej w uszach dziwny akcent tamtejszego języka, ni to angielski, ni to gaelicki. Od chwili, kiedy urodziło się dziecko, pojawiły się kolejne dokuczliwe odgłosy rozsadzające jej czaszkę: krzyki dziecka, pociągania nosem, kwilenia, chlipania i popłakiwania, beknięcia, a potem coś w rodzaju śmiechu, choć raczej to niemożliwe. Jednak ani jej, ani jemu nie było wcale do śmiechu. Popatrzyła w dół, na zawiniątko, które trzymała w ramionach. Jakaś odległa część mózgu Kit zachwycała się sposobem, w jaki trzymała dziecko: tak naturalnie i troskliwie. Pani McPherson powiedziała kilka dni temu, że jeszcze nie widziała dziewczyny, która tak naturalnie by do tego podeszła.

– Taka z ciebie chudzina – stwierdziła, patrząc na swą podopieczną. – Szczerze mówiąc, nie jesteś wiele większa od niego, a poradziłaś sobie ze wszystkim jak kaczka z wodą. Oj, tak, tak.

Kit nie wiedziała, co powiedzieć. Trzymała dziecko w zgięciu ramienia, dokładnie tak, jak pokazała jej położna, a drugą ręką przytrzymywała przy jego ustach butelkę z podgrzanym mlekiem.

– Nie martw się, nie będziesz musiała karmić małego piersią, o nie... – poinformowała ją położna. – To nie byłby dobry pomysł. Morag mówiła mi, że będziesz go oddawać najszybciej, jak to możliwe. Nie, panienko. Lepiej nie zaczynać.

– Ona ma rację – wtrąciła swoje trzy grosze pani McPherson. – Lepiej nie zaczynać.

– Twoje piersi szybko wyschną – dodała raźnie położna. – Będzie ci łatwiej, kiedy nadejdzie czas.

„Kiedy nadejdzie czas". W ciągu ubiegłego roku aż za często słyszała te słowa. Kiedy nadejdzie wojna. Kiedy nadejdzie dziecko. Kiedy nadejdzie czas... Brzmiało to tak, jakby jej życie miało się składać z nieustannego oczekiwania na nadejście kolejnego „kiedyś".

Dziecko nagle zakwiliło i w jednej chwili skierowało na siebie uwagę Kit. Był to silny maluch, pulchnymi rączkami ściskający kocyk nawet przez sen. Minęła godzina od ostatniego karmienia i ku jej ogromnej uldze nie obudził się jeszcze, odkąd wsiadły do pociągu na stacji King's Cross.

Bridie, kuzynka pani McPherson, towarzyszyła jej przez całą drogę od wyspy Uist do Mull, a potem do Oban, gdzie złapały pociąg do Inveraray. Z całej podróży Kit zapamiętała tylko ciągły stukot i hurgot, okropne zgrzyty metalu o metal, wysokie, przeszywające gwizdy konduktorów i dziwną chwilę, kiedy pociąg zaczyna powoli ruszać z miejsca niezależnie od stacji, na której się akurat znalazły. Postacie ludzi na peronie zaczynały się stapiać ze sobą; tu i tam machała jeszcze jakaś uniesiona na pożegnanie dłoń, a potem pociąg zwiększał prędkość i peron razem z obcymi ludźmi zostawał daleko w tyle. Jechały wciąż na południe w stronę granicy. Dziecko spało w ramionach Bridie, najwyraźniej zadowolone. Gdy przeciskali się w trójkę wąskim korytarzem wagonu do przedziału zarezerwowanego na nazwisko Arscott, czasem napotykali zaciekawione spojrzenia starszych kobiet. Tu i tam znaczące spojrzenie, nieomal niezauważalnie uniesiona brew, nagłe przechylenie głowy na bok. Jak one musiały wyglądać? Dziewczyna o zmęczonej twarzy, raczej już nie uczennica, młoda, zatroskana kobieta i śpiące niemowlę... i ani cienia podobieństwa pomiędzy nimi. Bridie Stuart była rudowłosa, Kit blondynka, a dziecko włoski miało czarne. Trochę dziwna trójka. Nic dziwnego, że ludzie się gapili.

Odwróciła się, żeby wyjrzeć przez okno wagonu. Zabudowania hrabstwa Norfolk coraz szybciej migały za szybą. Nazwę stacji można było odczytać dopiero wtedy, kiedy pojawiała się za oknem i w tej samej chwili uciekała z pola widzenia. Swaffham, Hilborough, Foulden. Wszędzie wokół drogi prawie puste. Był dwudziesty dziewiąty grudnia. Jechali przez bezludne okolice w tygodniu pomiędzy Bożym Narodzeniem a Nowym Rokiem. Wszyscy marzyli o tym, żeby rok tysiąc dziewięćset trzydziesty dziewiąty wreszcie się skończył, choć obawiali się, co przyniesie tysiąc dziewięćset czterdziesty. Nie był to czas na świętowanie. Nie dalej jak kilka dni temu dwa brytyjskie statki zderzyły się blisko wybrzeża Kintyre. Tragedia pochłonęła ponad sto istnień.

Następnego ranka po wysłuchaniu tej informacji w radiu Kit pozwoliła pani McPherson trochę dłużej pospać. Zawinęła dziecko tak ciasno, że przypominało jedną z tych egipskich mumii, którą widziały razem z Lily w British Museum dawno, dawno temu, za czasów zapomnianego już dzieciństwa, i zeszła z nim na plażę. Spienione fale uderzały ze złością o brzeg. Skłębione chmury na niebie i powierzchnia morza poruszały się w jednym rytmie, przewalając się ociężale z boku na bok. Od samego patrzenia Kit zrobiło się niedobrze. Stała na końcu drogi we mgle opadającej delikatną mżawką na ziemię i patrzyła w stronę, gdzie zatonęły oba statki. Wydawało się jej to niemożliwe do pojęcia. Statek to przecież ogrom żelaza i stali, i taki niesamowity ciężar...

Tysiąc trzysta pięćdziesiąt siedem ton standardowych... – jak poinformował dochodzący z radia bezosobowy głos spikera, który wypełnił mały pokój od frontu, w którym Kit i pani McPherson przesiadywały rankami i późnymi popołudniami przy kominku, słuchając radia i dotrzymując sobie towarzystwa.

W dawnych czasach – jak obecnie zawsze myślała o swoim życiu sprzed pobytu w Niemczech – natychmiast spytałaby: „Co to takiego ta tona standardowa?". Ktoś na pewno udzieliłby jej odpowiedzi. Może Bignell, choć istniało duże prawdopodobieństwo, że tego akurat by nie wiedział. Mogła sobie wyobrazić, jak mówi: „No cóż, milady, jednak nie znam poprawnej odpowiedzi". A może Caruthers: „Tona standardowa to...". Jeśli odpowiedź nie satysfakcjonowała Kit – a zwykle tak się działo – zawsze pozostawał ojciec albo biblioteka i przyjemne oczekiwanie podczas kartkowania tomów, dopóki odpowiedź się nie znalazła. Odpowiedź poprawna. Taka, której szukała samodzielnie i którą samodzielnie odnajdywała... Dojmujące poczucie straty, podobne do uczucia głodu, skręciło jej trzewia i zagrażało, że pochłonie ją całą.

Patrzyła w dal, w mglisty, nieskończony przestwór, gdzie kolory i tekstury powierzchni zdawały się przenikać i zlewać ze sobą, po czym znikały sprzed jej oczu jak tonący marynarze. Znów poczuła, że jest smukła i lekka. „Chudzina". Uniosła rękę, żeby odgarnąć pasmo włosów z twarzy. Wyszła z domu bez kapelusza. A co by to było, gdyby tak ruszyć przed siebie wprost w tę szarość, trzymając na ręku dziecko, które do tej pory nawet nie pisnęło? Nikt chyba by za nią nie zatęsknił. Matka i ojciec w końcu odetchnęliby z ulgą, że się od niej uwolnili, a Lily i tak już pewnie więcej nie zobaczy. Matka dała jej jasno do zrozumienia, że do Chalfont nie ma dla niej powrotu. Za kilka tygodni, kiedy będzie „zdatna do podróży", zostanie odeskortowana do hrabstwa Norfolk, do jednej z przyjaciółek matki, pani Margaret Arscott. Kit pamiętała ją głównie ze względu na jej charakterystyczny śmiech, a śmiała się bardzo często. W sumie pamiętała tylko tyle.

– Pani Arscott zajmie się tobą, kochanie. – Usłyszała głos matki przez trzaski na linii telefonicznej. – Ona wszystko załatwi. To już zdecydowane. Jak tylko będziesz zdatna do podróży. Musisz odzyskać siły.

Wszystkie kobiety mówiły do niej tak, jakby zapadła na jakąś niewyobrażalną chorobę, do której nazwania brakowało im słów. Teraz jedna przez drugą zapewniały ją, że znów poczuje się „lepiej". Żadna ani słowem nie wspomniała o dziecku.

Ktoś złapał ją pod ramię. Drgnęła, wystraszona. Odwróciła się i stanęła twarzą w twarz z panią McPherson.

– Wracajmy do domu – powiedziała cicho pani McPherson. Jej głos zabrzmiał nieoczekiwanie łagodnie. – Można tu tylko doczekać się śmierci... albo przeziębienia. Nie włożyłaś nawet płaszcza. – Nieoczekiwany poryw wiatru zagłuszył jej ostatnie słowa.

Kit dała się odciągnąć od brzegu i poprowadzić drogą pod górę na niewielkie wzniesienie, gdzie stał dom. Gdy już weszły do środka, stanęła bez sił i pozwoliła biegać wokół siebie pani McPherson, która owinęła ją czym prędzej jednym z grubych koców w szkocką kratę, porozwieszanych po całym pokoju w każdym możliwym miejscu, w oczekiwaniu, aż się do czegoś przydadzą. Dziecko było karmione w kuchni przez ciotkę pani McPherson – jedną z wielu kobiet zaglądających do nich co pewien czas przez cały dzień, dla których nakarmienie noworodka zdawało się równie łatwe i zwyczajne jak przygotowanie herbaty.

– Chodź no tu, chudzinko. Usiądź tu, przy oknie. Dobrze.

O to chodzi... Bardzo lubisz świat tam, za oknem, co? Bóg jeden wie dlaczego... Nic tam nie ma oprócz deszczu i widoku tego posępnego morza. – Stała przez chwilę, wyglądając na zewnątrz, a potem potrząsnęła głową. – W piękny, słoneczny dzień to rozumiem... Kto teraz chciałby patrzeć na deszcz?

– Lubię deszcz – przemówiła nieoczekiwanie Kit, zaskakując i siebie, i opiekunkę.

Pani McPherson popatrzyła na dziewczynę z zaciekawieniem.

– Tak, oczywiście, jestem przekonana, że lubisz – orzekła. – No cóż, zostawię cię tu samą na chwilkę. Będę tu zaraz obok w kuchni z dzieciaczkiem.

Dotknęła Kit lekko w ramię – a zrobiła to po raz pierwszy od jej przyjazdu tutaj – i się oddaliła.

Z kuchni dobiegały odgłosy rozmowy obu kobiet i krzątaniny pani McPherson, która zapewne przygotowywała kolejny imbryk herbaty. Kit oparła głowę o kłujące obicie, wsłuchując się w raz głośniejszy, raz cichszy ton ich głosów, nie starając się nawet zrozumieć, o czym rozmawiają. Dziecko zachowywało się bardzo spokojnie. Tuż za oknem widziała ogromną kałużę, w której odbijał się do góry nogami otaczający świat. Kamienna elewacja domu podziurkowana była ukłuciami kropel deszczu, uderzającymi teraz w powierzchnię wody. Umysł Kit zamarł; wszystkie bezustannie drążące ją pytania – jak powidoki, na długo pozostające pod powiekami po wygaśnięciu źródła światła – przycupnęły gdzieś w kącie. Odpoczywała, tak jak pomiędzy jednym a drugim skurczem porodowym odpoczywają rodzące się dzieci – z jej własnym włącznie – sądząc być może, że już przyszły na świat.

– Panienko! Panienko! – cichy, ale natarczywy głos szofera przerwał otulającą ją ciszę. Zasnęła. Wyprostowała się z wysiłkiem, lecz ostrożnie, modląc się, by nie obudzić dziecka.

– Czy już jesteśmy na miejscu? – spytała, wpatrując się w mrok późnego popołudnia.

Zbliżała się czwarta i szybko zapadał wieczór. Na wyspie

Uist, z której przyjechała, byłoby już zupełnie ciemno. Ugryzła się w język na czas, żeby nie powiedzieć „w domu". Gdzieś kiedyś przeczytała, że wystarczy wrócić dwa razy do tego samego miejsca, żeby zacząć nazywać je „domem". Może to być pokój w hotelu, pokój gościnny, wolny pokój w czyimś mieszkaniu albo też pokój, do którego zostałaś zesłana, żeby wydać w nim na świat dziecko.

14

Margaret Arscott wstała, ubrała się i w pełnej gotowości zaczęła wyglądać ich przyjazdu, jeszcze zanim zasiadła do śniadania. Sama nie bardzo wiedziała, dlaczego zbliżająca się nieuchronnie godzina przyjazdu Kit wywołała w jej sercu takie poruszenie. Oczywiście było jej przykro z powodu tego, co stało się dziewczynie, ale czuła, że przejmuje się bardziej, niż powinna. Minął już ponad rok, odkąd widziała się ostatni raz z kimkolwiek, nawet z własną siostrą. O ile pamięć dobrze jej służyła, było to w tygodniu poprzedzającym bal debiutantek, na którym miała wystąpić Lily. Tamten dom przewrócono wtedy do góry nogami. Krawcowe przychodziły i wychodziły; od tygodni w kuchniach pieczono ciasta; goście przyjeżdżali nieomal codziennie... Można by pomyśleć, że dziewczyna wychodzi za mąż. Oczywiście potem wyszła za mąż, co ogłoszono niezliczoną ilość razy i opisano w gazetach. Fakt, że on był prawie dwadzieścia lat od niej starszy i w dodatku to Niemiec, zdawał się nie robić na nikim żadnego wrażenia, a już najmniej na głównych zainteresowanych, czyli Delphine i Lily. Był bogaty i nic poza tym się nie liczyło.

Pamiętała, jak kiedyś, dawno temu, wpadła na Kit, która czytała książkę, siedząc we wnęce okiennej salonu na piętrze. Poczuła ogarniającą ją falę czułości na widok zaczytanej dziewczyny wspartej brodą na rękach.

– Witaj! – powiedziała i przeszła przez wzorzysty dywan

do miejsca, gdzie siedziała Kit, podwinąwszy nogi. – Całkiem sama?

Kit podniosła na nią wzrok. Miała niezwykle ożywiony wyraz twarzy, jakby szła pod ostry wiatr. To nie było plastikowe, nudne piękno jak u siostry; jej atrakcyjność polegała na pokazywaniu wszystkich uczuć, które jak żywe srebro przelewały się na powierzchni skóry, były jak błysk słońca czy zmarszczki od wiatru na powierzchni wody. Kit miała bystrą, inteligentną twarz; biła z niej pasja i życiowa energia. Gładka skóra, ładnie zarysowane kości policzkowe i lśniące brwi, zaskakująco ciemne u kogoś o jasnych włosach: takie oblicze musi ujawnić swoje prawdziwe piękno później, w wieku dojrzałym – myślała Margaret, sadowiąc się na wygodnym siedzisku obok Kit. Jako dziecko była wyjątkowo niezgrabna; później, w wieku dojrzałym, stanie się imponująco piękną kobietą – rozważała dalej Margaret – może nawet o władczym typie urody.

– Sądziłam, że nie powinnam nigdy zostawać sama – stwierdziła, uśmiechając się, Kit, jak zwykle z książką w dłoni.

– Czy czegoś potrzebujesz? – spytała Margaret, która w niewytłumaczalny sposób pragnęła wynagrodzić Kit brak zainteresowania ze strony wszystkich pozostałych domowników.

– Czego na przykład? – zdziwiła się Kit, kierując na nią szczere, niewzruszone spojrzenie.

– Och, sama nie wiem... Może czegoś do picia? Nie nudzi ci się tutaj?

– Nie, skąd. Wcale. – A po chwili dodała: – Wiem jednak, co ma pani na myśli. Co pewien czas napotyka się kogoś, z kim nie bardzo wiadomo, o czym rozmawiać.

Taka odpowiedź i roztropność dziewczyny zadziwiły Margaret. Roześmiała się, dochodząc do wniosku, że Kit potraktowała to jako przyznanie się do winy. Ta sytuacja stworzyła idealny klimat dla czegoś w rodzaju wymiany pewnych tajemnic pomiędzy nimi.

– Tak – przyznała zamyślona. – Odnoszę wrażenie, że masz rację. Kiedy dorośniesz, będzie ich wciąż więcej i więcej... tych innych ludzi. W końcu któregoś dnia zdasz sobie sprawę, że jesteś jedną z nich. Mam na myśli tą inną.

Ile lat miała wtedy? Piętnaście? To jednak zbyt mało, żeby potrafić sensownie skomentować jej wypowiedź, której zapewne nie była w stanie dobrze zrozumieć.

– No cóż, chyba już pójdę – powiedziała w końcu Margaret i wstała.

Kit nawet nie uniosła głowy znad książki. Margaret miała niedorzeczne wrażenie, że to ona popełniła gdzieś błąd.

Teraz, patrząc na Kit idącą przez hol, dostrzegła, że dziewczyna zmierza w jej stronę pewnym krokiem z wyrazem twarzy kogoś, kto wie, iż jest obserwowany. Miała dziwne przekonanie, że widzi na twarzy Kit dokładnie to samo, co ona u niej: poczucie winy. Coś tak mocno ścisnęło ją w piersi, że o mało się nie rozpłakała. Dlaczego biedna dziewczyna miałaby się czuć winna? To oni – świat dorosłych, łącznie z jej matką – powinni być pociągnięci do odpowiedzialności.

– Kit, kochanie! – krzyknęła głośno, bardziej żeby ukryć własne zakłopotanie niż się przywitać. Zbyt głośno, jak zauważyła natychmiast po reakcji Kit: dziewczyna aż się wzdrygnęła, choć zrobiła wszystko, by to ukryć. – Moja najdroższa dziewczynka! – powtórzyła, tym razem zdecydowanie łagodniej, i szeroko rozpostarła ramiona. Kit zatrzymała się i stała sztywno, pozwalając się wyściskać. Podążająca krok w krok za nią pani Wright, zaufana gospodyni Margaret od nieomal dwudziestu lat, niosła w białym koszyku dziecko stanowiące główny powód i punkt centralny dramatu. Było tak szczelnie okręcone kocykiem, że sterczała z niego tylko kępka czarnych włosków.

– Czy trudno się podróżowało? – spytała z troską.

– Nie. – Kit pokręciła głową. – Wszystko się udało. Trochę męcząco, ale on spał prawie cały czas.

– Chodź, moja droga. Pokażę ci twój pokój. Umieściłam was oboje w skrzydle, którego okna wychodzą na park. Jest śliczny, szczególnie o tej porze roku. Pani Wright zostanie z tobą pierwszej nocy. – Rozpromieniła się, patrząc na nich. – Pani Wright, będzie pani tak miła i pójdzie z lady Katherine do jej pokoju, żeby się rozpakowała. Kolacja będzie o siódmej. Pani Wright pokaże ci, kochanie, gdzie jest pokój. Nie musisz się specjalnie przebierać do kolacji. Będziemy tylko my. A teraz nie chcę, żebyś się czymkolwiek martwiła. Jesteś tutaj, żeby wypocząć i dojść do siebie. – Uśmiechnęła się, mając nadzieję, że uśmiech wypadł szczerze i wesoło, a potem patrzyła za nimi, gdy pani Wright żwawo ruszyła naprzód, obejmując prowadzenie.

Jeszcze przed końcem tygodnia wszystko zostało ustalone. Przez kościół parafialny znaleziono uczciwą, ciężko pracującą, bezdzietną rodzinę. Zgodnie ze słowami pani Wright uważali oni szansę na adopcję „wysoko urodzonego" jednomiesięcznego niemowlęcia za prawdziwy cud. Nikt nie spytał, kto jest ojcem. Tajemnice i kłamstwa; to niewypowiedziane, to przemilczane – tak zawsze działali ludzie z jej sfery i tak zapewne będą działać. Przyzwoitość lub jej pozory zawsze pozostawały sprawą nadrzędną. Kobiety w rodzaju Delphine traktowały małżeństwo i macierzyństwo przede wszystkim jako relację społeczną, a nie coś osobistego. Zadowolenie z życia dawało im obracanie się w zrozumiałych dla siebie granicach. Wkroczenie w wielki świat w wieku lat osiemnastu było pierwszym krokiem z wielu, które decydowały o kursie, który obierało potem ich życie. Za kolejne dwadzieścia lat lub nieco więcej ich córki zrobią to samo i w ten sposób tradycja będzie kontynuowana. Czasem, jak teraz, może się zdarzyć, że dziewczyna uczyni błędny krok, potknie się... wykona zły ruch.

Konsekwencje tego mogą się odbić – i zwykle się odbijają – na całym jej przyszłym życiu.

15

Kit usiadła ostrożnie na łóżku i rozejrzała się dokoła. W pokoju obok pani Wright zajmowała się niemowlęciem. Słyszała jego popłakiwania, które zwykle stanowiły preludium do wrzasków ile sił w płucach. Jakim sposobem takie maleństwo potrafiło wydawać tak ogłuszające dźwięki?

– No już, już... – Próbowała ukołysać małego pani Wright. – Śpij już, śpij.

To doprawdy niesamowite, skąd te kobiety wiedziały, co robić z płaczącym czy wrzeszczącym niemowlakiem. Do tego gatunku nie należała jednak pani Arscott. Kit dostrzegła, w jaki sposób patrzyła na nią i dziecko: z mieszaniną niechęci, winy i litości. To samo widziała wcześniej we wzroku matki, kiedy poinformowała ją o ciąży. Oczy nabrzmiały jej łzami, lecz nie był to odpowiedni czas ani miejsce na szlochy. Zbliżała się osiemnasta trzydzieści. Za pół godziny spodziewano się zobaczyć ją na szerokich schodach prowadzących na parter. Miała dołączyć do pani Arscott i zjeść razem z nią późny obiad. Zasiądą wtedy w zalatującej stęchlizną jadalni przy wypolerowanym na błysk stole, wyglądającym identycznie jak stół w jadalni u nich w domu. Takie same srebra stołowe, kryształowe kieliszki do wina, których nie będą używać, wypolerowane sztućce, ułożone przy talerzach w równym szyku, te same gustowne obrazy, przedstawiające sielskie krajobrazy angielskiej wsi w spokojnych, pastelowych kolorach, zdecydowanie kontrastujące z rozszalałym wirem emocji, kłębiącym się w jej głowie. Czuła dyskomfort, nie mogąc ani znaleźć dla nich ujścia, ani się uspokoić.

Przez chwilę jeszcze raz przypomniała sobie swoje okropne położenie i wszechogarniające poczucie beznadziei z kilku ostatnich miesięcy. Musiała się podeprzeć ręką i mocno ścisnąć w dłoni wzorzystą narzutę, mnąc w palcach modny fiołkowo-różowy orientalny wzór paisley. Burza uczuć nasiliła się jeszcze bardziej, jakby wniknęła w głąb jej ciała razem z wdychanym powietrzem, i teraz Kit nie mogła już prawie oddychać.

– Śpij już, śpij... – dochodził śpiewny głos pani Wright z pokoju obok. – Śpij już, śpij, malutki. Grzeczny chłopczyk. Śpij już, śpij...

Powtarzająca się fraza w końcu podziałała uspokajająco również na nią.

Niespodziewanie uścisk w piersiach zelżał, równie nagle, jak ją dopadł. Odetchnęła głęboko i to pomogło jej wydostać się z odmętów czarnych myśli na powierzchnię, do rzeczywistości. Znajdowała się teraz razem z dzieckiem tutaj, w domu przyjaciółki matki, cała i zdrowa. Dla wciąż bezimiennego dziecka znaleziono już rodzinę. Specjalnie nie nadano mu imienia, żeby ułatwić sprawę. Nie zwracano się do nikogo konkretnego, nie stał się jeszcze Kimś. Odda go i za kilka tygodni powróci do dawnego życia, naprawiając zerwaną nić.

Gdzieś z czeluści domu dobiegł jej uszu odgłos gongu. Wzrok Kit spoczął na małym mosiężnym zegarze stojącym obok łóżka. Zbliżała się siódma. Zmusiła się do wstania. W pokoju obok panowała cisza. Czyżby zapadła w drzemkę? Po pani Wright nie było śladu. Podeszła na palcach do drzwi. Dziecko spało mocno w kołysce, którą pożyczono Bóg jeden wie od kogo i postawiono pośrodku małej służbówki przy jej sypialni. Zajrzała ostrożnie do środka. Kiedy patrzyła na swoje dziecko, poczuła, że coś ściska ją w gardle. Wprawdzie chłopczyk nie miał jeszcze imienia, lecz miał szczególne tylko dla niego części twarzy: oczy, zadarty nosek, policzki. Zaczęła mu się przyglądać. Czy jest jej? Nie mogła już nigdy więcej myśleć o nim jako należącym do niej, ani też o sobie jako tej, którą z nim rozdzielą. Zamęt, który czuła w sercu za każdym razem, gdy patrzyła na dziecko, stawał się nie do zniesienia.

Odwróciła się i zamknęła za sobą drzwi cicho, acz dokładnie. Spojrzała w dół na swoją sukienkę. Miała ją na sobie przez całą podróż, czyli ponad jeden dzień. Podeszła do szafy w narożniku pokoju i otworzyła drzwi. Kilka jej sukienek zostało już rozwieszonych na obciągniętych jedwabiem wieszakach, a trzy pary butów starannie ustawiono w rzędzie. Najwyraźniej lokaj zdążył wynieść jej bagaże z samochodu, kiedy tylko przyjechali, a jedna z pokojówek musiała rozpakować wszystkie rzeczy w czasie, gdy ona rozmawiała na dole z panią Arscott.

W pośpiechu ściągnęła przez głowę granatową sukienkę i stanęła, drżąc z zimna, w samej halce przed otwartymi drzwiami szafy. W rezydencji Foulden Hall było tak samo jak w Chalfont: zimą ciągnęło wilgotnym chłodem, o ile nie stanęło się przed rozgrzanym paleniskiem kominka. Zdjęła z wieszaka kremową wełnianą sukienkę i wciągnęła ją przez głowę. Na wewnętrznej stronie drzwi szafy znajdowało się lustro. Z trudem rozpoznała swoje odbicie. Blada, znów szczupła po tych kilku miesiącach, kiedy wyglądała i czuła się napuchnięta jak ciężarne klacze na padoku u stóp wzgórza przy domu. Nieporadna, ociężała, z trudem przemieszczająca się z miejsca na miejsce – tak to wyglądało. W kilku powieściach, które przeczytała, a które poruszały ten temat, kobiety w błogosławionym stanie były zawsze opisywane jako jaśniejące szczęściem, kwitnące i tryskające zdrowiem. Ani razu niczego takiego nie poczuła.

Znów zerknęła na zegar. Siedem po siódmej. Ruszyła pospiesznie korytarzem w stronę klatki schodowej. Mimo że minęło już kilka miesięcy, odkąd ostatnio dane jej było schodzić do jadalni na obiad, zwyczaj punktualnego rozpoczynania posiłków, który kultywowało się przez całe życie, tak szybko nie zanikał. Ojciec rzadko komentował spóźnienia, lecz jedno jego spojrzenie spod ściągniętych brwi wystarczało za tysiąc słów. Tylko Lily pozwalała sobie na ciągłe pojawianie się w jadalni po czasie. „Papo! Strasznie przepraszam! Ale ze mnie spóźnialska!” – oznajmiała z ekscytacją, wpływając do pokoju cała w falbankach i opadając na swoje miejsce. Zupełnie ignorowała matkę, swoje babskie sztuczki rezerwując wyłącznie dla ojca, który na ogół się nie odzywał, lecz widać było, jak wygładza się głęboka zmarszczka gniewu pomiędzy jego brwiami. „Jestem głodna jak wilk!” – natychmiast głośno wołała Lily i zaczynała szybko, choć bez przekonania dłubać w tym, co akurat postawiono przed nią na talerzu.

Na wspomnienie rodziny Kit ścisnęło w gardle. Kiedyś, w zamierzchłej przeszłości, grała pewną rolę, rolę najmłodszej córki, rolę młodszej siostry. Miała zapewnione miejsce w małej rodzinnej konstelacji, co powinno skutkować prostym wykresem ról pełnionych w społeczeństwie. Córka, siostra, żona... Gdzie teraz powinna szukać swojego miejsca w życiu? Gdziekolwiek, byle nie tam. Została matką, choć nie mogła się zmusić do nadania imienia swojemu dziecku.

– Najadłaś się? – Pani Arscott patrzyła podejrzliwie na do połowy opróżniony talerz Kit. – Nic prawie nie zjadłaś.

– Nie jestem specjalnie głodna – odrzekła Kit specyficznym kontrolowanym tonem głosu, który pani Arscott zaczęła już rozpoznawać.

– Ale przecież musisz coś zjeść! Nie? A może choć odrobinę ciasta? Kucharka upiekła je specjalnie dla ciebie, a muszę ci wyznać, że równie dobrze może to być ostatni kawałek na długi, długi czas. Wszystko jest teraz na kartki. Nie robi mi różnicy racjonowanie bekonu, ale cukru i masła?

Kit nie odpowiedziała i siedziała dalej ze spuszczonymi oczami, wpatrując się w swoje dłonie. Było coś niepokojącego w tym jej milczeniu – pomyślała Margaret. Zamiast histerii czy otchłani smutku, których się spodziewała ze strony Kit, zastała spokojną, całkowicie bierną akceptację faktów. Podobnego zachowania nie można było oczekiwać u żadnej szesnastolatki, która przeszła przez coś podobnego. Kiedy opróżniła talerz do czysta, na chwilę uniosła wzrok i wtedy ich spojrzenia spotkały się na dłużej.

Margaret westchnęła ciężko, jakby przygotowywała się w duchu na wszystkie możliwe scenariusze rozwoju sytuacji.

– Czy to... Czy było bardzo strasznie? – spytała nagle, zdumiona, że odważyła się zadać to pytanie. – Co się stało, Kit? Co tak naprawdę wydarzyło się w Niemczech?

Kit wbiła wzrok w pusty talerz. Wzięła do ręki srebrny widelczyk deserowy, mimo że nie miała ciasta na talerzu, i przesunęła czubkiem palca po jego zębach.

– To nie była wina Lily – powiedziała cicho. – Naprawdę to

nie była jej wina. Zostałam przyłapana na robieniu tego, czego nie powinnam robić.

– A gdzie podziewał się Faunce?

– Nie było go tam. Jadł obiad na dole.

Margaret westchnęła ciężko.

– Kto to był, Kit? Kto to zrobił?

Dziewczyna odwróciła wzrok.

– Przyjaciel Hansa Georga. Służył z nim w tym samym pułku. Przebywał z dłuższą wizytą w zamku.

Margaret zaschło w ustach. Przez chwilę nie mogła wydusić nawet słowa.

– Cz-czy on... Czy to był... Czy on zrobił ci krzywdę? – wydukała w końcu.

– Nie. – Kit pokręciła głową. – Aż tak to nie.

– Czy to było... tylko ten jeden raz? – Margaret nie umiała inaczej ubrać w słowa kolejnego pytania.

– Tak. – Kit skinęła głową i powtórzyła nieoczekiwanie dziecinnym głosem: – Tylko raz.

– I tyle wystarczyło – odrzekła cicho, spokojnie Margaret. – Tylko raz. To takie niesprawiedliwe! – Serce waliło jej w piersi, gdy patrzyła na dziewczynę, która tym razem nie odwróciła wzroku. Zażenowanie Margaret rosło, aż łomot serca zaczął rozbrzmiewać echem w jej uszach.

– Czy będę musiała wrócić? – spytała Kit. – Wrócić do domu – wyjaśniła.

Margaret uniosła dłoń ku szyi i ujęła w palce pojedynczy sznur pereł, który zawsze nosiła. Czuła wewnętrzny przymus zrobienia czegoś z rękami.

– No cóż... Myślę... Myślę, że tak. Jak już wszystko zostanie załatwione – skłamała szybko. – A właściwie dlaczego pytasz? Nie chciałabyś wrócić do domu?

Kit zamilkła, jakby zastanawiała się nad odpowiedzią, po czym pokręciła z namysłem głową.

– Nie, nie... Nie sądzę. Wolałabym robić coś innego.

Margaret zaskoczyła taka odpowiedź.

– Ale co masz zamiar robić? Jesteś jeszcze taka młoda. Masz całe życie przed sobą. Zdaję sobie sprawę, że to absurd próbować żyć dalej, jakby nic się nie stało, ale nic innego ci nie pozostaje, kochanie. Tak to już jest w życiu. Będziesz po prostu dalej robić to, co zawsze, to, czego wszyscy od ciebie oczekują...

– Właśnie o to chodzi – przerwała jej Kit. – Nie chcę robić tego, czego wszyscy ode mnie oczekują.

– Co masz na myśli?

– Nie chcę być taka, jak wszyscy uważacie, że powinnam.

– Ale co innego mogłabyś robić? – Margaret była szczerze zdumiona.

Kit zwróciła na nią wzrok. Pod jej oczami pojawiły się napięte fałdki skóry, których wcześniej nie miała – tego Margaret była pewna. Dziewczyna – a właściwie młoda kobieta – spoważniała, zmieniła się. Niebieskie oczy obserwowały Margaret z zainteresowaniem, jakby oczekiwały od niej, że będzie znała odpowiedź Kit, nim jeszcze zostanie wypowiedziana.

– Coś pożytecznego... – odrzekła z wolna, jakby zastanawiała się, czy dobrze dobiera słowa. – Chciałabym zajmować się czymś pożytecznym w tym życiu.

16

Obudziła się jeszcze przed świtem. Na zewnątrz wciąż było ciemno, choć od wschodu zaczęło się lekko przejaśniać. Całą noc przewracała się w łóżku, nie mogąc zasnąć. W pewnej chwili wstała i podeszła do okna, odsunęła kotary i wyjrzała na oświetlony światłem księżyca ogród. Zapomniała je potem zaciągnąć; teraz promienie słońca zaczęły się przebijać przez grubą poduchę chmur jak pasma lśniących nici. Usiadła na łóżku całkiem rozbudzona i nagle sobie przypomniała. To dzisiaj miał być ten dzień. Wszystko zostało zorganizowane. Zaraz po śniadaniu para, którą znalazła pani Wright, pojawi się na podjeździe i zabierze swoje nowe dziecko. A ona podczas lunchu zasiądzie przy stole z panią Arscott i będzie po wszystkim, jakby nigdy nic się nie wydarzyło. Poczuła tępy, mocny ból w dole brzucha. Przesunęła ostrożnie rękami w dół wzdłuż pachwin i dotknęła czegoś ciepłego i lepkiego. Uniosła dłonie na wysokość twarzy i zmrużyła oczy, żeby lepiej się przyjrzeć koniuszkom palców. Znów zaczęła krwawić. To znak. Jej ciało – zanim sama zdążyła podjąć taką decyzję – dawało sygnał, że już czas powrócić do rzeczywistości. Patrzyła na krew na swoich dłoniach i nagle, zupełnie znienacka, jej oczy wypełniły się łzami. Próbowała je powstrzymać, lecz było za późno. W gardle ściskało ją zbyt mocno, żeby mogła nad tym zapanować. Nie miała innego wyjścia, jak poddać się rozpaczy i czekać, aż nawałnica minie.

Pół godziny później, umyta i ubrana, patrzyła na swoje odbicie w lustrze. Zaczerwienione oczy stanowiły jedyny widoczny ślad po porannym napadzie użalania się nad sobą. Opłukała twarz jeszcze raz zimną wodą i ściągnęła starannie włosy w koński ogon. Wzięła głęboki oddech. Nadszedł czas, żeby się pożegnać.

Znad morza napłynęła gęsta, siwa mgła i zawisła nad pokrytymi śniegiem polami, przesłaniając wszystko powyżej poziomu oczu człowieka. Wyglądało to tak, jakby niebo opadło w dół i odcięło kawałek świata, spłaszczając okolicę na wielu kilometrach wokół.

Szła szybkim krokiem przez podjazd do czekającego na nią auta, wydychając kłęby pary. Pani Arscott stanęła na głowie, żeby zdobyć paliwo, potrzebne do odwiezienia Kit na stację kolejową. Stopy nie niosły jej jednak tak szybko, jak by chciała. Zamiast wracać do Dorset, udawała się do Londynu, by zamieszkać tam w ekskluzywnej dzielnicy Belgravia, w domu należącym do lady Fiony Harrington, wspólnej znajomej matki i pani Arscott.

Ani razu się nie obejrzała. Słyszała za plecami panią Arscott, która nieco zaniepokojona próbowała dotrzymać jej kroku.

– Nie zapomnij zadzwonić, kiedy dojedziesz – powiedziała głośno, prawie dotykając nosem szyby, gdy Kit już wsiadła i zamknęła za sobą drzwi. – Lady Harrington wyjdzie po ciebie na stację. Byłaś bardzo dzielna, kochanie, i ja...

– Czy moglibyśmy już pojechać? – poprosiła Kit czekającego cierpliwie na polecenia kierowcę, przerywając Margaret w połowie zdania. – Proszę już jechać.

– Tak jest, milady – odrzekł pospiesznie kierowca, naciskając pedał gazu. Kit rzuciła okiem za siebie, gdy samochód wyrwał do przodu. Dostrzegła jeszcze zaniepokojony wyraz twarzy pani Arscott, potem przejechali wzdłuż zachodniego skrzydła rezydencji z elewacją z jasnego kamienia, i już dom został z tyłu, a oni znaleźli się wśród oszronionych, mglistych pól. Kit skuliła się na tylnej kanapie i owinęła się szczelnie płaszczem. Czy to naprawdę minęły dopiero dwa tygodnie, odkąd wieziono ją tą samą drogą z dzieckiem śpiącym u boku? Nie mogła zebrać myśli, żeby odpowiedzieć sobie samej na to pytanie.

Samochód skręcił na skrzyżowaniu dróg i mgła zamknęła się za nimi. Nieoczekiwanie przypomniały się jej wrażenia zapachowe z Foulden Hall: oleisty zapach pasty do mebli, którym przesiąknięty był korytarz prowadzący z jej sypialni do schodów; metaliczna woń holu, gdy stąpała po schodach; wszechobecny zapach smażonych jajek i tostów z rana. Z pokoju obok, w którym spało dziecko, nie pozostały jej żadne wspomnienia: żadnych zapachów, najmniejszego śladu. Stanowiły w jej rozmyślaniach puste miejsce, podobnie jak sam fakt istnienia dziecka. Wyrzuciła je z pamięci z determinacją, która przeraziłaby ją samą, gdyby znalazła dość odwagi, żeby się nad tym faktem pochylić. Została całkiem sama. Miała dziwne wrażenie, że staje się jakąś obcą osobą, nie tyle usiłującą wymazać z pamięci własną przeszłość, lecz sposób, w jaki udało się jej ją przeżyć: biernie akceptując wszystko, z czymkolwiek przyszło się jej zmierzyć. Zamknęła oczy. Nie miała ochoty ani na nic patrzeć, ani przywoływać wspomnień.

Stacja kolejowa w King's Lynn była zatłoczona. Wszędzie widziała oczekujących na transport żołnierzy z plecakami i przytroczonymi do nich maskami gazowymi, z karabinami zarzuconymi na ramię. Było też mnóstwo małych dzieci, które ubrane w mundury kobiety o znękanym wyglądzie upychały pospiesznie do wagonów. Ewakuowano je z Londynu na wieś ze względów bezpieczeństwa. Z urywków dosłyszanych tu i ówdzie rozmów wywnioskowała, że są to ci mali szczęśliwcy, którzy mogli pojechać do rodziców na święta Bożego Narodzenia, a teraz znów wracali na wieś do domów tymczasowych. Wokół panowało napięcie i niepokój; wiele dzieci płakało. Obserwowała je z zadziwiającą obojętnością. Przyszło jej na myśl, że chociaż wojna wybuchła już ponad sześć miesięcy temu, ona gdzieś w odległej Irlandii obserwowała rozwój wypadków z dystansu, poświęcając niewiele czasu sytuacji na świecie nawet w myślach, zbyt zajęta doniosłymi zmianami zachodzącymi w niej samej i w najbliższym otoczeniu. Oprócz zatonięcia statku w pobliżu wyspy Mull, które teraz wydawało jej się wypadkiem z odległej przeszłości – tak odległej, że trudno było sobie wyobrazić, że wydarzyło się naprawdę – wojna była czymś toczącym się gdzieś daleko, poza zasięgiem. Nawet niepokojące wieści o konieczności racjonowania żywności i innych produktów zdawały się nie dotyczyć dziewczyny.

Przez otaczające ją hałasy przebił się ostry gwizd. Zawiadowca stacji w mundurze kolejarskim zaczął wykrzykiwać polecenia: „Uwaga! Proszę się odsunąć! Pociąg do Londynu wjeżdża na peron! Proszę wsiadać, drzwi zamykać!".

Kit zaczęła się przepychać przez tłum, ściskając mocno w dłoni uchwyt małej walizki, mamrocząc co chwila pod nosem: „Przepraszam!". Udało jej się w ostatniej chwili wspiąć po schodkach i wejść do wagonu oznaczonego literą „D". Od wybuchu wojny zrezygnowano z podziału wagonów w pociągach na przedziały pierwszej i drugiej klasy. Szła powoli przejściem pomiędzy siedzeniami, szukając wolnego miejsca i starając się zachować równowagę. Wagon kołysał się mocno już od chwili, kiedy z mocnym szarpnięciem pociąg ruszył ze stacji. Dopiero jak zaczął nabierać prędkości, znalazła miejsce przy oknie i przesunęła się do niego z gracją, nieomal niepostrzeżenie. Żaden z pasażerów nie zwrócił na nią większej uwagi. Przytrzymała się okiennej ramy, gdy wsuwała walizkę pod siedzenie, a potem usiadła. Drzwi na końcu wagonu otworzyły się z trzaskiem i pojawił się w nich konduktor. Przemieszczał się powoli, wyławiając bilety z morza machających nimi rąk. Kit podała mu swój bilet i otrzymała z powrotem skasowany. Wsunęła go do kieszeni granatowej garsonki i ostrożnie odwinęła z szyi gruby wełniany szal, a następnie ułożyła go w wymyślne zawijasy na kolanach, tak jak podejrzała to kiedyś u swoich ciotek, tak jak robiła jej babcia. Wyruszała ku nowemu życiu.

CZĘŚĆ III

SZCZĘŚCIE

1941

Kit

17

Londyn, Belgravia, grudzień 1941

Przemierzała zawsze tę samą trasę. Wychodziła bocznym wyjściem z Ecclestone Mews numer trzy, szła pod górę wąską brukowaną uliczką do znajdującej się na końcu bramy i skręcała w lewo w ulicę Ecclestone. Potem mijała obłożone workami z piaskiem wejścia do okazałych domów po obu stronach szerokiej alei, teraz pustawej, jako że ich właściciele albo wyjechali do swoich rezydencji na wsi, albo je sprzedali i opuścili Londyn, choć trudno było sobie wyobrazić, dokąd mogli się udać. Może do Stanów? Stany Zjednoczone Ameryki wydawały się jedynym państwem na świecie niedotkniętym wojną.

W korytarzu biura, gdzie pracowała, wisiała ogromna mapa, na której wciąż zaznaczano aktualne pozycje wojsk alianckich oraz wojsk państw Osi na kuli ziemskiej. Świat został podzielony na niebieskie, czerwone i czarne bloki sił. Nieomal cała Europa Środkowa była jednolitą czarną plamą z przyczółkami w kolorze niebieskim, oznaczającymi państwa neutralne: Norwegię i Danię. W Afryce na zachodzie dominowała plama czerwieni, oznaczająca tereny opanowane przez siły wojsk alianckich, a po drugiej stronie kontynentu na czarno oznaczono Madagaskar i Somalię, kontrolowane przez Niemcy. Gdzieś na świecie wciąż następowały kolejne bitwy powietrzne, kolejne przegrupowania wojsk lądowych, kolejne naloty bombowe... Nie pamiętała już takiej nocy, której choć raz nie rozdarłby ogłuszający ryk syren przeciwlotniczych.

Codziennie rano w drodze do pracy przechodziła obok wyrwy, ziejącej po drugiej stronie Eaton Place, gdzie pewnego zimowego popołudnia jedna bomba zburzyła cały rząd pastelowo-różowych domów szeregowych. Tamtego wieczoru pracowała do późna i kiedy wracała do domu, towarzyszyło jej wycie sygnałów karetek pogotowia, zlewające się z rykiem syren przeciwlotniczych. Pani Arscott przyjechała akurat z wizytą do Londynu, ale na szczęście wyszła gdzieś na miasto, kiedy spadła bomba. Lady Delamere, ich sąsiadka, wpadła do nich na herbatę następnego dnia i opowiedziała im, że – jak to ujęła – „już po wszystkim cały chodnik dosłownie zasłany był szczątkami".

– Szczątkami? Jakimi znowu szczątkami? – spytała zdenerwowana pani Arscott, łapiąc się za serce.

Lady Delamere rozejrzała się wokół, chyba bała się odpowiedzieć.

– Kawałkami ciał – wykrztusiła w końcu.

Pani Arscott zrobiła taką minę, jakby miała za chwilę zemdleć. Kit tylko upiła kolejny łyk herbaty i zapatrzyła się gdzieś w dal.

Czekała na rogu Ebury Street na autobus, którym przebywała większą część trasy do pracy.

Praca. Mimo że minął już rok, wciąż nie mogła przywyknąć do brzmienia tego słowa. Praca. Kit za swoją pracę otrzymywała wynagrodzenie. Chodziła do pracy każdego ranka. Czasami, żeby oswoić się z nieprawdopodobną dla kogoś z jej sfery sytuacją, powtarzała sobie na głos: „Jestem sekretarką. Mam pracę". W swoim wąskim kółku przyjaciół i krewnych nie znała żadnej kobiety parającej się jakąkolwiek pracą. Małżeństwo i macierzyństwo stanowiły szczyt ambicji i aspiracji kobiet z kręgów arystokracji. Miała tu na myśli swoje kuzynki w Szkocji czy Arabellę i Antonellę Musgrave, ich sąsiadki z Dorset, mieszkające tylko kilka kilometrów od Chalfont w rezydencji, która była tak samo pusta jak ich głowy. Praca? Takie pojęcie nie istniało w słowniku tych dziewcząt. Nie zrozumiałyby, o co chodzi. To ojcowie zajmowali się pracą, nie matki.

Jak zwykle z propozycją wyszła pani Arscott.

– To będzie dla ciebie najlepsze rozwiązanie – stwierdziła z wigorem, kiedy przyjechała z kolejną wizytą do Londynu, kilka miesięcy po opuszczeniu przez Kit hrabstwa Norfolk. Reszty zdania nie dopowiedziała. „Przede wszystkim wyjdziesz w końcu z domu i, jak sądzę, powinnaś być w tym dobra".

– Ale co mogłabym robić? Nie zostałam przeszkolona, żeby zajmować się... No cóż, właściwie nic nie potrafię.

– A cóż to takiego twierdziłaś, będąc u mnie, w Norfolk? – spytała pani Arscott, choć obie znały odpowiedź. – Że chcesz się do czegoś przydać. I o to chodzi. Mówiłaś, że pragniesz zajmować się w życiu czymś pożytecznym, a tu i teraz otwiera się przed tobą taka szansa. Przynajmniej powinnaś nauczyć się pisać na maszynie. Podobno mówisz kilkoma językami, prawda?

Kit podniosła na nią wzrok. Jej tętno przyspieszyło. Uważała, że nie jest już zdolna do odczuwania jakichkolwiek emocji, nawet zwykłej sympatii, lecz w Margaret Arscott było coś, co obudziło w Kit uczucie podziwu dla jej osoby.

– No tak. – Skinęła głową niepewnie. – Po francusku... i... – zawahała się – i po niemiecku.

– Wspaniale! Jak sądzę, powinnaś zacząć od kursu dla sekretarek u Pitmana. Po sześciu tygodniach będziesz się nadawała do tego, żeby ktoś chociaż się zastanowił, czy chce cię zatrudnić.

I o to chodziło! Ukończyła kursy pierwszego i drugiego stopnia z maszynopisania i stenografii oraz kurs podstaw księgowości w szkole dla sekretarek. Żeby to uczcić, pani Arscott przyjechała specjalnie z Norfolk na weekend i zabrała ją do restauracji w luksusowym hotelu Claridge's. Już prawie tydzień nie było żadnego nalotu i nękana bombardowaniami stolica zupełnie niespodziewanie mogła wreszcie odetchnąć. Pani Arscott uparła się więc, żeby „wypić popołudniową herbatkę", co zdawało się rytuałem należącym do innego świata. Od niemal dwóch lat londyński East End co noc zbierał cięgi od Niemców, zamieniających ulice na wschód od Aldgate w rumowisko. West End, gdzie mieszkali najbogatsi, na razie ocalał, lecz iluzja znajdowania się pod specjalną ochroną nie trwała długo. Pod koniec roku tysiąc dziewięćset czterdziestego jeden z pilotów obrał za cel pałac Buckingham i zrzucił tam pięć bomb, co zrujnowało spokój wszystkim. Teraz celem stało się całe miasto. Nikogo nie oszczędzano, nawet rodziny królewskiej.

Hotel Claridge's jednak wciąż wydawał się miejscem bezpiecznym. W jego holu, usytuowanym pod okazałą szklaną kopułą, z podłogą w biało-czarną szachownicę, którą zapamiętała z dzieciństwa, stare matrony należące do śmietanki towarzyskiej nadal pijały wraz z córkami popołudniowe herbatki. Kawiarnia z wiklinowymi fotelami i stolikami nakrytymi śnieżnobiałymi obrusami wyglądała jak przeniesiona wprost z Paryża. Nawet menu było takie samo. Po przeciwnej stronie sali do wolnego stolika zbliżała się grupka pań ubranych w eleganckie pelisy i futrzane etole. Będą się śmiać, palić, pić drinki... Usta umalowane ostrą czerwienią szminki odsłaniały w uśmiechu białe zęby... Na szyjach połyskiwały miękko sznury pereł, na palcach skrzące się brylanty... Tego popołudnia w hotelu Claridge's zmartwychwstały stare, dobre czasy. Szykowne kobiety będą mogły zasiąść w kawiarni i spokojnie zapalić papierosa, a panowie w nierzucających się w oczy garniturach po stosownym czasie wymkną się do baru, gdzie wciąż podawano wyśmienity koniak.

Kit popatrzyła na stojący przed nią talerz misternie powykrawanych tartaletek i eklerek, ociekających najprawdziwszą bitą śmietaną. Tyle czasu już minęło, odkąd miała okazję choćby spróbować czekolady czy bitej śmietany... Sięgnęła po kolejną. Pani Arscott spoglądała na nią pobłażliwie. Ona sama upiła elegancko łyczek szampana i zapaliła papierosa. Paczka leżała na stoliku pomiędzy nimi. Kit zerknęła na nią, a potem odważnie sięgnęła po jednego. Pani Arscott uniosła brwi zdziwiona, lecz się nie odezwała. Podsunęła jej tylko zapalniczkę. To był pierwszy papieros w życiu Kit. Wciągnęła ostrożnie dym do płuc, dokładnie tak, jak podejrzała to u matki. W efekcie zaczęło ją okropnie drapać w gardle, co o mało nie wywołało ataku kaszlu, lecz równocześnie podziałało pobudzająco. Kątem oka dostrzegła swoje odbicie w lustrze. W swojej gustownej granatowej garsonce i wzorzystym jedwabnym szaliku, który uparła się jej pożyczyć pani Arscott, nie odstawała wyglądem od innych młodych kobiet: dorosła, opanowana, elegancka. Pani Arscott także była ubrana nienagannie. Równie dobrze można było je wziąć za zamożną matronę w średnim wieku w towarzystwie dorosłej córki. Obraz, który zobaczyła Kit, nieco ją zszokował, lecz poczuła też dziwną satysfakcję, jakby jej wewnętrzne ja, dotychczas mądrzejsze nad wiek, właśnie zrównało się dojrzałością z wyglądem zewnętrznym. Jej dwa oblicza, które od czasu pobytu w Niemczech zaczęły się do siebie dopasowywać, teraz nagle się ze sobą połączyły. Ponownie zerknęła ukradkiem w lustro. Czuła się dziwnie, siedząc tak i przypatrując się własnemu odbiciu. W ten sposób zachowywała się Lily, nie ona. Poczuła znów lekkie ukłucie bólu na myśl o siostrze, ale po raz pierwszy w życiu dotarło do niej, o co w tym wszystkim chodzi. Po co te wszystkie ubrania, style, makijaże, fryzury... To było tylko przebranie. Styl to coś, co można na siebie nałożyć, a potem zdjąć, w zależności od chęci na to, jak i kiedy. Twój styl stanowił barierę nie do pokonania dla innych. Sposób trzymania świata na dystans. Dodatkową warstwę ochronną. Czym innym było piękno. Działało jak magnes, przyciągając ludzi – nawet tych, o których uwagę się nie zabiegało. Tego się nie dało kontrolować, tak jak i reakcji innych osób. Zaobserwowała to u Lily. Wygląd wydawał się jej wszystkim. Żyła w ciągłym strachu, że utraci jedyne, co posiada, zniewolona przez własne ciało i swoją piękną twarz. Tym jednak nie można dowolnie dysponować. Styl ubierania się to coś zupełnie innego.

I to jest to! – Podjęła decyzję, kończąc papierosa. – Stylowa. Taka dokładnie będę!

*

Rozważała właśnie, czyby się nie poczęstować ostatnią eklerką na talerzu, kiedy nagle na stół padł jakiś cień. Podniosła wzrok. Wysoki, szczupły mężczyzna o zmęczonej, pooranej zmarszczkami twarzy stanął tuż przy nich. Palił fajkę. Z lekka owocowy, ostry zapach dymu rozszedł się w powietrzu, natychmiast przywodząc jej na myśl przejmujące wspomnienie ojca.

Pani Arscott również podniosła na niego wzrok, najwyraźniej zadowolona ze spotkania z mężczyzną, kimkolwiek był.

– Dennis! Jak wspaniale cię widzieć! Czy Marion jest z tobą?

– Witaj, Margaret. Nie, została na wsi. Woli unikać Londynu. Szczególnie teraz.

– Wiem, wiem. Sama rzadko tu przyjeżdżam. Pozdrów ją najserdeczniej ode mnie. Wydaje mi się, że nie widziałyśmy się całe wieki. Kiedy już to wszystko się skończy... Boże, a gdzież podziały się moje dobre maniery! To Katherine Algernon-Waters. Najmłodsza latorośl lorda i lady Whartonów.

– Ach! Córka Harolda? – Przyjrzał się jej uważnie. – Najmłodsza, mówisz?

Kit śmiało skinęła głową, choć wydawało jej się, że nieznajomy prześwidruje ją wzrokiem na wylot.

– Przyjechałaś w odwiedziny? Na jeden dzień?

Pokręciła głową, chcąc zaprzeczyć, ale zanim zdążyła cokolwiek powiedzieć, wtrąciła się pani Arscott.

– Kochana dziewczyna dotrzymuje mi towarzystwa przez cały czas. Z pełną determinacją dąży do tego, żeby móc się do czegoś przydać w życiu, i właściwie czemu nie? Bóg jeden wie, kiedy to wszystko się skończy. Tak więc wykorzystujemy ten czas najlepiej, jak potrafimy, prawda, Kit?

Skinęła głową na potwierdzenie, lecz zanim zdążyła sformułować stosowną wypowiedź, mężczyzna nagle zadał pytanie:

– Przydać się do czegoś? A konkretnie do czego?

– Do wszystkiego – bez zająknienia odrzekła pani Arscott. – Oprócz doskonałej znajomości języków dopiero co ukończyła kurs dla sekretarek i nauczyła się prowadzić auto. Wszystko to może się do czegoś przydać, nie sądzisz?

– Języki? Zapewne francuski i niemiecki?

– Tak, sir. – Kit skinęła głową, czując, że zaczyna się czerwienić.

Było coś dziwnego w całej tej rozmowie, jakby ten mężczyzna i pani Arscott odgrywali przed nią przygotowaną wcześniej scenkę. Odczuwała przy nim skrępowanie. Jego obcesowe, wręcz niegrzeczne zachowanie może było spowodowane tym, że wiedział o niej więcej, niż powinien.

– A może wpadniesz do mnie w odwiedziny? – zaproponował po chwili, mrużąc oczy, jakby chciał w ten sposób ją przejrzeć, przeniknąć poza jej nieufną minę. Potem odwrócił się do pani Arscott i zaczął z nią rozmawiać, jakby Kit w ogóle nie było. – Będę w Ministerstwie Wojny przez cały ten tydzień. Dam tam znać komu trzeba, że zaprosiłem ją, żeby przyszła.

– Ależ to absolutnie doskonały pomysł! – wykrzyknęła zachwycona pani Arscott i zwróciła się do Kit. – Tak właśnie zrobimy. Wpadniemy... powiedzmy... w poniedziałek. Stawimy się nieco wcześniej zwarte i gotowe.

– Zakładając, żc akurat nie będzie nalotu – rezolutnie dodała Kit, której w końcu udało się dojść do głosu. Oboje, i pani Arscott, i mężczyzna, spojrzeli na nią zdziwieni. – W zeszłym tygodniu były dwa – dodała, czując, że znów oblewa ją rumieniec. – Strasznie długo odgruzowywali wtedy ulice i nie jeździły żadne autobusy.

– Masz rację. No cóż, umówmy się... hm... na dziewiątą rano.

– Doskonale! – zawołała rozpromieniona pani Arscott. – Absolutnie doskonale. Koniecznie przekaż Marion najserdeczniejsze pozdrowienia. Dzieciom również – dodała pospiesznie.

– Oczywiście! – Skłonił się obu kobietom na pożegnanie i poszedł.

Pani Arscott zaczęła się jej przyglądać z dziwną miną, jak zauważyła Kit.

– Wiesz, kto to był? – spytała, kiedy tylko mężczyzna oddalił się na tyle, że nie mógł ich usłyszeć.

Kit w milczeniu pokręciła głową.

– To był lord Hamilton! – obwieściła triumfalnie.

– A kim on jest?

Pani Arscott spojrzała na nią z niedowierzaniem.

– To pierwszy lord Admiralicji! Jestem zaskoczona, że nie miałaś przyjemności go poznać. Ma sześć córek. Jesteś podobna do najstarszej, Daphne. Cudowna dziewczyna!

– Ale kiedy właściwie miałabym go poznać?

Pani Arscott już otwierała usta, żeby udzielić jej odpowiedzi, ale najwyraźniej w ostatniej chwili zmieniła zdanie.

– Nieważne – odrzekła w końcu. – A więc mamy wszystko ustalone. W poniedziałek z samego rana idziemy na spotkanie. Nie rób takiej zdziwionej miny. Chciałaś przydać się do czegoś w życiu, nieprawdaż?

Około godziny później, z powrotem w biurze, lord Hamilton przerwał na chwilę pracę, żeby zapalić fajkę. Zmrużone oczy, spoglądające spod wyjątkowo krzaczastych brwi, nadawały jego twarzy wyraz równocześnie i zadumy, i czujnej uwagi. Po drugiej stronie stołu siedział równie zamyślony sir Evelyn Gore-Brown, parlamentarny sekretarz stanu Ministra Zasobów Żywnościowych – takie było jego oficjalne stanowisko w rządzie. W dłoni trzymał list, nadany pocztą lotniczą, napisany na ozdobnym, marmurkowym papierze, pokryty niezwykle starannym, kaligraficznym pismem Faunce'a Algernona-Watersa.

– Jak długo ona tam była? – spytał sir Evelyn, marszcząc swój elegancki, patrycjuszowski nos, gdy gryzący dym wypełnił pomieszczenie.

– Nieco ponad miesiąc. Wygląda na to, że wyjechała dość nieoczekiwanie. Nie jest pewien, czy było to wynikiem kłótni z siostrą, czy może czegoś podobnego. To dzięki niej zdobyliśmy listę nazwisk, pisze Faunce. Po prostu poszła do jego pokoju, znalazła tę listę i nauczyła się nazwisk na pamięć. Jest najwyraźniej przekonany, że będzie ona dla nas niezwykle cennym nabytkiem.

– Hm. A gdzie podziewa się teraz Faunce?

Lord Hamilton, znużony, machnął ręką.

– Powinien być we Francji. Na razie się nie odzywa. Stwierdziliśmy, że w Niemczech jest zbyt niebezpiecznie. List pochodzi sprzed miesiąca.

– Hmmm... – To był jeden z ulubionych środków ekspresji sir Evelyna, kryjący w sobie wszelkie rodzaje emocji, od irytacji po nadzieję. – No cóż, a ty co o niej myślisz?

– Zasadniczo tak, zgadzam się. Sądzę, że mogłaby się doskonale sprawdzić. Młoda, na oko rok czy dwa młodsza od Daphne.

– Chętna do współpracy?

– Mhm. Tak sądzę. Faunce jest przekonany, że będzie się idealnie nadawała, bo ma siostrę należącą do najbliższego kręgu popleczników Hitlera. Raporty wskazują, że mogła się znaleźć jeszcze bliżej Fürhera, niż kiedykolwiek udało się to Mitfordównie.

– Świetnie. – Sir Evelyn pokiwał głową. – No cóż, w takim razie ściągnijmy ją do nas.

– Są już umówione na poniedziałek. Poproszę jedną z sekretarek, żeby zajęła się Margaret, a ty w tym czasie będziesz mógł ją przepytać.

– Mówi płynnie po niemiecku?

– Jakby mieszkała tam od urodzenia, a przynajmniej tak twierdzi Faunce.

– No dobrze. Sprawdzimy, czy to prawda.

– Dziwna sprawa z tym tutaj – zakończył lord Hamilton i nieoczekiwanie wstał. Podszedł do okna. Patrzył w dół na wiadukt Holborn, po którym w kierunku centrum miasta wolno sunął rząd samochodów, na wejścia do domów obłożone workami z piaskiem i puste miejsca po balustradach z kutego żelaza, które ostatnio powycinano. Każda odrobina żelaza i stali była rekwirowana na rzecz wojny. Budynki wyglądały jak jego najmłodsza córka Belinda lata temu, kiedy wypadły jej obie mleczne jedynki równocześnie. Na myśl o córkach nieoczekiwanie ścisnęło go w dołku. Nie należał do ludzi łatwo ulegających emocjom, a już szczególnie tym związanym w jakikolwiek sposób z rodziną. Wychowała go Królewska Marynarka Wojenna, pochodził z długiej linii dystyngowanych lordów i oficerów marynarki, był ze strony matki potomkiem Charlesa Greya, drugiego hrabiego Greya, którego rząd zniósł niewolnictwo w całym brytyjskim imperium w roku tysiąc osiemset trzydziestym trzecim. Po przodkach odziedziczył silną moralność i nieugięte poczucie obowiązku oraz odrazę do wszelkich wybuchów emocji, szczególnie tych damskich.

Miał jednak pewną bolączkę, którą zauważyło niewielu jego kolegów z pracy, jeżeli w ogóle. Po raz pierwszy od sześciu, a może nawet siedmiu pokoleń nie było w rodzinie Hamiltonów żadnego dziedzica płci męskiej. „Brak męskiego potomka" – z tym często musiała się borykać historia. Mieli z Marion sześć córek, jedną po drugiej, promiennych, wspaniałych dziewcząt... lecz ani jednego syna. Oprócz kwestii dziedziczenia pięknej posiadłości w Northumberland, która należała do rodziny od ponad wieku, był jeszcze inny, głębszy problem, któremu musiał stawić czoło: kwestia ambicji. Miał już sześćdziesiąt sześć lat i zmierzał wielkimi krokami w stronę wyczekiwanej, wygodnej emerytury, kiedy wybuchła wojna. Dziesiątego maja tysiąc dziewięćset czterdziestego roku Neville Chamberlain złożył rezygnację. Na pospiesznie zorganizowanym, supertajnym spotkaniu, na które został wezwany po osiągnięciu porozumienia przez Chamberlaina, Winstona Churchilla i lorda Halifaxa, nie było nawet mowy o emeryturze, wygodnej czy też nie. Przejął berło władzy, jak tego od niego zażądano, i został mianowany Pierwszym Lordem Admiralicji, ponad wiek po swoim przodku. W pewien sposób wybór dwóch mężczyzn, jego i Churchilla, obu po sześćdziesiątce, z wojskową przeszłością i podobnym doświadczeniem, był dokładnie tym, czego potrzebował kraj. Mądrość na równi z władczą siłą, doświadczenie na równi z wiedzą ekspercką. Było oczywiste, że Ministerstwo Wojny znalazło się w dobrych rękach, nawet jeśli nie przesądzały o tym na razie wyniki działań wojennych.

Niestety, odpowiedzialność, jaka spadła na jego barki w związku z piastowanym stanowiskiem, zaczęła mu nadspodziewanie ciążyć, dlatego też gorzej znosił brak dziedzica. Najstarszą córkę, Daphne, wydali za mąż w zeszłym roku za wspaniałego faceta, oczywiście wojskowego w randze oficera, lecz jej wyprowadzka z domu nieoczekiwanie spowodowała, że nagle odczuł, jak bardzo ta córka wypełniała pewną lukę w jego życiu, z czego do tej pory nie zdawał sobie sprawy. Była ona bez wątpienia najmądrzejsza z sześciorga ich dzieci: błyskotliwie inteligentna, o przenikliwym umyśle, co stanowiło połączenie jego własnego analitycznego umysłu i o wiele bardziej wyostrzonej intuicji i inteligencji emocjonalnej żony. Czytała zachłannie i nie pozwalała, żeby płeć stawała jej w czymkolwiek na drodze. Mimo że starał się bardzo, żeby tego nie okazywać, a już szczególnie wobec pozostałych córek, Daphne była jego oczkiem w głowie. W wieku lat trzynastu uparła się i postawiła na swoim, żeby wysłać ją do szkoły z internatem, czego raczej nie praktykowano w ich sferze. Dziewczęta zazwyczaj kształcono w domu. Poddali się z Marion i w stosownym czasie zapisali ją do szkoły dla dziewcząt w Bristolu. Wybrali ją ze względu na jedną z ciotek Marion, która uczyła tam matematyki i przyrody. Daphne odżyła. Wróciła na wakacje do domu z głową pełną nowych pomysłów, zyskała wielu nowych przyjaciół i odkryła wiele nowych możliwości. Najlepiej wspominał chwile, gdy oboje z córką siadywali w cichym pomieszczeniu domowej biblioteki i rozprawiali na różnorodne tematy: od cen węgla po pochodzenie motyla dostrzeżonego w ogrodzie – czy jest z okolic Northumberland, czy może nie.

W rzadkich chwilach na osobności przyznał przed samym sobą, że głęboko się rozczarował, kiedy Daphne uległa żądaniom matki i zgodziła się na te wszystkie bzdury związane z prezentacją na królewskim dworze. Nadeszła wiosna tysiąc dziewięćset trzydziestego ósmego roku i sezon balów dla debiutantek, jak się potem okazało, ostatni. Daphne wyglądała na zachwyconą zamieszaniem i pompą, z jaką odbywały się przygotowania, a to go zaskoczyło. Przez wiele tygodni dom był pełen kuzynek i powinowatych rodzaju żeńskiego, krawcowych i podekscytowanych przyjaciółek Daphne, panoszących się dosłownie wszędzie. Zrozumiał wtedy, że marzył o innej przyszłości dla niej, lecz nie znalazł w sobie dość siły, żeby z nią o tym porozmawiać. Nie mógł zresztą zlekceważyć panujących zasad – bo przecież w ten sam sposób, przez tę samą sieć zdarzeń, spotkań i ludzi poznał Marion. Po dwudziestu latach małżeństwa (a układało się im znakomicie) nie mógł narzekać.

Potem, oczywiście, nadeszło nieuniknione. Nie minął miesiąc od prezentacji przed królem i królową, a kapitan Alasdair Wyse zaczął starać się o jej rękę. Sześć miesięcy później nie było już Daphne Hamilton, lecz Daphne Wyse. I po marzeniach.

Dopiero gdy przeszło kolejnych sześć miesięcy, zdał sobie sprawę, jak ogromna luka pozostała po niej w jego życiu. Przestał przeszukiwać almanachy, stojące w rzędzie na półkach jego biura, w poszukiwaniu różnych faktów z życia, nie kupował już błyskotek na nabrzeżach portowych w odległych zakątkach świata, jak Oman czy St George na Karaibach, i nie musiał się zastanawiać, jak córka je wykorzysta. Brakowało mu bardzo jej pytającego spojrzenia, kiedy zapalał fajkę po obiedzie, a potem przenosili się oboje do salonu i dyskutowali o wydarzeniach politycznych minionego tygodnia. Miała zwyczaj wydymać usta, gdy opowiadał o czymś szczególnie bulwersującym lub ledwo przechodzącym przez gardło, a wyraz jej twarzy był dokładnym odbiciem jego własnych najskrytszych myśli, które po latach trzymania uczuć na wodzy i konieczności zachowywania zimnej krwi pozostawały tak głęboko ukryte, że czasami nawet sam nie zdawał sobie sprawy z ich istnienia.

Wyjrzał przez okno. Samotny autobus, toczący się z wolna po High Holborn, zajął jego myśli. Na tylnej platformie autobusu stał żołnierz, oparty o drążek dla konduktora, i krzyczał coś do grupki młodych kobiet, które wyszły właśnie z jakiegoś sklepu. Wskazał jedną z nich, wysoką blondynkę w czerwonym toczku, i wszyscy wybuchnęli śmiechem. Widział ich twarze, wesołe uśmiechy, które rozjaśniały ponury wiosenny poranek jak kolorowe plamki na spowitej smogiem szarości. Wrócił myślami do krótkiego spotkania w kawiarni hotelu Claridge's sprzed kilku godzin. Nagle zdał sobie sprawę, że wyraz twarzy tamtej młodej dziewczyny przypominał dokładnie to, co widział w obliczu własnej, dorosłej już Daphne. Głód wiedzy, ambicję i coś, czego nie umiał określić. Może odwagę? Odwrócił się do sir Evelyna.

– Wiesz, mam przeczucie, że szukamy dokładnie kogoś takiego jak ona. Faunce najprawdopodobniej ma rację.

18

– Dzień dobry, Katherine!

– Dzień dobry panu! – Kit uśmiechnęła się nieśmiało do sir Evelyna Gore'a-Browna, właśnie schodzącego po schodach, którego tytuł parlamentarnego sekretarza stanu Ministra Zasobów Żywnościowych, sir Gwilyma Lloyda-George'a, Pierwszego Wicehrabiego Temby, robił ogromne wrażenie.

Kiedy zaczęła pracę w imponującej siedzibie Ministerstwa Wojny, mieszczącej się tuż obok placu Horse Guards Parade, była zaintrygowana mnożącymi się tytułami przeróżnych sekretarzy: sekretarze parlamentarni, podsekretarze, sekretarze dyrektorzy gabinetów ministrów, sekretarze firm, sekretarze osobiści poszczególnych ministrów... a na samym końcu zwykłe sekretarki, takie jak ona, pracujące pod wodzą budzącej respekt panny Hodgson, która w ministerstwie miała pod swoimi skrzydłami stadko młodych kobiet – jak czujna kura matka opiekująca się nią, najmłodszą, zwerbowaną w szranki ministerialnych sekretarek. W ciągu kilku dni zdążyła się zorientować, że tytuł zdecydowanie wprowadzał w błąd. To, co robiła całymi dniami wraz z tuzinem innych młodych kobiet w dużej hali bez żadnych przegród, nie miało nic wspólnego z opisem jej zajęcia, który przedstawił jej sir Evelyn czy ktoś inny po nim. Były maszynistkami. Pisały na maszynie i tyle. Przepisywały słowa innych ludzi, komentarze innych ludzi, decyzje innych ludzi. Ich praca polegała na przepisywaniu na maszynie wszystkich notatek na papier najdokładniej jak tylko się dało, nie wnosząc niczego od siebie, a ograniczając się do korekty błędów ortograficznych oraz zamiany szczególnie niezrozumiałych sformułowań na poprawne stylistycznie. W tym akurat była dobra.

Wchodziła właśnie schodami na pierwsze piętro, gdzie mieściła się hala, w której pracowały maszynistki. Zatrzymała się na chwilę i rzuciła okiem na swoje odbicie w wielkim lustrze na podeście schodów, zanim pchnęła ciężkie drewniane drzwi. Wciąż nie mogła się przyzwyczaić do nowej fryzury: krótkie jak u chłopaka włosy z przedziałkiem na boku i długą, sczesaną na jedną stronę grzywką. Pasuje ci – to był jedyny komentarz pani Arscott, kiedy przyszła od fryzjera. Wracała któregoś późnego popołudnia ulicą Ebury z kursu sekretarek i stanęła przypadkiem przed witryną salonu fryzjerskiego. W życiu nie była u fryzjera. Pamiętała jak przez mgłę z dzieciństwa, że do matki raz na miesiąc przychodziła kobieta ze wsi i „robiła" jej fryzurę. Matka zawsze pojawiała się potem na wieczornym posiłku z pofalowanymi, pieczołowicie ułożonymi włosami. Co mniej więcej pół roku kobieta była proszona o podcięcie o kilka centymetrów końcówek włosów Kit. Gdy Lily skończyła piętnaście lat, uprosiła rodziców, żeby pozwolili jej jeździć do Portsmouth lub Bristolu, gdzie długie kasztanowe włosy siostry podcinano i układano w loki wedle najnowszej mody. Kit wręcz przeciwnie. Odkąd sięgała pamięcią, zawsze nosiła włosy ściągnięte w zwykły koński ogon. Jednakże teraz koniec z tym.

– Proszę! Może spróbujesz użyć tego? – powiedziała któregoś dnia pani Arscott, podając jej małą czarną tubkę. To była szminka w kolorze mocnej czerwieni. – Pasuje do twojego typu urody.

Kit zawahała się, ale w końcu pomalowała usta. Twarz, która patrzyła na nią z lustra, była nie do poznania. W pierwszej chwili przeżyła lekki wstrząs, lecz potem poczuła ekscytację, choć nie dała tego po sobie poznać. Z każdym mijającym dniem dawna Kit oddalała się coraz bardziej i bardziej. Zaczęła palić, obcięła włosy, malowała usta. Po kilku miesiącach nikt, kto znał ją wcześniej, nie skojarzyłby szczerej, niezgrabnej nastolatki z poważną, rozsądną młodą kobietą, którą się stała.

Ta transformacja Kit wstrząsnęła do głębi panią Arscott, która opacznie wytłumaczyła sobie jej powody. Myślała, że podopieczna po prostu się usamodzielnia, lecz była w błędzie. Dziewczyna pragnęła tylko jak najszybciej uciec od wyobrażenia kobiety dojrzałej, którą kiedyś pragnęła zostać.

Żeby otworzyć drzwi, musiała naprzeć na nie całym ciałem. Wszystkie drzwi w Ministerstwie Wojny były takie same: ogromne, ciężkie dębowe skrzydła, gotowe zatrzymać świat w jego biegu. Ruszyła szybkim krokiem w stronę swojego stanowiska i odsunęła krzesło od biurka. Była za dwie dziewiąta. Codziennie zaczynali pracę punktualnie o dziewiątej, czy był akurat nalot, czy nie, czy świeciło słońce, czy lał deszcz. W hali maszynistek pracowało trzynaście dziewcząt. Kit znała wszystkie z imienia: Jane, Allison, Margery, Petronella, Rosie, Anna Tremayne i Anna Murphy, Louise, Diana, Caitlin, Peony i Sarah, ale z żadną z nich się nie zaprzyjaźniła. Siedziały wszystkie w jednym rzędzie, naprzeciwko okien wychodzących na park St James's. Obok biurka Kit znajdowało się biurko należące do Sarah Norton, wysokiej, gibkiej blondynki o doskonałych rodzinnych koneksjach, której matka pociągnęła za kilka sznurków, żeby córka mogła otrzymać to zajęcie. Wiadomo było wszem i wobec, że kochanek jej matki, lord Dudley, miał szczególny posłuch u premiera.

– I co mi z tego, że matka ma romans z ministrem? Dostałam kiepską pracę sekretarki – powtarzała półżartem. – Szczerze mówiąc, myślałam, że będę robić coś bardziej ekscytującego. Na maszynie każdy mógłby pisać.

Kit ją polubiła. Sarah była tak ciepłą osobą, że choć Kit niechętnie to przyznawała, lecz zaczęło ją do niej ciągnąć. W innych okolicznościach może zostałyby nawet przyjaciółkami, jednak Kit utraciła łatwość zbliżania się do ludzi. Odwzajemniała uśmiech, kiedy był skierowany do niej, czasami wdawała się w rozmowę, gdy ktoś ją o coś pytał, ale trzymała się z boku.

Sarah to nie zrażało. Któregoś dnia dotrę do prawdy o tobie – powiedziała kiedyś, a zaniepokojona Kit czym prędzej się odwróciła, zanim koleżanka zdążyła dostrzec wyraz jej twarzy. Sarah była praktyczną, prostolinijną dziewczyną. Czasem Kit odnosiła wrażenie, że tamta potrafi przejrzeć ją na wylot i nie zawaha się opowiedzieć na głos o tym, co akurat zobaczy.

Przyciągnęła do siebie maszynę do pisania i nałożyła na uszy słuchawki, zanim ktokolwiek zdążył do niej zagadać. Miała do przepisania gruby plik kartek z protokołami z posiedzeń. Przy biurku obok Sarah z widoczną niechęcią zabrała się do tego samego. Nie minęło pięć minut, a pomieszczenie wypełniło się stukotem klawiszy tak szybkim, jak odgłos strzelającego karabinu maszynowego.

– Ach, tu jesteś, Katherine! Pozwól no na słówko.

Kit podniosła wzrok. To była pani Hodgson, a obok niej stał zabawny niski mężczyzna w meloniku, źle dopasowanym garniturze oraz w ogromnych okrągłych okularach w szylkretowej oprawie, które nadawały jego twarzy krótkowidza zadziwiające podobieństwo do sowy. Zamrugał szybko powiekami. Obraz jego ciemnych oczu zniekształcały grube soczewki szkieł korekcyjnych. Panna Hodgson odwróciła się i pomaszerowała energicznie z powrotem do swojego biura. Najwidoczniej miało to być spotkanie za zamkniętymi drzwiami. Po chwili wahania i rozejrzeniu się wokół zabawny człowieczek pospieszył za nią. Kit zerknęła na Sarah, która zdjęła słuchawki i z zainteresowaniem obserwowała rozwój wypadków.

– Może byś się pospieszyła – mruknęła pod nosem. – Dobrze wiesz, że nie znosi zbyt długiego oczekiwania.

Kit wygramoliła się zza biurka. Czy powinna zabrać ze sobą notes i pióro? Złapała podkładkę do stenografowania i podążyła za nimi.

– *Würden Sie bitte die Tür schließen?* – spytał mężczyzna, kiedy weszła do biura panny Hodgson. Popatrzyła na niego zaskoczona.

– *Die Tür?* – powtórzyła zmieszana.

– *Ja. Sofort. Und dann geben Sie mir Ihren Namen, bitte. Und wie alt sind Sie?*

– *Ich heiße Katherine Algernon-Waters* – odpowiedziała Kit i szybko zamknęła za sobą drzwi. – *Und ich bin jetzt neunzehn Jahre alt. Ich wurde in 1923 geboren.*

– Jest świetna. – Mężczyzna zwrócił się do panny Hodgson, która obserwowała ich pilnie przez cały czas.

Jego angielski był nienaganny, na co Kit natychmiast zwróciła uwagę, lecz zauważyła lekki nalot innego języka, a może tylko obcego akcentu.

– Dobrze. To jest pan Bier. Właśnie przyjechał z Buckinghamshire. Czy może chciałby pan jeszcze o coś ją spytać? – Odwróciła się znów do zabawnego człowieczka.

– Wiem, że byłaś w Niemczech przed wojną. Jak dużo czasu tam spędziłaś? – spytał pan Bier, przechodząc znów na niemiecki.

– Kilka tygodni – odpowiedziała Kit, mając nadzieję, że jej odpowiedź nie wydała mu się wymijająca. Najwyraźniej odrobił pracę domową. – Nie za długo.

– Dokładnie. – Po jego minie zorientowała się, że znał już odpowiedź na to pytanie. – Słyszałem, że umiesz pisać na maszynie? – mówił dalej.

– Tak. – Skinęła głową. – Umiem.

– To dobrze. A czy nie miałabyś nic przeciwko pisaniu raportów i sprawozdań?

Nagle rozmowa nabrała tempa.

– Nie. Oczywiście, że nie.

– Nawet jeśli w niektórych raportach prawda będzie nieco naciągana?

Popatrzyła mu prosto w oczy i powtórzyła:

– Nie. Oczywiście, że nie.

Pan Bier odwrócił się do panny Hodgson. Pozwolił sobie na cień uśmiechu.

– No cóż, sądzę, że znaleźliśmy naszą kandydatkę – powiedział.

Kit spoglądała to na jedno, to na drugie. Po raz pierwszy zobaczyła pannę Hodgson zadowoloną. Teraz jej zazwyczaj zgryźliwą, wiecznie skwaszoną minę zastąpiło coś całkowicie odmiennego: ożywienie. Nigdy jeszcze nie widziała u niej takiego wyrazu twarzy.

– Czy rozumiesz, o co zostałaś poproszona, Katherine? – spytała panna Hodgson, przypatrując się bacznie Kit.

– Tak, panno Hodgson – odpowiedziała zupełnie spokojnie Kit, choć serce waliło jej jak młotem. – I owszem, rozumiem.

– Rozumiesz, że nie możesz zdradzić charakteru swojej pracy absolutnie nikomu, nawet rodzicom?

– Tak, panno Hodgson, rozumiem.

– Dobrze. Zamelduj się w poniedziałek rano na Baker Street numer sześćdziesiąt cztery, w Sekcji D. Powiedzą ci, co masz robić, kiedy się tam pojawisz.

Myśli Kit pędziły jak szalone jedna za drugą. Baker Street numer sześćdziesiąt cztery była dokładnie po drugiej stronie miasta. Sekcja D znajdowała się w podziemiach. Przynajmniej dwa razy dziennie przez jej ręce przechodziła koperta z napisem „Ściśle tajne", adresowana do kogoś z Sekcji D przy Baker Street numer sześćdziesiąt cztery.

– Czy to już wszystko, panno Hodgson? – spytała.

– Tak, dziękuję ci, Katherine. Zamknij za sobą drzwi, proszę.

Postąpiła tak, jak jej kazano. Serce tak mocno waliło jej w piersi, że musiała na chwilę przystanąć i oprzeć się plecami o ścianę. Jej największe marzenie życia nieoczekiwanie się spełniło. Teraz na pewno będzie robiła coś pożytecznego. W końcu!

19

Otworzyła drzwi szafy i stała przed nią zamyślona tak długo, że prawie straciła rachubę czasu. Jednakże wcale nie działo się tak z powodu nadmiaru ubrań, z których miała dokonać wyboru. Pani Arscott okazała się na tyle szczodra, że któregoś dnia otworzyła przed nią swoją przepastną szafę i pozwoliła brać „wszystko, na co tylko przyjdzie ci ochota", lecz duma Kit i opory przed noszeniem cudzych ubrań sprawiły, że pożyczała je sporadycznie. Do tego dochodził jeszcze fakt, że pani Arscott ważyła więcej od niej o dobre dwadzieścia– dwadzieścia pięć kilogramów. Udało jej się znaleźć nieopodal, przy Sloane Square, krawcową, która zgodziła się przerobić kilka ubrań, które wybrała z szafy pani Arscott. Nie było to nic specjalnie wyszukanego, lecz z bardzo dobrych gatunkowo materiałów, a na jej nieomal chłopięcej, szczupłej figurze wszystko wyglądało nieźle. Wzięła głęboki oddech. To miał być jej pierwszy dzień w nowej pracy, o której charakterze na razie nie miała pojęcia. Nie zdążyła nawet pożegnać się ani z Sarah, ani z innymi dziewczynami z hali maszynistek. Zastanawiała się przez chwilę, jak też panna Hodgson mogła im wyjaśnić jej nagłe zniknięcie.

Sięgnęła do szafy i wyjęła tweedową rozszerzaną spódnicę i prostą białą bluzkę. Wciągnęła pończochy, zasunęła suwak spódnicy i zapięła guziki bluzki. W ostatniej chwili dodała broszkę. Dostała ją kiedyś od babci. Przyglądała się jej przez chwilę, a potem przypięła do bluzki. Broszka miała celtycki wzór, wykonany misternie ze srebra i szmaragdów. Będzie pasować. Czesała włosy tak długo, aż zaczęły gładko przylegać do głowy, musnęła lekko brwi wazeliną i bardzo dokładnie uszminkowała usta na czerwono. Odsunęła się od lustra i przyjrzała swojemu odbiciu. Była gotowa. Włożyła płaszcz – dopasowany płaszcz w kolorze zgniłozielonym, z wykończonym futrem kołnierzem, który krawcowa przerobiła z innych używanych ubrań pani Arscott – wzięła do ręki torebkę i zamknęła za sobą drzwi.

*

Przy wejściu do budynku przy ulicy Broadway numer pięćdziesiąt cztery czekał na nią młody mężczyzna w ciemnoszarym garniturze. Bez zbędnych słów wskazał jej windę, która miała ją zawieźć do podziemi. Na dole, przy podeście schodów, spotkała się z grupą młodych mężczyzn i kobiet o poważnym wyglądzie, którzy trzymali się onieśmieleni nieco z boku; wyglądało na to, że nikt nikogo tu nie zna. Było ich mniej więcej dwadzieścia osób. W miarę możliwości rozejrzała się ukradkiem. Młodych kobiet naliczyła sześć, może siedem. Wyglądały podobnie jak ona, choć żadna z nich nie miała na sobie ciemnozielonego płaszcza z futrzanym kołnierzem. Resztę stanowili mężczyźni w różnym wieku. Nikt się nie odzywał. Panowała atmosfera nerwowego wyczekiwania.

Punktualnie o ósmej trzydzieści ciężkie drzwi się otworzyły i wszyscy zostali zaproszeni do środka.

– Panie i panowie, proszę zająć miejsca. Pan Fennell przyjdzie do nas za chwilę. – Młoda kobieta przeszła energicznym krokiem pomiędzy nimi, powtarzając donośnym głosem, przywykłym do wydawania poleceń: – Proszę zajmować miejsca. Tak, gdziekolwiek. Jak najbardziej z przodu, o ile to możliwe.

Rozległo się gremialne szuranie krzeseł, gdy wszyscy jednocześnie zabrali się do wykonania polecenia. Kit uznała to za zabawne. Kiedy z rzadka zdarzało im się odwiedzać lokalną wiejską szkołę w Dorset, ona i Lily były często proszone o wręczanie nagród lub przeczytanie czegoś uczniom, którym w sekrecie zazdrościły. Teraz wszyscy zachowywali się jak ci posłuszni mali uczniowie, którzy wstawali, kiedy one wchodziły do klasy, i stali na baczność jak żołnierze, w nerwowym oczekiwaniu na rozkaz.

– Witam was, dziewczęta i chłopcy! – Mężczyzna bezszelestnie jak duch wszedł do pomieszczenia. Był wysoki i jasnowłosy, całkiem przystojny i niezwykle pewny siebie. Coś w jego spokojnym sposobie mówienia spowodowało, że sala natychmiast się uciszyła. Paru młodzieńców wyraźnie się odprężyło, jakby wyczuli w nim pokrewną duszę.

– Dziękuję ci bardzo, Marge – powiedział, skinąwszy głową kobiecie, która wprowadziła wszystkich do środka i tak oficjalnie ich powitała. – Możesz mnie już zostawić samego z tą grupą. Nic im się nie stanie, obiecuję! – Odwrócił się znów w ich stronę. – Ale z was gromada poważnych ludzi, co?

Przez salę przebiegła fala nerwowych, drżących śmiechów. Kit, której rzadko zdarzało się przebywać w tak dużych skupiskach ludzi, obserwowała wszystkich, zafascynowana. Już na pierwszy rzut oka mogła określić, który z młodych mężczyzn był typem lidera. Prowadzący przestał się wypowiadać tak nonszalancko i język ich ciała zaczął mówić o nich samych. Kobiety zachowywały się inaczej. Wszystkie siedziały sztywno jak przy guwernantce, prezentując swoją postawą rzetelną skwapliwość chłonięcia wiedzy. Wiązało się to też z nawykiem siedzenia przez całe życie prosto przy stole – od kobiet wymagano bezwzględnego zważania na maniery. Wśród nich jedna dziewczyna wydawała się inna. Usiadła samotnie nieco z boku, w tylnym rzędzie. Miała ciemne włosy, ziemistą cerę i ciemne oczy, długą, smukłą szyję. Była drobnej budowy i wyglądała na starszą od pozostałych. Kit obserwowała właśnie, jak końce włosów nieznajomej przesunęły się po łopatkach, i nagle tamta odwróciła się w jej stronę, wyczuwając, że jest obserwowana. Na ułamek sekundy ich spojrzenia się spotkały. Kąciki ust dziewczyny drgnęły i uniosły się odrobinę w górę, nie był to jednak uśmiech, lecz wyraz czujnej pewności siebie. Obie zarejestrowały swoje istnienie.

– Cześć, mam na imię Ruth. – Wyciągnęła do niej rękę. – Ruth Mandelbaum.

Powiedziała to nieomal wyzywająco.

– Jestem Kit. – Pomyślała, że podanie nazwiska zabrzmi pretensjonalnie. – Mandelbaum? – spytała niepewnie. – Czy to niemieckie nazwisko?

– Nie, nie niemieckie. Żydowskie – odrzekła Ruth pewnie. – Jestem Żydówką.

– Och! – Kit była kompletnie zaskoczona.

Nigdy wcześniej nie spotkała żadnego Żyda, oprócz kilku młodych Żydówek, które mówiły po angielsku i wyglądały równie angielsko jak ona sama. Zaczęła się przyglądać nowej z jawnym zainteresowaniem. To była pierwsza przerwa w zajęciach tego ranka. Wyszli wszyscy na zewnątrz na niewielki dziedziniec na poziomie podziemnej kondygnacji.

– Zapalisz? – rzuciła w końcu, bardziej żeby pokryć zakłopotanie niż z prawdziwej chęci na papierosa. Zdziwiła się, kiedy Ruth zaakceptowała jej propozycję.

– A więc... co właściwie tutaj robisz? – spytała Ruth, zaciągając się z nieskrywanym zadowoleniem. – A może nie wolno nam pytać?

– Nie jestem pewna. – Kit wzruszyła ramionami.

– Czego nie jesteś pewna: tego pierwszego, czy drugiego?

Szybko kojarzyła – spostrzegła Kit.

– I tego, i tego – odpowiedziała.

– Co takiego mówił nasz wykładowca? – Ruth ściszyła głos. – Dobry szpieg jest osobą, której się nie zauważa. Sądzę, że ta zasada raczej wyklucza nas obie, nie sądzisz?

Kit się uśmiechnęła.

– Mówił też, że jest wiele sposobów szpiegowania. Nie wszyscy z nas muszą się znaleźć na pierwszej linii.

– Och, to dobrze. Zawsze wolałam wchodzić tylnymi drzwiami. Nawiasem mówiąc, w ten właśnie sposób my dostaliśmy się do Anglii.

– My?! – Kit natychmiast poczuła zakłopotanie.

– Moja rodzina. Mieszkamy w Niemczech, a raczej: mieszkaliśmy. Co za ironia losu! Hitler nie mógł się doczekać, kiedy wreszcie się od nas uwolni, a teraz wy nie możecie się doczekać, żeby odesłać nas tam z powrotem. Jeśli takie mają zamiary, już sama nie wiem, czego chcą. A ty? – Wskazała ruchem głowy pokój, z którego właśnie wyszły.

– Mówisz świetnie po angielsku. Skąd taki akcent? – dociekała zaintrygowana Kit.

– Jesteśmy teraz Anglikami, a przynajmniej ja. Mój ojciec wciąż nie może się pozbyć niemieckiego akcentu. A właściwie akcentu jidysz.

– Co to takiego ten jidysz?

Ruth spojrzała na nią zdziwiona.

– Czego oni was uczą w szkole w dzisiejszych czasach? – spytała półżartem.

– Nie wiem. – Kit wzruszyła ramionami. – Nigdy nie chodziłam do szkoły.

– Nigdy nie chodziłaś do szkoły?! To co tutaj robisz? Sądziłam, że trafiają tutaj tylko najmądrzejsi. Zresztą nawet wyglądasz na mądrą – orzekła Ruth, przyglądając się jej z żywym zainteresowaniem. – Przynajmniej moim zdaniem.

– Miałam na myśli to, że nigdy nie uczęszczałam do budynku zwanego szkołą. Nas uczyli w domu – wyjaśniła.

– Nas? – Ruth, zdziwiona, uniosła jedną brew.

Kit spłonęła rumieńcem. Została przyłapana. Powinna odpowiedzieć „nas, należących do wyższych sfer".

– To znaczy moją siostrę i mnie... – odpowiedziała bez przekonania.

– Ach, oczywiście.

Milczały przez chwilę.

– A więc... co to takiego? – spytała w końcu Kit.

– Co?

– Ten jidysz.

– To język, ty niemądra kobieto. Tym językiem mówią Żydzi. Nawet należący do arystokracji, choć dokładają wszelkich starań, żeby się to nie wydało. Jest bardzo podobny do niemieckiego. Można by nawet się pokusić o stwierdzenie, że to dialekt niemieckiego. Ci lepiej wykształceni oczywiście nie używają go w mowie potocznej. Oni wolą język wysokoniemiecki. Sądzą, że dzięki temu staną się bardziej niemieccy. Hitler oczywiście uważa zupełnie inaczej. Żeby ich bardziej ogłupić – chciałam powiedzieć. Tak czy siak, w moim narodzie kiepsko z edukacją. Jestem pierwszą kobietą w rodzinie, która zdobyła jakieś wykształcenie, a i tak szybko przerwałam naukę.

– U mnie to samo – nagle odezwała się Kit. – A moja edukacja i tak zbyt dobra nie była.

Ruth przechyliła głowę na bok i przyjrzała się koleżance.

– Coś takiego! A ja sobie wyobrażałam, że pochodzisz z rodziny naukowców, matematyków, przyrodników albo coś w tym rodzaju. Wyglądasz na straszliwie mądrą jak na kogoś, kto nigdy nie chodził do szkoły.

Kit uśmiechnęła się lekko.

– No cóż, my bardzo dużo czytamy. W naszych wyższych sferach – dodała, tym razem bez usprawiedliwiania się. – To znaczy mężczyźni. Kobiety głównie plączą się wokół i wyglądają dekoracyjnie. Czasami jeździmy konno.

– Ile masz lat? – zainteresowała się Ruth. – Na pewno nie więcej niż dwadzieścia.

– Osiemnaście – odrzekła z ociąganiem Kit. – A ty?

– Och, ja jestem stara jak świat. Dwadzieścia siedem. Stara panna, jak to się u nas mówi. Moja matka porzuciła już wszelkie nadzieje. Wpadłabyś może do nas na popołudniową herbatę? – spytała nieoczekiwanie.

Kit popatrzyła na nią zdumiona.

– Na herbatę? Dokąd?

– Do nas do domu. Mieszkamy w Soho. To niedaleko stąd. Mieszkam z rodzicami. I z Ludo, oczywiście.

– Kto to jest Ludo?

– Mój pies. Jack Russell terier. Jeden z tych głośnych, jazgotliwych psiaków.

Przypomniało to Kit o Maisie, suczce matki, i nagle oblała ją fala tęsknoty za domem.

Westchnęła.

– Czemu nie – zdecydowała nagle.

20

Mandelbaumowie mieszkali w domu, jakiego nigdy wcześniej nie widziała. Właściwie nie był to wcale dom, lecz mieszkanie nad sklepem tytoniowym przy Old Compton Street. Ruth sama otworzyła sobie drzwi wejściowe kluczem. Weszły do wąskiego przedpokoju, w którym panował taki zaduch, jakby wiośnie nie udało się jeszcze przedostać do środka. Zapach oleju i smażonego jedzenia spłynął ze schodów i ruszył im na spotkanie.

– Jest prawdopodobnie nieco mniejszy od tych, w których bywałaś – orzekła Ruth z lekko drwiącym uśmieszkiem, prowadząc ją po schodach na górę.

Kit nie bardzo wiedziała, co powinna odpowiedzieć. Takie błędne wnioski wyciągali w owych czasach prawie wszyscy.

– Mamo! Wróciłam! – Ruth schyliła się w drzwiach, żeby podnieść z wycieraczki jakieś ulotki reklamowe. Z głębi mieszkania nie padła żadna odpowiedź. Weszły wprost do niewielkiego pokoju dziennego, w którym dominującym elementem był duży stół z ciemnego drewna i sześć twardych krzeseł z wysokimi oparciami. Całą długość jednej ściany zajmował ogromny bufet; wisiały nad nim dwie fotografie w pozłacanych ramach. Spoglądały z nich badawczo twarze mężczyzny i kobiety – Kit natychmiast zobaczyła w nich podobieństwo do Ruth.

– Kto jest na tych zdjęciach? – szeptem spytała Kit.

W atmosferze wnętrza było coś uspokajającego. Panująca tu cisza sprawiła, że Kit ściszyła głos.

Ruth podniosła wzrok ku fotografiom.

– Och, to moi dziadkowie. Oboje nie żyją.

– Och...

– Daj spokój, chodźmy lepiej do mojego pokoju. Jest piętro wyżej.

Kit poszła za nią po wąskich schodach, mijając po drodze lśniącą zieloną sofę z przetartymi poduszkami. Ich kroki odbijały się głośnym echem w uszach gościa. Ruth pchnęła drzwi do swojego pokoju. Od strony łóżka rozległo się powitalne skomlenie i rzuciła się ku nim futrzana kulka energii. To był pies Ruth. Zupełnie nieoczekiwanie Kit zrobiło się przyjemnie na sercu. Pochyliła się do niego, rozkoszując się dawno zapomnianym dotykiem mokrego psiego noska, wtulonego w jej dłoń.

– Ludo! Nie wolno! *Her'auf!* Przestań! – Ruth upomniała go natychmiast.

– Nie szkodzi... Lubię psy – powiedziała Kit, drapiąc psiaka po krótkiej, szorstkiej sierści za uszami. Musiała wziąć się w garść. Ten nieoczekiwany przejaw miłości stał się nie do zniesienia.

– To nie pies, to mały szkodnik – zażartowała Ruth z uśmiechem. – Zachowuje się tak, jakby wciąż nie dość mu było okazywanego zainteresowania... Tylko popatrz na niego!

– Jest strasznie słodki! – Kit się wyprostowała, z trudem odrywając się od psiaka. Rozejrzała się po małym pokoiku. W narożniku stało wąskie pojedyncze łóżko z ułożoną na nim stertą poduch, poduszek i poduszeczek oraz dziwacznie prezentującą się w tym miejscu szmacianą lalką. Na wysokości oczu wisiała półka, uginająca się niebezpiecznie pośrodku pod ciężarem książek. Książki leżały wszędzie: na krześle przy oknie, na toaletce, gdziekolwiek się spojrzało. Kit poczuła się trochę tak, jakby znalazła się w muzeum. Zaczęła przyglądać się tytułom: Yeats i Byron, ciężkie, opasłe tomiszcza wydawnictw naukowych, stos niewielkich książeczek Agathy Christie... Zainteresowania tematyczne Ruth były jeszcze bardziej różnorodne niż jej samej. Spadła na nią nieoczekiwanie kolejna fala tęsknoty, tym razem za biblioteką w Chalfont. Musiała aż przysiąść na brzegu łóżka, przykrytego jedwabiście gładką narzutą.

– Ruth?... – Nagle przerwał im cichy, schrypnięty głos, owszem pytający, łagodny, ale zarazem pełen niechęci.

Kit podniosła wzrok. W drzwiach stała niska, korpulentna kobieta w fartuchu opinającym gigantyczne piersi i opasły brzuch. Patrzyła na nie spod gęstych, zarysowanych w ładny łuk brwi. Matka Ruth. Pomimo znacznej różnicy w kształtach i wymiarach Kit dostrzegła podobieństwo, szczególnie w ich twarzach: Ruth była kalką matki. Wstała, lecz kobieta zignorowała jej obecność.

– Ruth... Właśnie się zastanawiałam... czy papa mówił rano, że wróci do domu na popołudniową herbatę? – spytała z wahaniem. – Dopiero co sobie pomyślałam, że mógł pójść do Finkelsteinów...

– Do Finkelsteinów? Skądże znowu! Dlaczego miałby tam iść? Oczywiście, że wróci na herbatę.

W głosie Ruth Kit usłyszała tę samą lekką irytację, którą czuła ona sama, gdy matka zadawała jej pytanie, choć znała odpowiedź. Uśmiechnęła się nieśmiało do matki Ruth, jakby chciała przeprosić za swoją obecność, lecz ku jej zaskoczeniu pani Mandelbaum okazała się osobą, która nie oczekuje przeprosin od kogokolwiek, a już na pewno nie od Kit. Przyglądała się jej tylko z nieukrywaną ciekawością.

– A może byście zeszły z tą młodą damą na dół? – spytała i rozejrzała się po pokoju. – Dlaczego upchnęłaś ją tutaj? Nie jest to miłe z twojej strony, możesz mi wierzyć...

Ponownie się rozejrzała, jakby na potwierdzenie swojej oceny sytuacji, i uśmiechnęła się szeroko. Mimo odczuwanego skrępowania Kit również obdarzyła ją uśmiechem.

Pani Mandelbaum prowadziła je na dół, trajkocząc bez przerwy, jakby Ruth tam nie było:

– Zawsze tak robi. Chowa się tam na górze, jakby była... Jak to się mówi? *Wie sag man? Eichhörnchen?*

– Wiewiórka, mamo. Chodzi ci o wiewiórkę, a ja nie jestem żadną wiewiórką. To mój pokój i tyle.

– Chodź no tutaj. Siadaj! Usiądź, proszę.

Matka Ruth wciąż robiła z jej powodu straszne zamieszanie. Poruszała się ciężko i powolnie, lecz wpadła w jakiś dziwny szał przesadnej gościnności, jakby uważała, że obecność Kit wymaga od niej szczególnych starań. Podeszła do kredensu i wyjęła z niego szklany pojemnik wypełniony cukierkami toffi, zawiniętymi w sreberka.

– Częstuj się. Zjadłabyś coś?

Kit zawahała się, lecz w końcu wzięła jeden.

– Może młoda dama napiłaby się herbaty? Ruth? Czy ona napiłaby się herbaty?

Pani Mandelbaum miała dziwny zwyczaj zwracania się z pytaniami nie do tej osoby, której dotyczyły.

Kit siedziała na brzeżku krzesła jak na szpilkach. Czuła się jak małe dziecko w towarzystwie dorosłych.

– Jesteś prawdziwą młodą damą, prawda? – spytała pani Mandelbaum, gdy Ruth zniknęła, prawdopodobnie, żeby przygotować herbatę. – Pochodzisz z wyższych sfer, jak sądzę, a twój ojciec... Ojciec jest kimś ważnym, tak?

– Tak. – Innej odpowiedzi nie mogła udzielić.

– A twoja mama? Jesteś jedynaczką?

– Nie. Mam... Mam siostrę. Lily. – Kit sama się zdziwiła, że tak gładko o wszystkim opowiada. Już tyle miesięcy nie słyszała tego imienia wymawianego na głos. – Siostra mieszka w Niemczech. – Nagle Kit odczuła wewnętrzną potrzebę otworzenia się przed tą kobietą. – Wyszła za mąż za Niemca, za jednego z doradców Hitlera. Nienawidzę go. Nienawidzę ich obojga.

– Och! – Pani Mandelbaum poruszyła się niespokojnie na swoim miejscu. – Przecież ona jest twoją siostrą. Musimy kochać swoją rodzinę... – Zerwała się z krzesła i stała przez chwilę, rozglądając się z roztargnieniem po pokoju. – Przepraszam na momencik! – szepnęła w końcu, jakby Kit już nie było, i wyszła powoli, zabierając ze sobą atmosferę spokoju.

Kit dosłownie zmroziło. Siedziała zakłopotana i swoim wywnętrzaniem się przed obcą osobą, i jego konsekwencjami.

Po pewnym czasie przyszła Ruth, niosąc tacę z herbatą. Postawiła ją na podłodze, uklękła obok i zajęła się rozlewaniem naparu do filiżanek.

– Czy chciałabyś może umyć ręce? – spytała, spoglądając na dłonie Kit. – Okropnie się kleją do palców, prawda? – Spojrzała wymownie na cukierki. – Mimo to są bardzo dobre. Mama zawsze robi je sama.

No i znowu to samo – zauważyła w duchu Kit. Ruth miała zwyczaj mówienia tego, co myśli, bez żadnego skrępowania. Kit zmusiła się do zjedzenia mdląco słodkiego cukierka ze zwykłej uprzejmości, a Ruth bez odrobiny skruchy jeszcze pochwaliła matkę za to, że potrafi własnoręcznie przygotowywać takie smakołyki. Kit, od najmłodszych lat uczona, że należy bardzo dbać o opinię innych na swój temat, odebrała tę umiejętność koleżanki jako obce jej odczucie swobody w zachowaniu.

Zaczynała się rozklejać. Zerwała się z miejsca.

– Ja... Ja muszę już iść – powiedziała i rozejrzała się za płaszczem.

Spadło na nią znienacka uczucie rozpaczy tak dojmujące, że ledwo powstrzymywała łzy.

– Przecież nie wypiłaś jeszcze herbaty. – Ruth spojrzała na nią zaskoczona.

– Wiem, ale... Przepraszam. Zapomniałam, że muszę jeszcze gdzieś pójść.

Przez chwilę obie milczały. Kit odwróciła wzrok. Nie mogłaby znieść, gdyby się okazało, że koleżanka ją rozgryzła.

– Oczywiście – szybko odrzekła Ruth i wstała, a Kit włożyła płaszcz i zapięła pasek.

– Przepraszam – powtórzyła. – Naprawdę było mi bardzo miło poznać twoją matkę i...

– Trzymaj! – Ruth wręczyła jej książkę. – Zauważyłam, że się jej przyglądałaś.

Kit wzięła ją, zdziwiona. *Mildred Pierce.*

– Nawet jej nie otworzyłaś – powiedziała ze zdumieniem, oglądając prezent z obu stron. – Nie mogłabym... Nie, ty przeczytaj ją pierwsza. W końcu jest twoja.

– Nie ma sprawy. Mam tony książek. Weź ją, proszę. Przeczytaj i powiesz mi potem, co o niej sądzisz.

A więc tak to wygląda. Zrozumiała, że to propozycja zawarcia przyjaźni. Trzymała książkę przed sobą, nie mając chęci się z nią rozstać, co było zupełnie niedorzeczne w tej sytuacji. Znów spojrzała na Ruth. Dostrzegła w jej twarzy błyskawiczną zmianę ośrodka zainteresowania, którą nauczyła się już u niej rozpoznawać. Przypatrywała się dłuższą chwilę dziewczynie, jej kruczoczarnym włosom ze stalowym połyskiem, wyrazistym rysom twarzy. Nagle poczuła, że mdłe, bezbarwne oblicza ludzi, pośród których dorastała, odchodzą w niepamięć. Stała przed nią tajemnicza, żywiołowa Ruth.

– Przeczytam – odpowiedziała Kit zwyczajnie. – I oddam w poniedziałek.

21

Nie spotkała się z Ruth ani w poniedziałek, ani przez cały kolejny tydzień. Kiedy znalazła się punktualnie o ósmej trzydzieści przed drzwiami budynku przy Broadway pięćdziesiąt cztery, czekał już na nią młody, szczupły mężczyzna w mundurze polowym, który poprowadził ją korytarzem obok pokoju, w którym zbierali się na szkolenia, aż do małej salki bez okien tuż przy dolnym podeście schodów.

– Zapraszam – rzekł krótko i odsunął się na bok, żeby wpuścić ją do środka.

– Ale co z...

– Zaraz stawi się tu oficer Atherton – przerwał jej pospiesznie młody żołnierz i zamknął za nią szarmancko drzwi.

Odwróciła się. W pomieszczeniu znajdowało się już dwóch młodych mężczyzn, siedzących każdy przy swoim stoliku. Wprawdzie rozpoznała ich twarze z grupy uczestniczącej w szkoleniach, lecz nie znała ich imion. Przyglądali się jej podejrzliwie, jakby nie dowierzali, że znalazła się w ciemnawym, dusznym pomieszczeniu razem z nimi.

– Jestem Kit – przedstawiła się i usiadła na najbliższym krześle.

Była zadowolona, że tego ranka przyłożyła się bardziej niż zwykle przy dobieraniu stroju. Miała na sobie gładką niebieską wełnianą sukienkę z białym kołnierzykiem i białymi mankietami.

– Harry – powiedział wyższy z nich i lekko skłonił głowę.

– Charles.

– C-co się dzieje? – spytała szybko przyciszonym głosem. – Dlaczego nie jesteśmy razem z resztą grupy?

– Nie powinnaś zadawać tylu pytań – odparł bardzo poważnym tonem Harry. – A poza tym ja też pojęcia nie mam.

Nagle drzwi się otworzyły. W drzwiach stanęła wysoka kobieta o frapującym wyrazie twarzy. Miała na sobie mundur wojskowy, tak jak i dwóch starszych mężczyzn po obu jej stronach. Kit usłyszała, jak za jej plecami Harry i Charles wstają, i natychmiast poszła w ich ślady.

– Witajcie! – Kobieta weszła władczym krokiem do pomieszczenia, a za nią podążyli dwaj oficerowie. – Nazywam się Vera Atherton i będę dowódcą waszej sekcji przez następne cztery tygodnie. Jeśli zdacie potem egzamin kwalifikacyjny, zostaniecie wysłani do Szkocji na szkolenie podstawowe. Jeśli i po tamtym szkoleniu zdacie kolejny egzamin oraz spełnicie wszystkie warunki... no cóż, kto wie, jak może się potoczyć wasze życie. Jakieś pytania?

Kit zaczęła się uważnie przyglądać swojej obecnej szefowej. Odniosła wrażenie, że miała ona najbardziej władczy wygląd ze wszystkich znanych jej ludzi, czy to mężczyzn, czy kobiet. Ciemne, krótkie włosy miała ułożone w modną karbowaną fryzurkę; nie wyglądała na więcej niż czterdzieści lat. Mówiła niskim, nieco schrypniętym głosem, w którym było słychać odrobinę obcego akcentu. Tak jak Kit malowała usta mocną czerwoną szminką, a mundur idealnie opinał jej zgrabną figurę. Sceptyczne spojrzenie Kit zniosła bez mrugnięcia okiem.

– Ja mam pytanie – zgłosiła się Kit.

– Proszę bardzo, panno Algernon-Waters.

A więc była już znana z nazwiska swoim przełożonym, pomyślała.

– Co z resztą grupy? – spytała, mając na uwadze Ruth Mandelbaum.

– Zostali przydzieleni do innych sekcji – odpowiedział jeden z oficerów stojących za plecami Very Atherton.

– Czy spotkamy się jeszcze z nimi?

– To nie jest obóz jeniecki, panno Algernon-Waters. Po szkoleniach możecie się widywać z kimkolwiek będziecie mieli ochotę. Muszę jednak was ostrzec, że zwykle zajęcia trwają długo, a ich czas ma charakter uznaniowy. Codziennie musicie się stawić tutaj punktualnie o ósmej trzydzieści rano, ale o której godzinie po południu czy nawet wieczorem skończymy, nigdy nie wiadomo. Taki jest charakter naszej pracy. Czy są jakieś konkretne pytania?

Kit oblał rumieniec wstydu, a siedzący za nią Charles, a może Harry, ledwo zdusił wybuch śmiechu.

– Lojalność wobec kolegów przede wszystkim, panie Stafford-Holms! – zganiła go rzeczowo Vera Atherton. – Któregoś dnia może się panu bardzo przydać. A więc dobrze, skoro nie ma pytań, zaczynamy.

Udało jej się spotkać z Ruth dopiero w czwartek. Vera Atherton wcale nie żartowała. Zdarzało się, że opuszczali salę przy dolnym podeście schodów dopiero około północy.

– Wreszcie cię widzę! – ucieszyła się na jej widok Kit, w nadziei, że nie zabrzmiało to tak, jakby nie mogła się doczekać spotkania. Przecież dopiero co się poznały.

– Och, cześć! Gdzie się podziewałaś? Idziemy zapalić? – Luźny sposób zachowania Ruth przełamał całkowicie jej nieśmiałość.

Skinęła tylko głową i razem poszły korytarzem w stronę wewnętrznego dziedzińca. Na zewnątrz owionął je wilgotny chłód. Padała drobna mżawka prawie niewidoczna dla oka. Skuliły się razem, gdy Ruth bez powodzenia próbowała zapalić oba papierosy.

– Trzymaj! Szybko, zanim zgaśnie. – Ruth podała koleżance zapalonego papierosa. Zza gęstych chmur na krótką chwilę wyjrzała tarcza słońca i skąpała je obie w ciepłych promieniach. – Masz jakieś plany na weekend? – spytała, zaciągając się mocno.

– Na weekend? – powtórzyła Kit, zaskoczona pytaniem, żeby zyskać na czasie.

– Mhm. Lubisz jazz?

– Jazz? Masz na myśli muzykę jazzową?

– Tak. Innych rodzajów jazzu chyba nie ma? Przyjaciel zaprosił mnie na randkę w sobotni wieczór i poprosił, żebym wzięła ze sobą jakąś koleżankę.

– Na randkę dokąd? – spytała Kit, autentycznie zaskoczona.

– A czy to ma jakieś znaczenie? Do klubu. Chcesz iść z nami czy nie?

– Do klubu? – Kit znalazła się w kropce. Nigdy jeszcze nie była w klubie. – Ale... Ale właściwie dlaczego ja? – spytała. – Nie wolałabyś pójść z jakąś przyjaciółką?

– Ech! Wydawało mi się, że właśnie ty jesteś moją przyjaciółką. – Ruth zdusiła niedopałek obcasem. – Pomyślałam, że mogłabyś chcieć tam pójść. I tyle.

– Mogłabym, ale... – zająknęła się Kit. – Nigdy wcześniej nie byłam w klubie.

Ruth popatrzyła na nią i potrząsnęła głową w udawanej rozpaczy.

– Rety! Nigdy nie chodziłaś do szkoły, nigdy nie byłaś w klubie, nigdy wcześniej nie znałaś żadnego Żyda...

– Tego nie powiedziałam – zaprotestowała pospiesznie Kit.

– I nie musiałaś. Miałaś to wypisane na twarzy – stwierdziła przebiegle Ruth. Uśmiechnęła się. – Podjedziemy po ciebie w sobotę. Daj mi swój adres. I ubierz się w coś fajnego. Joel lubi ładne dziewczyny, a ty jesteś całkiem do rzeczy, wiesz?

– Ja? – wyrwało się zdumionej Kit.

– Ty, ty! To znaczy, jeśli przestaniesz zachowywać się tak sztywno. Powinnaś zobaczyć swoją minę, kiedy myślisz, że nikt cię nie obserwuje. Wyglądasz, jakbyś... hmm... jakbyś natychmiast pogrążała się w rozpaczy. Zastanawiam się, czy nie skrywasz jakiejś okropnej tajemnicy albo coś w tym rodzaju i...

– Chyba muszę już iść – przerwała jej Kit.

– Co się z tobą dzieje? – Ruth popatrzyła na nią przenikliwie. – Dobrze się czujesz?

Kit nie chciała tego słuchać. Przepchnęła się obok Ruth i otworzyła drzwi z takim impetem, aż jęknęły zawiasy. Pobiegła korytarzem prosto do łazienki, wpadła do kabiny, zamknęła za sobą drzwi na haczyk i usiadła. Nogi się pod nią trzęsły, skręcało ją w żołądku. Ścisnęła mocno kolana, dłońmi złapała się za skronie. Wstyd i wina, które czaiły się tuż pod powierzchnią, nagle wybuchły jak wulkan, przyprawiając ją o dreszcze jak w gorączce. Ledwo łapała powietrze krótkimi haustami, czekając, aż napad minie.

– Kit? – Ciszę przerwał głos Ruth. – Kit? Jesteś gdzieś tutaj?

Szum w jej głowie nagle ustał.

– Jestem. Ja... za chwilę wyjdę – odparła słabym głosem. Serce waliło jej jak młotem, a dłonie miała lepkie od potu.

– Co się dzieje? Czy powiedziałam coś nie tak? Nie chciałam cię zdenerwować...

– N-nic mi n-nie jest – wyjąkała, przerywając przyjaciółce. – Zaraz wyjdę. Zrobiło mi się słabo i tyle.

Ruth milczała. Po chwili skrzypnęły drzwi i do uszu Kit dobiegł odgłos oddalających się korytarzem kroków. Kit zakryła twarz dłońmi. Czuła, jak bije jej serce, czuła pod palcami uderzenia tętna. Oddychaj! – zakomenderowała sobie w myślach. – Oddychaj! Wdech! Wydech! Chwila bezdechu. I jeszcze raz wdech! Oblepiający jej duszę mrok, który wywołały słowa Ruth, powoli zaczął się ulatniać.

Siedziała nieruchomo z głową na kolanach, próbując złapać zwykły rytm oddychania. W końcu, kiedy już myślała, że dłużej tego nie zniesie, spostrzegła, że kolana przestają się jej trząść. Odczekała jeszcze kilka minut, potem powoli wstała i podeszła do umywalki. Przyjrzała się sobie w lustrze. Jej policzki płonęły. Odkręciła kran, pochyliła się nad umywalką i opłukała twarz zimną wodą. Wyprostowała się, przygładziła włosy, przeciągając dłońmi od wilgotnego czoła do tyłu, po czym otworzyła drzwi i poszła z powrotem pustym korytarzem prosto do swojej sali wykładowej, w której już czekali Charles i Harry. Usiadła, starając się unikać ich spojrzeń. Wzięła do ręki ołówek, otworzyła notes na kolejnej, niezapisanej jeszcze kartce, przesunęła piórnik na drugą stronę, przywracając na biurku porządek i starając się, by wszystko jak najszybciej wróciło do normy. Jeszcze kilka chwil i burza, którą przed chwilą przeżyła, pójdzie w zapomnienie, odepchnięta i pogrzebana w niepamięci, jakby nic podobnego nigdy nie miało miejsca.

22

Krótki, ostry sygnał klaksonu obwieścił ich przybycie. Kit rozsunęła zasłony w pokoju dziennym i wyjrzała na zewnątrz. Błyszczący ciemnozielony samochód zaparkował dokładnie pod oknem. Jego silnik pracował równo, wydając niski, przyjemny dla ucha pomruk. Z lśniącą długą maską i połyskliwymi białymi oponami wyglądał wściekle elegancko. Na przednim siedzeniu obok kierowcy dostrzegła ciemnowłosą głowę Ruth. Pospiesznie złapała płaszcz i wyszła do holu. Zanim otworzyła drzwi wejściowe, automatycznie zerknęła w lustro. Zaniosła jedną ze starych sukni wieczorowych do pracowni krawieckiej nieopodal i kazała obciąć w niej rękawy i dopasować ją do swojej figury. Sukienka uszyta była z jedwabiu w kolorze burgunda, z głębokim dekoltem w kształcie litery „V" oraz eleganckim, choć nieco pretensjonalnym półokrągłym wycięciem na plecach. To nie był kolor pasujący do jej karnacji, lecz doszła do wniosku, że jak się nie ma, co się lubi, to się lubi, co się ma. Prawdę mówiąc, nie miała żadnych wieczorowych strojów, a w szafie pani Arscott też nie znalazła niczego, co choćby odlegle pasowało na wyjście do klubu. Właściwie szczerze wątpiła, czy pani Arscott w ogóle wiedziała, co to takiego klub muzyczny.

Rękawiczki? Zawahała się. Nie. Wyglądałaby jak debiutantka na pierwszym balu, a tego by nie chciała. Smętnie pokręciła głową. Już sama idea debiutantki wydawała się beznadziejnie przestarzała. Ostatnia prezentacja debiutantek na dworze królewskim odbyła się w roku tysiąc dziewięćset trzydziestym ósmym, prawie cztery lata temu. Wojna położyła kres temu wszystkiemu... Kto wie, czy bale debiutantek jeszcze kiedykolwiek powrócą? Zamknęła drzwi za sobą i szybko zbiegła ze schodów.

Jak tylko pojawiła się na ulicy, drzwi samochodu się otworzyły i ze środka wyszedł młody ciemnowłosy chłopak w mundurze.

– Cześć! – Uśmiechał się, gdy zbliżała się do auta. – Ty pewnie jesteś Kit. Ja mam na imię Joel. Wskakuj do środka! – Przytrzymał otwarte drzwi.

Kiedy wsiadła, odwróciła się do niej Ruth. Włosy miała podpięte do góry w luźny kok, a usta umalowane ciemnoczerwoną szminką. Prezentowała się zupełnie inaczej. Kit przyszedł na myśl czysty, gładki połysk metalu; przyjaciółka wyglądała odważnie i zarazem pociągająco.

– Cześć! – przywitała się tym swoim niskim, miękkim głosem, który Kit zdążyła już dobrze poznać. – Wyglądasz całkiem nieźle – powiedziała z lekkim uśmiechem. – Zdawało mi się, że mówiłaś, że nigdy wcześniej nie byłaś w klubie. Wiesz – zwróciła się do Joela – to jej pierwszy raz. Nigdy wcześniej nie słuchała jazzu.

– Doprawdy? No cóż, w takim razie mamy dla ciebie niezły kąsek. – Wrzucił bieg i ruszył.

Samochód pachniał luksusowo nową skórą i papierosowym dymem. Wokół panowała atmosfera narastającego podniecenia. Ruth paliła z ręką spoczywającą leniwie na oparciu fotela, obejmując go opiekuńczym gestem, nieomal ocierając się o ramię ubranego w mundur Joela. Kit w pierwszej chwili poczuła się niezręcznie, jakby swoją obecnością przerwała jakąś chwilę intymności pomiędzy nimi. Potem jednak Joel zawrócił szerokim łukiem w Ecclestone Street i włączyli się w sznur samochodów jadących w stronę Pall Mall. Wtedy skrępowanie zniknęło. Znajdowali się w drodze do klubu!

– Pojedziemy teraz do Café de Paris. – Joel zwrócił się do Kit, przekrzykując warkot silnika. – Jesteśmy tam umówieni z Davidem.

– Kto to jest ten David? – spytała Kit, również krzycząc, żeby ją usłyszał. Café de Paris! Nawet sama nazwa brzmiała elegancko.

– Najlepszy przyjaciel Joela. Są na dziesięciodniowej przepustce – odpowiedziała za niego Ruth i zmierzwiła mu włosy dłonią. – David jest najlepszym przyjacielem Joela, a Joel moim. Czy tak? – W głosie Ruth pojawiła się dziwna tęsknota.

– Och, przestań wreszcie! – dobrodusznie opędził się od niej Joel. Jego oczy spotkały się przelotnie z oczami Kit we wstecznym lusterku. – Tylko dlatego, że chodziliśmy razem do *shul*, kiedy mieliśmy po dziewięć lat. Nigdy nie daje mi o tym zapomnieć.

– Co to jest *shul*?

– Mówiłam ci przecież – zwróciła się Ruth do Joela, śmiejąc się. – Ona nic nie wie.

– Przestań stroić sobie z niej żarty – ofuknął ją Joel, znów napotykając wzrok Kit we wstecznym lusterku. Był młodym, przystojnym mężczyzną o takiej samej oliwkowej skórze jak Ruth. – Okropna z niej prowokatorka, zauważyłaś?

Kit pokręciła głową. Wydawało jej się niemożliwe, że znają się z Ruth dopiero od tygodnia.

– Nie, nie za bardzo – mruknęła pod nosem.

Dziewczyna siedząca przed nią z elegancko upiętymi włosami i długimi, kołyszącymi się przy każdym ruchu kolczykami wydawała się odległa o tysiące kilometrów od cichej, poważnej koleżanki z pracy, którą Kit zauważyła pierwszego dnia tylko dlatego, że trzymała się z boku grupy. Zastanawiała się, czy Ruth pomyślała sobie to samo o niej.

*

Uliczne lampy, które nie świeciły w okresie nocnych zaciemnień miasta wzdłuż całej ulicy Park Lane, nieoczekiwanie znów zostały włączone. Po prawej stronie mieli ciemną połać parku St James's, lecz po lewej wyglądało tak, jakby tu wojna się skończyła: witryny sklepów rozświetlone, ludzie chodzili po chodnikach ramię w ramię... To był sobotni wieczór i na przekór wciąż wyjącym syrenom przeciwlotniczym londyńczycy wyszli się bawić.

Kit poczuła skręt żołądka. Tknęło ją dziwne przeczucie, że coś się wydarzy tego wieczoru. Tańczące pary, głośna muzyka, obce spocone twarze w namiętnym tanecznym uścisku... Siedziała oszołomiona bez słowa, szarpana przeciwstawnymi uczuciami: tęsknotą za ciepłem i pasją, a równocześnie niedorzeczną chęcią ucieczki od tego wszystkiego.

– Niech to licho! Ale ty jesteś ładna! – To były pierwsze wypowiedziane przez niego słowa, kiedy dotarli do celu. Mówił, równocześnie się śmiejąc. – Zaskakująco ładna, prawdę mówiąc.

Kit spojrzała na chłopaka, który do niej skierował te słowa, zdumiona jego bezczelnością. To musiał być David, najlepszy przyjaciel Joela. Czekał na nich przy wejściu. Przystojny i wysoki, wyższy od niej o dobre pół głowy. Szczupły i niezwykle męski, o równie opalonej, tryskającej zdrowiem twarzy jak Joel.

– A dlaczego miałabym nie być? – spytała, nagle czując wewnętrzną potrzebę zadowolenia go, popisania się przed nim.

Roześmiał się, stosownie do okoliczności.

– Och, bo Joel zawsze mówi: „Musisz poznać tę-a-tę. Jest nieziemsko piękna", a potem, kiedy w końcu się z nią umawiałem... No cóż, opinie Joela okazywały się nieco na wyrost.

– A dlaczego ma to dla ciebie takie znaczenie? – spytała Kit, może nieco ostrzejszym tonem głosu, niż zamierzała.

– Totalne bzdury! – Joel zbył jej pytanie i zwrócił się do Davida, uderzając go lekko pięścią w ramię: – Ruszmy się! Może już powinniśmy wejść do środka? – Spojrzał na dziewczyny i się uśmiechnął.

Zawrócili i weszli razem do klubu. Otoczyła ich wrzawa i śmiechy, raz ściszające się, raz rosnące, co podziałało oszałamiająco na Kit. Powietrze aż drżało z podniecenia. Kit przypomniał się nagle piknik, na który udała się pewnego lata wraz ze swoimi kuzynami do pięknego domu babci na wybrzeżu Dorset. Dzieci cały dzień mogły biegać, ile dusza zapragnie – Kit w swoich najlepszych butach, hałasując okropnie. Szaleli wokół dorosłych, nie mogąc opanować ekscytacji. W Café de Paris atmosfera miała w sobie powiew tej samej cudownej nieprzewidywalności, jakby wszystko tu mogło się zdarzyć – i zapewne się zdarzy.

– Dla mnie to ma ogromne znaczenie – szepnął jej David wprost do ucha, pochylając się ku niej. Odpowiedział w ten sposób na jej poprzednie pytanie. – Nie powinno, ale ma. – Przysunął się jeszcze bliżej. – Dopiero co wyszliśmy na przepustkę. Wiem, że nie powinniśmy się wypowiadać, ale chodzi o to, że... wszystko się może zdarzyć. Czujesz to, prawda?

Kit z namysłem skinęła głową. Tak. Wyczuwała to bardzo dokładnie. Już miała coś mu odpowiedzieć, kiedy tłum wokół ryknął wrzawą. Zmrużyła oczy, podążając wzrokiem za grupką mężczyzn, którzy wyszli zza kulis. Przetarła oczy, zdumiona. Wszyscy byli czarni. Cała szóstka czy może siódemka. Pierwsi czarnoskórzy, których widziała w życiu. Skierowano na nich światła reflektorów, co ich wyjściu na scenę jeszcze dodało dramaturgii. Rytm przyspieszył, tłum wybuchł gromkimi oklaskami. Oczy Kit zatrzymały się na muzyku z trąbką, który pewnym krokiem wyszedł do przodu.

Muzyka była ogłuszająca, lecz nikt się tym nie przejmował. Pary tańczyły przytulone tak blisko do siebie, że z daleka mogły się wydawać jedną osobą. Oprócz mężczyzn w strojach wieczorowych bawiło się tu wielu ubranych w mundury młodych oficerów jak Joel i David. Kit dowiedziała się, że obaj byli lekarzami stażystami w służbie wojskowej, stacjonującymi w Palestynie, co tłumaczyło ich opaleniznę. Obaj też byli pochodzenia żydowskiego, choć David wyglądał, jakby urodził się i wychował na angielskiej wsi, tak jak i ona.

Tańczyła, dobrze wiedząc, że on trzyma dłoń na jej plecach nieco poniżej talii, czując ciepło jego ciała, bijące przez mundur, ale uwagę miała skupioną zupełnie gdzie indziej. Nie mogła oderwać oczu od trębacza. Jego ciemna skóra zdawała się emanować światłem i własną energią. Dźwięk jego instrumentu rozlewał się po tłumie jak gęsty syrop, ciemny, gładki i smakowicie słodki. Zamknęła na chwilę oczy. Przestronna sala taneczna zniknęła, a w nieomal namacalnej ciemności pod powiekami rozbłysły fluorescencyjne światła. Rytm narzucony przez zespół był hipnotyzujący. Tłum wokół niej gdzieś się rozpłynął. Została jedynie ona, świadoma własnego poruszającego się ciała, nieprowadzonego w tańcu przez Davida, lecz przez kogoś zupełnie innego.

Nagle poczuła, że chwyt ręki Davida na jej plecach znacznie się wzmocnił. Otworzyła oczy i z trudem wróciła do rzeczywistości.

– O co chodzi? – Spojrzała mu w oczy, wciąż oszołomiona muzyką.

– A może chciałabyś się czegoś napić? – spytał, patrząc na nią z rozbawieniem.

– Och! Och, tak! Poproszę. Trochę tu gorąco.

Wskazał palcem jeden z balkonów na antresoli.

– Może byś poszła odszukać Joela i Ruth?! – Próbował przekrzyczeć hałas. – Są tam, na górze. Skombinuję butelkę czegoś dla nas i przyniosę tam. Za chwilę wracam.

Skinęła głową posłusznie, obróciła się na pięcie i zaczęła się przeciskać pośród tańczącego tłumu. Zanim dotarła do schodów, potknęła się o czyjąś stopę i wyciągnęła przed siebie rękę, żeby złapać równowagę.

Jakiś mężczyzna szybkim, mocnym chwytem złapał ją pod ramię i zapobiegł upadkowi.

– Ups! Mam cię, dziewczyno! – Głos był głęboki, basowy, brzmiący z amerykańska.

Podniosła wzrok i natychmiast poczuła, że robi się jej gorąco z wrażenia, a policzki płoną. To był trębacz.

– O-och! Chyba na ciebie wpadłam... Czy przydeptałam ci stopę? – ledwo wydukała, sapiąc.

– Nie. – Uśmiechnął się i potrząsnął głową. – Jeśli już, to na pewno nie moją, ale sądzę, że ten mężczyzna za tobą mógł zostać poszkodowany. – Spojrzał za jej plecy na parę tańczącą shimmy. – Nie wygląda, żeby się tym specjalnie przejął, jak na moje oko. – Uśmiechnął się. Miał niezwykle białe zęby.

Rozmawiam z czarnoskórym mężczyzną – przeszła jej przez głowę absurdalna myśl. Czy mogła wypowiedzieć ją na głos? Wciąż się mu przyglądała, lecz teraz nieco zawstydzona, jakby w oczekiwaniu na pozwolenie, żeby coś powiedzieć. Patrzyli na siebie przez chwilę tak, jak obcy ludzie przyglądają się sobie czasami przez tłum na zatłoczonym peronie.

– Ach! Tu jesteś! – Zirytowany głos dobiegający zza pleców Kit przebił się przez wrzawę. Odwróciła się z poczuciem winy. To był David. Trzymał nad sobą za szyjkę butelkę szampana. – Wszędzie cię szukam! – rzucił wkurzony. – Zdawało mi się, że kazałem ci iść na górę!

Poczuła się zaskoczona taką reprymendą.

– Przepraszam, no właśnie szłam w tamtą stronę, ale wpadłam na kogoś i o mało się nie przewróciłam, a ten dżentelmen tutaj... – Odwróciła się, żeby włączyć do swych usprawiedliwień trębacza, lecz ten zniknął. – O! Poszedł sobie.

– Kto? – Davida nie przekonały jej wyjaśnienia. – No cóż, chodźmy więc na górę i poszukajmy ich. Jestem okropnie spragniony.

Rozczarowana nagłym zniknięciem trębacza poszła za Davidem, który robił jej przejście, przepychając się pierwszy przez imprezowiczów. Na antresoli zaglądali po kolei do małych balkoników, okalających jej obrzeże, i prawie natychmiast dostrzegli Ruth i Joela. Byli pogrążeni w rozmowie. Twarz Ruth wyrażała niezmierne ożywienie, może nawet większe niż zwykle. Rzucili się na szampana z entuzjazmem.

– Gdzie ci się udało dostać coś takiego?! – Joel wyszczerzył zęby w szerokim uśmiechu i uniósł butelkę do światła. – Monopole. Heidsieck, rocznik tysiąc dziewięćset trzydziesty dziewiąty. Prawdziwy w dodatku!

Ruth zapaliła papierosa i zrobiła miejsce dla Kit, a David przysunął sobie krzesło i usiadł naprzeciwko niej. Ich kolana się stykały, gdy pili, palili i przekrzykiwali się nawzajem przez nieznośnie głośną muzykę.

Z miejsca, na którym siedziała, pomiędzy szczeblami balustrady, miała widok na parkiet aż do sceny. Trębacz dołączył znów do zespołu i po chwili jego muzyka wypełniła całe pomieszczenie. Upiła nieco ciepłego szampana i zamknęła oczy, całkowicie oddając się przyjemności słuchania. Odpłynęła gdzieś w dal od gwaru głosów wokół. Naraz zdała sobie sprawę, że z trójką znajomych, z którymi tu przyszła, prawie nic jej nie łączy. Choć brzmiało to niedorzecznie, poczuła, że jej miejsce jest na dole, na scenie, obok trębacza o skórze koloru kawy z mlekiem i błyszczących oczach koloru bakłażana.

Otworzyła oczy. Ruth wpatrywała się w nią pytająco. Zaczerwieniła się. Czy coś przegapiła? Spojrzała na Davida, który przyglądał jej się z marsową miną.

– Sorki – wymamrotała. – Ja... Dopadło mnie po prostu zmęczenie.

– No cóż, mam coś, co powinno nas ożywić. – David uśmiechnął się szeroko. – Znam pewnego gościa, który właściwie jest dobrym znajomym naszego chorążego, a on z kolei zna pewien klub gdzieś w okolicy King's Cross. Dzisiaj jest tam impreza po godzinach, jak słyszałem. Kiedy tylko jazz-band skończy grać tutaj, wyruszą do tamtego klubu. To impreza zamknięta, ale kumpel powiedział, że nas wpuści. Wchodzicie w to?

– No pewnie! – krzyknęła Ruth. Jej oczy rozbłysły. Odwróciła się do Kit. – Z tymi dwoma będziemy całkiem bezpieczne. Joel odstawi nas potem prosto do domu. Zgódź się, proszę!

Kit się zawahała. Żar i beztroska wieczoru wniknęły do jej ciała podobnie jak alkohol przenika do krwi.

– A może byśmy... – zaczęła nieśmiało, lecz Joel jej przerwał, patrząc na nią nieomal z czułością:

– Biedna Kit. Mam wrażenie, że dzisiejszego wieczoru doznała przez nas szoku. Najpierw zespół czarnoskórych jazzmanów, potem te tańce, a teraz my, sugerujący, że będziemy się bawić do białego rana.

– Ale z niej cnotka, co? – David przyłączył się do kolegi z uszczypliwościami, jakby jej tam nie było.

Wszyscy troje wpatrywali się w nią z niecierpliwością w oczekiwaniu na odpowiedź. Ona przyglądała się im. Jak niewiele o niej wiedzieli. Wtedy i teraz. Jej umysł uczepił się jednego: tam będzie też ten jazz-band i będzie tam też jej trębacz.

– Właściwie czemu nie – powiedziała szybko. Odwróciła się do Davida i dodała wesoło i niedbale: – Czy przypadkiem nie mówiłeś tego wcześniej, że wszystko się może zdarzyć? Kto wie, gdzie będziecie obaj w przyszłym tygodniu lub w jeszcze kolejnym? Chodźmy więc!

David pochylił się ochoczo w jej stronę. Jego kolano znów dotknęło jej kolana i tym razem na pewno nie stało się to przez przypadek.

– Fantastycznie! – stwierdził z dumą, jakby to on osobiście ją przekonał. – Absolutnie fantastycznie!

Wyszli z Café de Paris w zimny chłód nocy. Powietrze wydało im się jeszcze ostrzejsze po dusznym wnętrzu, które właśnie opuścili.

– Pospieszcie się! – pokrzykiwał na nich David, kiedy szli w stronę samochodu. – Ruszamy na King's Cross!

Po drugiej stronie ulicy, naprzeciw wejścia do zamkniętego kina, leżał stos worków z piaskiem. Niemiłe przypomnienie o świecie poza klubem. David złapał Kit za rękę i władczym gestem włożył ją sobie pod ramię. Kit pozwoliła mu się ciągnąć za sobą na fali jego entuzjazmu. Wieczór nabierał coraz bardziej odrealnionych kształtów. To było wprost nie do wiary! Kilka ostatnich godzin spędziła w klubie Café de Paris, słuchając jazz-bandu czarnoskórych muzyków, w towarzystwie dwóch mężczyzn, których dopiero co poznała, i wieczór jeszcze się nie skończył, a jeśli miałaby się kierować stopniem ekscytacji Davida, to zapewne jeszcze nie zaczął się rozkręcać.

– Lubisz go? – szepnęła Ruth wprost do jej ucha.

– Chyba tak – odpowiedziała Kit również szeptem, choć nie bardzo wiedziała, kogo przyjaciółka ma na myśli. Trudno było stwierdzić.

– Och, to dobrze. O wiele lepiej jest, jeśli się tego kogoś lubi. Mówię o pierwszym razie, oczywiście – szeptała dalej, starając się, żeby zabrzmiało to i konspiracyjnie, i zarazem uspokajająco.

Kit aż otworzyła usta ze zdumienia, ale szybko dokładnie je zamknęła.

Pojechali do King's Cross przez Holborn. David już raz był w starym magazynie, który służył za klub, ale kilka razy skręcali w ciemne ulice nie tam, gdzie trzeba, zanim w końcu podjechali do wejścia, nad którym widniał wielki napis namalowany literami z osobliwymi zawijasami: BRACIA BUSBY – KUPNO-SPRZEDAŻ ANTYKÓW WSZELKIEGO RODZAJU. David aż krzyknął z radości, kiedy go rozpoznał.

– Ach! To tutaj! Widzicie te drzwi? Te zielone? Tak, to tutaj! Zaparkuj gdzieś w pobliżu.

Joel posłusznie wjechał na krawężnik i stanął. Wszyscy wyjrzeli bez przekonania przez okna samochodu. Byli na Railway Street, nieopodal York Way, ulicy zabudowanej okopconymi, ponurymi budynkami przemysłowymi, która wydawała się im zupełnie innym światem, odległym od Belgravii i West Endu. Oprócz wysiadania z pociągu na stacji King's Cross Kit nigdy nie zapuszczała się na północ od Euston Road.

– Czy to na pewno tutaj? – spytała podenerwowana Ruth.

– Tak. Na pewno. Nie bój się. Wszystko w porządku. Nie uwierzyłabyś, kto tu przychodzi. Słyszałem, że książę Edward we własnej osobie bywał tutaj, zanim wybuchła wojna. Wszystko jest w najlepszym porządku.

– Skoro tak twierdzisz... – mruknęła pod nosem nie do końca

przekonana Ruth. Wysiadła pierwsza i owinęła się szczelnie płaszczem.

David i Joel poszli przodem. Ulica była całkowicie opustoszała, pogrążona w ciemnościach nocy, lecz kiedy podeszli do zielonych drzwi z łuszczącą się farbą, dostrzegli przeświecające przez szczeliny przy framugach światło, a pod stopami poczuli rytmiczne dudnienie.

– Klub tak naprawdę mieści się w piwnicy – wyjaśnił David i zastukał głośno do drzwi.

Otworzył je mężczyzna w zmiętym garniturze i zaczął przyglądać się im podejrzliwie. Na głowie miał zsunięty do tyłu kapelusz, co nadawało mu zawadiacki, niedbały wygląd. David wcisnął do kieszeni mężczyzny banknot jednofuntowy i podał nazwisko sierżanta, który ich tu przysłał.

– Schodami w dół i korytarzem do hali magazynowej na tyłach – wyjaśnił z ponurą miną. – Uwaga na głowy.

Zeszli w dół po rozklekotanych drewnianych schodach. Obcasy butów dziewcząt stukały głośno po kamiennej posadzce korytarza. Stęchłe powietrze pachniało skwaśniałym winem i trocinami; było tu dobre kilka stopni chłodniej niż na poziomie ulicy. Szli korytarzem zgodnie ze wskazówkami ochroniarza. Z każdym krokiem dudnienie muzyki, odgłosy rozmów i śmiechy stawały się coraz głośniejsze.

Serce Kit biło coraz szybciej. Przy drzwiach do sali klubu stała jakaś kobieta o wyglądzie Cyganki – jak skojarzyła sobie Kit. Długi sznur pereł kilkakrotnie owijał jej szyję i sięgał prawie po pas, zwisając z obfitej półki biustu. Włosy miała ściągnięte do tyłu, co odsłaniało całą twarz, w której dominowały szokująco szkarłatne usta. Przyglądała się ich czwórce, kiedy się do niej zbliżali, potem uśmiechnęła się przymilnie i życzyła „doskonałego wieczoru, panie i panowie", po czym otworzyła przed nimi drzwi.

Znaleźli się w miejscu wypełnionym światłem i muzyką, dymem papierosów, ciepłem ludzkich ciał i odgłosem rozentuzjazmowanych rozmów. Zostali zaprowadzeni do stołu w jednej z nisz z łukowym sklepieniem z cegły. Stół okazał się prowizoryczną kostką zbitą z drewnianych palet, na której stały grube woskowe świece, osadzone w butelkach po winie. Roztopiony wosk spływał po nich i tworzył małe kałuże u podstawy.

– Czy zamówić dla nas wszystkich butelkę szampana? – spytał David dziewcząt, uśmiechając się szeroko, z nieskrywaną dumą.

Jednocześnie w milczeniu skinęły głowami, zbyt zapatrzone w scenę przed nimi, by odpowiedzieć. Wokół nich falował gęsty tłum. W jednym końcu sali grała jakaś kapela, lecz bez takiego zaangażowania jak jazz-band, który właśnie zostawili w Café de Paris. David przed wyjściem stamtąd powiedział, że kiedy skończą występ, pojawią się tutaj. Kit na myśl o trębaczu poczuła przebiegający po plecach dreszcz. Czy on również tu przyjedzie?

Popatrzyła na tańczące pary, ściśnięte na małym parkiecie. Panował nastrój z tych szalonych, kiedy wszystkich ogarnia energetyzujące zapamiętanie. Przez błękitnawą poświatę reflektorów dostrzegła dziewczynę, która odwróciła głowę, żeby spojrzeć na koleżankę tańczącą obok, i przy tym jej plecy wygięły się tak mocno w łuk w objęciach partnera, że wyglądało to aż nienaturalnie. Zauważyła jeszcze błysk zębów i wstydliwy uśmiech wzajemnego porozumienia pomiędzy dwiema kobietami. Mężczyźni bez partnerek stali przygarbieni, kryjąc się w cieniu i obserwując innych. Ich ręce zwisały bezwładnie po bokach, jakby właśnie coś upuścili. Kit popatrzyła za Joelem i Ruth, którzy poszli w stronę nisz ze stolikami, obramowującymi parkiet do tańca, gdzie stoliki były upakowane równie ciasno jak tańczący obok.

David przyniósł butelkę schłodzonego szampana i teraz z uroczystą miną podał jej napełniony kieliszek. Automatycznie zaczęła pić, a musujące bąbelki łaskotały jej podniebienie. Siedzieli tuż obok siebie na wyściełanej ławie, która obiegała niszę łukiem. David pochylił się do niej, żeby coś powiedzieć, wsparł przy tym swoją dłoń mocno na jej udzie. Gest ten był tak zaborczy, jakby stanowiła jego własność, lecz nie wykonała najdrobniejszego ruchu, żeby ją strącić. Czuła, że wzmocnił jeszcze uścisk. Zaoferował jej papierosa, którego przyjęła.

– Zabawne z ciebie stworzenie – mruknął jej obok ucha, kiedy odchylali się z powrotem do tyłu z zapalonymi już papierosami. – Nie spotkałem jeszcze dziewczyny podobnej do ciebie.

– To znaczy?

– No cóż, z jednej strony wydajesz się straszliwie dobrze wychowana i w ogóle.

– Bo jestem – odrzekła spokojnie Kit, zastanawiając się, co właściwie miał na myśli.

– To akurat wiem. To znaczy wiem, kim jesteś. Wiem o twojej rodzinie... twojej siostrze i wszystkim tym...

Kit zesztywniała.

– Rozumiem – powiedziała powoli.

– Och, wcale mi to nie przeszkadza. – Roześmiał się. – To tylko dodaje smaku. Gdybyś chciała wiedzieć, ja nie jestem tak przywiązany do tradycji jak tych dwoje. – Skinął głową w stronę Ruth i Joela. – Nie mogą się doczekać, żeby stąd wyjechać.

– Wyjechać? Dokąd?

– Do Palestyny, oczywiście. Tam, gdzie teraz stacjonujemy. Chcą zamieszkać tam na stałe. On próbuje od lat przekonać Ruth do tej decyzji. Ja ze swej strony nie mogę się doczekać, żeby wrócić do domu. Moim domem jest Anglia. Jak dla mnie mogą sobie jechać do tej Palestyny. Będą mieli tylko kłopoty.

Kit zaczęła się w niego wpatrywać.

– Nie wiedziałam o tym – zaczęła niepewnie. – Dopiero niedawno poznałam Ruth.

– Pracujesz w wywiadzie, tak?

– Ja... – Kit się zaczerwieniła. – Nie sądzę, żeby... Nie wolno nam o tym mówić – powiedziała w końcu wolno i dobitnie.

– Och, nie obawiaj się! Nikomu nie powiem. – David upił kolejny łyk szampana. – W dzisiejszych czasach każdy pracuje dla służb wywiadowczych. Nawet dziewczyny takie jak ty.

– Nie rozumiem, o co ci chodzi – stwierdziła Kit chłodno.

Czy stroił sobie z niej żarty? I właściwie skąd dowiedział się o Lily?

– Nie masz pojęcia, z jakiego rodzaju dziewczynami zwykle się spotykam. Z miłymi dziewczynami – dodał pospiesznie, w razie gdyby go źle zrozumiała. – Broń Boże nie z tymi źle się prowadzącymi. To tylko takie tam... Nic takiego nie robimy. Szczerze mówiąc, one prawie nie znają prawdziwego życia.

– A ty znasz? – Odsunęła się nieco od niego, żeby nadać pytaniu więcej wagi.

Wzruszył ramionami.

– Tak mi się przynajmniej wydaje. Ta cholerna wojna daje nam przyspieszony kurs życia. Widzisz i robisz to... to, czego normalnie za nic byś nie zrobił.

Przez chwilę zdawało się, że chciał jeszcze coś dodać, ale nieoczekiwany wybuch oklasków wstrząsnął całą salą.

Kit podniosła wzrok. Spojrzenia wszystkich skierowały się ku drzwiom. To był ten sam zespół! Właśnie przybyli czarnoskórzy muzycy! Kit popatrzyła na klaszczących, uśmiechniętych radośnie ludzi, niecierpliwie wyczekujących rozpoczęcia występu. Weszli do środka jeden za drugim.

– To Louie Lejeune! – ktoś krzyknął. – Są tutaj! To grupa z Chicago!

Wstała, żeby lepiej widzieć, wyciągając szyję, ile tylko dała radę, nad morzem falujących głów. W Café de Paris wszyscy byli elegancko ubrani: kobiety w jedwabiach, mężczyźni w wieczorowych garniturach lub w mundurach. Tu na odwrót. Dym z papierosów i światło świec kryły grubą warstwę brudu. I owszem, przewijały się tu damy w satynowych sukniach i futrzanych etolach, ale nie brakowało też pracujących dziewczyn w tanich sukienkach, umalowanych zbyt wyzywająco. Zamiast futer i jedwabi miały na sobie zuchwałe, krnąbrne piękno, które wydawało się bardziej autentyczne w tym miejscu. Były też inne młode dziewczyny, kelnerki, które roznosiły butelki wina i szampana, przeciskając się zgrabnie wśród tłumu, z tacą trzymaną nad głową w jednej ręce, a papierosem w drugiej.

Louie Lejeune właśnie znalazł się na środku sceny, a członkowie jego zespołu ustawiali się wokół niego. Stanowili chyba najbardziej niezwykłą, zdumiewającą grupę muzyków. Było ich razem ośmiu wysokich, dobrze zbudowanych mężczyzn o kolorze skóry od najciemniejszego mahoniu po najjaśniejszy odcień kawy z mlekiem u perkusisty.

Na wprost Kit stał jej trębacz. Uniósł swój instrument do ust i natychmiast nadał rytm, który podchwyciła reszta. Wszyscy klaskali, machali rękami i pokrzykiwali zachęcająco. Louie i jego zespół najwidoczniej często tutaj bywali. Kit znów doznała wrażenia, że znalazła się w świecie równoległym do swojego, który, zapomniany, gdzieś zniknął.

– Siadaj! – syknął David i pociągnął ją za fałdę sukni, lecz szybko odsunęła się poza zasięg jego ręki.

Poczuła nagłe zniecierpliwienie i chęć, żeby się od niego uwolnić, żeby uwolnić się od całej ich trójki. Rytm muzyki przyspieszył i wszyscy wokół zaczęli tańczyć. Przesunęła się bliżej środka sali, otoczona ze wszystkich stron postaciami bez twarzy. Od czasu do czasu ktoś krzyknął: „Przepraszam!", i szybko odskakiwał w bok. Jej trębacz – zaczęła tak go nazywać w myślach – dołączył do Louiego na froncie. Wyrzucał w górę swój instrument, który lśnił złociście w świetle lamp. Muzyka była elektryzująca. Dźwięki zaczęły się wspinać wciąż wyżej i wyżej, ale też zostawiły dla niego miejsce, w które na chwilę wpadł. Zrobił długą pauzę, aż przebrzmiało ich echo, tylko po to, żeby zacząć jeszcze wyżej i powtórnie opaść do niższej tonacji.

Serce Kit zaczęło walić jak oszalałe. Ścieżka dźwiękowa z niewiadomych powodów sprawiała ból; oddziaływała tak mocno na układ nerwowy dziewczyny, że już po chwili bicie jej serca zagłuszyło muzykę. Czuła się tak, jakby nie mogła normalnie oddychać, jakby za chwilę miała się udusić z nadmiaru emocji, jednakże w nutach pojawiało się tyle piękna i bolesnej rozpaczy, granych tak przekonująco, że jeśli przestałoby się słuchać, równie dobrze można byłoby paść trupem tu i teraz, pośród tupiących, wybijających rytm czy kręcących piruety stóp. Słuchała muzyki tak dogłębnie, tak całą sobą po raz pierwszy w życiu. Nie miała partnera do tańca, lecz uznała, że to bez znaczenia; zresztą nie zniosłaby myśli o dzieleniu się z kimkolwiek tym doświadczeniem, a już szczególnie z Davidem, który został gdzieś z tyłu.

Przecisnęła się na sam koniec sali, pod jeden ze słupów konstrukcyjnych, wokół którego zrobiło się trochę luźniej, i tam się zatrzymała. Oparła się o jego zimny bok, zadowolona z solidnego oparcia, gdy wszystko wokół niej wirowało w rozgorączkowaniu, a głos Louie unosił się i opadał, unosił się i opadał, zamierał i znów odzyskiwał moc. Wciąż trzymała w dłoni kieliszek szampana. Ścisnęła go mocniej w palcach. Pomiędzy nią a ośmioma czarnymi mężczyznami na scenie, którzy trzymali tłum w napięciu dzięki zręczności swoich palców, tańczyła z partnerem jakaś kobieta. Półprzytomna twarz nieświadoma pulsującego rytmu, zamknięte oczy... Przylgnęła całym ciałem do mężczyzny, zarzuciwszy mu obie ręce na szyję.

„Miłujcie się wzajemnie...". Ten biblijny cytat przyszedł jej do głowy zupełnie bez związku z tym, co widziała i czuła, jednakże jakie to miało znaczenie? Bogowie dokonujący cudów pojawiają się ot tak, pomyślała. Nigdy nie w miejscach, gdzie byśmy tego oczekiwali, lecz zupełnie niespodziewanie, pośród gawiedzi, w tłumie przypadkowych ludzi.

Spojrzała ponad tańczącymi jak w transie postaciami na mężczyznę, który ich wszystkich zaczarował swoją lśniącą, mosiężną trąbką. Patrzył wprost na nią. Wszystko oprócz jego spojrzenia nagle przestało istnieć.

23

Earl zauważył ją nieomal natychmiast, kiedy tylko weszli do zadymionego pomieszczenia. Dziewczyna, na którą wpadł w Café de Paris. Dziewczyna, którą podtrzymał pod ramię, gdy potknęła się o stopę jakiegoś niezdary. Nosiła sukienkę z materiału, który przelewał się jak woda. Spojrzała na niego, a on stracił oddech. Miała bystre spojrzenie, wyraziste oczy i alabastrowobiałą cerę, która jaśniała w odbitym świetle lamp podobnie do jej biżuterii. Półmrok nie gasił jej urody, jak to się działo w przypadku innych kobiet. W twarzy dziewczyny odbijała się jej piękna osobowość. Gdy odchodził od niej, nawet się roześmiał ze swoich przemyśleń. Czuł, że przesadził z fantazjami na temat nieznajomej. Czego możesz się dowiedzieć o drugiej osobie z przelotnego spotkania? Wtedy nie było jednak czasu na dłuższe rozważania.

Louie patrzył na niego groźnie. „Do roboty!" – mówiło jego spojrzenie, choć grali bez przerwy od sześciu godzin. Jednakże pan Cunningham przyrzekł im, że tym razem wśród tłumu będzie ktoś szczególny, kto może przed nimi otworzyć pewne drzwi, a Bóg jedyny świadkiem, jak bardzo ktoś taki był im potrzebny. Dwóch członków zespołu popadło w konflikt z prawem, innemu skończyło się pozwolenie na pracę, następnego podejrzewano o przekroczenie granicy pod fałszywym nazwiskiem. Jezu Chryste! Jakby to, że jest się czarnym, nie przysparzało wystarczających kłopotów. Nie miał jednak czasu zastanawiać się teraz i nad tym.

Wziął do ręki trąbkę, odnalazł jej zimny mosiężny ustnik z równą pewnością, jak odnalazłby usta kobiety, i zaczął grać. Wciąż widział dziewczynę nad głowami tańczących: lśniące blond włosy, wysokie, szczupłe ciało obleczone w jakiś lśniący materiał, którego nazwy nie znał, lecz wciąż pamiętał jego dotyk pod palcami. Miękki i mocny zarazem, ale również śliski, przy dotyku wydający z siebie szelest podobny do papieru. Musiał przywołać się do porządku. Zaczynał odlatywać.

To była romantyczna strona jego osobowości, jak zawsze powtarzała mu babcia. Nonsensowna strona. Strona, która nie dała się podporządkować Jimowi Crowowi, gdy chciał, żeby przenieśli się do Nowego Jorku i zostawili na pastwę losu babcię i sześcioro rodzeństwa w rozpadającym się budynku komunalnym na rogu Trzydziestej Piątej i Stanowej, który był dla niego domem przez pierwsze dwadzieścia sześć lat życia. Tyle że w Nowym Jorku nic by się nie zmieniło. Tam tylko byłby jednym z setek młodych trębaczy, a nie z kilkudziesięciu jak tutaj. Dwa lata biedowania, grania po klubach, których najchętniej nigdy więcej w życiu by nie chciał ani widzieć, ani o nich słyszeć; grania dla białego gościa, dla Żyda, a nawet dla czarnego, któremu udało się zrobić kasę, albo może umiał ją kombinować... i przez ten czas sam nie zarobił marnego grosza. Wypłata za występ – tyle zawsze dostawał. Wypłata za noc, otrzymywana do ręki od jakiegoś oszusta, który niby miał ich „reprezentować" – cokolwiek miało to znaczyć – a który zabierał lwią część wypłaty dla siebie.

Kiedy poznał Louiego Lejeune'a, który naprawdę nazywał się Aloysius Jackson, wydawało się mu, że to odpowiedź na jego modły. „Wyrwijmy się stąd!" Był rok tysiąc dziewięćset czterdziesty; nastroje w Ameryce nie należały do najlepszych. Ludzie stali się roztrzęsieni. Nowo wybrany prezydent Roosevelt podpisał właśnie ustawę federalną Lend-Lease, umowę pożyczki-dzierżawy, która według wielu stała się wstępem do udziału Stanów Zjednoczonych Ameryki w drugiej wojnie światowej. Louie okazał się bezkompromisowy i niezmiernie przekonujący. On nie zamierzał przepływać oceanu, żeby walczyć z białymi ludźmi pod przywództwem innych białych ludzi. Jedynymi Niemcami i Włochami, z którymi miał do czynienia, byli jego sąsiedzi z południowej i wschodniej części South Side w Chicago, a ci zawsze byli dla niego dobrzy. A zresztą istniały inne sposoby, żeby się dostać do Europy.

– Co masz na myśli? – spytał Earl, marszcząc czoło.

– O to chodzi... – zaczął wyjaśniać Louie, zapalając się do tematu. – Pamiętasz Morrisa Wassermana? Gościa, który był właścicielem klubu Harlem? To on rzucił taki pomysł, żeby wysłać duży zespół muzyków jazzowych do Londynu. Oni tam nigdy nie mają dość naszej muzy, jak powiadał.

– Przecież tam trwa wojna – powiedział dobitnie Earl.

Louie się roześmiał.

– Od kiedy to wojny powstrzymują ludzi przed rozrywką? Cholera! To idealny czas, żeby zacząć coś nowego! Coś, czego nie widzieli nigdy wcześniej!

– Jak kupa czarnych grających jazz? Daj spokój, Louie! Przecież mają na miejscu swoich własnych czarnych. Nawet ja to wiem.

– Na pewno mają, ale nie mają nas. Wasserman chce, żebyśmy rozpowszechnili w Anglii be-bop. Będziemy z tym pierwsi, chłopie! Sam osobiście poznałem dwóch facetów z Jamajki... Nigdy nie słyszałeś kogoś, kto gra na perkusji tak jak Charlie. Wpadnij do klubu jutro wieczorem, a będziesz mógł go posłuchać. Jeśli dołączyłby do mnie jeszcze jeden trębacz taki jak ty, miałbym kompletny zespół. Wymyśliliśmy nawet nową nazwę.

– Jaką? – Mimo sceptycyzmu puls Earla nieoczekiwanie przyspieszył.

– Louie Lejeune i Chicago Band. Podoba ci się? To francuskie nazwisko. Klasa, nie?

– Mówisz po francusku? – Earl uśmiechnął się sceptycznie.

– Ani trochę, ale jeden z chłopaków z Karaibów zna francuski. Pochodzi z jednej z tamtejszych wysp... Nie pamiętam, z której. Gra na klawiszach, jakby tę umiejętność wyssał z mlekiem matki. Zgódź się, Earl. Co ty tam gadasz pod nosem?

– A jak się tam dostaniemy?

Louie się uśmiechnął. Earl mógł równie dobrze spytać: „Jak się tam dostaniesz?”. Jeśli w domyśle było „my”, dobrze to rokowało na przyszłość.

– Liniowcem z Nowego Jorku. Wypłyniemy jedenastego grudnia, a na miejscu będziemy akurat na Boże Narodzenie. Wasserman twierdzi, że życie nocne tam kwitnie.

W głowie Earla się zakotłowało. Europa! Londyn! Szansa na ucieczkę od znienawidzonej segregacji rasowej i niekończącej się harówy dzień po dniu, żeby przetrwać w świecie białych ludzi. Już sama nazwa miasta kojarzyła mu się z ponadczasową elegancją i pięknem, czarem i powabem, których całkowicie brakowało w jego dotychczasowym życiu. Mimo wszystko nie był głupcem. Wiedział, że nie będzie łatwo. Czarnoskórzy doświadczali dyskryminacji również i tam: czytywał różne historie, słyszał, co się mówiło, oglądał filmy. Na pewno jednak będzie tam inaczej; będzie tam wieść inne życie. Louie dawał mu szansę. Drogę ucieczki.

Podjął wyzwanie.

– To było coś niesamowitego! Najlepsze wykonanie, jakie kiedykolwiek słyszałam!

Odwrócił się zaskoczony i o mało nie padł trupem na miejscu. Jak udało się jej tak go podejść?! Mimo że rozmawiali do tej pory tylko raz, nie pomyliłby jej głosu z żadnym innym. Nigdy nie słyszał, żeby ktoś mówił w podobny sposób, wymawiając wyraźnie i pięknie każdą samogłoskę. „Najlepsze wykonanie, jakie kiedykolwiek słyszałam!". Oklepana fraza nieoczekiwanie podsumowywała całe jego życie. Patrzyła na niego z zadymionego mroku, który spowijał ich oboje. Jej oczy błyszczały, a nim zawładnęła jedna potrzeba: całym sobą pragnął, żeby mówiła dalej.

– Masz może ochotę się czegoś napić? – Musiał powiedzieć cokolwiek, a banalne pytanie było równie dobre jak każde inne. Pomyślał o kilku drobnych w kieszeni, z nadzieją, że wystarczą na zapłacenie za drinka. Wyglądała na taką, która pija tylko szampana.

Zaskoczyła go.

– Absolutnie się nie zgadzam! – oświadczyła dobitnie. – To ja powinnam postawić tobie. Czego się napijesz?

Jej śmiałość go zaskoczyła. Podobał mu się sposób, w jaki to powiedziała: swobodnie, choć stanowczo, jakby kupowanie mu drinka było najzwyklejszą czynnością na świecie. Zorientował się, że coraz więcej ludzi zaczyna się im przyglądać. Faceta, z którym była w Café de Paris, nigdzie nie było widać. Może przyjechała tu sama? Wątpił. Takie kobiety jak ona nigdy nie wychodzą z domu na imprezy same.

– Ach, jasne! – Uśmiechnął się do niej. – Poproszę whisky.

– Już się robi! – Odwzajemniła uśmiech i odwróciła się, żeby przywołać przechodzącego obok kelnera.

Obserwował ją najdyskretniej, jak się dało. Jak wiele białych kobiet, które znał – choćby przelotnie – miała pewność siebie, która go pociągała. Przywołała kelnera szybkim, nieznacznym, niecierpliwym uniesieniem ręki, lecz nie dlatego, że była nieuprzejma – po prostu dziewczyny takie jak ona oczekiwały natychmiastowego spełniania ich żądań. Odwróciła się z powrotem do niego i znów poczuł lekki zapach tych samych perfum co poprzednio. Zapach jej perfum.

– Jak się nazywasz? – spytała, gdy kelner podał im dwa kieliszki.

Upił nieco, mając świadomość, że są obserwowani. Mocny alkohol palił go w gardle i w piersi, dodając mu odwagi.

– Earl. Earl Hightower – odrzekł, a potem się roześmiał. – Śmieszne nazwisko, co? Szczególnie dla was, Anglików.

– Hightower? – Roześmiała się również, kręcąc głową z niedowierzaniem. – Faktycznie, może się kojarzyć z naszą londyńską twierdzą Tower, więzieniem...

– No cóż, mogło i tak się zdarzyć. Może kiedyś jakiś właściciel niewolników albo ktoś inny... Wiesz, jak jest.

Między jej brwiami pojawiło się małe wgłębienie, wskazujące na bolesne współczucie. Ledwo się powstrzymał przed wyciągnięciem ręki, by je wygładzić.

– A ty jak się nazywasz? – spytał pospiesznie, chcąc ukryć zakłopotanie. – Mogę się założyć, że należy się zwracać do ciebie „lady Jakaśtam”, mam rację?

Zaczerwieniła się lekko. Mógł odczytać to z blasku jej oczu. Była dziewczyną, której skóra odzwierciedlała wszelkie emocje: dojrzewała, rozkwitała... jak skórka owocu ogrzanego słońcem.

– Hm, przypuszczam, że mógłbyś mnie tak tytułować – odpowiedziała, na poły poczuwając się do winy. – Nikt jednak tego nie czyni. Jestem po prostu Kit.

– Kit. Podoba mi się. – Wypił kolejny łyk. – A więc, Kit, mówisz, że lubisz jazz? Taa... Sądzę, że lubisz. Nie, ja wiem, że lubisz. Widzę to po tobie.

– Patrzyłeś na mnie?

– Nie mogłem oderwać oczu.

Roześmiała się cicho, tak jak śmieją się kobiety, kiedy chcą zasygnalizować coś, czego nie da się ubrać w słowa. Wyczuł to z równą pewnością, jak poczułby jej dotyk. Ten śmiały, prosty przekaz sprawił mu ogromną przyjemność. Nagle ogarnęła go niedorzeczna duma z tego, że jest taka piękna i taka twarda, czego nie dała rady przed nim ukryć, choć doskonale panowała nad emocjami.

Kilku mężczyzn patrzyło już na nich zupełnie otwarcie, z nieukrywaną zazdrością, a być może z trwogą albo nawet z obrzydzeniem. Skąd miał wiedzieć? Specjalnie go to nie obchodziło. Wypił kolejny łyk whisky. Za mniej więcej pół godziny Louie da mu znak, żeby wrócił na scenę. Nie było mowy o tym, czy ona jeszcze tu wróci kolejnej nocy, czy jeszcze kiedykolwiek ją zobaczy. Drink dodał mu odwagi.

– Może wyjdziemy na chwilę na świeże powietrze? Strasznie tu gorąco. – Głos mu zachrypł z wysiłku, żeby propozycja wypadła lekko i naturalnie.

Popatrzyła mu w oczy. On wpatrywał się w jej delikatne, ale wyraźnie zarysowane brwi, w policzki o mocno napiętej skórze, w miękkie loczki krótko obciętych włosów okalające twarz. Pragnął jedynie mocno przyciągnąć ją do siebie i zanurzyć palce w gęstwinie jej włosów. Musiał odwrócić wzrok. Obawiał się, że go przejrzy i podczas zwykłego wyjścia „na świeże powietrze” wyczuje w nim naturę pełną sprzeczności, pomieszanie z poplątaniem wszystkiego tego, kim był: czarnym, Murzynem, „tym innym”, co kładło się cieniem na każdej chwili jego życia.

Kiedy odważył się znów na nią spojrzeć, zobaczył w jej twarzy otwartość, ale również lekką dezorientację, jakby w jakiś dziwny sposób przekazał jej coś ze swoich wewnętrznych rozterek, a czego konsekwencji nie przewidział. Patrzyli na siebie dłuższą chwilę w milczeniu w obawie, że gdy któreś z nich przemówi, czar pryśnie.

W końcu ona się zdecydowała. Gdy otworzyła usta, dojrzał błysk białych zębów.

– Chodźmy więc – powiedziała, dopiła swojego drinka i ruszyła ku wyjściu, przepychając się przez tłum.

Jej bezkompromisowa pewność siebie była oszałamiająca. W pośpiechu przełknął resztkę swojej whisky i ruszył za nią.

24

Co takiego miał w sobie, że odebrała wysyłane przez niego sygnały ponad tłumem tańczących par i poruszających się w szaleńczym rytmie rąk? Co takiego było w jego muzyce, co przemówiło do niej i tylko do niej? Pytania te ledwie drasnęły twardą powierzchnię jej pewności siebie.

Po wąskich schodach wydostali się na zaciemnioną ulicę. Latarnie gazowe, ciche i ciemne, wynurzały się przed nimi z mroku, gdy szli chodnikiem, omijając wszechobecne worki z piaskiem, którymi obłożone były wejścia do domów. Wyglądały, jakby podtrzymywały mury w pionie. Kit zaczęła się trząść z zimna. Kiedy wychodziła z domu, wieczór był ciepły, lecz teraz znacznie się ochłodziło. Zastanawiała się, która może być godzina – na pewno minęła północ! – i jak mogła tak bezdusznie porzucić Davida i pozostałą dwójkę. Wiedziała, że Ruth nie miałaby nic przeciwko. Czy zaakceptowałaby fakt, że jest czarny? To było kolejne pytanie, które dręczyło ją, gdy zmierzali razem w stronę głównej ulicy. Szli równym krokiem obok siebie, nie dotykając się i nic nie mówiąc, ale z każdą mijającą chwilą czuła, że ogarnia ją coraz silniejsze pożądanie.

Pytanie, co pomyślałaby Ruth, pozostało bez odpowiedzi. Zastąpiło je nieomal natychmiast kolejne, o wiele trudniejsze. Co ona sama wyprawiała, idąc zaciemnioną ulicą w środku nocy z obcym mężczyzną? Uczucia, które dawno temu pogrzebała gdzieś głęboko, o których myślała, że dawno temu umarły, nagle zaczęły wydostawać się na powierzchnię zupełnie poza kontrolą. Ta obawa z lat dziecinnych, że zostanie porzucona zupełnie bez niczego, szczególnie wtedy, gdy zamieszana była w to Lily. Te bezlitosne żarty starszej siostry. To rozczarowanie matki co do jej wyglądu zewnętrznego i okropna tajemnica, która łączyła je obie przez całe dzieciństwo Kit, aż do chwili, gdy zastąpił ją kolejny, jeszcze straszliwszy sekret.

Myślała o wilgotnym i wietrznym wybrzeżu Szkocji, dokąd wysłano ją, żeby urodziła dziecko, o przerażająco długich dniach i nocach, kiedy nie pozwalała swoim myślom błąkać się po bezdrożach i zawsze trzymała je w ryzach.

Wstrząsnął nią znowu dreszcz i wtedy wzięła Earla za rękę. Jego dłoń emanowała ciepłem i zapewniała bezpieczeństwo o wiele mocniejsze niż tylko zwykłe, fizyczne. Pod powiekami poczuła napływającą falę łez, lecz nie były to łzy smutku, a ulgi. Za żadne skarby nie mogłaby ubrać w słowa tego, co czuła.

Wyszli z bocznej alei i skręcili w opustoszałą główną ulicę. Zbliżała się do nich pusta taksówka. Kit uniosła rękę, żeby ją przywołać, i poczuła, jak on obok niej cały się napina.

– Wszystko w porządku – mruknęła. – Nic nam się nie stanie. – Otworzyła drzwi auta. – Ecclestone Mews – powiedziała pewnym głosem. – Na tyłach Upper Belgrave Street.

– Dobrze, proszę pani. – Jeśli kierowca taksówki był zaskoczony widokiem dziewczyny takiej jak ona w towarzystwie czarnoskórego mężczyzny, nie okazał tego.

Wgramolili się na tylną kanapę, wciąż trzymając się za ręce, i taksówka ruszyła. Ciche ulice Londynu i chodniki pełne kałuż po niedawnej ulewie zostawały w tyle. Tej nocy nie świecił księżyc, a obłoki płynęły nisko nad ziemią. Nad miastem jak zwykle wisiał smog, a powietrze zdawało się gęste od obaw przed możliwym nalotem – od ostatniego minęło już kilka dni.

Wsparła głowę na jego ramieniu. Jedną rękę położył na oparciu kanapy, a jego dłoń zwisała luźno tuż obok jej twarzy. Zaczęła się w nią wpatrywać w mroku taksówki. Różowe wnętrze dłoni skierowane było w jej stronę; nigdy jeszcze nie widziała podobnej dłoni. Miała świadomość jego obecności obok, lecz odczuwała ją zupełnie inaczej niż w przypadku innych mężczyzn. Pierwszy raz od miesięcy czuła, że ponury, duszący cień, który leżał na jej sercu, odrobinę zelżał. Nie chciała nawet myśleć o tym, co może ich czekać w przyszłości.

Otworzyła drzwi wejściowe ostrożnie, jakby się spodziewała, że w holu zobaczy oczekującą ich przybycia panią Arscott. Oczywiście w domu nikogo nie było. Zegar szafkowy na końcu wąskiego korytarza oskarżycielskim tonem wybił pełną godzinę, gdy weszli do środka ukradkiem jak złodzieje. Minęła druga w nocy. Serce waliło jej jak młotem, a kiedy zamykała za sobą drzwi, poczuła falę gorąca oblewającą twarz.

– Tędy – powiedziała szeptem, żeby tylko przerwać ciszę.

– Ja za panią, madame – odrzekł, wykonując przesadnie głęboki ukłon.

Cieszyło ją, że on zachowuje się tak swobodnie i wszystko między nimi od razu staje się jasne. Podobał jej się też ton jego głosu i sposób, w jaki leniwie przeciągał samogłoski, jakby wypuszczał dym z papierosa. Był to głos należący do kogoś spoza jej kraju, kogoś z innego miejsca i czasu, tak bardzo odbiegający od wszelkich norm jej życia, że mogłaby uwierzyć w każdą wersję przyszłych zdarzeń.

Poprowadziła go do pokoju dziennego, uprzedzając, kiedy przechodził przez drzwi, żeby uważał na głowę. Sufit był tu wyjątkowo niski. Sama kilka razy trafiła głową w żyrandol, a była dobre pół głowy od niego niższa. Rozejrzała się szybko po pokoju, żałując, że nie zdążyła tu posprzątać, zanim wyszła do klubu. Para bezcennych nylonowych pończoch wisiała byle jak na oparciu fotela. Na dywanie stał porzucony w popłochu talerzyk sałatkowy z nadgryzionym komicznie tostem, a obok niego kubek z herbatą. Pochyliła się, żeby go sprzątnąć, ale ją powstrzymał.

– Nie szkodzi – powiedział łagodnie. – Jakie masz przyjemne mieszkanie!

– Nie jest moje – wyjaśniła pospiesznie. Czuła wciąż ciepło w miejscu, w którym ją dotknął. – Czy... Czy może chciałbyś się czegoś napić?

Włączyła lampkę nocną, choć bardziej, żeby się czymś zająć, niż żeby rozświetlić pokój.

– Nie, dzięki. – Pokręcił głową. – Mam dość.

Uśmiechnęła się na te słowa.

– Tylko Amerykanin mógłby tak odpowiedzieć na moje pytanie. Chyba musisz uważać nas za okropnie nudnych? Zawsze trzymamy się ustalonych form wypowiedzi.

Teraz on się uśmiechnął.

– Postępowa, a jednocześnie trzymająca się etykiety – podsumował. – To coś nowego dla mnie. Nigdy nie miałem do czynienia z dziewczętami takimi jak ty.

W słabym świetle lampy jego skóra wydawała się ciemniejsza niż przedtem. Stali bardzo blisko siebie, tym razem znów się nie dotykając. W jego zachowaniu było coś ujmującego. Powoli wyciągnął rękę przed siebie, jakby się wahał, wziął Kit za ramię i przyciągnął do siebie. Elektryzującym gestem objął ją w talii. Zadrżała.

– Co masz na myśli? – spytała głosem o ton wyższym od szeptu.

Na wysokości jej oczu znalazła się teraz jego szyja. Wpatrywała się w jasnobrązową, gładką skórę, pod którą odznaczały się mięśnie i ścięgna. Ogarnęła ją nagła przemożna chęć posmakowania go, przeciągnięcia czubkiem języka wzdłuż wgłębienia pomiędzy szczęką a szyją. Wiedziała, że będzie to słony smak potu. Poczuła rozgrzaną falę napływającą do gardła oraz podobną w zupełnie innej części ciała, co zdarzyło się jej pierwszy raz w życiu. Bez zastanowienia jej dłonie powędrowały do jego koszuli i podsunęły ją do góry. Poczuła pod palcami wypukłości mięśni klatki piersiowej. Jego dłonie prześliznęły się w dół po jej plecach. Przyciągnął ją do siebie. Wpatrywał się w nią z taką intensywnością, że musiała zamknąć oczy. Zawstydziła się. Zaczął ją całować z dziką gwałtownością, jakby nie miał dość jej ciała na swoich ustach i dłoniach. Po chwili wahania odpowiedziała tym samym. Zaczęli prowadzić grę miłosną, szukając u siebie nawzajem wrażliwych miejsc, pieszcząc je i sprawiając sobie przyjemność. Była w tym i ciekawość, i zadziwiająca pasja pełna poszanowania u dwojga ludzi, z których każde w tej drugiej osobie odkryło coś nieoczekiwanego, i dopiero teraz zaczęli oboje w pełni to rozpoznawać. Tym razem początek był tak inny od jej pierwszego razu, jakby miało to być coś zupełnie odmiennego od tego, co dokonało się poprzednio. To teraz nie miało nic wspólnego z tamtym.

Położył ją ostrożnie na podłodze i zaczął powoli rozpinać sukienkę, co chwila zamierając w bezruchu, jakby chciał zadać pytanie bez słów, jedynie wargami i oczami: „Czy wszystko w porządku? Jesteś na to gotowa?".

W końcu leżała przed nim naga. Zatrzymał się tylko na chwilę, żeby zsunąć szelki i zdjąć koszulę, a potem wyciągnął swoje wspaniale zbudowane ciało obok niej. Przeciągnęła palcem po wgłębieniu między jego żebrami, odnotowując znaczną różnicę w kolorze ich skóry. W przeciwieństwie do jej odsłaniającej wszystko bladoskórej nagości jego ciemny kolor skóry skrywał go w mroku. Pod jego dotykiem cała powierzchnia jej skóry ożyła. Ich spojrzenia przelotnie się spotkały. W jej oczach było pytanie: „Czy wszystko w porządku?". Skinął głową i po chwili usłyszała odgłos rozdzieranego opakowania. Zaczerwieniła się od czubków palców u nóg po korzonki włosów, przypominając sobie, co wydarzyło się poprzednio. Jemu oddała się z pełnym zaufaniem, wsłuchując się z nieokiełznaną rozkoszą w odgłosy, które on sam wydawał, dążąc do spełnienia, nie zapominając jednak o sprawianiu przyjemności i jej. Pokazał innego siebie; mocno zarysowane zmarszczki mimiczne wokół jego ust wygładziły się, gdy wpadł we własny, stopniowo narastający rytm ruchów. To samo działo się z nią, kiedy słuchała, jak grał. Jej wciąż narastające emocje przeskakiwały z jednej odurzającej fali ku kolejnej i każdym nerwem pragnęła pełnego ekstazy uwolnienia. Czuła, że doprowadza ją do granic wytrzymałości wciąż i wciąż od nowa, odkrywając przed nią nieznane światy.

Musieli potem zasnąć. Ocknęła się na wpół przerażona, na wpół jeszcze śpiąca, w jednym z tych okropnych przebudzeń, gdy wyciągasz przed siebie rękę, by uratować się przed spadaniem. Leżała jednak na dywanie, a ręką trafiła w jego rękę. Wymamrotał coś przez sen i w półśnie odwrócił się ku niej, lecz teraz całkiem już się rozbudziła. Nie mogła uwierzyć w to, co się stało. Uniosła rękę i zerknęła na zegarek: dochodziła czwarta nad ranem. Spali bardzo krótko.

– Co się dzieje? – wymruczał jej do ucha, gdy tylko do niego dotarło, że ona nie śpi i czujnie nasłuchuje.

– Nic takiego – szepnęła. – Nagle się obudziłam.

– Pośpij jeszcze, dziecinko. Jest ciemna noc.

– Już prawie ranek. Lada chwila zrobi się jasno.

Stęknął i się przeciągnął.

– Czy ja już nigdy nie będę mógł się porządnie wyspać? – marudził prosto w jej włosy.

Potrząsnęła głową, rozkosznie rozleniwiona.

– A co z resztą zespołu? – spytała, sięgając ręką za siebie po jeden z koców, leżących na fotelu. Narzuciła go na nich oboje.

Jęknął, tym razem w rozpaczy.

– Cholera! Louie mnie zabije! – Westchnął. – Już nie pierwszy raz się to zdarza. To znaczy nie mnie – sprostował pospiesznie. – Innym chłopakom. Wciąż, cholera, to samo.

Nic nie powiedziała, przesunęła tylko lekko palcami po jego klatce piersiowej od dołu w górę, aż do słonawej szyi, którą wcześniej smakowała. Na jego szczękach pojawił się kłujący, szorstki zarost z nocy. Łaskotał opuszki jej palców. Zaciekawiona przesunęła ręką wyżej, po krótko, równo przystrzyżonej czuprynie. Podobnie jak reszta członków zespołu miał włosy przycięte tuż przy skórze, z przedziałkiem na jedną stronę, i cienki wąsik. Włosy były miękkie i sprężynowały pod jej dotykiem.

Nigdy jeszcze czegoś podobnego nie dotykała. On był zupełnie inny od spotykanych przez nią do tej pory mężczyzn. Inny na wszystkie możliwe sposoby.

25

– Dokąd polazłaś?! – syknęła Ruth tonem równie podejrzliwym, co wyrażającym niepokój.

Spotkały się przypadkowo na korytarzu. Ruth szła szybkim krokiem, żeby dołączyć do swojej grupy, którą wysłano na zajęcia do biblioteki na trzecim piętrze. Kit właśnie podążała ku wyjściu, do jednego z blaszanych baraków na zewnątrz służących jako tymczasowe biura.

– Opowiem ci potem – szepnęła Kit. – Spotkamy się po pracy?

– Dobrze, ale chcę usłyszeć prawdę, Kit. Wpadliśmy w straszną panikę. Kobieta pilnująca wejścia powiedziała nam, że z kimś wyszłaś, tylko nie powiedziała z kim. Podobno zatrzymałaś taksówkę i odjechałaś. Zachowałaś się bardzo tajemniczo. David wychodził z siebie.

Kit zaschło w gardle. To była niespodziewana uprzejmość z nieoczekiwanej strony. Pamiętała miedzianowłosą kobietę przy drzwiach z biustem jak półka. Kit uśmiechnęła się do niej wstydliwie, kiedy wychodzili z Earlem po schodach na górę. Patrzyła na nią, oczekując jakiejś reprymendy, lecz niczego takiego nie usłyszała.

– Muszę już iść – rzuciła, mając nadzieję, że jej głos nie drży. – Dzisiaj będziemy mieli testy. Spotkajmy się tutaj o piątej, okej?

Pobiegła dalej, zanim z ust Ruth padło kolejne pytanie.

Co jej powie? Co powinna jej powiedzieć? Kit nie miała pojęcia, co ją czekało w najbliższej przyszłości. Wiedziała, że jeszcze się spotkają z Earlem, ale co dalej?... Kto to wie? Za niecały miesiąc mają ich wysłać do Szkocji i co wtedy?

– Kit!

Podniosła wzrok. To był Charles. Machał do niej energicznie i krzyczał:

– Rusz się! Vera już czeka!

Nie trzeba było jej dwa razy powtarzać. Ruszyła biegiem.

Kiedy Kit skończyła mówić, Ruth zrobiła tak komiczną minę, że można by wybuchnąć śmiechem, gdyby komukolwiek było do śmiechu. Oczy miała okrągłe jak spodki.

– Trębacz?! – Z jej gardła w końcu wydobył się piskliwy skrzek. – Trębacz z jazz-bandu?

Kit skinęła głową i wstrzymała oddech. Siedziały obie w zatłoczonej salce od frontu kawiarni U Sama przy Rupert Street, kilka przecznic od domu Ruth. Objęła opiekuńczym gestem swoją filiżankę z kawą. Na zewnątrz było już prawie ciemno.

– Ja... Pojęcia nie mam, co we mnie wstąpiło – przyznała potulnie, mając nadzieję, że Ruth przełknie tę półprawdę i weźmie ją po prostu za kiepską wymówkę.

Ruth pokręciła głową.

– No ja bym nigdy w życiu! – powiedziała w końcu i zapaliła papierosa. Otaksowała Kit przeciągłym spojrzeniem. – Tak, wyglądasz na taką – stwierdziła po chwili i wydłubała ostrożnie odrobinę tytoniu, która jakimś cudem utkwiła jej pomiędzy przednimi zębami. Upiła łyk kawy. – Jesteś typem dawcy. Rzucasz się jak ćma w ogień. No i nie możesz za niego wyjść – orzekła beznamiętnie.

– Wyjść za niego?! – Teraz dla odmiany Kit zrobiła wielkie oczy ze zdumienia. – A kto tu mówi cokolwiek o małżeństwie?

– Nie musisz mówić. Masz to wypisane na twarzy, Kit. Och, wiem... Ty uważasz, że ja myślę w ten sposób ze względu na twoje pochodzenie. Miłe dziewczęta jak ty i cała ta otoczka. Jednakże nie o to mi chodzi. Ty jesteś taka sama jak ja. Ty chcesz... Sama nie wiem... Żyć pełną piersią. Robić coś. Być kimś. To dlatego znalazłyśmy się tutaj. – Pokazała szerokim gestem ręki na kawiarnię wokół nich, ale obie wiedziały, że ma na myśli Broadway Buildings numer pięćdziesiąt cztery. – Wiesz, mogłam iść na uniwersytet. Nic nie uszczęśliwiłoby bardziej moich rodziców. Pojęcia nie masz, jacy są Żydzi ze sztetla.

Kit przytaknęła przyjaciółce. Pojęcia nie miała, co to takiego ten sztetl.

– Nauka. – Ruth się uśmiechnęła. – Nie ma wyższego celu według nich. Porzuciłam studia na Oxfordzie, żeby podjąć pracę dla rządu. Nie mogli tego zrozumieć. Wciąż nie mogą. Kiedy tylko ktoś w żydowskiej rodzinie przejawia najlżejsze choćby skłonności do nauki, wszyscy zaczynają kiwać nad nim głowami. „Zupełnie jak ten i ten" albo „Taka pilna uczennica, zupełnie jak jej wuj Salomon". Chociaż nikt właściwie nie wie, kim jest czy był rzeczony wuj Salomon. Jakiś uczony talmudyczny albo ktoś w tym rodzaju, który już dawno nie żyje. Nie mam ochoty tak skończyć. – Zamilkła i popatrzyła na Kit. – Chodzi o to – mówiła powoli, wodząc palcem po wzorze na obrusie – że chcę się do czegoś w życiu przydać.

– Ależ to jest właśnie to! – Kit przerwała okrzykiem jej wywód, patrząc prosto na nią. – To jest to! Chcę dokładnie tego samego!

– I właśnie dlatego mówię ci, żebyś za niego nie wychodziła! I nie o niego chodzi, lecz o samo małżeństwo. To będzie twój koniec, koniec wszystkiego.

– I to właśnie dlatego nie chcesz wyjść za mąż za Joela! – Olśniło Kit. – Ty go kochasz, prawda?

Ruth skinęła głową.

– Tak sądzę. To znaczy... Znamy się oboje od... właściwie od zawsze. Jego rodzice nie są tacy jak moi. Oboje są lekarzami, ludźmi z wyższym wykształceniem. Wydaje mi się, że to właśnie jego matka podsunęła mi pierwsza tę myśl, że mogę być... hm... kimś więcej. Nie zrozum mnie źle – dodała szybko. – Kocham moich rodziców, mówię to szczerze. Nie wstydzę się ich ani nic podobnego, lecz nie chcę prowadzić takiego życia jak oni. Chcę mieć swoje własne.

Kit patrzyła na nią z rosnącym podziwem. Ruth kochała swoich rodziców tak mocno, że była w stanie zaakceptować odmienność ich poglądów. Kit tak nie potrafiła. Żeby móc żyć po swojemu, musiała teraz się obwiniać za to, że zerwała wszelkie kontakty z tymi, których powinna kochać najbardziej. Ruth, bardziej dojrzała niż ona i bardziej od niej doświadczona, nie musiała. Ruth usiłowała utrzymać równowagę pomiędzy swoim dawnym a obecnym życiem. Teraz nieoczekiwanie zatęskniła za tym i Kit.

– Ja również! – powiedziała z nagłą mocą Kit. Pochodzeniem nie mogłyby chyba bardziej się różnić, lecz czuła, że rozumie dokładnie, co ma na myśli przyjaciółka. – Jesteśmy w tym bardzo podobne do siebie – zakończyła z namysłem.

– Być może. – Ruth wzruszyła ramionami. – Nie jestem aż tak romantyczna jak ty, Kit. – Uśmiechnęła się blado. – Och, wiem, że zaraz powiesz coś o tym, że ledwo cię znam i nie powinnam mówić takich rzeczy. Jednakże ja cię widziałam, obserwowałam, jak ubierasz się w ten... ten płaszcz... te ubrania, twoją jaskrawoczerwoną szminkę i ten twój sposób zachowania typu „mam wszystko gdzieś". Wiem, że coś ci się stało kiedyś w przeszłości. Nie martw się, nie będę się wtrącać w nieswoje sprawy. Widzę też, że robisz to nie dlatego, że czujesz się w obowiązku działać dla dobra królowej i ojczyzny. Tak, to nasza praca i szansa dla młodych kobiet, takich jak ty i ja, żebyśmy mogły udowodnić sobie, że jesteśmy w stanie zrobić o wiele więcej, niż chciałyby od nas nasze rodziny. Ty z twoim pochodzeniem, tytułami i wszystkim pozostałym, i ja z nadziejami moich rodziców, że wkrótce się ustatkuję i wyjdę za mąż za miłego żydowskiego chłopca, i naprodukuję im mnóstwo wnucząt, na które czekają od dziesięciu lat. Nie! Prawda jest taka, że próbujemy uciec od samych siebie. Być może jedyną różnicę stanowi to, do jakich granic każda z nas potrafiłaby się posunąć.

Nastąpiła chwila ciszy. Kit czuła, jak jej oczy powoli wypełniają się łzami, których nie będzie w stanie powstrzymać. Wpatrzyła się w swoje dłonie. Nie mogła wymówić ani słowa.

– Nie martw się. – Tym razem Ruth powiedziała to delikatniej. – Jak już mówiłam, nie będę się wtrącać i tak się stanie, lecz jest coś, o czym muszę ci powiedzieć... Nie ma sensu czekać, aż ktoś inny to zrobi.

– Co takiego? – Głos Kit był ledwie słyszalny. Nigdy jeszcze z nikim nie rozmawiała na takie tematy.

– Powiem ci, kto może cię ocalić. Nie ocali cię Kierownictwo Operacji Specjalnych, nie ocali Vera Atherton ani też twój czarnoskóry trębacz. Jedyną osobą, która może uratować cię przed samą sobą, jesteś TY. To ty musisz zdecydować, czego chcesz od życia, jak zamierzasz je przeżyć... Ty musisz zdecydować nawet o tym, gdzie zamieszkasz. Pomyśl tylko: za kilka tygodni opuszczamy to miejsce. Bóg jeden wie, gdzie skończymy. Mogą nas wysłać gdziekolwiek, może się zdarzyć dosłownie wszystko. Możemy już nigdy więcej się nie spotkać.

– Nie mów tak – zaprotestowała Kit.

Nagle poczuła się jak małe, zagubione dziecko – tak jak nie czuła się od lat. Nie była to jednak dziecinna zazdrość czy niedojrzała niecierpliwość, których doświadczała przy Lily. To była naiwność zupełnie innego rodzaju. Ruth była osiem lat od niej starsza, lecz w tej chwili ta różnica mogła równie dobrze wynosić całe pokolenie albo i więcej. Nagle przypomniał jej się wuj Faunce i ogarnął ją straszliwy smutek. Poczuła, że powinna przeprosić, choć nie bardzo wiedziała za co.

– Przepraszam – powiedziała niepewnie.

– Nie przepraszaj. Znajdujemy się na krawędzi. Nadchodzą zmiany. Zmiany ogromne. Nie wiem, jak zwerbowano ciebie, lecz ktoś gdzieś zauważył nas i dał nam szansę.

– Ja pracowałam jako maszynistka w Ministerstwie Wojny – zaczęła powoli opowiadać Kit. – Pewnego razu przyszedł jakiś mężczyzna i spytał, czy mówię po niemiecku.

– Zabawne. Ja z kolei byłam w sklepie mojego ojca. Ktoś

usłyszał niechcący, jak rozmawiam z klientem po niemiecku, i spytał, czy chciałabym pracować dla rządu. Jak widzisz, wszystko sprowadza się do przypadku. Gdybyśmy prowadzili wojnę z Ameryką, wtedy biegła znajomość niemieckiego do niczego by się nam nie przydała. A dalej nie wiadomo... Ja do tej pory mogłabym dawno być żoną Joela, a ty ćwiczyłabyś ukłony przed królową. Czy nie to robią przypadkiem dziewczęta z twojej sfery?

– Skończyłabym zapewne jako debiutantka. – Kit pokiwała głową nad swoim niedoszłym losem.

– Ostatnia debiutantka – zażartowała Ruth. – Cóż, tu cię mam! Pewnie się cieszysz, że los ci dopomógł?

Kit przez chwilę straciła głos z wrażenia.

– Tak się cieszę, że cię spotkałam! – wydukała w końcu spiętym, drżącym głosem. – Masz całkowitą rację! Coś naprawdę mi się przydarzyło, jednak bardzo mi przykro, ale nie jestem w stanie o tym mówić... Po prostu nie mogę.

– Więc nie mów. Wykorzystaj to w inny sposób. Nie pozwól, żeby cię zniszczyło. Postaraj się, żeby uczyniło cię mocniejszą – zawahała się. – Wiem, prawdopodobnie nie powinnam tego mówić, ale oni też nie są tymi, za kogo się podają.

– Kto? – Kit popatrzyła na nią zdziwiona.

– David i Joel. Czy słyszałaś kiedyś o organizacji Palmach?

Kit pokręciła głową.

– A co to takiego? – spytała.

– Powstała w zeszłym miesiącu. Czternastego maja, dokładniej rzecz ujmując. Mają to być elitarne siły specjalne, jednostka szturmowa innej organizacji o nazwie Hagana. Mogę się założyć, że nie wiesz również, co to jest ta Hagana, prawda?

Kit przytaknęła i dodała:

– Czy ma to coś wspólnego z Palestyną?

Ruth potwierdziła skinieniem głowy.

– Szybko się uczysz. Hagana to żydowska organizacja paramilitarna. Hagana w języku hebrajskim znaczy „obrona". Działa od lat dwudziestych. Nikt by się do tego nie przyznał, a przynajmniej nie teraz, ale w Palestynie na pewno wybuchnie kolejna wojna, kiedy tylko ta się skończy. Tym właśnie tak naprawdę zajmują się David i Joel. Służą w jednostce składającej się wyłącznie z Żydów, która wchodzi w skład armii brytyjskiej. Prawdziwym powodem, dla którego tam jadą, jest chęć zaciągnięcia się do organizacji Palmach. Joel chce, żebym ja również to zrobiła. Chce, żebyśmy zaciągnęli się oboje.

Kit miała mętlik w głowie.

– Chce, żebyś zostawiła wszystko tutaj? Rodziców? Pracę?

– Tak. Ludzie potrafią zmusić się do działania tylko wtedy, kiedy nadchodzą zmiany – powiedziała dobitnie. – Kiedy nadchodzi zagrożenie albo zbliżają się jakieś znamienne wydarzenia. Mówisz do siebie: „żyję" tylko wtedy, gdy stoisz oko w oko ze śmiercią. Albo na przykład „tutaj" nagle nabiera całkowicie innego znaczenia, gdy zaraz będziesz musiała stąd wyjechać. Siedzimy w tym obie po uszy, Kit. Znajdujemy się w samym centrum wydarzeń, dokładnie tutaj, w samym środku tego wszystkiego.

– No i co zamierzasz zrobić? – spytała Kit z zapartym tchem. Czuła się tak, jakby cały jej świat miał ponownie wywrócić się do góry nogami, choć z zupełnie innego powodu niż poprzednio.

Ruth wzruszyła ramionami.

– A ty co zrobisz? – odpowiedziała pytaniem na pytanie.

Obie dziewczyny zamilkły. Pytania, na które zabrakło odpowiedzi, zawisły między nimi jak ciemna chmura ponad porozstawianymi w nieładzie filiżankami i niedopałkami papierosów.

26

Pozostały tylko dwa tygodnie do wyjazdu. To była jej pierwsza myśl po przebudzeniu każdego kolejnego dnia. Pozostał tylko tydzień. Tylko pięć dni... Dwa tygodnie, odkąd poznała Earla, minęły jak jedna chwila. Przez cały czas zadręczała się, jak mu powiedzieć, że wkrótce wyjedzie, że wysyłają ich do Szkocji na szkolenie podstawowe, ale nikt właściwie nie wie, dokąd konkretnie. Chodzą plotki, że będą stacjonować gdzieś na wybrzeżu, lecz oprócz tego nikt nic nie wie.

Mówiono o różnych obozach szkoleniowych: obchodzenie się z bronią, kontrwywiad, sabotaż, łamanie szyfrów... Lista nie miała końca i była ściśle tajna. Z tych niewielu informacji, które udało się im wycisnąć z prowadzących, dowiedzieli się, że podstawowe szkolenie miało trwać sześć tygodni, a potem zostaną rozesłani po całym kraju, zgodnie z posiadanymi umiejętnościami, które będą oceniane na egzaminie. Rząd zarekwirował dla swoich potrzeb mnóstwo rezydencji wzdłuż i wszerz Zjednoczonego Królestwa. Szkolenia zbrojeniówki umiejscowiono w Buckinghamshire, dział fałszerstw w Essex; jednostki kamuflażu odbywały treningi na północ od Londynu, w Borehamwood. Gdziekolwiek ją wyślą, będzie to oznaczało dla niej i Earla koniec idylli, w której chwilowo się pławili.

Wydawało się jej, że Earl nie ma pojęcia, co ona właściwie robi.

– Jestem sekretarką – powiedziała mu podczas jednej z ich bezcennych późnowieczornych rozmów.

– Wydajesz mi się... sam nie wiem... kobietą ze zbyt wielką klasą, żeby być zwykłą sekretarką – rzekł, uśmiechając się do niej. – Znaczy się... Czy wy przypadkiem nie mieszkacie w domach z setkami służących czy jakoś tak?

– Teraz już nie. – Odwzajemniła uśmiech. W końcu mogła powiedzieć prawdę. – Tak było kiedyś.

– A więc co teraz? – spytał, kreśląc leniwie palcem kółka na gładkiej, sprężystej skórze jej ud. – Jak jest teraz?

Zastanawiała się przez chwilę. Powinna mu powiedzieć. Teraz. Niestety, nie dała rady.

– Teraz? Teraz jest teraz. Jest inaczej.

– Z powodu wojny, chcesz powiedzieć?

– Nie. Z powodu ciebie.

– Dlaczego? – Jak wszyscy kochankowie na samym początku, bez końca fascynowali się tym, jak do „tego" doszło i „z powodu którego z nich".

Kit cieszyło uczucie cudownej lekkości w całym ciele. Sięgnęła przez tors Earla po paczkę papierosów, ledwo utrzymując równowagę na samym brzegu łóżka. Zapaliła i odwróciła się do ukochanego, podparta na łokciu, żeby lepiej widzieć całą jego senną postać. Błądziła wzrokiem po jego ciemnoskórej, gładkiej piersi, po zmiętej puchowej kołdrze, po sypialni za nim. Earl mieszkał razem z trzema innymi członkami zespołu w wynajętym domu gdzieś na południe od centrum. Nie sposób, żeby zabierał ją do siebie. Jej małe mieszkanko na piętrze szeregowego domku stało się ich małym niebem, ich kryjówką, choć w innych okolicznościach byłoby na pewno zbyt małe i zbyt ciasne dla nich dwojga. Teraz uważali je za idealne. Na parapecie okna stał kwiat doniczkowy, który kupiła w markecie nieopodal mieszkania Ruth, w Soho. Liście zaczęły mu żółknąć i podsychać. Był czerwiec, a w Londynie o tej porze roku zdarzały się tak upalne i słoneczne dni, jakby miasto leżało nad Morzem Śródziemnym.

– Grasz jutro? – spytała.

– Nie, jutro mamy wolne, dzięki Bogu. Louie próbuje załatwić nam występ w jakimś luksusowym hotelu w północnej willowej dzielnicy miasta. Jak widać chce, żebyśmy byli zajęci graniem przez wszystkie godziny, które daje nam dobry Bóg. Nie, nie gramy aż do poniedziałkowego wieczoru. Tak jest! To znaczy, że całą niedzielę mam wolną.

– A więc... Jesteś jutro całkowicie wolny? – ustalała powoli, pełna nadziei.

Odwrócił się do niej, mrużąc oczy w ciemności.

– Jakieś plany? – dociekał z leniwym uśmiechem. – Co tam się dzieje w tej twojej ślicznej główce?

– Nic się nie dzieje – odrzekła, lecz nie było to zgodne z prawdą.

– Przyznaj się, co tam kombinujesz.

– Byłeś kiedyś na wsi? Ale na takiej prawdziwej, angielskiej wsi?

Zaczął się zastanawiać nad odpowiedzią.

– Nie. Sądzę, że nie. Wysiedliśmy ze statku w Southampton. Czy według was to już wieś?

– Nie, no coś ty! – Roześmiała się. Znów popadła w głębokie zamyślenie, a jakaś koncepcja najwidoczniej zaczęła się klarować w jej głowie. – Tak sobie myślę... A może byśmy się gdzieś wybrali? Wyjedziemy jutro wczesnym rankiem, a wrócimy w poniedziałek po południu? Gdzie gracie w poniedziałek?

– W Café de Paris. Tam, gdzie pierwszy raz cię zauważyłem.

– A więc?

Wsparł się na łokciu i dotknął jej policzka wolną ręką.

– A więc dobrze. Widzę, że już wszystko masz zaplanowane. Dokąd jedziemy?

Uśmiechnęła się i schyliła, by pocałować wnętrze jego dłoni.

– Zobaczysz.

Przeciągnęła koniuszkiem języka po różowym wnętrzu jego dłoni, szukając głębszych bruzd, i zatrzymała się na miękkiej poduszeczce kciuka. Nagle ją olśniło. Wiedziała już, co powinna zrobić.

27

Hook – hak. *Basingstoke* – coś jak podstawy rozpalania w kominku? *Micheldever* – szwagier Michel. *Salisbury* – może tu kiedyś odbył się pogrzeb jakiejś Saly? *Pimperne* – osobliwe połączenie stręczyciela (*pimp*) z orłem bielikiem (*erne*). Dziwaczne nazwy angielskich miejscowości prezentowały się dumnie na tablicach informacyjnych, kiedy zatrzymywali się na kolejnych stacjach. *Pimperne*. Nie wytrzymał i prychnął śmiechem.

– Pimp-erne? A cóż to znowu za nazwa?!

Siedząca obok niego Kit, ledwo żywa ze zdenerwowania, zmusiła się do uśmiechu. Poranny telefon do matki całkowicie wytrącił ją z równowagi.

– Katherine? O! Co za niespodzianka! – Nie rozmawiała z matką od kilku miesięcy. Wszystkie wiadomości z Chalfont docierały do niej przez panią Arscott i odwrotnie. – Co się stało?

– Nic się nie stało. Myślałam właśnie, że... że może bym do was wpadła?

– Tutaj do nas?! Kiedy?

– Dzisiaj. Ściślej: w porze lunchu.

– Po co? Coś się stało, tak?

– Nie, mamo, nic się nie stało. Pomyślałam sobie tylko, że miło by było do was wpaść. To wszystko.

Po drugiej stronie słuchawki zapadła pełna podejrzliwości cisza.

– Po tak długim czasie? No cóż, ojciec będzie na pewno zadowolony. A dlaczego akurat teraz?

Kit westchnęła. Nic się nie zmieniło.

– Chodzi o to, że zaczynam w przyszłym tygodniu nową pracę i mogę długo nie mieć kolejnej możliwości, żeby was odwiedzić. Pomyślałam...

– Nowa praca? – Matka roześmiała się sztucznie, dając wyraz swojemu braku wiary w takie eksperymenty. – No cóż! Ostatnimi czasy zrobiła się z ciebie mała karierowiczka, prawda? – Widać, że starała się, żeby jej wypowiedź zabrzmiała protekcjonalnie i zarazem wyrażała dezaprobatę. Wyjątkowy talent matki, pomyślała w skrytości ducha Kit.

– Przyjedziemy pociągiem – powiedziała, starając się ze wszystkich sił nie połknąć haczyka.

– Przyjedzie-my? Niby z kim przyjedziesz?

– Z moim przyjacielem. Chciałabym, żebyście się poznali.

Nastąpiła chwila wymownej ciszy.

– Z przyjacielem? – spytała matka. – Z jakiego rodzaju przyjacielem?

– Z najzwyklejszym przyjacielem, mamo. Zostaniemy na noc i złapiemy pociąg powrotny w poniedziałek. Myślę, że mógłby się przespać w dawnym pokoju Lily.

Nastąpiła kolejna chwila dwuznacznego milczenia, gdy lady Wharton wgłębiała się w podteksty słów córki.

– No cóż, w porządku – zdecydowała w końcu. – Mam nową dziewczynę do sprzątania w pokojach. Bignella już nie ma. Wiedziałaś?

– Tak, mamo. Pani Arscott już mi to mówiła. Słuchaj, muszę kończyć. Chcę się przygotować do wyjazdu.

– Jak się nazywa? Czy to ktoś, kogo znamy?

– Nie. Ma na imię Earl. Earl Hightower. Jest Amerykaninem.

– Amerykanin?! – Zdumienie lady Wharton zamieniło końcówkę pytania w pisk. – Amerykanin, powiadasz... A czym się on zajmuje?

– Mamo, naprawdę muszę już kończyć. Zobaczymy się po południu. Przyjedziemy pociągiem wyruszającym z Londynu o drugiej trzydzieści.

– Świetnie. Wyślę Caruthersa. Jest teraz...

– Tak, mamo, wiem. Jest teraz zarówno kierowcą, jak i kamerdynerem. Dzięki pani Arscott jestem ze wszystkim na bieżąco. Do zobaczenia później.

Kit odłożyła słuchawkę, zanim matka zdążyła cokolwiek jeszcze dodać. Milczała, próbując ochłonąć, bo nie wiedziała, czy śmiać się, czy płakać.

Poszła do pokoju dziennego. Earl stał przy oknie, wpatrując się w brukowaną uliczkę poniżej. Odwrócił się, kiedy weszła.

– A więc wszystko ustalone – powiedziała, uśmiechając się do niego, jakby chciała mu dodać otuchy. – Po śniadaniu jedziemy pociągiem do Dorset.

– A te ciuchy? – Pokazał na swoje ubranie. – Nie mam żadnego porządnego stroju. Jesteś pewna, że tak będzie okej?

Nie mogła się powstrzymać, podeszła do niego, zarzuciła mu ręce na szyję i przyciągnęła jego twarz do swojej.

– Będzie dobrze – szepnęła. – Poproszę kamerdynera ojca,

żeby zorganizował ci wyjściową marynarkę. Nie martw się, proszę. Chcę, żebyś poznał moich rodziców.

Odsunął się nieco, by spojrzeć jej w oczy.

– Jesteś pewna, że wiesz, co robisz, dziecinko?

Dobrze rozumiała jego wątpliwości, ale skinęła pewnie głową.

– Zaufaj mi – poprosiła.

– Jesteś pewna?

– Jestem.

Teraz, kiedy pociąg ruszył ze stacji Blandford w stronę Dorchester, nie czuła się już tak pewnie. Odwróciła się i zaczęła patrzeć przez okno. Przyjemne dla oka krajobrazy Dorset, zalane ciepłym słońcem wczesnego lata, uciekały do tyłu. Pękate, napuszone zielone drzewa rosły na granicach pól, wyznaczanych niskimi murkami z łupanych wapiennych skał. Roztaczały się przed nimi pola jęczmienia, takie same, jak te, którc tak dobrze pamiętała z lat dziecinnych. Aksamitne główki zbóż jaśniały w promieniach czerwcowego słońca. Innego dnia to szczególne lśnienie mogłoby wywołać u niej migrenę lub przynajmniej musiałaby zamknąć oczy. Dzisiaj cały świat wokół niej skrzył się w słońcu.

Caruthers już czekał na nich na stacji w Hooke. Od razu, jeszcze z daleka, dostrzegła jego znajomą postać na samym końcu peronu. Pociąg zwalniał, piszcząc hamulcami, aż w końcu się zatrzymał w kłębach siwego dymu.

– Jesteśmy na miejscu – powiedziała do Earla, który zapadł w drzemkę, gdy minęli Yeovil.

Nie mogła się powstrzymać przed przyglądaniem się jego twarzy, gdy spał. Podróżowali w przedziale pierwszej klasy, który mieli tylko dla siebie przez całą drogę od stacji Paddington w Londynie. Wyszli jedynie w porze lunchu i dołączyli do innych pasażerów pierwszej klasy w wagonie restauracyjnym. Warto było zapłacić te pieniądze za przejazd tylko po to, żeby zobaczyć miny innych pasażerów, gdy tam się pojawili. Na podróż do domu wybrała liliową sukienkę w drobne kwiatuszki z rzędem obciągniętych tym samym materiałem guzików od pasa do szyi. Spędziła w łazience piętnaście minut dłużej niż zwykle, układając włosy a to tak, a to siak, aż w końcu pozostała przy przedziałku z boku, identycznym jak u Earla. Różnili się tylko rodzajem włosów: on miał krótkie i czarne, a ona gęste, jasnoblond. Zdawała sobie sprawę, że stanowili dziwaczną parę nie tylko z powodu koloru skóry. Ona ze swoimi stoma siedemdziesięcioma ośmioma centymetrami wzrostu zawsze była najwyższą dziewczyną ze wszystkich w najbliższym otoczeniu, a Earl miał ponad metr dziewięćdziesiąt. W wieczornych rozmowach łóżkowych, skłaniających do zwierzeń, przyznał się jej, że w szkole średniej zaczął grać w futbol amerykański i całkiem nieźle mu szło. Mógł zrobić karierę jako zawodnik, gdyby nie to, że połknął bakcyla muzyki i wybrał inną drogę. Gdy mówił, ona leżała sennie w jego ramionach i pragnęła go słuchać wciąż więcej i więcej. Był najpiękniejszym, najbardziej fascynującym i należącym do najbardziej odmiennego od jej świata mężczyzną, jakiego kiedykolwiek poznała.

Otworzył oczy koloru bakłażana i patrzył na nią nieprzytomnie przez chwilę, zanim dotarło do niego, gdzie się znajdują.

– Na miejscu? – powtórzył jak echo. – Gdzie jest to „na miejscu"?

– Hooke. Około pięciu kilometrów od Chalfont, które przejedziemy autem. Szofer już na nas czeka. Chodźmy.

Poszła pierwsza. Wysiedli na peron, otoczeni hałasem i rozgardiaszem, tworzonym przez przeciskających się do wyjścia pasażerów. Niektórzy ludzie otwarcie się im przyglądali, lecz Kit udawała, że wcale jej to nie obchodzi. Poszła szybkim krokiem tam, gdzie widziała wcześniej postać Caruthersa. Zestarzał się i przygarbił.

– Caruthers! – powiedziała z czułością, podchodząc do niego. – Jak dobrze cię widzieć!

– Dzień dobry, panienko! – odrzekł, dotykając z uszanowaniem daszka czapki. – Witamy z powrotem.

Oczy nieomal wyszły mu z orbit, gdy zrównał się z nią Earl. Kit odwróciła się do niego.

– Caruthers, to jest pan Hightower. Zostanie u nas na noc. Mógłbyś wziąć moją torbę?

Szofer ledwo zdołał zamknąć usta, zanim skłonił lekko głowę na potwierdzenie, że zrozumiał prośbę.

– Dzień dobry panu! Tędy, panienko. Zaparkowałem na placu przed dworcem.

– To miło z twojej strony, że po nas przyjechałeś – powiedziała Kit, idąc w ślad za nim. – Macie kłopot z zaopatrzeniem w benzynę?

Caruthers prychnął cicho pod nosem.

– Och, nie, panienko. Jaśnie pani ma swoje źródła, jeśli panienka wie, o co chodzi.

Kit uśmiechnęła się blado. Wiedziała coś o tym.

Okazało się, że Caruthers przyjechał tym samym autem, którym kiedyś odwoził ją razem z wujkiem Faunce'em, gdy udawali się w podróż do Niemiec. Wsiadła z Earlem do tyłu ze ściśniętym gardłem. Czuła, że skręca ją w żołądku.

– Przyjemny samochodzik – mruknął pod nosem Earl, gdy ruszali ze stacji.

Kit nie skomentowała. Droga prowadziła między wzgórzami z falującymi trawami wokół wioski, a potem wznosiła się stopniowo w stronę lasu, który o tej porze dnia wydawał się ciemnozieloną wstęgą. Pola pszenicy i jęczmienia zmatowione cieniami chmur wyglądały tak, jakby jakaś niewidzialna ręka przecierała je od góry ściereczką. Ostre, mocne srebrzyste i złotawe błyski przedzierały się przez nią na chwilę i znów znikały. Gdzieś w oddali nad polami, od strony morza, jakiś ciemny punkt wznosił się i opadał, kreśląc leniwie spirale na niebie. To samolot. Szybował wysoko w górze, znikał w chmurach i znów się pojawiał. Widać go było chwilami przez okno samochodu, a potem znów spadał w dół i krył się gdzieś za linią drzew na horyzoncie. To z pewnością nie samolot wroga, gdyż nie słychać było przejmującego wycia syren alarmu przeciwlotniczego, które w Londynie zawsze towarzyszyło pojawieniu się na niebie niemieckich samolotów. Obserwowała go, kiedy jeszcze raz poszybował w dół, przez co wypłoszył stado leśnych ptaków, a ono wzbiło się w zachmurzone niebo i rozsypało w popłochu we wszystkie strony. Ciszę, która zapadła, przerywało tylko monotonne mruczenie silnika samochodu, prowadzonego z wolna w stronę domu przez Caruthersa.

Spróbowała popatrzeć na drogę do domu, tak dobrze jej znaną, oczami Earla: żywopłoty i kamienne murki, zagajniki z mrocznymi, tajemniczymi drzewami, szeroko rozpostarte pola dojrzewającej pszenicy. Co on musi o tym wszystkim myśleć? – zastanawiała się. To był zupełnie inny świat, tak różny od obłożonych workami z piaskiem, ponurych ulic Londynu.

Przed nimi ostatni zakręt, mostek nad strumykiem, płynący wzdłuż granicy posiadłości, i nagle jest. Chalfont Hall. Jej rodzinny dom. Wjechali w wysoką bramę z kutego żelaza z nieco przekrzywioną mosiężną tablicą z tak przerdzewiałymi literami, że przypominały bardziej pismo Braille'a z delikatną siatką pęknięć i głębszych żłobień.

– Mieszkasz w czymś takim?! – Earl nie zdołał ukryć niedowierzania w tonie głosu.

– Mieszkałam kiedyś – poprawiła go natychmiast. – Widziałeś, gdzie mieszkam teraz.

– To jak dom z bajki! Wszyscy tu w Anglii macie takie domy?

– Nie, oczywiście, że nie.

Kit czuła, że zaczyna się coraz bardziej czerwienić.

– A więc wy naprawdę jesteście bogaci...

– Nie, nie jesteśmy bogaci, bo nie odziedziczyliśmy fortuny. Sądzę, że jeden z moich przodków dorobił się dużych pieniędzy, które się rozeszły. Teraz została tylko ziemia. Mnóstwo ziemi.

Realnie rzecz biorąc, zbyt wiele. Z tymi ogromnymi wiejskimi rezydencjami wszyscy mają teraz problem. Nikogo nie stać na ich utrzymanie, ale pozbyć się czegoś takiego też nie jest łatwo.

– Dlaczego? Dlaczego nie możecie tego po prostu sprzedać i mieć problem z głowy?

Wzruszyła ramionami.

– Bo się nie da. To jest... Tego się po prostu nie robi.

– A to się robi? – Wziął ją za rękę. – Nawet ja wiem, że dziewczętom takim jak ty nie pozwala się wychodzić z domu bez... jakże to ją nazywacie? Bez przyzwoitki. Czy dobrze mówię?

Pomimo zdenerwowania Kit się roześmiała.

– Tak. Masz rację. Nie wychodziło się bez przyzwoitki, lecz wojna wszystko zmieniła. Teraz instytucja przyzwoitki straciła sens. Widzisz, jak żyjemy. Chodzimy na imprezy, pracujemy... Wszystko się zmieniło.

Earl odwrócił się, żeby spojrzeć na nią.

– I tu się mylisz, dziecinko. Niektóre rzeczy nigdy się nie zmieniają. Powinnaś to wiedzieć.

Nie zdążyła mu odpowiedzieć. Caruthers zatrzymał samochód przed wejściem do domu. Ogromne drzwi frontowe były uchylone. Kit widziała postać matki w ocienionym wnętrzu. Serce biło jej mocno w piersi. Wyszli z auta na żwirowany podjazd. Popatrzyła w stronę frontowych drzwi. Earl nie miał racji, pomyślała z gniewną zaciekłością, wszystko się w życiu zmienia!

– Katherine! – Głos matki zadźwięczał na podjeździe. Wyszła z cienia i zatrzymała się na kamiennych schodach. Osłoniła oczy dłonią przed ostrym popołudniowym słońcem.

Widok znajomych miejsc przytłoczył Kit. Pamiętała wszystko: dotyk wiatru na skórze, ostre światło, matkę stojącą na schodach, żeby powitać ją w domu.

Wzięła Earla pod ramię i ruszyła w stronę matki. Przez chwilę matka taksowała ich wzrokiem, potem otworzyła usta pod wpływem szoku i po chwili znowu je zamknęła. Za jej plecami pojawił się niespodziewanie ojciec.

Kit poczuła, że Earl jest spięty ze zdenerwowania. Podeszli powoli do schodów i się zatrzymali. Przez dłuższą chwilę cała czwórka stała naprzeciwko w milczeniu, spoglądając na siebie. Matka bez wątpienia zdawała sobie sprawę z obecności Caruthersa w pobliżu, który udawał, że poleruje maskę samochodu, a w rzeczywistości obserwował pilnie kolejny dramat w Chalfont Hall.

– Mam zapewne przyjemność z panem Hightowerem? Miło, że przyjechał pan tutaj taki kawał drogi. – Lord Wharton zszedł jeden schodek niżej i wyciągnął rękę na powitanie. Pół wieku dobrego wychowania wzięło górę.

– Witam pana. – Earl ujął jego wyciągniętą dłoń i mocno nią potrząsnął.

– Podróż w porządku? – spytał ojciec i od razu poprowadził ich do wnętrza domu. Równie dobrze mógłby w ten sposób zapytać sąsiada, który wyskoczył na jeden dzień do Londynu. Jeśli zszokował go widok córki w towarzystwie czarnoskórego mężczyzny, dobrze to ukrył. W ślad za nimi ruszyła lady Wharton, usiłując wziąć przykład z męża.

– Piękny dom macie państwo – powiedział Earl, kiedy tylko weszli do chłodnego holu. Stanął pośrodku i zaczął się rozglądać.

– Tak, tak... W sumie to nawet nam się tu podoba, jednak jest piekielnie drogi w utrzymaniu. Nie wyobraża pan sobie, ile kosztuje eksploatacja tych starych murów.

– Tak, proszę pana, tego nie jestem w stanie sobie wyobrazić. – Earl się uśmiechnął.

Kit obserwowała matkę wpatrującą się w niego z nieukrywaną fascynacją. Lady Wharton miała na sobie przedziwny strój: była ubrana, jakby wybierała się na wiejski piknik. Wygląda jak podstarzała nastolatka – pomyślała Kit z rozpaczą. Twarz wypudrowała sobie na biało i różowo mocniej, niż kiedy była młodą kobietą. Przez te kilka ostatnich miesięcy, odkąd ich ostatnio widziała, rodzice bardzo się postarzeli.

– Wkrótce podany będzie lunch. Musi pan koniecznie wypić z nami drinka – wydusiła w końcu z siebie lady Wharton, rozpaczliwie próbując nadać nieco weselszy ton swojemu głosowi. Widocznie doszła do wniosku, że najlepiej będzie potraktować niespodziewaną wizytę Murzyna – z tego, co wiedziała Kit, pierwszego i jedynego, jakiego matka kiedykolwiek spotkała – jako ekscytującą wymówkę do świętowania. – Byliśmy tak niesamowicie spragnieni jakiegokolwiek towarzystwa! Czy Katherine wspominała coś o tym? Nie wpada się już z wizytami. Wszystko przez tę przeklętą wojnę. Chodzi o to, że nikt nie ma benzyny. Och, tak bym chciała, żeby ta wojna wreszcie się skończyła, a pan?

Earl zwrócił się do niej, nawiązując w pewien sposób do nastroju jej wypowiedzi:

– I owszem, madame, choć nie sądzę, żeby tak się stało. Wygląda na to, że Roosevelt czyni przygotowania, żeby włączyć się do działań wojennych. Wszyscy tak mówią tam u nas w domu.

– A gdzie dokładnie jest to „tam u nas w domu”? – spytała lady Wharton figlarnie, prowadząc ich do salonu od frontu. – Czy możemy poprosić o drinki, kochanie? – zwróciła się do męża, zanim Earl zdołał jej odpowiedzieć.

– Drinki?! Przed obiadem?! – Brwi lorda Whartona podskoczyły do góry.

– A dlaczego nie? Co takiego zawsze powtarza Althea? „W Imperium właśnie gdzieś słońce chyli się ku zachodowi”. Czy nie mam racji? – Jej dziewczęcy chichot zadźwięczał w pokoju.

Kit wpatrywała się zdumiona w matkę.

– Ach, jesteś wreszcie, Digby. – Lady Wharton odwróciła się, gdy ktoś wszedł do pokoju. – Powiedz kucharce, żeby przygotowała szybciutko cztery giny z tonikiem. Już ona wie, jakie lubię najbardziej. Piliśmy je nie dalej jak wczorajszego wieczoru. Czy pił pan kiedykolwiek takiego drinka, panie Hightower?

Earl skinął głową z lekkim uśmieszkiem.

– Dokładnie tak. Gin, tonik, ale i sok z cytryny. To mocny drink. Kiedyś pracowałem jako barman w Nowym Jorku. To jedno z wielu zajęć, których się imałem.

Lady Wharton znów otworzyła usta ze zdumienia, lecz zdążyła ochłonąć akurat na czas.

– Coś podobnego! Usiądź, proszę, tu, obok mnie. Umieram z ciekawości, żeby posłuchać opowieści o Nowym Jorku. Tam się robi wszystko inaczej, prawda? – Poklepała poduszkę sofy obok siebie.

Earl zawahał się, ale w końcu usiadł i pozostawił zakłopotaną Kit w towarzystwie ojca.

– Wszystko w porządku tam u ciebie w Londynie? – spytał z wahaniem lord Wharton.

– Tak, ojcze. Układa się idealnie, dziękuję.

– W pracy w porządku? Co właściwie załatwił ci Evelyn?

Kit się zawahała. „Rozumiesz, że nie możesz zdradzić charakteru swojej pracy absolutnie nikomu, nawet rodzicom?".

– Nic specjalnego, doprawdy. Pisanie na maszynie i segregowanie dokumentów. Coś w tym rodzaju. Przynajmniej mam co robić.

Lord Wharton pokiwał głową, wziął fajkę do ust i zapalił zapałkę. Przez chwilę wyglądał na nieco zagubionego.

– Masz co robić, powiadasz? Tak, to jest coś. Trzeba mieć co robić. O! Chyba są nasze drinki. – Skinął głową na Digby'ego właśnie wchodzącego z tacą, na której niebezpiecznie przechylały się cztery szklaneczki.

Kit pamiętała służącego jak przez mgłę z okresu swojego dzieciństwa. Przeszedł na emeryturę, gdy ona była jeszcze mała. Teraz, kiedy większość młodych mężczyzn walczyła na froncie, jedynie wśród emerytów dało się znaleźć personel zastępczy. Uśmiechnęła się do niego, żeby potwierdzić dawną więź, i wzięła szklaneczkę z tacy. Gin z tonikiem miał orzeźwiający, słodko-gorzki smak i popijała go z prawdziwą przyjemnością. Wreszcie mogła się czymś zająć.

Kiedy wstali, by przejść do jadalni, usłyszała, jak matka pyta Earla z wyszukaną grzecznością, czy chciałby może po obiedzie udać się na przejażdżkę.

– Na przejażdżkę? Na jaką przejażdżkę? – zdumiał się Earl.

– Konną, oczywiście. – W jej głosie zabrzmiało zdziwienie. – Bo przecież pan jeździ, prawda?

– Nie, madame – zaprzeczył zdecydowanie chłopak, zajmując miejsce za stołem. – Nigdy nawet nie siedziałem na koniu.

– Coś podobnego! – Lady Wharton utkwiła w nim wzrok pełen niedowierzania. – A jak w takim razie Kit pokaże panu naszą posiadłość?

– Pójdziemy na piechotę, mamo – rzuciła córka z kwaśną miną. – Spacer dobrze nam zrobi.

Earl jednakże jej nie poparł.

– Bardzo to trudne? – spytał lady Wharton. – Trzeba wsiąść, trzymać się prosto i skierować zwierzę w odpowiednią stronę... i po zawodach, dobrze mówię?

Rozbawiło to lady Wharton.

– Hm, ośmielę się stwierdzić, że Kit miałaby odmienne zdanie na ten temat. Ona doskonale zna się na koniach, jeśli pan jeszcze tego nie wie. Jeżeli jednak chciałby pan zaryzykować, na pewno znajdziemy jakiegoś potulnego konika. To wyśmienity pomysł!

Kit zdała sobie sprawę, że Earl wciąż pozytywnie ją zaskakiwał. Z urzekającą łatwością podchodził do tematów, które powinny go raczej zestresować. Mówił zawsze to, co myślał, choć ona za każdym razem oczekiwała, że usłyszy inną odpowiedź. Miał odwagę być sobą. Nie udawał i niczego nie robił na pokaz. Ta godna podziwu lekkość stanowiła zupełne przeciwieństwo jej własnej natury, która miała tendencje do działań odwrotnych. Była gotowa zrobić wszystko, żeby ułatwić

Earlowi to spotkanie; chciała pokazać, że nie jest dla niej istotne, co on sądzi o jej matce. Zmieszała się, kiedy zdała sobie sprawę, że nie potrzebuje ani jej pomocy, ani nawet uwagi. Do każdego spotkania podchodził na luzie, bez uprzedniego oceniania sytuacji. To odkrycie nieoczekiwanie sprawiło, że przestała się przejmować. Przynajmniej nie musiała niczego udawać.

W końcu zostało ustalone, że dwójka „dzieciaków" pójdzie na spacer i zostawi lorda i lady Whartonów samych, żeby mogli odespać efekty wypicia zbyt dużej ilości ginu, jeszcze zanim słońce zaczęło chylić się ku zachodowi.

– Oni zawsze tyle piją? – spytał Earl, kiedy już przywdziali płaszcze przeciwdeszczowe i kalosze. Pogoda zmieniła się błyskawicznie.

„Proszę, weź mój – zaproponował wielkodusznie ojciec Earlowi. – Tu w Dorset pada prawie bez przerwy. Bez przerwy!".

Kit popatrzyła na przyjaciela.

– Nie. Kiedyś nie pili w ogóle, a może tylko ja nie zwracałam na to uwagi. Sądzę, że to wszystko przez wojnę.

– Całkiem mili są ci twoi staruszkowie. Szczególnie ojciec.

– Doprawdy? – Kit była zaskoczona. – Zawsze uważałam, że jest nudziarzem.

– Ależ skąd! Wie niesamowicie dużo o muzyce jazzowej. Znacznie więcej niż ja.

Kit stanęła jak wryta.

– Mój ojciec?! O jazzie? Kiedy zdołałeś się tego dowiedzieć?

– Kiedy zaprosił mnie do biblioteki po obiedzie. Mówię ci, ma kilka cholernie dobrych płyt! Kilka Armstronga, Charliego Parkera, Ellingtona, Monka... Wszystkich największych. Nie znam nikogo u siebie w Ameryce, kto miałby choć połowę zbioru twojego staruszka.

Kit była szczerze zdumiona.

– Nigdy nie widziałam, żeby słuchał jakichkolwiek płyt, o jazzie nie wspominając. Dziwne...

Earl wzruszył ramionami.

– Wcale nie takie dziwne. Mogę się założyć, że nie masz pojęcia, że wasz przyszły król też jest fanem jazzu.

– O tym akurat wiem. Kiedy Ruth chciała mnie przekonać, żebym poszła z nią do Café de Paris, powiedziała mi, że książę Edward też często tam chodzi.

– No nie wiem, czy tak znowu często. – Earl zaśmiał się krótko. – Ja sam widziałem go kilka razy. Zostałem mu nawet przedstawiony.

Dziewczynie o mało oczy nie wyszły z orbit. Ile jeszcze niespodzianek krył przed nią Earl Hightower?

– Czy wiesz... – zaczęła mówić, przeciągając lekko palcami po kwiatach róż, którymi obsadzona była droga dojazdowa aż do mostu – ...że znamy się niecały miesiąc? Wyobrażasz to sobie? Niecały miesiąc! Dlaczego czuję się tak, jakbym znała ciebie o wiele, wiele dłużej?

– Czasami tak się zdarza. – Earl wcale się nie przejął jej zdumieniem. – Nie ma znaczenia, skąd pochodzisz, co robisz, ile masz pieniędzy. Ważne jest, jak mocno czujesz się związany z tą drugą osobą. Reszta wydaje się nieistotna. Przynajmniej ja tak to widzę.

– Ja też tak uważam – przyznała Kit i spojrzała w niebo. Ojciec miał rację. W Dorset naprawdę padało prawie codziennie. Nad niskimi wzgórzami na południe od ich posiadłości właśnie zaczynało się gromadzić kłębowisko ciemnych, burzowych chmur, na razie widoczne w postaci szarej smugi na horyzoncie. Co pewien czas wychodziło słońce i ogrzewało im twarze, a potem znów znikało za szarą zasłoną chmur. Czuli krew pulsującą w żyłach w radosnym rozgorączkowaniu. Dłoń Earla zwisała luźno z ramienia Kit. Pomyślała o tym, jak kochali się poprzedniej nocy, i poczuła dumę z ich erotycznych uniesień. Przypomniała sobie, jak z uczuciem zachwytu przypatrywała się jego wyczerpaniu. Jak inaczej wyglądał jeszcze kilka chwil wcześniej, gdy przyłapała go w pełnym erotycznego napięcia szale.

Zeszli drogą w dół ku rzece, minęli kamienny mostek nad strumykiem, który dzielił koszone trawniki posiadłości od dzikich łąk, i tu się zatrzymali. Earl odwrócił się do Kit i ujął jej twarz w obie dłonie, a potem delikatnie obrócił jej głowę w jedną stronę, a potem w drugą.

– Czy ty jesteś prawdziwa? – spytał. – Nie istniejesz przypadkiem tylko w mojej wyobraźni? – Patrzył jej w oczy z taką intensywnością, jakby chciał wyczytać to, co skrywały w głębi. – Istniejesz naprawdę? Uspokój mnie...

– Co za głupoty wygadujesz! – krzyknęła rozbawiona Kit. – Oczywiście, że jestem prawdziwa! Czy nie czułeś tego poprzedniej nocy? – Zaczerwieniła się, już kiedy to mówiła.

Przyglądał się jej uważnie w milczeniu. Słowa Kit zdawały się wypełniać go niezaspokojonym pragnieniem. Zaczął całować ją namiętnie, a dotyk jego ust obudził jej zmysły dreszczem wspomnień. Jego twarz tuż nad jej twarzą – to spowodowało, że wróciła do życia. Chwile pustki, gdy dopadał ją paniczny strach, który czuła, odkąd sięgała pamięcią, niespodziewanie zniknęły. Przylgnęła do niego mocno, chłonąc ogromnymi łykami tego zagadkowego, obcego jej kulturze mężczyznę, którego całe życie było dla niej czymś tak innym, że nie umiała tego pojąć. Widziała to samo u każdego w swoim otoczeniu, w tym, jak odsuwali się od niego, jak go odrzucali, jakby samym swoim istnieniem wyznaczał niewidzialną granicę, niemożliwą do przekroczenia dla innych. Jednakże kiedy była z nim ona, te granice, które każdy zdawał się zauważać, po prostu się rozmywały, rozpływały, zanikały, pozostawiając jedynie różnicę pomiędzy ich płcią, stanowiącą jedyną granicę nie do pokonania. Mężczyzna i kobieta. Tylko to wydawało się mieć jakiekolwiek znaczenie.

Patrzyła na niego, gdy stał na tle lasu, a jej twarz wyrażała równocześnie i czułość, i dumę. Myślała o jego silnym, młodym ciele, które trwało nad nią poprzedniej nocy w pełnym napięcia oczekiwaniu, w pełnej gotowości, by ją posiąść. Pamiętała mocno skręcone sprężynki włosów na jego klatce piersiowej i ich rysunek, stopniowo się zwężający i zmieniający się w owłosienie innego rodzaju, które na podbrzuszu tworzyło kształt zbliżony do strzałki, kończącej się u podstawy penisa. Teraz, gdy stał przed nią całkowicie ubrany, skrywając piękny sekret swojej nagości, uświadomiła sobie coś zupełnie innego: ile jeszcze on musi przed nią ukrywać... Całe życie, które przeżył bez niej; ludzi, z którymi to życie spędził; kobiety, których ciała posiadł, tak jak to się zdarzyło i w jej przypadku...

Znów dopadło ją znane uczucie ssącej pustki gdzieś w głębi ciała. Czuła też zupełnie dla niej nowe drżenie wywołane nadmiarem przyjemności, podobne drżeniu przemęczonych mięśni, zaprzęgniętych do wykonywania czynności, do których nie były nigdy wcześniej wdrożone. Choć brzmiało to absurdalnie, Earl należał do niej w każdym znaczeniu tego słowa.

Właśnie tak i właśnie wtedy – tak brzmiała odpowiedź. Stał tu przed nią on, czarny mężczyzna, ten, którego wszyscy inni odpychali, ten, którego inni brzydzili się nawet tknąć. Ruth nie miała racji. To naprawdę był ON. Ten, który przybył, żeby ją uratować.

28

Ona usłyszała ich głosy pierwsza, zresztą na pewno od razu zaprzestaliby kłótni, gdyby wiedzieli, że ktoś ich słyszy. Stanęła na spoczniku schodów jak przymurowana i wstrzymała oddech.

– Nie przesadzaj, do jasnej cholery!

To był głos matki. Świszczący, przepojony złością szept.

– A czemu nie? Jest taki sam dobry jak każdy inny.

To odpowiedział ojciec.

– Jak coś takiego mogło ci w ogóle przejść przez gardło!

– Och, na litość boską! Jak dla mnie, wygląda na superporządnego chłopaka. No dobrze, widać po nim gołym okiem, że nie ma pieniędzy, ale jak sama wiesz, my też ich nie mamy, Delphine. Musisz w końcu spojrzeć prawdzie w oczy.

– Prawdzie?! Nawet mi nie wspominaj o żadnej „prawdzie”! Prawda jest taka, że nie możemy... Naprawdę nie możemy! Nie możemy pozwolić, żeby to trwało choćby chwilę dłużej! Co powiedzą o tym nasi znajomi?

– Jacy znowu „nasi znajomi”? Ci, którzy wciąż szepczą za naszymi plecami o naszej „innej” córce? Tych „naszych znajomych” masz na myśli? Zależy ci na ich opinii? Wiesz, Delphine, że czasem jest mi wstyd za ciebie. Tak, dobrze słyszysz. Jest mi wstyd! Nie zapomniałem, w jaki sposób ją potraktowałaś, kiedy wróciła.

– Nie masz prawa mówić do mnie w ten sposób! To ja byłam tą, która...

– Co to za hałas? Słyszałaś coś? – przerwał te protesty ojciec.

Kit przywarła całym ciałem do ściany. Serce waliło jej tak mocno w piersi, że była pewna, iż ją usłyszą.

– Nie. Nikogo tam nie ma. Chcesz się wykręcić, Haroldzie, ale ja się nie dam tak łatwo zbyć! O nie!

– Nie powinnaś się w ogóle wypowiadać na ten temat. Kiedy sobie pomyślę, przez co Kit musiała przejść... ogarnia mnie wstyd za to wszystko. Jeśli teraz znalazła choć odrobinę szczęścia, daj jej wreszcie spokój, na litość boską! Czy dążysz do tego, żeby odsunąć od siebie obie nasze córki? Tego chcesz?

Kit musiała zakryć usta dłonią. Stała na podeście schodów w miejscu, skąd przechodziło się do skrzydła, w którym dostał pokój Earl.

– Czekaj spokojnie na mnie – szepnęła mu do ucha przy Digbym, stojącym obok na baczność w oczekiwaniu, aż będzie mógł zaprowadzić gościa na górę. – Przyjdę do ciebie, jak tylko oni oboje udadzą się na spoczynek.

Teraz poczuła, że jeszcze chwila, a nie zniesie ani jednego słowa więcej. Ogarnęła ją nagle czułość w stosunku do ojca, chyba po raz pierwszy w życiu. Była dla nich stracona, tak jak przepadła wcześniej Lily. Takich konsekwencji swojej decyzji nie przewidziała. W swoich wyborach mężczyzn – czy męża, czy kochanka – obie siostry obrały drogi, które poprowadziły je w nieznane, daleko od tego, co znały, daleko od tego, kim były, kim, według kogoś – według kogo? – powinny zostać. Jednak – choć wzbudziło to w niej okropny smutek, gdy zrozumiała, że ojciec był o wiele odważniejszy, niż kiedykolwiek śmiała przyznać – rosło w niej przekonanie, że powinna natychmiast opuścić Chalfont.

Tu, w Dorset, wojna wydawała się czymś tak odległym, lecz niestety, było to przekonanie całkowicie błędne. Kiedy tylko wrócą następnego dnia, oboje znajdą się w samym centrum działań wojennych. Ameryka miała właśnie przystąpić do wojny. Earl mówił o tym tak, jakby sprawa była już przesądzona. Jakie będą tego konsekwencje – zastanawiała się Kit. Czy Earl wróci do ojczyzny? Czy zaciągnie się do wojska? Czy zginie? Cały czas nosiła się z zamiarem wyznania mu, że wyjeżdża; teraz, gdy ta chwila nadeszła, po prostu nie potrafiła. Nie chciała zepsuć tego, co mogło się okazać ich ostatnim weekendem spędzonym razem. Powie mu, kiedy wrócą do Londynu następnego dnia.

Odwróciła się i poszła nieomal na oślep do swojego pokoju. Euforia, wywołana podróżą z Londynu i całym dniem spędzonym na spacerach po lasach, ulotniła się bezpowrotnie. Pchnęła drzwi do pokoju, zamknęła je dokładnie za sobą i poszła prosto do łóżka. Earl spał w dawnym pokoju Lily, po drugiej stronie domu. Nie było mowy, żeby przemknąć się do niego cichaczem.

Położyła się, zawiązała mocniej pasek koszuli nocnej i zamknęła oczy. Pokój był dziwnie naelektryzowany, jakby nadeszła burza i rozświetliła wszystko innym, ostrym światłem błyskawic. Poczuła przypływ paniki.

Czy tak teraz będzie wyglądało jej życie? Pytanie wisiało nad nią, błądziło po jej ustach. Nagle zupełnie nieoczekiwanie zapadła w sen...

29

Na stacji Paddington następnego ranka nie mieli czasu na nic więcej niż szybki pocałunek i obietnicę kolejnego spotkania wieczorem. Musiała biec prosto do pracy. Jeszcze z Dorset zadzwoniła do Ruth, tłumacząc się ze spóźnienia z powodu pilnych spraw rodzinnych. Oczywiście nie usatysfakcjonowało to Ruth, lecz przynajmniej Vera Atherton się nie wścieknie i nie zażąda jej głowy. Kiedy stała w zatłoczonym autobusie, którym jechała ze stacji kolejowej do Westminsteru, trzymała się skórzanej rączki nad głową i wtedy rozkołysana torebka palnęła ją niefortunnie prosto w twarz. Czy to jakiś znak? Koniecznie musi powiedzieć Earlowi o wyjeździe. Motyle w brzuchu, które przez ostatnie dwa dni całkowicie się uspokoiły, teraz nieoczekiwanie znów dały o sobie znać. Mocniej ujęła uchwyt i starała się skupić myśli wyłącznie na nadchodzącym wieczorze.

O piątej tamtego popołudnia, kiedy udało jej się jakoś przetrwać pełne dezaprobaty milczenie Very Atherton po tym, jak wydusiła z siebie przeprosiny z powodu opuszczenia połowy porannych zajęć, wreszcie miała kolejny dzień nauki za sobą. Nie zaczekała na Ruth, sama zbiegła szybko po schodach przed budynkiem. Usłyszała akurat dobiegający z oddali odgłos kurantów Big Bena. Za kilka godzin znów spotka się z Earlem. Nie była w stanie myśleć o czymkolwiek innym.

Otworzyła drzwi szafy i stała przed nią przez dłuższy czas. W końcu zdecydowała się na bladoniebieską jedwabną suknię. Przyłożyła ją do siebie i popatrzyła w lustro, starając się spojrzeć na siebie oczami Earla. Odwróciła powoli głowę w bok i zaczęła z pewnym zaniepokojeniem studiować swój profil. Czy przypadkiem jej nos nie jest odrobinę za duży, a usta zbyt szerokie? A włosy?... Jak powinna je ułożyć? Sczesać na bok, jak teraz, czy może ściągnąć do tyłu? Spojrzała w dół na swoje dłonie. Paznokcie miała czyste i krótko obcięte, ale wyglądały tak nijako. Musiała koniecznie je pomalować. Zerknęła na zegarek. Miała wystarczająco dużo czasu. Chciała znaleźć się w klubie, jeszcze zanim zespół rozpocznie występ, żeby to ją pierwszą zobaczył, kiedy wyjdzie na scenę.

Przeszył ją dreszcz zmysłowej rozkoszy, pozostawiając drżenie w całym ciele. Earl! Wyszeptała jeszcze raz jego imię: Earl... Zostało tylko kilka godzin do chwili, kiedy znów go zobaczy.

30

Sprawy przybrały fatalny obrót. Naprawdę fatalny. W dodatku wszystko działo się zbyt szybko. Nie był pewien, co się właściwie wydarzyło i dlaczego tak się stało. Wiedział tylko, że żaden z nich tego nie chciał, a potem już było za późno. Słowa zostały wypowiedziane, mówili coraz głośniej i wtedy padł pierwszy cios. Kto go wyprowadził? Kto kogo uderzył?

Wciąż i wciąż od nowa próbował analizować w myślach rozwój wypadków. Wrócił do domu, który wspólnie wynajmowali, w doskonałym nastroju, może nawet nieco zbyt dziarskim krokiem. Kit była właśnie taką dziewczyną. Za każdym razem, kiedy o niej myślał, czuł przypływ uniesienia. Wydawało mu się, że całe życie czekał na tę chwilę. Każdy nerw w jego ciele mówił mu o tym już od samego początku. Czuł to już wtedy, gdy wchodzili po schodach tamtego klubu w podziemiach. Nie chciał, żeby znów wyślizgnęła mu się z rąk, jak na początku. Teraz powtarzał sobie z uporem raz po raz, że już na to nie pozwoli. Tym razem ruch leżał po jego stronie i jeśli nie złapie okazji mocno obiema rękami, straci ją na zawsze. Rzadko dostaje się drugą szansę. Dobrze to wiedział.

Tak więc kiedy dotarł do domu tego dnia rano, wszedł po schodach sprężystym, pełnym werwy krokiem. Na górnym podeście już czekał na niego Louie. Musiał zauważyć wcześniej nadchodzącego Earla.

Nie był pewien, co nastąpiło później. Louie musiał coś powiedzieć. Może rzucił mimochodem jakąś kąśliwą uwagę? Nieważne, ale Earl dostrzegł przelotnie w jego oczach iskrę buntu. Spróbował przecisnąć się obok niego, lecz Louie wyciągnął w bok rękę i zablokował mu przejście. W tym właśnie momencie wszystko wymknęło się spod kontroli. Pamiętał, że potem zaczęli się kłócić. Gdzie się podziewał? Dlaczego zniknął ot tak, nikomu o niczym nie mówiąc? Szukał go już poprzedniego wieczoru; mieli zaproszenie do grania na jakiejś imprezie. Gdzie, u diabła, on się podziewał?!

– Z powodu jakiejś białej dupy? – W ustach Louiego słowo „dupa" zabrzmiało ordynarnie.

– To nie tak – zaczął się tłumaczyć Earl. – To wcale nie jest tak, jak myślisz...

– W cholerę z tym twoim „nie tak"! Rzygać mi się chce od ciągłego sprzątania po tobie, gnoju.

Może to właśnie ten „gnój" stał się ostatnią kroplą, przepełniającą dzban. Na dźwięk tego słowa częściowo go zmroziło, częściowo zaś – w tej zawadiackiej części siebie – poczuł zadowolenie, ponieważ teraz w końcu mogli mieć to z głowy. To, co narastało pomiędzy nimi już od pobytu w Nowym Jorku, w końcu znalazło ujście. Poczuł, jak stają mu dęba włoski na karku, a potem naparł na niego całym ciałem. Dostrzegł twarz Louiego tuż przed swoją twarzą. Miała dziwny wyraz. Właściwie trudno powiedzieć, co wyrażała. Obrzydzenie? Nienawiść? Strach? Przez myśl przebiegały mu kolejne możliwości. Nagle w przebłysku zrozumienia dotarło do niego: to była zazdrość. Zawiść. To właśnie to uczucie dręczyło go przez cały czas! Zaczął się śmiać.

– Tylko się kurrr... ze mnie nie śmiej, gnoju! – prychnął Louie.

Earl, wciąż z lekkością po ostatnich dwóch dniach, zatrzymał się, odwrócił i zadziałał odruchowo. Spoliczkował Louiego i w tej samej chwili obu ogarnęła furia.

Poczuł nieokiełznaną wściekłość, która mogła się przerodzić w cokolwiek. Wszystko mogło się zdarzyć. Krew uderzyła mu do głowy, czuł, jak pulsuje w skroniach. Nagle gruchnął całym ciężarem ciała o podłogę. Ledwo łapał oddech. Nie czuł ciosów. Nie czuł, jak sam je zadaje. Spięli się w pierwotnym, dzikim tańcu. Słyszał, że jego usta wydają jakieś dźwięki, których nie rozumiał, jak wypływają wprost z jego wnętrza. Cios za ciosem, dźwięk łamiącego się drewna – może krzesło? Może stół? Rozbite szkło, gorąca, mokra struga krwi – czyjej? Jego?

Gdzieś w głębi domu otworzyły się drzwi. Potem rozległy się jakieś hałasy i krzyk kobiety. Mówił sobie cały czas, że to wszystko zaraz minie. Kiedyś musi się skończyć, lecz teraz on i Louie zachowywali się wbrew wszelkim zasadom i porządkom. Czuł się całkowicie odcięty od rzeczywistości, choć równocześnie nigdy jeszcze nie był tak świadomy siebie, swojego ciała, swojej kondycji psychicznej. Przewyższała o wiele to, czym powinien się czuć, będąc Murzynem, chłoptasiem, tym, który powinien znać swoje miejsce. Dlatego właśnie opuścił Alabamę. Dlatego właśnie uciekł. Dlatego właśnie podążył za Louiem. Liczył, że przynajmniej będzie jakoś inaczej, lecz nigdy nie było. Powinien wcześniej o tym pomyśleć. Temu luzakowi, temu obywatelowi świata Louiemu – który mógł mieć każdą dziewczynę, na jaką przyszła mu chętka – nawet tego było mało. Przecież Earl nie mógł panować nad jego żądzami. Zdawał sobie sprawę, że Louie widział go z Kit tego pierwszego wieczoru w Café de Paris. Ich spojrzenia na chwilę się spotkały, kiedy wpadł na nią po raz pierwszy, lecz źle odczytał skinienie głowy Louiego. Myślał, że kumpel chce mu w ten sposób półżartem przekazać wyrazy uznania, jak mężczyzna mężczyźnie, gdy okazuje się, że piękna dziewczyna przechodząca obok również ciebie dostrzegła. Coś w rodzaju uniesienia kciuków do góry czy stwierdzenia „udało ci się, facet!”. Niestety, tak nie było. Dopiero teraz to do niego dotarło. Dlaczego ona zwróciła uwagę na ciebie, a nie na mnie? – to dokładnie mówiło tamto spojrzenie. Dlaczego wybrała ciebie, skoro mogła wybrać mnie, mającego o wiele jaśniejszą skórę i w ogóle o wiele lepszego pod każdym względem?

Earl wtedy tego nie dostrzegł, a może nie chciał tego widzieć, ale i tak w końcu ten przykry charakterek koleżki wylał się zeń jak pomyje. Potrafił stwarzać pozory: „bracie" to, „bracie" tamto, jakby tkwili „w tym" razem. Nie tkwili. Jedyne, w czym uczestniczyli razem, to ich wzajemne współzawodnictwo.

Jednak to nie powinno się skończyć w ten sposób. Gdy wreszcie się uspokoili, zrozumiał, że powinien się za siebie wstydzić. Niestety, to jego ciało miało ostatnie słowo. Jak zawsze.

31

Była spóźniona. Wyszła z domu ponad godzinę później, niż planowała. Wszystko przez te krwistoczerwone paznokcie. Nie poczekała wystarczająco długo, aż wyschną, i zniszczyła lakier. Musiała malować jeszcze raz...

– Czy nie moglibyśmy jechać nieco szybciej? – Pochyliła się do przodu, żeby pospieszyć kierowcę taksówki.

– Nie da rady, szanowna pani. Dzisiaj na ulicach jest wyjątkowo tłoczno. Zbombardowana została część miasta za drogą na Shoreditch. Słyszałem w radiu, że zrzucili przynajmniej trzy duże bomby.

Odchyliła się z powrotem i zaczęła wyglądać przez okno na snujące się z wolna ulicą samochody. Londyńczycy nigdy nie przestawali jej zaskakiwać. Od września poprzedniego roku Niemcy bombardowali Londyn noc w noc. Bomby burzące – te o masie przekraczającej pięćdziesiąt kilogramów – były zrzucane z nieba, siejąc spustoszenie, lecz londyńczycy nie dawali się zastraszyć. Życie toczyło się dalej. Codziennie rano na miasto wyruszały taksówki i autobusy. Pociągi kursowały bez opóźnień. Rząd zezwolił londyńczykom na używanie stacji metra jako schronów przeciwlotniczych; kiedy tylko rozlegało się wycie syren alarmowych, tworzyły się zaskakująco uporządkowane kolejki i ludzie schodzili do podziemi w spokoju, jakby mieli tam zwyczajnie załatwiać swoje sprawy. Wszyscy tak bardzo przyzwyczaili się już do bombardowań, że rozmawiali o nich w ten sam sposób jak o pogodzie. „Burzowo dzisiaj" stało się zwyczajowo używanym określeniem. Jeśli Hitler wyobrażał sobie, że bombardowaniami wymusi na Brytyjczykach uległość – jak stwierdził Churchill – był w błędzie.

Po raz setny zerknęła na zegarek. Dochodziło wpół do jedenastej. Myślała, że się popłacze. Odczuwała zdenerwowanie połączone z wyczekiwaniem, które stawało się nie do zniesienia. Wpatrzyła się znów w ulicę przed autem. Szczerze mówiąc, szybciej byłoby pójść na własnych nogach.

Znów zastukała w szybę.

– A może wysadziłby mnie pan tutaj na rogu? Przejdę resztę drogi na piechotę.

– Jest pani pewna? Coś poważnego musiało się wydarzyć. Auta przed nami w ogóle przestały przesuwać się do przodu.

– Tak. Jestem pewna. – Pospiesznie uiściła opłatę za kurs, wsunąwszy pieniądze w okienko w szybie kabiny taksówkarza, i otworzyła drzwi.

Noc była przejmująco zimna. Gdzieś przed sobą w oddali usłyszała stłumiony sygnał ambulansu. Czy to mogła być bomba?, zaczęła się zastanawiać. Nie słychać było syren alarmowych. Postawiła kołnierz płaszcza – nagle dopadł ją chłód nocy – i ruszyła szybkim krokiem ulicą Piccadilly. Gdy zbliżyła się do ronda, tłum zgęstniał. Ludzie zmierzali w przeciwnym kierunku. Musiała się przepychać, żeby dojść do pomnika. Stały tu zaparkowane trzy karetki pogotowia, blokując przejazd do alei Shaftesbury. Policjant kierował ruch w ulicę Great Windmill.

Podeszła szybko do kierowcy jednego z ambulansów, który stał obok swojego pojazdu z twarzą czarną od sadzy i pyłu, paląc papierosa.

– Czy coś się stało? – spytała, a kiedy dostrzegła jego oszołomiony wyraz twarzy i plamy krwi na ubraniu, dopadło ją przerażenie.

Wyrwał mu się z piersi krótki, niewesoły śmiech, przypominający bardziej szloch.

– Tak, proszę pani. Można tak to ująć. Nigdy czegoś podobnego nie widziałem, a jeżdżę już od roku. Nigdy czegoś podobnego nie widziałem.

– Czego? Co się stało?

Serce Kit zaczęło walić jak oszalałe. Ktoś potrącił ją w łokieć. Obok nich przebiegali spanikowani ludzie. Wyczuwała emanujące z ich postaci przerażenie.

– Bomba. Trafiła prosto w szyb wentylacyjny, jak powiadają.

– Gdzie? Gdzie?!

Zdusił niedopałek obcasem buta i ruchem głowy wskazał aleję Shaftesbury.

– Klub nocny kawałek dalej. Żeby pani ich widziała! Te futra i klejnoty, i wszystko we krwi... Przepraszam, ale nie mogę. Wybaczy pani.

Ale jej już nie było.

32

Był wypełniony po brzegi rozochoconym tłumem, jak to w późny sobotni wieczór. Wielu mężczyzn w mundurach. Jazz-band rozpoczął swój żywiołowy występ, a parkiet zapełnił się tańczącymi. Grali akurat piosenkę Och, Johnny, *gdy na zewnątrz zaczęły wybuchać bomby. W środku ich huk zagłuszała głośna, porywająca muzyka i panująca tam wrzawa.*

I wtedy nagle usłyszeli wybuch tuż nad głowami. Zawalił się sufit i pogasły prawie wszystkie światła. Klub wypełniły kłęby dymu i pyłu, który natychmiast osiadał na twarzach i ubraniach. Tańczące pary zostały rozdzielone; ci, którzy byli w stanie to zrobić, wstali z trudem na nogi, wielu szukało swoich partnerów sprzed kilku sekund w całym tym rozgardiaszu, przyświecając sobie świeczkami i zapałkami.

Wielu zginęło na miejscu, wielu zostało poważnie rannych. Relacje naocznych świadków potwierdzają jedno: wszyscy starali się zachować najwyższy możliwy spokój i opanowanie, pomagali sobie nawzajem z iście angielską galanterią.

Proszę się mną nie przejmować!, słychać było zewsząd głosy lżej rannych.

Akcja ratunkowa rozpoczęła się nieomal natychmiast. Członkom obrony cywilnej pomagali przechodzący akurat obok żołnierze, którzy oddawali rannym swoje osobiste pakiety opatrunkowe. Kobiety w wieczorowych sukniach wynoszono z rumowiska na rękach i doglądano ich na chodniku przed budynkiem lub w pobliskich domach, dopóki karetki pogotowia, kursujące błyskawicznie do szpitala i z powrotem, nie zabrały wszystkich poszkodowanych.

Wielu cudem ocalało i mogli wyjść ze zniszczonego budynku o własnych siłach z paroma zadrapaniami i kilkoma siniakami na ciele. Pomagali przy tym ciężej poszkodowanym. Ludzie mieszkający po sąsiedzku częstowali wszystkich gorącą herbatą, a przechodnie oddawali potrzebującym własne chustki.

Wśród pomagających wyróżniali się młody żołnierz z duńskiego dywizjonu wchodzącego w skład brytyjskich sił powietrznych, który akurat był na przepustce, oraz pielęgniarka z Chelsea. Kobieta błyskawicznie zorganizowała pomoc swoich koleżanek z pracy, które przybyły na miejsce zdarzenia taksówką.

Wszystkie dziewczęta z kabaretu, które miały tego dnia występować w klubie, wyszły z wypadku cało. Znajdowały się akurat w garderobie na zapleczu sceny.

Kit odłożyła gazetę i zaczęła spoglądać beznamiętnie przez okno. Nawet nie wymienili go z nazwiska. Żadnego z nich nie wymienili z nazwiska. *Muzycy zginęli na miejscu.* Tylko tyle było o nich.

Bomba trafiła celnie. Tej nocy zginęły trzydzieści cztery osoby. Gdyby nie zobaczyła na własne oczy ciał – albo raczej tego, co z nich zostało – nigdy by w to nie uwierzyła. Ułożyli ich na noszach obok siebie w jednym rzędzie nieco z boku. Bez nazwisk, niezidentyfikowanych, ponieważ nie pozostało nic, po czym można byłoby ich zidentyfikować.

Wzięła jedną z pielęgniarek pod rękę i ubłagała ją, żeby pokazała jej miejsce, w którym położono ciała członków zespołu. Rozpoznała go po pasku od spodni. Tym samym, który jeszcze nie tak dawno rozpinała własnymi rękami.

Rozpadało się. Słoneczna letnia pogoda z zeszłego tygodnia zmieniła się diametralnie. Niebo zasnuła gruba powłoka szarych chmur, wezbranych deszczem.

Utrudnia to znacznie przeprowadzanie nalotów – jak powiedział męski głos w wiadomościach radiowych.

Wstała ciężko, podeszła do kredensu i wzięła paczkę papierosów. Trzęsły się jej dłonie, kiedy ją otwierała. Na dole pod oknem, na brukowanym dziedzińcu, w zasięgu jej wzroku pojawiła się jakaś postać. Listonosz na rowerze. Obserwowała go, jak przejeżdża na drugą stronę ulicy, zatrzymuje się i puka do drzwi. Zdjął czapkę i stanął z szacunkiem na baczność, wyprężony jak struna. Poczta wciąż pracowała w niedziele tylko po to, żeby rozsyłać telegramy informujące o śmierci żołnierzy gdzieś na froncie.

Zapaliła papierosa. Oddychała z trudem. Serce waliło jej jak młotem, kiedy czekała, aż drzwi się otworzą. Znała kobietę, która tam mieszkała, panią Milligan. Służyła jako pomoc domowa w jednym z dużych domów po przeciwnej stronie, przy placu Belgrave. Była wdową wychowującą syna jedynaka. Od teraz samotną wdową.

Drzwi otworzyły się z wolna. Ukazała się w nich pani Milligan. Wyraz przerażenia na jej twarzy zdradzał wszystko. Po drugiej stronie ulicy ukryta za zasłoną Kit obserwowała sytuację.

Nagle uświadomiła sobie, co się dzieje z nią samą. Jej usta przepełniły się śliną. Pod powiekami wezbrały nieprzelane łzy. Krew pulsowała w żyłach, a serce pracowało tak mocno, jakby miało za chwilę pęknąć. Po raz drugi w tak młodym życiu jej ciało miało do przekazania tę samą wiadomość:

„Nie umrzesz, moja mała. Przynajmniej nie od tego. Nie tym razem".

CZĘŚĆ IV

SMUTEK

1942

Kit

33

Bicester, Oxford, trzy miesiące później

Kit w drodze powrotnej do swojej kwatery przejechała na drugą stronę ulicy i ruszyła w stronę Churchill Road. Jechała na rowerze po brukowanej nawierzchni tak nierównej, że podskakujące na wybojach koła przyprawiały ją o szczękanie zębami. W końcu wydostała się na gładki jak stół asfalt i stanęła na pedałach, żeby pokonać lekkie wzniesienie. Skręciła w lewo w Bristol Road i zatrzymała się przed budynkiem o numerze dwadzieścia dziewięć. Był to typowy dwukondygnacyjny angielski dom szeregowy z czerwonej cegły, jakie budowano w dziewiętnastym wieku dla przedstawicieli klasy robotniczej. Wynajmowała go z trzema innymi dziewczętami, które pracowały razem z nią w blaszanych kontenerach biurowych tuż za stacją.

Ich gospodyni, pani Leonards, staroświecka, małomówna kobieta o żelaznych zasadach i moralności matki przełożonej w klasztorze żeńskim, straciła swojego męża w pierwszej wojnie światowej, a dwóch synów w drugiej. Te nieszczęścia przesądzały teraz o każdej chwili ich dnia. Zasady i regulacje pani Leonards zostały spisane drżącą dłonią na karteluszkach, przypiętych w nieomal każdym pomieszczeniu niewielkiego domku. Przepełniony był smutkiem, ale miały stąd blisko do pracy. Dla Kit ta wszechobecna zgryzota stanowiła przedłużenie jej własnej żałoby. Nie miała pojęcia, jak długo będą tutaj stacjonować, i w sumie mało ją to obchodziło. Robiła po prostu wszystko, co jej kazali, a komentarze zostawiała dla siebie. Głęboki smutek... Zaznajomiła się już w życiu blisko z tym uczuciem. Tak jak niektórzy przyciągają szczęście, ona przyciągała nieszczęścia.

– Och, jest pani wreszcie, panno Algernon-Waters! – krzyknęła głośno pani Leonards, kiedy tylko Kit przekręciła klucz w zamku i otworzyła drzwi wejściowe. – Ma pani gościa. Gościa płci męskiej! – Wypowiedziała to tonem pełnym i oburzenia, i podejrzliwości. – Lepiej niech panna rzuci okiem. – Wskazała ruchem głowy kuchnię, znajdującą się w głębi domu. – Posadziłam go w kuchni. Wolałam, żeby siedział raczej tam niż w pokoju dziennym od frontu, za pozwoleniem.

Kit wpatrywała się w nią zdumiona. Na krótkim spotkaniu informacyjnym przed wyjazdem w zeszłym tygodniu w Londynie nikt nie wspomniał nawet słowem, że będą im przysyłać jakichś gości. Odwinęła szal z szyi i powiesiła go na haczyku, obok którego widniała karteczka o treści: *Panna A.-W. Wszystkie płaszcze i szaliki powinny być odwieszane we wskazanym miejscu. Dziękuję!* Przecisnęła się obok pani Leonards i weszła do niewielkiego pomieszczenia kuchni.

Siedział przy kuchennym stole, mnąc w dłoniach czapkę. Wciąż miał na sobie płaszcz. Podniósł na nią spojrzenie, kiedy weszła. Przez dłuższą chwilę nie mogli oderwać od siebie wzroku ani wykrztusić słowa. Kit poczuła, że uginają się pod nią nogi, więc wyciągnęła krzesło zza stołu i opadła na nie gwałtownie. Na dłuższy czas zapanowała między nimi cisza aż gęsta od niedopowiedzeń. Czuła się coraz bardziej niekomfortowo, jakby ktoś przekroił ją na pół, wystawiając na widok publiczny całe jej wnętrze.

To był Louie, lider jazz-bandu.

Dostrzegł bezmiar udręki Kit, widział, jak jej twarz pokrywa się czerwonymi plamami niczym w gorączce.

– Przepraszam! – powiedział pospiesznie i niezdarnie wstał. – Powinienem był zadzwonić i cię uprzedzić.

– Louie?! C-co ty tu robisz?! M-myślałam, że... że nie żyjesz, że zginąłeś... razem z... z... z resztą. Z... – Nie była w stanie wymówić jego imienia, więc zamilkła.

Gwałtownie potrząsnął głową.

– Nie. Nie było mnie na scenie – wyjaśnił, skręcając nerwowo czapkę w dłoniach. – Miałem szczęście. – Roześmiał się gorzko. – Dokładnie w tamtym momencie poszedłem do łazienki... Kiedy tylko wszedłem, usłyszałem to tuż za plecami. Czegoś równie ogłuszającego w życiu nie słyszałem. – Pokręcił głową, jakby wciąż nie mógł w to uwierzyć. – Dzwoniło mi w uszach jeszcze długo potem.

– Skąd... Skąd wiedziałeś, gdzie mnie szukać? – spytała, a serce waliło jej jak młotem.

Ile razy do tej pory widziała Louiego? Trzy, może cztery. Wydawało się nie do pojęcia, że to właśnie on przed nią stoi.

– Śledziłem cię. Nie, nie... nie zrozum mnie źle – dodał szybko, widząc jej minę. – W poprzedni weekend grałem w barze przy ulicy Randolph w Oxfordzie. Dołączyłem do innego zespołu muzycznego... Musiałem. Nie znam innego sposobu, żeby się jakoś utrzymać. Zauważyłem cię, kiedy weszłaś razem z gromadką innych dziewczyn, więc spytałem barmana, co wy za jedne. Odpowiedział, że wszystkie pracujecie tutaj, w Bicester, i że widział was już przedtem kilka razy. Przyjechałem więc tutaj i po prostu czekałem na stacji. Widziałem, jak wysiadłaś, ale byłaś z jakąś dziewczyną o ciemnych blond włosach. Nie chciałem cię wystraszyć. Pojechałem za tobą aż tutaj i zaparkowałem po drugiej stronie ulicy. Już miałem wyjść z samochodu i zapukać, lecz ty prawie natychmiast wyszłaś i skierowałaś się w stronę centrum. Czekałem więc pod domem, lecz wróciłaś wczoraj bardzo późno. Uznałem, że możesz się tylko zdenerwować, jeśli pojawię się o północy, wróciłem więc do Oxfordu i przyjechałem ponownie dzisiaj po południu. Zapukałem do drzwi. Twoja gospodyni pozwoliła mi wejść do środka. Nie chciała, żeby jakiś czarnuch siedział w pokoju dziennym, więc kazała mi czekać tutaj.

Kit zaniemówiła. Wpatrywała się tylko w niego okrągłymi ze zdumienia oczami. Obecność Louiego przywołała wspomnienie Earla tak mocno, że nieomal poczuła jego dotyk na ustach, na szyi, na dłoniach... Znów miała go w sercu.

Louie się postarzał. Bardzo się postarzał. Wyglądał też na zmęczonego, na kogoś, kto przeszedł zbyt wiele, widział zbyt wiele. W oczach i przygarbionych ramionach wyczuwało się jakieś czujne napięcie. Zaobserwowała to samo u Earla, kiedy sądził, że ona na niego nie patrzy: samoświadomość w tych momentach życia, gdy to, co działo się wokół, zaczynało go przerastać... Pewnego rodzaju zdziwienie otaczającym światem, który nie przewidział dla niego miejsca.

Louie nagle się od niej odwrócił i wbił ręce w kieszenie płaszcza. Podszedł do okna. Nie spuszczała go z oczu. W ten sposób żądał odrobiny przestrzeni dla siebie, chwili wytchnienia od zamętu, który – jak widziała – szalał w nim i nie dawał mu spokoju. Potrzebował odciąć się od niej choćby na krótką chwilę.

– Słuchaj, a może byśmy wyszli gdzieś na herbatę? – spytała łagodnie. – Niedaleko stąd, przy tej samej ulicy, jest herbaciarnia.

Spojrzał na nią szybko, oceniając jej reakcję. Skinął głową z widoczną ulgą.

– Ech, czemu nie. Przed domem stoi mój samochód. Nieco hałaśliwy, ale jeździ.

– Wezmę tylko płaszcz – powiedziała i wstała.

Wyszła z kuchni i szybko pobiegła na górę. Zdjęła płaszcz z wieszaka na drzwiach od strony pokoju. Kątem oka zauważyła swoje odbicie w lustrze nad toaletką i przystanęła na chwilę. Popatrzyła na swoją bladą, wymizerowaną twarz i drżącymi rękami wyjęła tubkę bezcennej czerwonej szminki. Rozprowadziła ją na ustach, po czym wrzuciła do kieszeni, zamknęła za sobą drzwi i zbiegła z powrotem na dół.

Pani Leonards chodziła po przedpokoju z marsową miną. Kit zignorowała jej obecność i poszła prosto do kuchni. Louie wciąż stał przy oknie z przykurczonymi ramionami, a sposób ich ułożenia mówił Kit o jego wojowniczej naturze. Mimo całej swojej zadziorności znajdował się w niekorzystnej dla siebie sytuacji. Przyszedł tu coś jej przekazać – to wyczuwała – lecz po jego zachowaniu zorientowała się też, jak trudno jest mu w życiu.

– Gotowy? – szepnęła.

Odwrócił się i skinął twierdząco głową. Wyszli razem z kuchni.

– Wrócę późno. Proszę nie przygotowywać dla mnie herbaty – powiedziała do pani Leonards zaskakująco władczym tonem głosu.

Gospodyni mogła tylko się z tym zgodzić. Zeszła im z drogi, lecz gapiła się na nich otwarcie, kiedy przechodzili obok.

– Do widzenia, madame – mruknął Louie, dotykając daszka czapki.

– Do widzenia... panu – wydusiła z siebie pani Leonards w ostatniej chwili, gdy już zamykali za sobą drzwi.

Kit spostrzegła prawie niezauważalną zmianę ułożenia kącików jego ust, bo choć było to małe zwycięstwo, zupełnie mu wystarczyło, żeby się nieco rozluźnił.

– Samochód stoi tam. – Wskazał na czarne auto o sportowej sylwetce, z długą, wypolerowaną na błysk maską. – Nie jest mój – dodał szybko, otwierając przed nią drzwi. – Żłopie paliwo jak diabli, nie powiem, ale jest piękny!

Kit wślizgnęła się na miejsce dla pasażera. Wiedziała niewiele na temat samochodów i niespecjalnie dbała o to, czym jedzie, ale nawet ona mogła stwierdzić, że to był – choć raczej dawno temu – jakiś wyjątkowy model sportowego wozu.

Louie włączył silnik. Był bardzo hałaśliwy, tak jak uprzedzał, i Kit dosłownie czuła na sobie spojrzenia wszystkich sąsiadek, które odsłoniły okna jak ulica długa i szeroka i teraz – tak jak pani Leonards – wyglądały na zewnątrz.

– Może jednak nie jedźmy do herbaciarni – powiedziała nieoczekiwanie Kit. – Mam lepszy pomysł. Jeśli pojedziesz dalej prosto, dotrzemy do małej wioski Garsington. Jest tam pub, położony tuż przy wiejskich błoniach.

– Masz tu sporo ciekawskich sąsiadek – stwierdził Louie, zjeżdżając z krawężnika. – Sądzę, że niecodziennie pojawia się u ich drzwi jakiś czarny typek.

– Raczej nie. – Uśmiechnęła się lekko i sięgnęła do torebki po paczkę papierosów. – Palisz?

Potwierdził skinieniem głowy.

– Dobrze działają na głos. Uwierzyłabyś? – Wziął od niej papierosa.

Przez kilka minut jazdy nic nie mówili. Kit obserwowała jego dłonie na kierownicy. Jasnobrązowe, koloru kawy z mlekiem, o wiele jaśniejsze niż Earla. Nigdy do tej pory nie pomyślała nawet, że istnieje tyle odcieni czarnej skóry. Louie miał na małym palcu gruby złoty sygnet, przez co palec był lekko odchylony w bok, a to przydawało dłoni nieco kobiecego wdzięku.

Odetchnęła głęboko. Jedna chwila mogła – i tak właśnie teraz to czuła – nieść w sobie całe życie. Jeden dzień mógł znaczyć tyle co rok. Czas stracił dla niej znaczenie, gdy poznała Earla. Po jego odejściu zdała sobie sprawę, że czas się dla niej zatrzymał, aż do chwili, kiedy otworzyła drzwi kuchni i zobaczyła siedzącego tam Louiego. Wówczas całe jej życie – naprawdę całe – runęło i padł pochopnie wzniesiony mur, który oddzielał jej ciało od uczuć, jej działania od niej samej.

Przyniósł szklaneczkę z drinkiem dla niej i kufel piwa dla siebie do ich stolika i postawił ostrożnie, żeby gruba warstwa puszystej piany nie ześliznęła się po ściance na blat. Kątem oka widziała jednego czy dwóch gości pubu, którzy gapili się na nich z nieskrywanym zaciekawieniem.

– Na zdrowie! – wzniósł toast, stukając swoim kuflem o jej szklaneczkę. – Nie jestem... Nie byłem pewien, jak... hmm... jak to będzie, kiedy się z tobą spotkam, wiesz?

Skinęła głową powoli i upiła łyk swojego ginu z tonikiem. Trunek spływał powoli, przyjemnie paląc w przełyku.

– Jesteś ostatnią osobą, którą spodziewałabym się zobaczyć – powiedziała. – Najostatniejszą.

Nastała chwila niezręcznej ciszy. Nie bardzo wiedzieli, jak ją przerwać.

– Czy on coś ci mówił? – rzucił nagle Louie.

Podniosła na niego wzrok.

– Kiedy? – spytała.

Tępy ból, który ulokował się gdzieś w dole jej brzucha w tej samej chwili, gdy zobaczyła Louiego siedzącego w kuchni, odezwał się z nową siłą. Skrzywiła się.

– Tamtego wieczoru. Jak się z nim spotkałaś. Nie powiedział ci nic o tym, co się wydarzyło wcześniej? – spytał z pewną rezerwą.

– Nie. – Pokręciła głową. – Nie widziałam się z nim wtedy. Mieliśmy się spotkać o ósmej, ale się spóźniłam... Byłam w taksówce nadjeżdżającej ulicą Piccadilly – zamilkła, a jej dłonie i kolana zaczęły się trząść. Przemogła się i mówiła dalej. – Był bardzo duży ruch. Całe wieki zajęło nam przedostanie się przez Park Lane. N-nie wiedziałam tego wtedy, oczywiście, ale było to już po wybuchu bomby.

Louie ściągnął brwi. Wyglądało na to, że trudno jest mu pogodzić się z tym, co słyszy.

– A więc... więc nie powiedział ci nic o naszej kłótni?

– Nie. – Znów potrząsnęła głową i popatrzyła na niego uważniej. – A o co poszło?

Natychmiast uciekł wzrokiem w bok.

– O nic takiego. Takie tam głupoty. Męskie sprawy. Pewnie wiesz.

– Nie. Nie wiem. A o co wam poszło? – Nie ustępowała.

Zaczął się wiercić na swoim miejscu. Widać było, że marnie się czuje. Upił duży łyk piwa. W końcu sięgnął ręką do kołnierzyka koszuli. Rozpiął kilka guzików, aż pokazała się cała szyja. Wskazał na cienką, wypukłą szramę, ciągnącą się w poprzek od jabłka Adama aż po mostek. Była zaczerwieniona i wystająca, jakby ktoś albo coś rozcięło mu skórę na szyi.

– Co to? – spytała zdziwiona. – Co ci się stało?

Sięgnął ręką do kieszeni, znalazł tam coś i położył na stole.

Przyjrzała się i rozpoznała cienki złoty krzyżyk z ostrą krawędzią, pozostałą po jednym odłamanym ramieniu. Nie mogła oderwać od niego wzroku. Zalała ją fala bezbrzeżnego smutku. Wiedziała, co to takiego. To był krzyżyk Earla, który podarowała mu matka, kiedy wyjeżdżał ze Stanów do Europy.

Poczuła, jak nabrzmiewają jej żyły na szyi. Wszystko wokół rozmyło się w napływających do oczu łzach. Wyciągnęła rękę i delikatnie musnęła krzyżyk opuszkami palców. Louie bacznie ją obserwował.

– Wciąż nie wiem, jak właściwie do tego doszło... – mówił powoli, wracając pamięcią do tamtych wydarzeń. – Fakt, byłem na niego zły, zaczęliśmy się kłócić, a już po chwili rzuciliśmy się na siebie. Musieliśmy jakoś zaczepić o łańcuszek i się rozerwał. Jak spadał, widocznie się nawinął na zaciśnięte palce jego pięści, gdy wymierzał mi cios. – Znów bezwiednie dotknął blizny. – Nagle polała się krew. Rozciął mi dość głęboko skórę na szyi, kiedy przeciągnął po niej pięścią. Od razu przestaliśmy się bić. Widok krwi natychmiast ostudził nasze chęci do bitki. On zwiał, a ja zostałem z tym. – Pokazał na krzyżyk. – I dlatego nie znalazłem się z nimi na scenie, gdy to wszystko się stało. Kiedy zacząłem śpiewać, rana znów zaczęła krwawić. Czułem, jak klei się do koszuli. Kazałem Strikerowi – pamiętasz go? taki wysoki, chudy gostek – kazałem mu śpiewać za mnie... Chciałem się trochę ogarnąć i umyć, więc poszedłem do łazienki na zapleczu, za kuchnią. Rozpinałem właśnie kołnierzyk koszuli, gdy to usłyszałem... Podmuch. Jak... jak grom z jasnego nieba. Czułem się, jakby rozerwało mnie na pół. Wciąż to czuję.

Siedziała w milczeniu, usiłując utrzymać równy rytm oddechu.

– Powiedzieli mi, że wszyscy zginęliście – wyszeptała w końcu. – Widziałam... jego. I pozostałych również. Położyli ich obok siebie... tak po prostu na ziemi. Mówili, że wszyscy zginęliście na miejscu.

Pokręcił głową z nieszczęśliwą miną.

– Wszyscy oprócz mnie. Nie miałem nawet żadnego zadrapania, a wszystko z powodu tego. – Wskazał na łańcuszek z krzyżykiem, który trzymała w dłoni. – To nie jest sprawiedliwe, prawda?

Nie znalazła odpowiednich słów. Milczała.

– To nie jest sprawiedliwe – powtórzył i osuszył kufel do dna. – Chcesz jeszcze jednego drinka? – spytał. – Ja muszę się napić. Dawno już nie rozmawiałem z nikim w ten sposób.

Skinęła głową i wstała. Przez moment miała wrażenie, że Louie ma ochotę zerwać się z miejsca i błagać ją, żeby go nie opuszczała, ale się pozbierał i chwila minęła bezpowrotnie.

– Przyniosę nam jeszcze coś do picia – powiedziała głosem ochrypłym z wysiłku, żeby niczego po niej nie zauważył.

Poszła chwicjnym krokiem do baru. Kiedy złożyła zamówienie, poczuła nagle ukłucie w dole brzucha. Przyłożyła tam dłoń. Oczy rozszerzyły się jej z przerażenia. Znała ten ból. Pogrzebane głęboko wspomnienia błyskawicznie wypłynęły na powierzchnię. Nie, to przecież niemożliwe! Boże, proszę, tylko nie to!

CZĘŚĆ V

POKÓJ

1957–1958

Libby / Kit

34

Karrada, Bagdad, 1957 r.

– A to... – mówiła monotonnym głosem kobieta z działu zakwaterowania pracowników z zagranicy w IPC, irackim przedsiębiorstwie, zajmującym się wydobyciem i sprzedażą ropy naftowej, przyglądając się badawczo sponad okularów młodej dziewczynie, która stała przed nimi ze spuszczonym wzrokiem – ...to jest Miriam. Będzie służyć wam na każde zawołanie.

Równie beznamiętnie mogłaby mówić o krześle, pomyślała Libby, obserwując ją z nadąsaną miną.

– Dobrze wam radzę: bierzcie młodszych. O wiele łatwiej można takich czegoś nauczyć.

Zupełnie jakby mówiła o tresurze zwierząt domowych albo dzikich. Miriam stała w milczeniu na baczność. Libby obserwowała ją, lecz w żaden sposób nie mogła się zorientować, co też ona może sobie myśleć.

– Dziękuję, pani Clarke! – zwróciła się do niej energicznie matka. – Sądzę, że to zupełnie wystarczy na dzisiaj. Musimy teraz same rozeznać się we wszystkim, prawda, kochanie? – Popatrzyła znacząco na córkę.

Libby skinęła głową najpierw z namysłem, a potem jeszcze raz o wiele żywiej, tak na wszelki wypadek, żeby mieć spokój. Matka nie lubiła, kiedy Libby miewała humory.

– Świetnie. W takim razie zostawię was z tym wszystkim. – Ton głosu pani Clarke wyrażał głębokie powątpiewanie.

– Libby, odprowadzisz panią Clarke do drzwi?

– Tak, mamusiu.

– Ja zabiorę Miriam z Eluned na górę.

Matka pochyliła się i wzięła do ręki wiklinowy kosz kryjący osóbkę, której Libby nienawidziła najbardziej na świecie: jej nowo narodzoną siostrę. Obserwowała, jak odchodzą. Wysokie obcasy matki wybijały szybki, żwawy rytm na wyłożonej kafelkami podłodze.

– No cóż! – fuknęła urażona pani Clarke. – Sama znajdę drogę do drzwi. W końcu dobrze znam rozkład tego domu.

Libby w duchu (w tej odważniejszej jego okolicy) wzniosła oczy ku niebu, tak jak zaobserwowała to wielokrotnie u matki. Minęła już godzina z kawałkiem, odkąd zostały przedstawione pani Clarke, zarządzającej sprawami zakwaterowania pracowników firmy – czy jak to się tam nazywało – a już wiedziała, że raczej jej nie polubi. A zasadniczo to pani Clarke nie zamierzała ich polubić, szczególnie jej matki. Z matką to w ogóle była ciekawa sprawa: chociaż znała masę różnych ludzi, wydawało się, że nikogo nie lubi, co oczywiście nie oznaczało, że któregoś ze swoich znajomych naprawdę nie lubiła, ale po prostu nie miała żadnych przyjaciół. Libby zdawało się, że oprócz tych, których musieli przyjmować, bo tak wypadało na stanowisku ojca, matka nie zabiegała o niczyje towarzystwo. Nigdy nie słyszała, żeby ona paplała godzinami z przyjaciółkami przez telefon, tak jak to robiły inne kobiety. Jeszcze w Chelsea, w Londynie, gdzie mieszkały przez pierwsze osiem lat jej życia, nigdy, ale to przenigdy nie widziała, żeby matka pobiegła na górę się przebrać, żeby potem wyjść na popołudniowe czy wieczorne spotkanie z przyjaciółką.

– Ależ kochanie, nikt oprócz ciebie nie jest mi potrzebny do szczęścia – odpowiadała za każdym razem, kiedy córka ją o to pytała, wichrząc jej przy tym włosy. – Dlaczego miałabym spędzać popołudnie z kimkolwiek innym, skoro mogę spędzić je z tobą?

Te rzadkie przejawy uczuć sprawiały Libby przyjemność,

lecz fakt pozostawał faktem: matka bardzo rzadko, jeśli w ogóle, spędzała popołudnia z córką. Gdy Libby wracała ze szkoły, matka zwykle zamykała się w swoim gabinecie na pierwszym piętrze ich wąskiego domu szeregowego i pisała coś zawzięcie na maszynie.

– Czy mama jest pisarką? – spytała pewnego razu ojca.

– Nie, niezupełnie. – Roześmiał się i pokręcił głową. – Jest tłumaczką. Przekłada książki napisane przez innych na niemiecki albo na francuski. Twoja matka ma zdolności językowe. Powinnaś mieć to po niej, wiesz? Powiadają, że takie talenty są przekazywane z pokolenia na pokolenie.

Libby miała kategoryczny zakaz wchodzenia do gabinetu matki. Powtarzano jej to tak często, że w końcu weszło jej w krew, podobnie jak zamykanie buzi przy jedzeniu czy wkładanie widelca do ust tak, żeby nie zgrzytał po zębach.

Zdarzyło jej się raz, kiedy miała lat pięć czy sześć, że usiadła na korytarzu pod gabinetem matki i najpierw zaczęła pochlipywać cichutko, a potem coraz głośniej, aż wreszcie drzwi się otworzyły. Podniosła wzrok na matkę, oczekując wyrazów współczucia, lecz jedyne, co dostała, to siarczysty policzek, który wciąż odbijał się echem w jej uszach, nawet teraz.

– Żebyś mi nigdy więcej nie siadała pod drzwiami mojego gabinetu! – wysyczała matka głosem pełnym wściekłości, z twarzą wykrzywioną grymasem gniewu. – Nigdy więcej! Jeśli jeszcze kiedykolwiek przyłapię cię tutaj, podsłuchującą pod drzwiami, pożałujesz, że się urodziłaś!

Nigdy więcej tego nie zrobiła, aż do pewnego dnia – a miała wtedy prawie osiem lat – gdy matka wyskoczyła na chwilę na zakupy na sam koniec King's Road i zostawiła otwarte drzwi. Wtedy odważyła się wśliznąć ukradkiem do środka. Zrobiła to, jak tylko za matką zamknęły się drzwi wejściowe. Postała chwilę na progu, wdychając zapach jej perfum zmieszany z dymem papierosów. Serce biło jej mocno w piersi. Podeszła do biurka przy oknie wychodzącym na ulicę. Leżało na nim mnóstwo porozrzucanych w nieładzie papierów, niektóre z pieczątką „Ściśle tajne" na samej górze. Żadnych książek. Dotknęła ostrożnie palcem jednej z szeleszczących kartek i wtedy usłyszała trzaśnięcie drzwi wejściowych. Matka wróciła.

Libby ledwo zdążyła uciec do swojego pokoju, kiedy usłyszała znajome klik-klik-klik obcasów na schodach.

Jej matka była najbardziej tajemniczą z osób, które znała. Była piękna jak gwiazda filmowa. Niespotykanie wysoka i niezwykle szczupła – z taką figurą była w stanie przybierać tak niedbale eleganckie, omdlewające pozy, że przywodziły Libby na myśl zastygłe w bezruchu manekiny z wystaw sklepowych, spoglądające wyniośle na świat z wysokości witryn. Matka zawsze nosiła idealnie przystrzyżone, krótkie włosy w kolorze platynowego blondu, miała niebieskie oczy o przeszywającym spojrzeniu i długi, wąski nos. Krótko obcięte paznokcie malowała na wściekły czerwony kolor i dobierała podobną czerwoną pomadkę do ust. Była przeraźliwie mądra i umiała dobrze zrobić wszystko, do czego tylko się zabrała. Wszyscy tak mówili. Dobrze gotowała, grała w tenisa, pływała, umiała zrobić kapelusz z papieru i strój na bal przebierańców właściwie z niczego, piekła torty urodzinowe... umiała dosłownie wszystko!

Po wojnie poszła na studia na uniwersytet w Oxfordzie, gdzie poznała ojca. W głębi duszy Libby była przekonana, że jej matka jest o wiele mądrzejsza od ojca, który właściwie nie skończył studiów uniwersyteckich. Naukę na wyższej uczelni przerwała ojcu wojna, jak wielu mężczyznom z jego pokolenia. Był pilotem – przynajmniej do chwili, kiedy jego samolot został zestrzelony nad Afryką Północną. Spędził siedem miesięcy w obozie koncentracyjnym dla jeńców wojennych, co według Libby świadczyło o jego niezwykłej dzielności i męstwie. Jednakże wszystko to wydarzyło się dawno temu i nikt już o tym nawet nie wspominał. Teraz ojciec piastował stanowisko o całkiem nieźle brzmiącym tytule: kierownik wyższego szczebla do spraw dystrybucji oddziału w Bagdadzie firmy IPC, nowo powstałego irackiego przedsiębiorstwa, zajmującego się wydobyciem i dystrybucją ropy naftowej, gdzie – jak przypuszczała Libby –

waleczność i męstwo nie były już do niczego potrzebne. Mimo wszystko dalej nie wiedziała, na czym właściwie polegała praca ojca. W przeciwieństwie do ojców wielu jej koleżanek, którzy mieli zwyczajne zawody: lekarze, prawnicy, księgowi, inżynierowie, stanowisko ojca sugerowało, że zajmuje się on głównie organizowaniem pracy innych.

– Czy tak właśnie powinniśmy się do ciebie zwracać? Organizator?

– Nie, kochanie. Raczej nie. – Ojciec uśmiechnął się do niej. – Jestem kierownikiem.

Kierownik. Dla dziecka wcale nie brzmiało to jaśniej niż organizator. Kiedy mieszkali w Londynie, wychodził zawsze wczesnym rankiem z domu w meloniku i ciemnym płaszczu – ubrany identycznie jak wszyscy pozostali mężczyźni z ich ulicy. Wracał do domu późnym wieczorem, najczęściej kiedy już spała. W niedziele zwykle grywał w golfa. Rzadko wybierali się nad morze i zawsze tylko we trójkę, co bardzo odpowiadało Libby. Miała rodziców wtedy dla siebie, choć czasem i ona musiała przyznać, że była to słodko-gorzka wygrana. Niestety, z nimi nigdy nie było wiadomo, na czym się stoi. Zdarzało się, że Libby znajdowała się w centrum uwagi, a zdarzało się, że na odwrót. Nigdy też nie umiała właściwie odczytać mowy ich ciał. Niekiedy matka potrafiła się do niej przyczepić jak rzep: zadawała tyle pytań o to, jak było w szkole, o koleżanki i kolegów z klasy, o nauczycieli, o jej odczucia w stosunku do tego czy tamtego... a gdy córka właśnie zaczynała się rozluźniać i rozkoszować tym zainteresowaniem, ucinało się ono gwałtownie i matka wycofywała się do swojego gabinetu, gdzie zamykała się czasem na całe dnie, zapominając o ich istnieniu. Ojca traktowała tak samo jak ją. Libby współczuła ojcu i bolało ją serce, kiedy widziała, jak on wraca z pracy i wchodzi do pustej kuchni bez śladu obiadu.

Nie można było ufać uczuciom matki. I tak się to wszystko przedstawiało w wielkim skrócie.

*

No i pewnego dnia wszystko się zmieniło. Smukła, wysportowana figura matki przekształciła się dosłownie z dnia na dzień. Matka nagle zaczęła inaczej się poruszać, składać ręce na brzuchu, jakby chciała go chronić.

To Carole, najlepsza przyjaciółka Libby, wyjaśniła jej, co się dzieje.

– Ona będzie miała dziecko, głuptasie. Nie widzisz?

Libby aż zamurowało ze zdziwienia. Dziecko? W tym wieku? Jak to możliwe? Kto jak kto, ale Carole powinna się na tym znać. Miała trzech młodszych braci.

Minął niespełna tydzień od tamtego dnia i rodzice wezwali ją do salonu, żeby oznajmić nowinę, o której już wiedziała. Wkrótce będzie miała braciszka lub siostrzyczkę.

Jakiś miesiąc, może dwa później matka udała się do szpitala. Jej brzuch był tak ogromny, że Libby w skrytości ducha zaczęła się obawiać, iż może eksplodować.

Carole była nastawiona optymistycznie.

– Och! To nic takiego. Gdybyś widziała moją matkę! Wyglądała jak słonica.

Matka Libby nie wyglądała jak słonica. Wyglądała jak zwykle, pomijając grożący w każdej chwili wybuchem nadęty brzuch.

Pewnego czwartkowego popołudnia przed szkołą czekała na nią jakaś nieznajoma kobieta. Miała na nazwisko Ferguson i twierdziła, że jest przyjaciółką matki. Libby łypnęła na nią podejrzliwie. Wiedziała przecież, że matka nie ma żadnych przyjaciółek.

– Poproszono mnie, żebym odprowadziła cię do domu – wyjaśniła energicznie. – Twoja matka właśnie rodzi.

Libby doszła do wniosku, że ma to odrobinę sensu.

– Nie cieszysz się? – spytała pani Ferguson i wzięła Libby za rękę bez pytania o zgodę.

Rozdrażniło to dziewczynę. Miała już czternaście lat, a nie cztery.

– Pomyśl tylko... Już za kilka godzin powiększy się wam rodzina!

Libby chciała jej powiedzieć, że rodzina wcale nie potrzebuje żadnych powiększeń. Wielkie dzięki za takie „powiększenia", nie śmiała jednak się odezwać. Szła obok pani Ferguson, rozdarta pomiędzy wściekłością a ciekawością. Jak będzie wyglądać dziecko? Czy będzie podobne do niej?

W rezultacie okazało się, że Eluned Louise Kentridge w niczym nie przypomina starszej siostry. W ogóle nie przypominała nikogo – ani niczego, dla jasności. Miała jasnoróżową skórę i była niesamowicie wręcz pulchna, na czubku głowy sterczał jej rozwichrzony czub jasnobrązowych włosów, a na twarzy bez przerwy gościł grymas niezadowolenia. Wrzeszczała od rana do wieczora, a jej tłuściutka twarzyczka z dołeczkami w policzkach wykrzywiała się w kolejnych atakach furii. Libby znienawidziła ją już od chwili, kiedy została przywieziona do domu w idiotycznym wiklinowym koszu, ozdobionym tymi wszystkimi jasnoróżowymi wstążeczkami.

Nigdy więcej nie spotkała pani Ferguson. Ojciec miał szczęście, że w tygodniu, w którym urodziła się Eluned, był akurat na wyjeździe służbowym. Zanim wrócił w niedzielę wieczorem, wrzeszczący niemowlak zawłaszczył sobie jego miejsce w małżeńskiej sypialni. Ojciec przeniósł się do wolnego pokoju obok, w którym matka przechowywała kiedyś swoje zimowe płaszcze, a dziecko spało w kołysce obok matki. Teraz wszystko w domu kręciło się wokół drącego się wniebogłosy niemowlęcia.

Libby uświadomiła sobie z czasem, że do tej pory pojęcia nie miała, co oznacza posiadanie młodszej siostry. No cóż, teraz już wiedziała. Jeśli do tej pory matce zdarzało się poświęcać jej odrobinę uwagi, to od chwili narodzin dziecka starsza córka przestała dla niej istnieć. Nawet kiedy Libby coś mówiła, matka słuchała jednym uchem. Cały czas jej uwagę rozpraszało dziecko, które darło się nieomal bez przerwy.

*

Teraz przynajmniej Eluned wreszcie się zamknęła. Podróż z Londynu do Bagdadu musiała ją zmęczyć, mimo że odbywały ją w czterech etapach.

Libby przyglądała się wszystkiemu dość powierzchownie, zachowując w pamięci tylko najciekawsze wydarzenia z podróży. Najpierw jechały pociągiem do Dover i było to strasznie ekscytujące. Miały przedział wyłącznie dla siebie. Mama zamówiła małą butelkę wina i pozwoliła Libby wypić malusieńki łyczek. Smakowało okropnie, lecz dziewczyna określiła je jako „pyszne", co nieoczekiwanie wywołało uśmiech na twarzy matki. Potem płynęły statkiem do Calais, a to było chyba jeszcze bardziej ekscytujące. Uwielbiała słuchać głosu matki mówiącej po francusku. Nie umiała jej odróżnić od rodowitych Francuzów. Wydawała się kimś zupełnie innym. W Calais wsiadły do kolejnego pociągu, którym przejechały przez całą Francję oraz Włochy, aż do portowego miasta Brindisi. We Włoszech zrobiło się bardzo ciepło i zupełnie inaczej niż w Anglii: wisiało nad nimi rozjarzone słonecznym blaskiem błękitne niebo, wzdłuż wybrzeża morskiego rosły zielone palmy. W Brindisi przesiadły się na statek, który okazał się prawdziwym pływającym miastem, w niczym niepodobnym do promu przez kanał La Manche. Dostały dla siebie całą kabinę z piętrowym łóżkiem i specjalnym dziecinnym łóżeczkiem dla Eluned. Kabina miała okrągłe, nie prostokątne, okna i można było przez nie wyjrzeć wprost na kołyszące się łagodnie morze, które wyznaczało rytm poruszania się wszystkim pasażerom na pokładzie.

Matka rozchorowała się pierwszego dnia podróży. Leżała w łóżku blada i osłabiona, nie będąc w stanie utrzymać niczego w żołądku, nawet wody. Wystraszyło to Libby; jeszcze nigdy nie widziała matki chorej, nigdy się nawet nie przeziębiła. Trzeciego dnia doszła jednak do siebie i zaczęła swobodnie się poruszać po kołyszącym się pokładzie. Dołączył do niej pewien mężczyzna, którego Libby zauważyła już pierwszego dnia podróży, gdy wchodzili po trapie na pokład.

Na początku dziewczyna nie zwracała na niego większej

uwagi. Matka budziła zainteresowanie wielu ludzi. Kręcili się przy niej, dopóki uprzejmie i stanowczo nie zostawali odsunięci na bok – orientowali się prędzej czy później, że żadna bliższa znajomość nie wchodzi w grę. Ten mężczyzna był jednak inny: niski, łysy, o śmiesznym, sztywnym sposobie poruszania się. Wydawało się, że zna matkę, ale nikt nikomu nie został przedstawiony. Nigdy nie powiedziała: „Och, to jest ten i ten". Nawet nie mówiła o nim z nazwiska. Pojawiał się nie wiadomo skąd, kiedy szły do sali jadalnej, albo dołączał do nich na pokładzie.

Któregoś wieczoru Libby zobaczyła ich rozmawiających ze sobą. Opierali się o reling, a głowy trzymali tak blisko siebie, że prawie się stykały. Nie wzbudziło to żadnych podejrzeń Libby. Nie obawiała się tego mężczyzny w ogóle. Znała matkę na tyle dobrze, żeby wiedzieć, że musi być jakieś rozsądne wytłumaczenie takiego jej zachowania. Jeśli rozmawiała z tym zabawnym człowieczkiem w źle dopasowanym garniturze, to musiał być jakiś powód.

Dwa dni później zacumowali na Cyprze, lecz kiedy statek wyruszył w dalszą podróż kolejnego poranka, jego już nie było.

O świcie usłyszała, że matka kręci się po kabinie, i otworzyła oczy.

– Wychodzę na chwilę na pokład – szepnęła. – Uwielbiam obserwować, jak statek odbija od nabrzeża portowego.

– Mogę też pójść? – Libby całkiem się rozbudziła. Nagle zatęskniła za chwilą tylko w towarzystwie matki. Eluned mocno spała.

Matka się zawahała.

– Niech ci będzie. Chodź ze mną, ale lepiej się pospieszmy.

Libby wpadła w zachwyt. Wskoczyła w sukienkę, wciągnęła skarpetki i wyszła za matką, zostawiając za sobą uchylone drzwi na wszelki wypadek, gdyby Eluned się obudziła. Szły tylko na koniec korytarza, trzy kabiny dalej. Libby dobrze wiedziała, że głosik młodszej siostry na pewno będzie słyszalny z tej odległości.

Pchnęły ciężkie drzwi, które prowadziły na pokład, i stały przez chwilę w miejscu, rozkoszując się chłodnym powietrzem wczesnego poranka. Statek powoli wychodził z portu. Libby już rozpoznawała to spokojne, ciche oddalanie się od lądu, którego doświadczały za każdym razem, kiedy wypływali w morze. Stała obok matki, słuchając odległego pomruku silników statku, które stopniowo nabierały mocy. Ogłuszające syreny zaryczały raz, drugi, trzeci... i już byli daleko. Woda lśniła i falowała, mewy fruwające nad głową zostały przy brzegu. Znowu znajdowały się na pełnym morzu, tym razem w drodze do Trypolisu. Stamtąd pojadą pociągiem do Damaszku, zatrzymają się tam na jeden dzień, a potem wyruszą w długą, trzydniową drogę do Bagdadu. Cała podróż zajmie im dziesięć dni.

– Dlaczego to miasto nosi nazwę Bagdad? – spytała Libby, kiedy kierowca z panią Clarke wieźli ich ze stacji kolejowej do nowej willi nad brzegiem rzeki Tygrys, która to willa, jak ich poinformowano, miała zostać teraz ich domem. – Bag-dad. Brzmi tak zabawnie.

– No właśnie. Tak zwał się jeden z ich pogańskich bożków. – Pani Clarke próbowała przekrzyczeć warkot silnika. – To typowe tutaj. Sami bezbożnicy. Większość z nich.

– Ta nazwa wcale nie jest zabawna – odezwała się spokojnym głosem matka. – W starożytnym języku perskim słowo „bag" znaczyło „bóg", a „dad" znaczyło „założony". Bagdad został założony przez Boga, a nie przez żadnego pogańskiego bożka czy też przez pogan.

– Hmmff. No cóż, nam przedstawiono tę historię inaczej – odrzekła wyniośle pani Clarke, kładąc nacisk na „nam".

– Wynika stąd, że ktokolwiek wam ją opowiedział, był w błędzie – uprzejmie wyjaśniła matka. – Och, patrz!... Czy to tutaj? Jaki piękny! – Pokazała przed siebie na długi biały mur z wykończeniem przypominającym blankowanie, które skojarzyło się Libby z baśniowym zamkiem.

Dziewczyna wpatrywała się w dom z niedowierzaniem. Zza

muru widać było dwie wieżyczki w tym samym stylu, wybudowane z różowawego piaskowca. To nie był dom... To najprawdziwszy pałac!

Zatrzymali się na wprost niewielkiej drewnianej bramy, osadzonej głęboko w murze. Libby zauważyła już, jak wąskie i kręte były ulice miasta. Wszystko w Bagdadzie wyglądało jak porozrzucane w nieładzie. Po obu stronach ulic wznosiły się wysokie mury, a tuż nad głowami wisiały całe pęki telefonicznych drutów, wyglądające niczym sieć jakiegoś pająka giganta.

Kierowca wyskoczył, żeby otworzyć drzwi najpierw matce, a potem pobiegł dookoła do wyraźnie urażonej pani Clarke. Ku uciesze Libby skłonił się do ziemi, ściągnął ze stopy but z długim czubem w stylu Ali Baby i zastukał głośno obcasem w bramę.

– *Aiwa!* – odezwał się kobiecy głos zza muru. – *Ahlan!*

Furtka w bramie się otworzyła. Stała w niej stara kobieta o pooranej zmarszczkami twarzy, odziana w czarną draperię. Widać było tylko jej twarz ze zmarszczkami w brązowej, chropawej skórze tak głębokimi i szerokimi jak fałdy jej burki. Libby wpatrywała się w nią zdumiona. Oczy tamtej kobiety, skryte wśród zmarszczek, rozbłysły. Spodobała się Libby od pierwszego wejrzenia.

– Twoja matka ma rację – odezwał się niespodziewanie za jej plecami niski głos kierowcy, który wszedł za nimi na wewnętrzny dziedziniec.

Libby odwróciła się zaskoczona, lecz kierowca już usunął się na bok. Spojrzała więc przed siebie, na ogród, który ciągnął się jak okiem sięgnąć. Odkrywał się przed nią powoli, drzewo po drzewie, kwiat po kwiecie. Rozpościerał się wzdłuż dziedzińca aż po różowy pałac, który okazał się ich domem.

Z jej ust wyrwało się westchnienie. Od chwili, kiedy przeszła przez bramę, poczuła się jak Alicja w Krainie Czarów, która przeszła na drugą stronę lustra. Zalało ją światło odbite w fontannie pośrodku dziedzińca. Odetchnęła pachnącym słodko powietrzem. Mgiełka z fontanny osiadła delikatnie na jej skórze. Od pierwszego wejrzenia zakochała się w tym miejscu bez pamięci.

35

Młoda dziewczyna, którą przydzielono im jako pokojówkę, nie wyglądała na wiele starszą od jej córki Libby – rozmyślała Kit, obserwując Miriam, która wzięła właśnie na ręce Eluned i z wprawą ukołysała ją z powrotem do snu. Gdzie, u licha, zdążyła się nauczyć, jak należy obchodzić się z niemowlęciem?

– Ile masz lat? – spytała ją.

Miriam, wyczuwając, że to do niej skierowano pytanie, zamarła z miną winowajcy na twarzy. Spojrzała na Kit i pokręciła głową.

– Angielski nie – powiedziała niepewnie.

– *Français?* – kontynuowała z nadzieją Kit.

Miriam zaprzeczyła.

Ach, no tak, wszystko jasne – pomyślała rozbawiona Kit. – Powinnam zabrać się do nauki arabskiego, i to im szybciej, tym lepiej.

Rozejrzała się po pokoju. Małżeńska sypialnia była większa niż całe ich mieszkanie w eleganckiej dzielnicy Londynu Chelsea. Sypialnia wyglądała oszałamiająco. Wysoka, przestronna, z ozdobną podłogą z drewnianej mozaiki, malowanymi na biało ścianami – niespecjalnie gładkimi, lecz o przyjemnej dla oka nieregularnej fakturze – z wysokim sklepionym sufitem i malowanymi drewnianymi żaluzjowymi okiennicami. Z jednej strony pokoju z okien rozciągał się widok nad dachami Karrady, z drugiej – widziała ogród schodzący w dół, aż po lśniące wody Tygrysu w dolinie.

Zatrzymała się na chwilę i przechyliła głowę na bok. Poczuła coś dziwnie znajomego w tym widoku... Aha! Olśnienie. Był to jakby orientalny, wielkopański odpowiednik rezydencji Chalfont Hall z jej rozległymi trawnikami, strzyżonymi żywopłotami i murkami oporowymi, dzięki czemu wydawało się, że owa posiadłość nie ma końca.

Stare, dawno zapomniane wspomnienie nagle przebiło się przez zasłonę myśli. Znowu miała pięć lat i stała w sali balowej na parterze Chalfont Hall, gdzie jej rodzice z rzadka urządzali przyjęcia z tańcami. Nadeszła zima i ogrody na zewnątrz okrył całun marznącej mgły. Trzy wysokie okna na przeciwległym końcu sali wychodziły wprost na rozległe strzyżone trawniki okalające dom; każde przedstawiało inny wycinek krajobrazu, jak trzy ogromne obrazy, a każdy nieco inny. W jednym widać było stado pasących się saren. Uklękła na wyłożonym poduchami szerokim parapecie i zaczęła się im przyglądać z zaciekawieniem. Unosiły głowy od czasu do czasu, nastawiając nozdrza na wiatr. Chwilę później coś musiało je wystraszyć, bo rozbiegły się we wszystkie strony, a jasne plamy ich zadów tańczyły z lewa na prawo. W ten sposób przeszły przez ramę jednego ogromnego malowidła do drugiego, a potem do trzeciego. Dopiero w tamtej chwili po raz pierwszy zrozumiała, że za oknami rozciągał się jeden ogromny pas terenu we władaniu jej ojca.

– Mamusiu! – To Libby weszła do pokoju, żując koniec jednego ze swoich warkoczyków i sprowadzając ją nagle na ziemię, do rzeczywistości. – Czy mogę wyjść do ogrodu?

– Oczywiście, że możesz – odpowiedziała automatycznie Kit. Starała się przypomnieć sobie, czy pani Clarke wspomniała coś na temat węży. Czy w Iraku spotykało się węże w mieście? Pojęcia nie miała. – Uważaj, gdzie stawiasz stopy! – zawołała jeszcze za nią. – Nie wchodź w wysoką trawę. I włóż buty!

– A po co?! – zawołała Libby ze schodów.

– Gdyby się okazało, że są węże! – odkrzyknęła.

Tupot nóg córki nagle ustał. Kit wstrzymała oddech. Jak jej nastoletnia córka zareaguje na tego rodzaju informację? Czekała. Libby przyswajała nowinę. Potem, tak samo nagle, jak się zatrzymała, pobiegła niewzruszona. Kit pozwoliła sobie na leciutki uśmieszek. Starsza córka poradzi sobie w Iraku. To raczej na Paula będzie musiała uważać.

– Kochanie! Wreszcie jesteś! Już myślałem, że nigdy tu nie dojedziesz! – Paul wtoczył się przez drzwi wejściowe do domu w towarzystwie dwóch służących. Jeden z nich niósł jego aktówkę i jakieś papiery, drugi – pęk przywiędłych badyli. Nastąpiła niezręczna wymiana, jako że żaden ze służących zdawał się nie wiedzieć, co jest dla kogo. Kit została obdarowana najpierw aktówką, potem kwiatami, a w końcu wręczono jej spory stos papierów biurowych. Zupełnie spokojnie przejęła ster w swoje ręce, a Paul tylko przyglądał się bezradnie dyrygującej wszystkim żonie.

– Kwiaty do zlewu, aktówka przy drzwiach, papiery do gabinetu pana domu na końcu korytarza.

Zarządzanie służbą było jej drugą naturą.

– A niech mnie! – mruknął pod nosem Paul, kiedy wszystko zostało zadysponowane i uporządkowane, a dwóch służących pospiesznie się wycofało z pokoju. – Co oni, u licha, sobie myśleli, dając ci moją aktówkę? Może chcieli wręczyć bukiet kwiatów mnie?

– Szczerze? Nie wiem – mruknęła Kit.

Pocałowali się krótko na powitanie i jak zwykle to Kit wywinęła się pierwsza z objęć.

– Udała się wam podróż? – spytał Paul, rozluźniając krawat pod szyją. – Mam nadzieję, że nie było tak źle? – Spojrzał na nią z niepokojem.

Pokręciła głową z lekkim uśmiechem. W mężu wszystko budziło obawy.

– A co sądzisz o tym miejscu? – szybko zadał kolejne pytanie. – Dość okazałe, nie uważasz? Spałem w gabinecie na dole. Tak mi się przynajmniej wydaje, że to gabinet... Doprawdy trudno powiedzieć. Na górze sam czułem się nieswojo. Boże! Jak się cieszę, że już jesteście! – wybuchnął nieoczekiwanie.

Przez chwilę stali naprzeciwko siebie po obu stronach stołu w jadalni, przyglądając się sobie bacznie. Kit ledwo powstrzymała nagłą chęć odwrócenia się na pięcie i wyjścia z pokoju.

– Ja też, kochanie – odparła.

– Gdzie są dziewczynki?

– Libby wyszła do ogrodu, a Eluned śpi. Ta okropna pani Clarke wymusiła na mnie przyjęcie niani do dziecka... młodej dziewczyny o imieniu Miriam. Wygląda na miłą. Niestety, nie zna ani słowa po angielsku, więc wydaje mi się, że powinnam jak najszybciej zabrać się do nauki arabskiego. Czy twoja firma organizuje jakiś kurs językowy, na który mogłabym pójść? Coś dla żon pracowników?

– Spróbuję się dowiedzieć – odrzekł Paul tonem pełnym wątpliwości. – Jakiegoś drinka, kochanie? – spytał, trzymając za szyjkę butelkę ginu.

– Gdzie ci się udało to dostać? – zdziwiła się. – Uprzedzano mnie, że w Bagdadzie w ogóle nie pije się alkoholu.

– Nie wierz w takie bzdury! – prychnął. – Jestem tutaj od miesiąca i wypiłem prawdopodobnie więcej niż w domu przez rok. No, może niezupełnie. Kwitnie tu życie towarzyskie, a zresztą sama zobaczysz. Znajdziesz wiele nowych przyjaciółek, kochanie. Zobaczysz, jaki mamy ogrom możliwości. Do wyboru, do koloru. Tyle tu można robić! Klub też jest niezły: korty tenisowe, basen... i tym podobne rzeczy. Wkrótce wkręcisz się w wir życia tutaj, obiecuję ci to, Kit. – Gadał bez przerwy, przygotowując im obojgu zbyt duże porcje drinków, co było zdecydowanie oznaką zdenerwowania.

Kit przyglądała się mu ukradkiem spod opuszczonych powiek. Był przystojnym mężczyzną. Wysoki, dobrze zbudowany, z silnymi, umięśnionymi nogami gracza w rugby. Miał włosy w odcieniu rudawego blondu, niebieskie oczy, jasne rzęsy i rumianą cerę, która świadczyła o zażywaniu zimnych kąpieli w szkole z internatem oraz o typowej dla Anglików odporności skóry na mróz, ale nie na gorące promienie słońca. Zabawne, że wysłali go akurat do Bagdadu, gdzie temperatury stale przekraczały czterdzieści stopni powyżej zera.

Paul był miłym mężczyzną. Cierpliwym. Porządnym. Miał niezłe kwalifikacje na męża. Tak właśnie jej powiedziano. „Nie trać czasu, Katherine. Nie masz go zbyt wiele". Szybko się otrząsnęła. To nie był dobry moment na takie rozważania. Wszystko przez Biera. Zaskoczył ją, gdy dołączył do nich w podróży. Tego się wcale nie spodziewała. Wzięła drinka, którego podał jej mąż.

– Może wyjdziemy do ogrodu, kochanie? Mogę się założyć, że Libby się w nim zakocha.

– Cześć, tato! – Nieoczekiwanie usłyszeli głos Libby.

Kit się odwróciła. Jak długo ona już tam stoi? – zastanowiła się.

– Witaj, kochanie! – odpowiedział natychmiast Paul i odstawił swojego drinka na kredens. – Właśnie mówiłem mamie, jak bardzo się za wami stęskniłem.

Wyraz twarzy Libby świadczył o lekkim niedowierzaniu.

– Naprawdę? – zdziwiła się lekko tym swoim zabawnym głosem.

– Jak upłynęła podróż? Podobało ci się? Pomagałaś mamie przy Lulu?

– Tak – odpowiedziała na trzy pytania równocześnie. Nastała niezręczna cisza.

– Co robimy z kolacją? – spytała Kit, wybawiając ich z udręki prowadzenia rozmowy. – Czy poprosić kucharkę, żeby nam coś przyrządziła? Nie mam pojęcia, co tu się jada, ale jestem przekonana, że na pewno coś wymyśli.

– Moglibyśmy gdzieś pójść – zaproponował Paul, osuszając do dna swoją szklaneczkę. – Przy ulicy Al Rashid, kilka kroków stąd, jest całkiem niezła restauracja.

– Czy ja też mogę iść z wami? – wtrąciła się Libby, spoglądając pytająco na matkę.

– Oczywiście, że możesz – odrzekła stanowczo Kit i od razu napotkała lekko rozżalone spojrzenie Paula. – Miriam zajmie się w tym czasie Eluned. – Zwróciła się znów do Libby: – A może byś wzięła kąpiel, kochanie, i włożyła świeżą sukienkę?! – krzyknęła za córką, która już zdążyła wybiec z pokoju. – Chodzisz w tej samej od dwóch dni! – Znów odwróciła się do męża: – Nie irytuj się – poprosiła zupełnie spokojnie. – Siedziała jak w klatce od tylu dni.

– Ale ja chcę mieć ciebie tylko dla siebie – jęknął płaczliwie Paul.

Kit westchnęła.

– Będziesz miał mnie całą dla siebie później – obiecała kojącym głosem. Przemawiała do niego jak do dziecka. Zadziałało. Natychmiast poprawił mu się humor. Upiła łyk ginu z tonikiem. Chyba to „wkręcenie się w wir życia tutaj" zajmie jej o wiele dłużej niż chwilę. Cholerny Bier!

36

Już od momentu, kiedy pociąg wjechał na błyszczący, robiący ogromne wrażenie, zupełnie nowy centralny dworzec kolejowy w Bagdadzie, Libby wiedziała, że pokocha swój nowy dom. Londyn jawił się jej jak duża wieś – a w końcu był jednym z większych miast na świecie – jednak w porównaniu z Bagdadem wydawał się nudny i nieciekawy. Zanim znalazły przedstawiciela firmy, który wytłumaczył im, że ojciec został wysłany do Basry na południu kraju i nie wróci wcześniej niż późnym popołudniem tego dnia, udało się jej naliczyć siedemnaście odmiennych rodzajów nakryć głowy. Turbany, cylindry, fezy, trzy różne rodzaje zwiewnych kefij: białe, w czerwono-białą lub czarno-białą drobną kratkę; kapelusze panamy, hełmy korkowe, miękkie berety, słomiane kapelusze, kapelusze z miękkim, opadającym rondem, kanciaste kapelusze, przypominające średniowieczne nakrycia głowy... Zapamiętywała je dokładnie po kolei, żałując, że nie może rozpakować swojego notesu, żeby spisać wszystko, póki pamięta. Ludzie tutaj stanowili oszałamiającą mieszaninę rozmaitych typów: mężczyźni z gęstymi, czarnymi brodami, w długich czarnych szatach, mężczyźni w drucianych okularach o wyglądzie chińskich uczonych, ciemnoskórzy mężczyźni w powiewających białych szatach, panowie w garniturach, Europejczycy, Arabowie i całe zastępy innych, których nie sposób zakwalifikować do jakiejkolwiek grupy. Były również kobiety, niektóre w obszernych czarnych szatach, lecz też inne, w najmodniejszych sukienkach prosto z Paryża czy Londynu, o wciętych taliach, w kapeluszach i rękawiczkach. Pojawiały się też dziwne kobiety, nieomal całe ukryte pod wielkimi wiązkami gałęzi czy jakichś korzeni, zdarzały się kobiety ze wschodniej Afryki: niezwykle wysokie, o skórze czarnej jak heban, o ponurych, nieprzeniknionych twarzach. Nie zabrakło także brytyjskich żołnierzy, podpierających ściany budynków, z bronią gotową do strzału, śmiejących się i palących papierosy, ubranych w wyglądające jak zakurzone mundury koloru khaki. Te widoki były oszałamiające i porywające dla czternastolatki, której świat do tej pory obracał się pomiędzy czteropokojowym domem przy ulicy Mallord a jej szkołą, znajdującą się nieco ponad pół kilometra od Fulham Road. Tu mieściło się centrum nowego, ekscytującego świata.

To jednak nie wszystko. Kiedy szły, lawirując pomiędzy tłumem na stacji, do oczekującego na nie samochodu, zobaczyła małpki, papugi, kozy, kury, psy, osły... a nawet wielbłądy! Śmiała się radośnie, gdy przejechali tuż obok jednego, przywiązanego do słupka przy bramie. Niespodziankom nie było końca!

Człowiek z firmy ojca, którego nazwisko natychmiast zapomniała, wykrzykiwał bez końca adresowane do nich krótkie polecenia: „Patrzcie pod nogi! Nie wejdźcie w to! Uważajcie na łokcie! Uważajcie na wasze torebki!”.

Zanim doszli do samochodu, zaczęło jej się kręcić w głowie z wrażenia. Jakimś cudem Eluned przespała to wszystko.

Właściwie Eluned głównie spała przez całą podróż, co też właściwie zakrawało na cud, zważywszy na jej wieczne niezadowolenie.

Dworzec kolejowy nie był ani trochę podobny do żadnego z dworców, które dotąd Libby widziała. W części przystanek, w części bazar, jedno od drugiego oddzielone tylko wąskim pasem asfaltu, po którym snuły się kozy i samochody, najwyraźniej jedne niepomne obecności drugich. W najdalszym końcu dworca, jak przyklejony do niego, stał lśniący nowością budynek urzędu pocztowego, a dalej biegła ulica z kawiarniami. Mężczyźni w małych grupkach przesiadywali przy stojących na chodnikach stolikach, o centymetry oddalonych od jezdni. Popijali herbatę, palili i obserwowali przechodzących obok pasażerów. Doleciała do niej woń czegoś pysznego – słodka i aromatyczna – i w tym momencie człowiek z firmy taty przerwał jej zachwyty, mówiąc: „Pospieszcie się i wsiądźcie wreszcie do auta, bo zostaniecie obrabowane w biały dzień!".

Niby przez kogo? – pomyślała i rozejrzała się wokół. Nikogo nie było w najbliższym otoczeniu. Zdecydowała, że to jakiś przewrażliwiony typek. Jego twarz nabrała osobliwego odcienia czerwieni, na białej koszuli z krótkimi rękawami pod pachami i na plecach pojawiły się wielkie mokre plamy potu. Tak jak i ojciec źle znosił upały.

Zerknęła szybko na matkę, żeby stwierdzić, jak też ona się czuje w nowym otoczeniu. Wyraz twarzy miała jak zwykle pod kontrolą. Wyglądała pięknie. Nikt by się nie domyślił, że wysiadła prosto z pociągu po trzydniowej podróży z Damaszku, bez porządnej kąpieli w wannie. W przedziale miały tylko miskę z emaliowanym dzbankiem. Dopiero drugiego dnia Libby nauczyła się utrzymywać równowagę na brzegu toalety, gdy spłukiwała całe ciało wodą z dzbanka wprost na podłogę. Matka ubrała się w śliczną białą lnianą sukienkę z czarnym lśniącym paskiem. Włosy miała obcięte bardzo krótko. W upale skręcały się lekko przy uszach i szyi. Założyła gigantyczne ciemne okulary, a usta podkreśliła szminką, jeszcze zanim wyszła z pociągu.

Wyglądała jak amerykańska gwiazda filmowa. Facet z firmy taty był nią najwyraźniej oczarowany, dlatego tak dużo i tak szybko mówił.

Dom był ostatnią i przy tym najwspanialszą niespodzianką ze wszystkich. Kiedy przez drewniane wrota w murze weszli do środka, aż otworzyła usta ze zdumienia. Była pewna, że nie udało jej się ich zamknąć z wrażenia przynajmniej przez następną godzinę.

Budynek mieszkalny okazał się ogromny! Takiego pałacu jeszcze w życiu nie widziała. Stanowił cudowne połączenie wąskich korytarzy, z których wchodziło się do niewyobrażalnie wielkich, robiących niesamowite wrażenie pokoi. Mebli było w nich niewiele, przez co wydawały się jeszcze obszerniejsze. Ogród urządzony na stoku opadającym ku rzece o błotnistych brzegach widać było prawie z każdego pokoju. Czarujący dziedziniec z pomarańczowymi, cytrynowymi i limonkowymi drzewkami, przez który przechodziło się do domu, usytuowano tak mądrze, żeby widoczny był zewsząd. Libby wędrowała po wszystkich pokojach, od fantastycznego zestawu pokoi dziennych na parterze, połączonych ze sobą wspaniałymi arkadami, po sypialnie na piętrze. Najbardziej podobała się jej obszerna biblioteka na piętrze, do której wchodziło się po kręconych, spiralnych schodach na końcu korytarza.

Pierwszy dzień poświęciła na dokładne przebadanie każdego metra kwadratowego domu, zanim podjęła decyzję, który z pokoi zostanie jej sypialnią. Wybrała mniejszy od pozostałych, wciśnięty w najdalszy kąt piętra, z oknami wychodzącymi na czarodziejski ogród. Kiedy otwierało się okiennice, napływał do wnętrza zapach cytrusów. Pokój miał własną łazienkę, lecz nie była ona w niczym podobna do łazienek, które znała. Podłoga, ściany, sklepiony sufit, toaleta, umywalka, wanna – wszystko to było jedną niekończącą się, falującą powierzchnią, wyłożoną drobnymi kafelkami. Wchodziło się do niej jak do środka turkusowego brzucha bajkowego wieloryba. Stała w drzwiach chyba z godzinę, nie mogąc nasycić oczu widokiem, podziwiając każdy detal pomieszczenia. Od upału zrobiła się senna i przyjemnie rozleniwiona; czuła się tak, jakby owionął ją ciepły oddech samego Boga. Wdychała woń nowo poznanego miasta, chłonęła ją każdym porem skóry, czuła, jak przesiąka nią całe jej ciało.

– Mamo! Sądzę, że będzie mi się tutaj podobało – oznajmiła poważnie, kiedy wpadła na nią w jednym z pokoi na parterze, wpatrzoną w ogród ciągnący się ku rzece.

Matka się odwróciła. Miała zabawny, nieobecny wyraz twarzy.

– Cieszę się – powiedziała. – Czułam, że tak będzie.

Te nieoczekiwane słowa wywołały u Libby przypływ ciepła. Patrzyły na siebie przez chwilę – tylko one dwie: matka i córka. Dziewczyna wstrzymała oddech, czekając na więcej, jednak matka odwróciła się i kontynuowała wpatrywanie się w dal. Libby stała przez chwilę w drzwiach, pocierając niezdarnie podeszwą gołej stopy piszczel drugiej nogi.

– Może poprosisz Miriam, żeby przygotowała ci kąpiel? – zaproponowała cichym głosem matka, nie odwracając się od okna. – Ojciec wkrótce wróci do domu.

Libby wypuściła powietrze z płuc powoli, jak najciszej, i poszła z powrotem do pokoju, który teraz należał do niej. Na środkowych drzwiach szafy znajdowało się duże lustro. Podeszła do niego i zaczęła się wpatrywać w swoje odbicie. W pokoju panowała taka cisza, że słyszała swój oddech. Po chwili jej twarz przestała należeć do niej; patrzyła na nią jedna z wielu twarzy, które mijała na ulicy. Przypatrywała się jej z ciekawością.

Potem trzasnęły drzwi wejściowe i usłyszała męski głos. Głos ojca, który coś jej uświadomił. Dom w Anglii, gdzie mieszkali do tej pory, zniknął w otchłani niepamięci, a jego miejsce zajął kolejny. To tu teraz był ich dom. Początek czegoś nowego, czegoś całkowicie odmiennego.

37

– A co pani robiła podczas wojny, pani Kentridge?

Kit zamurowało. To był ich drugi tydzień w Bagdadzie. Zostali zaproszeni na obiad razem z członkami zarządu firmy i ich żonami do klubu Alwiya w samym centrum miasta.

Pochyliła się po ogień, który jej zaoferowano.

– Ja? – spytała i wypuściła powoli dym papierosa z płuc. – Och, nic takiego. Byłam zwykłą sekretarką. Głównie prace biurowe: pisanie na maszynie i segregowanie dokumentów. Nic ponad przeciętność. Dziewczęta takie jak ja nie były raczej wychowywane, żeby robić coś bardziej przydatnego w życiu, jak sądzę.

Wśród kobiet przetoczył się pomruk autoironicznego śmiechu, a potem odezwała się jedna z żon.

– Chwileczkę! Czy nie studiowała pani przypadkiem na uniwersytecie w Oxfordzie? Znam kogoś, choć właściwie jest to znajomy mojego brata, kto spotkał panią na jednym z bali. Napomknęłam, że był to pani debiut w towarzystwie, a on na to, że panią zna. Ruaridh. Ruaridh Macleod. Irlandczyk.

Kit machnęła ręką, żeby rozwiać dym z papierosa.

– A, tak! Ruaridh. Nie znałam go za dobrze. Ożenił się z jedną z dziewcząt z mojego roku.

– W takim razie musi być pani niezwykle mądra.

– Jest – wtrącił się Paul, promieniejąc z dumy. – Obawiam się nawet, że jest o wiele mądrzejsza ode mnie.

– Tak to w życiu bywa! – Jeden z dyrektorów ryknął śmiechem, a reszta mu zawtórowała.

Kit dalej uśmiechała się uprzejmie, lecz Frances Pollard, żona, która zaczęła ją przepytywać, nie chciała odpuścić.

– Mówił też coś o pani siostrze, jak pamiętam.

– A i owszem, mam siostrę – odrzekła zupełnie spokojnie Kit. – Lily Algernon-Waters. Sympatyzowała z nazistami. Wyszła za mąż za jednego z adiutantów Hitlera. Został powieszony po procesie w Norymberdze za zbrodnie wojenne. Ona mieszka chyba w Niemczech, tak sądzę. Nie znam jej dalszych losów. Nie utrzymujemy ze sobą żadnych kontaktów.

Zapadła ogłuszająca cisza. Clifford Porter, bezpośredni przełożony Paula, miał taką minę, jakby połknął coś nieświeżego. Jedna z żon unosiła właśnie szklaneczkę z ginem do ust i ręka zawisła jej w połowie drogi. Ciszę przerwało wejście pani Clarke, holującej za sobą irackiego kelnera o znękanym wyrazie twarzy.

– Proszę! Kto zamawiał różowy gin? A wódkę z tonikiem? Z cytryną czy bez?

– Nie musiałaś tego robić – szepnął jej do ucha Paul, kiedy przechodzili do jadalni.

– Oczywiście, że musiałam – odparowała Kit. – Powiedziałam całą prawdę i więcej nie będą wracać do tego tematu.

– Wiem, wiem... Ale nie sądzisz, że powinnaś była wypowiedzieć się bardziej oględnie? Dopiero co się z nimi zapoznałaś.

– Och, Paul! – Kit popatrzyła na niego poirytowana. – Owijanie w bawełnę nie jest moją najmocniejszą stroną. Dobrze to wiesz. Efekt uzyskałam odpowiedni. Popatrz tylko na panią Everard. Gotowa jest zalać cię wyrazami współczucia. Właśnie się zastanawia, jak, u licha, możesz wytrzymać z taką gburowatą żoną. Jest po twojej stronie. Wszyscy są.

Paul spojrzał na nią bezradnie.

– Wiesz, czasem zaczynam się o ciebie bać – oświadczył przyciszonym głosem.

– To się nie bój. Obiecuję, że będę się porządnie zachowywać. Słuchaj, czy nie przyniósłbyś mi kolejnego ginu z tonikiem? Muszę wypić jeszcze szklaneczkę, żeby przetrwać obiad.

– Dobrze. Wracam za chwilę, ale bądź miła. Mimo wszystko muszę dbać o moją posadę.

Kit z trudem powstrzymała chęć naskoczenia na niego.

– Oczywiście, że będę – powiedziała pojednawczo. – Będę perfekcyjnie czarująca. Zobaczysz.

Skinął głową uspokojony i ruszył szybko do baru, dając jej szansę się rozejrzeć. Pomieszczenia klubowe były przestronne i eleganckie, ze wszystkimi zwyczajowymi atrybutami dobrego klubu: palmy w doniczkach, lśniący, dobrze zaopatrzony bar, stoły z białymi obrusami i lnianymi serwetkami. Przybyszom z Wielkiej Brytanii dawało to namiastkę ojczyzny. Alkohol lał się strumieniami, a wielu kelnerów czekało na każde ich skinienie. Goście byli bezgranicznie rozpieszczani i mogli do woli oddawać się nałogom. Kiedy zasiedli do obiadu, zaczęła obserwować z chłodną fascynacją współbiesiadników. Mężczyźni wydawali się prostoduszni i serdeczni, ubrani w koszule z krótkimi rękawami; z powodu upału wieczorami dawali sobie przyzwolenie na kapelusze panamy. Kobiety nosiły letnie sukienki, chodziły bez pończoch, a ich błyszczące oblicza nareszcie wolne były od warstwy pudru, który sklejał się razem z potem i tworzył paskudną maskę, dosłownie zalepiającą twarze w ciągu dnia.

U jej boku pojawił się Paul z oszronioną szklaneczką.

– Proszę, kochanie. Musiałem przygotować drinka sam. Do baru ustawiła się kilometrowa kolejka.

– Właśnie rozmawialiśmy – zaczął Clifford Porter przy stole – że może Kit zechciałaby dołączyć do grupy dyskusyjnej Margery? W końcu dzięki temu nasze żoneczki mają coś do roboty, prawda? – Roześmiał się konspiracyjnie wraz z drugim mężczyzną siedzącym obok. Kobiety spoglądały na nią pogodnie, oczekując odpowiedzi.

– Och, ja osobiście mam mnóstwo zajęć – sprzeciwiła się Kit. – Myślałam właśnie, że mogłabym zapisać się na lekcje języka arabskiego. Szkoda by było, będąc tutaj, nie wykorzystać takiej możliwości.

– A po co nam to? Przecież oni wszyscy mówią po angielsku. – Kobieta, która to powiedziała, wyglądała na autentycznie zdumioną.

– No cóż, oni raczej próbują mówić – poprawił ją mąż. –

Muszę przyznać, że sam chętnie nauczyłbym się nieco arabskiego... O wiele łatwiej dogadywałbym się w pracy.

– Co za wspaniały pomysł – zaszczebiotała niespodziewanie inna z żon. Jej mąż siedział po lewej stronie Paula. Był to niski, spokojny mężczyzna, którego rozmiary i usposobienie stanowiły przeciwieństwo jego żony. – Ale Bóg jeden wie, gdzie znaleźć nauczyciela. To raczej trudny język. Tak mi się przynajmniej wydaje.

– Och, moja żona złapie go w mig! – włączył się dumnie Paul. – Dla niej to zupełnie naturalne. Mówi już chyba sześcioma językami. Oczywiście biegle.

– Naprawdę?! Jakimi jeszcze?

– Zna niemiecki, francuski, włoski, rosyjski nieco gorzej... pracowała kiedyś jako tłumaczka. Zanim dzieci przyszły na świat, oczywiście. – Paul najwyraźniej uważał za swój obowiązek mówić za nią. Kit się nie odezwała.

– A niech mnie! – wyrwało się jednej z żon, która aż zaniemówiła z wrażenia.

– Hm. Ośmielę się stwierdzić, że Bagdad panią zainteresuje – oznajmił pompatycznie Clifford Porter, zamykając temat. Stało się jasne, że Kit Kentridge poświęcono zbyt wiele uwagi. – Moi drodzy! Kto co je? Jestem taki głodny, że zjadłbym konia z kopytami! Przypuszczam, że to z powodu tego upału. Nie bez powodu Irakijczycy noszą te długie koszule nocne. Kryją wystający bamber. Garnitur tak nie działa – orzekł, poklepując swoje wydatne brzuszysko.

Zewsząd rozległ się rubaszny rechot. Śmiechy i podwyższone głosy jakby odizolowały ich stolik od reszty gości restauracji, wśród których było kilku samotnych mężczyzn – kawalerów, jak przypuszczała Kit – spoglądających na nich nieomal z zazdrością. Kiedy zamawiali potrawy, zastanawiając się na głos i przepytując kelnerów, Kit złapała spojrzenie młodego mężczyzny, który natychmiast odwrócił wzrok jak dziecko rzekomo niezauważające urodzinowej imprezy w domu obok.

– Słyszałam, że niedawno urodziłaś drugie dziecko? – Margery Porter pochyliła się w jej stronę, przyglądając się z zazdrością jej figurze.

– Tak. Eluned – potwierdziła Kit.

– Jest dość duża różnica wieku pomiędzy nimi, jak mi mówiono?

– Mhm. – Kit zaczęła się zastanawiać, jakie jeszcze informacje o niej i o Paulu udało się zdobyć zgranej grupce znajomych.

– Szczęściara z ciebie – orzekła Margery. W jej oczach i głosie wciąż obecna była zazdrość.

Nastała chwila milczenia. Margery wyglądała tak, jakby chciała się wyżalić przed Kit i wyznać jej coś, czego ona raczej wolałaby nie usłyszeć. Ktoś za jej plecami odchrząknął znacząco. Podniosła wzrok. To był jeden z kelnerów. Pochylił się ku niej.

– Pani Kentridge?

Skinęła głową i odetchnęła z ulgą za przerwanie tej niekomfortowej dla niej sytuacji.

– Tak, to ja.

– Telefon do pani. Przy barze.

Paul zwrócił na nią spojrzenie.

– Coś nie tak? – spytał i wstał, odsuwając krzesło od stołu tak jak i żona. – Czy coś się stało? Kto to?

Kit machnęła ręką, żeby rozproszyć jego niepokój.

– To madame Abbayas. Powiedziałam jej, że będziemy tutaj. Za chwilkę wracam.

Zdusiła niedopałek papierosa i poszła za kelnerem do baru.

– Wszystko w porządku? – Paul popatrzył na nią z niepokojem, kiedy wróciła kilka minut potem.

– Tak. Chciała się tylko dowiedzieć, ile mleka powinna dać Eluned.

– Sądziłem, że zapisałaś jej wszystkie potrzebne informacje?

– Najprawdopodobniej nie umie czytać – ktoś burknął. – Wiecie, jacy oni są. Mówią „tak", kiedy mają na myśli „nie", i wcale im to nie przeszkadza.

Rozległ się ogólny pomruk potwierdzający ten fakt, lecz akurat zaczęto podawać zamówione potrawy i one odwróciły uwagę biesiadników. Kit podziękowała za przyniesione danie i usiadła wygodnie w oczekiwaniu, aż wszyscy zostaną obsłużeni. Pod stołem jej stopa delikatnie postukiwała o podłogę. Świadczyło to niezbicie – jeśli w ogóle ktokolwiek dostrzegł ten nieznaczny ruch – że jej uwaga skupiała się na czymś zupełnie innym.

38

Lord Hamilton podążał za sir Evelynem Gore-Brownem oraz sir Stewartem Mackenziem, kierownikiem sekcji dziewiątej Międzyresortowego Wydziału Łączności. Właśnie wchodzili razem do pokoju zarezerwowanego dla nich w Boodle's, klubie sir Stewarta, przy ulicy St Jame's Park numer dwadzieścia dziewięć. Ci trzej mężczyźni byli wieloletnimi członkami różnych klubów. Sir Evelyn Gore-Brown należał do klubu Carlton's, mieszczącego się zaledwie kilka kroków dalej przy tej samej ulicy, tyle że pod numerem sześćdziesiąt dziewięć. Lord Hamilton, dumny liberał i bliski przyjaciel Churchilla, był członkiem Narodowego Klubu Liberałów, z siedzibą po przeciwnej stronie dzielnicy Pall Mall, przy Whitehall Street, gdzie obaj, on i były premier, przesiadywali po godzinach pracy, sącząc claret, ich ulubiony poncz na bazie czerwonego wina i wody gazowanej.

– Dziękuję ci, George – powiedział sir Mackenzie, gdy kelner postawił ostrożnie srebrny dzbanek z kawą. Na stole znalazły się też jego ulubione ciasteczka: delicje firmy Jaffa Cakes. – To na razie wszystko.

– Tak jest, ekscelencjo. – George wycofał się dyskretnie, zamykając za sobą drzwi cicho, acz dokładnie.

Trzej mężczyźni, zwani mandarynami MI6 – wywiadu wojskowego sekcji szóstej, powołanego do prowadzenia akcji za granicą – zdjęli płaszcze i kapelusze, a potem zasiedli przy stole.

Sir Stewart Mackenzie, jak to miał w zwyczaju, osobiście nalał wszystkim kawę. Kiedy panowie rozsiedli się wygodnie i ostatnie ciastko zniknęło, zwrócił się do swoich towarzyszy. Odchrząknął i zaczął mówić tym charakterystycznym głosem osoby, która skończyła Eaton, z miękkim acz donośnym szkockim nalotem. Był to rodzaj głosu, który mógł góry przenosić – i zwykle tak się działo. Podczas wojny, gdy służył jako dowódca fregaty marynarki wojennej, potrafił doprowadzić swoich podwładnych do łez.

– Panowie! Prawdopodobnie zastanawiacie się, dlaczego wezwałem was dzisiaj tutaj. Chodzi o to, że znaleźliśmy się w nieciekawej sytuacji tam, na Bliskim Wschodzie. Po aferze z Kanałem Sueskim w zeszłym roku... No cóż, nie muszę chyba mówić, że nie możemy sobie pozwolić na kolejny błąd.

Lord Hamilton skrzywił się w duchu. Klęska wokół zaangażowania Wielkiej Brytanii w kryzys związany z Kanałem Sueskim nie tylko zniszczyła pozycję Anglii w społeczności międzynarodowej, lecz zniszczyła również jego osobiście. W końcu to on własnoręcznie wysmażył niesławny „list otwarty” do Anthony'ego Edena, w którym ostrzegł go w sposób niebudzący wątpliwości: *Jak do tej pory to Naser jedynie miotał groźby i tylko groźby. Oczywiście nie można tego ignorować; groźba jednakże nie powinna stanowić pretekstu do wypowiedzenia wojny.*

Choć wielu zgadzało się z nim prywatnie, nastroje w Anglii były bojowe. Posunięcie Nasera, prowadzące do nacjonalizacji Kanału Sueskiego, było odczytane jako bezpośrednie odrzucenie pomocy Brytyjczyków, którzy „ochraniali” Egipt od roku tysiąc osiemset osiemdziesiątego drugiego. Sir Stewart Mackenzie, zwerbowany bezpośrednio po zakończeniu wojny wprost z Royal Navy, brytyjskiej królewskiej marynarki wojennej, był praktycznym, mówiącym wszystko prosto w oczy Szkotem. Choć może nie aż tak sceptyczny jak lord Hamilton, Mackenzie, jako Szkot, pozostawał bardziej wyczulony na zawiłości władzy. Dwaj mężczyźni bardzo dobrze się rozumieli. Czasami polowali razem na szkockie kuropatwy na podmokłych, mglistych polach pod Aberdeen, gdzie rodzina Mackenziech miała wiejską posiadłość.

Lord Hamilton napotkał spojrzenie Mackenziego.

– Więc jaką dokładnie mamy sytuację? – spytał.

– W założeniu Kanał Sueski miał również zmienić charakter handlu – zaczął wchodzić w temat Mackenzie. – Jak dobrze wiecie, od końca roku tysiąc dziewięćset czterdziestego ósmego nie pełnimy już naszej tradycyjnej roli protektora Indii.

– To znaczy? – przerwał mu Evelyn Gore-Brown, szef operacji specjalnych, odpowiedzialny za cały Bliski Wschód, choć jego kontrola nad Egiptem znacząco osłabła od czasu, gdy władzę w tym kraju przejął prezydent Gamal Abdel Naser.

– Znaczy to, że ci z nas, którzy są zaangażowani w ochronę interesów Jej Królewskiej Mości, oraz ci, którzy są poza granicami kraju, muszą liczyć się z nowymi porządkami na świecie – odpowiedział spokojnie Stewart Mackenzie. – Amerykanie, jak wiecie, są skupieni całkowicie na Rosjanach. Według nich świat obecnie podzielony jest na dwie strefy, którymi rządzi albo kapitalizm, albo komunizm. Nie interesuje ich nic pośredniego, a to, w mojej ocenie, stawia nas, Brytyjczyków, na niebezpiecznie wyeksponowanej pozycji.

– Masz na myśli zwłaszcza Środkowy Wschód? – dociekał Gore-Brown, postukując w zamyśleniu palcami w blat stołu.

– Myślę jedynie o Środkowym Wschodzie. Ropa naftowa, panowie! To dlatego Suez był tak ważny. W zeszłym roku dwie trzecie zużywanej w Europie ropy przetransportowano właśnie Kanałem Sueskim. Kluczowe jest źródło jej pochodzenia, panowie. Jeśli będziesz mieć pod kontrolą źródło, będziesz kontrolować również przepływy. Nasze interesy na świecie w następnym stuleciu będą zdominowane przez ropę naftową, nie przez handel.

Nastąpiła chwila ciszy.

– Kogo właściwie tam mamy? – spytał lord Hamilton Evelyna Gore-Browna.

– Hmm, jest tam oczywiście cała infrastruktura wojsk lądowych i powietrznych, skoncentrowana w Bagdadzie i w Basrze. Mamy też paru agentów w regionie. W Ammanie jest stary Toby Barratt. To chyba najstarszy agent, który teraz dla nas pracuje. Jest tam też Roy Knowland-Hughes, który zajmuje się całym terenem od Teheranu przez Kabul po Bagdad, lecz ostatnio przebywa głównie w Teheranie. Powinniśmy go odwołać i zrobić to po cichu, żeby nie wywołać podejrzeń ani ze strony Irakijczyków, ani ze strony Amerykanów – odpowiedział Gore-Brown. – Jesteśmy ograniczeni bardziej, niż bym chciał, ale, jak już mówiłeś, sytuacja po wojnie była zdominowana przez zagrożenie ze strony Sowietów.

– Jest jeszcze jedna osoba... – Mackenzie zawiesił na chwilę głos, patrząc wprost na lorda Hamiltona.

Lord Hamilton zaczął intensywnie myśleć. Znów spojrzał na Mackenziego z szacunkiem. Podstępny stary lis!

– Tak – odrzekł z namysłem. – Jest. I owszem.

– Kto? – Gore-Brown był najwyraźniej zaskoczony.

– Twoja dziewczyna. – Mackenzie ruchem głowy wskazał lorda Hamiltona. – Kit Algernon-Waters. Wyszła za mąż za faceta specjalizującego się w handlu ropą naftową. To twoja sprawka, jak sądzę.

Lord Hamilton pozwolił sobie na leciutki uśmieszek.

– A i owszem – powiedział gładko, choć serce biło mu mocno w piersi. Na to właśnie czekał.

– Córka lorda Whartona? – Gore-Brown aż westchnął. – Ach! Zastanawiałem się, co się z nią stało po Beaulieu. Straciłem ją potem z oczu.

– Jest właśnie tam, w Bagdadzie. W samym centrum miasta.

– Czy jest gotowa? – Stewart Mackenzie i Evelyn Gore-Brown obaj równocześnie spojrzeli na lorda Hamiltona.

Kilka sekund delektował się chwilą.

– Jak zawsze. Zrobi, o cokolwiek ją poproszę – odrzekł spokojnie.

– Świetna robota, Charles! – pochwalił go Mackenzie, kiedy tylko za Gore-Brownem zamknęły się drzwi. – Doskonale rozegrane. Wyszedł przekonany o swojej nieomylności, ja jednak sądzę, że rozważałeś jej kandydaturę od samego początku. Mam rację?

Lord Hamilton nie odpowiedział, tylko wstał, wezwał kelnera, naciskając guzik dzwonka, i otworzył drzwiczki kredensu. Wyjął ze środka pudełko cygar i położył na stole. Wybrał dwa, przyciął je fachowo i podał jedno Mackenziemu. Chwilę później drzwi się otworzyły. Wszedł kelner, niosąc na srebrnej tacy dwie szklaneczki brandy. Szybko posprzątał ze stołu nakrycia po kawie i ciastkach i się wycofał, pozostawiając ich znów samych. Dochodziła piąta w deszczowe środowe popołudnie.

Przenieśli się od stołu na dwa miękkie fotele przy kominku. Zapalili i pokój natychmiast wypełnił się ciepłym, aromatycznym zapachem tytoniu z Dominikany.

– Powiedz, skąd wiedziałeś, że będzie na to gotowa? – spytał z zaciekawieniem Mackenzie.

– Ach, daj spokój! Kto jak kto, ale ty powinieneś znać odpowiedź na to pytanie. W naszym światku nie może się wydarzyć nic, o czym bym się prędzej czy później nie dowiedział – odrzekł oględnie lord Hamilton.

– Rozumiem. Gnębi mnie jednak pytanie, dlaczego czekałeś tak długo. Z tego, co pamiętam, była naszą najlepszą agentką w Belgii i Norwegii. Zaraz po wojnie rozpoczęła studia na Oxfordzie. Czy to też była twoja robota?

Lord Hamilton nie odpowiedział wprost. Prawdę mówiąc, sam nie był tego pewien. Radziła sobie wyjątkowo dobrze. Na początku zamierzali wysłać ją do Bletchley Park, żeby mogła uczyć się razem z innymi kryptologami, ale przyszedł dla niej rozkaz wyjazdu. Vera Atherton zadzwoniła do nich z informacją, że dziewczyna jest właściwie człowiekiem Beaulieu. Coś się w niej zmieniło, jak powiedziała. Nie wiedziała dokładnie co, ale orzekła, że dziewczyna może uczyć się dalej i zostać jednym z ich najlepszych szpiegów, o ile prawidłowo ją poprowadzą.

Jerôme Bier zaofiarował się osobiście przejąć nad nią nadzór. Bier był jednym z ich najcenniejszych nabytków: belgijski Żyd z ponadprzeciętnymi zdolnościami lingwistycznymi, z ogromną determinacją dążący do rzucenia Hitlera na kolana. Ponoć Bier wykrył podobne zdolności u dziewczyny. Podpisał rozkaz, rozdarty pomiędzy dziwnym pragnieniem chronienia dziewczyny a ambicjonalną chęcią zobaczenia na własne oczy, jak odnosi sukces. Wtedy wysłali ją do tajnej jednostki służb specjalnych STS31, żeby sprawdzić, czy będzie w stanie w pełni rozwinąć swój potencjał. Odniosła sukces. Większy, niż się po niej spodziewano.

– Tak – powiedział w końcu. – Jest ona również moim dziełem. Ja... mam do niej słabość. Nie, nie tego rodzaju – dodał pospiesznie. – Wiesz... ona przypomina mi moją córkę. Nigdy nie widziałeś naszej najstarszej, Daphne. To bystra dziewczyna. Zbyt bystra, pod wieloma względami. Miałem wobec niej wielkie plany. Chciałem, żeby poszła na studia do Oxfordu, lecz Marion się sprzeciwiła. Wyobraź sobie, stwierdziła, że to zrujnuje jej życiowe szanse.

– Hm, śmiem twierdzić, że się nie myliła. Daphne wyszła już za mąż, czy tak?

– Tak, tak. Za wspaniałego chłopaka. Bardzo go lubię. Oboje go lubimy. Mają dwoje dzieci: chłopczyka i dziewczynkę. Uwielbiamy je, oczywiście, ale nigdy nie przestałem się zastanawiać... czy nie mogła mieć i jednego, i drugiego.

– I nigdy się tego nie dowiesz, staruszku. Lepiej przestań wałkować ten temat. – Mackenzie wypuścił z płuc kłąb dymu. –

Rozumiem, że zajęła miejsce twojej córki? Robi to, co według ciebie mogłaby robić Daphne...

– Tak właśnie uważam, choć tak naprawdę nigdy nie myślałem o tym w ten sposób.

– I lepiej nie myśl – zasugerował po raz drugi Mackenzie. – Najważniejsze, że dziewczyna przebywa właśnie tam. Jest na miejscu i ma stosowne kompetencje. Ile czasu potrzebuje, żeby się przygotować?

– W ogóle nie potrzebuje. Wysłałem Biera do Brindisi, kiedy wyruszyła w podróż do Bagdadu. Jedynie zapobiegawczo. Na wszelki wypadek, gdyby coś się zaczęło dziać.

– Dobry z ciebie człowiek.

– Zadzwonię do niej dzisiaj wieczorem i dam znać, czego może się spodziewać w najbliższej przyszłości.

– Doskonale, drogi chłopcze. Wyśmienicie! A teraz może byśmy wreszcie coś zjedli?

39

Słońce świeciło nieprzerwanie przez siedemdziesiąt dwa dni od ich przyjazdu. Libby dokładnie znała tę liczbę, ponieważ skrupulatnie je przeliczała. Wciąż nie mogła się przyzwyczaić do oślepiającego światła. Codziennie rano Miriam budziła ją w ten sam sposób: wchodziła do sypialni, otwierała okiennice i wpuszczała strumień płynnego światła tak ostry, że aż bolały oczy. Potem szła do turkusowej łazienki, odkręcała kurki i przygotowywała kąpiel dla Libby. W przeciwieństwie do Anglii tutaj, w Bagdadzie, z powodu upału dziewczynka musiała się kąpać każdego dnia, a czasami nawet dwa razy dziennie. Było gorąco od rana do wieczora. Kiedy wracała ze szkoły wczesnym popołudniem, szkolny fartuszek kleił się do niej, a całe ciało spływało potem. Lekcje w szkole zaczynały się o ósmej rano, a kończyły o trzynastej trzydzieści. Do szkoły miała pięć minut jazdy samochodem albo piętnaście na piechotę. Czasami ojciec podwoził ją razem z Miriam samochodem, czasami szły obie na piechotę, a wtedy opiekunka trzymała ją tak kurczowo pod rękę, że Libby obawiała się, iż odetnie jej dopływ krwi. Czuła się nieco zażenowana, bo która czternastolatka chodzi do szkoły z niańką uwieszoną u jej ramienia? Jednak Miriam zdecydowanie odmówiła chodzenia za nią w pewnej odległości.

Na początku właściwie ze sobą nie rozmawiały. Za każdym razem, gdy wychodziły za drewnianą furtkę na ulicę, dopadała je kakofonia dźwięków Bagdadu. Krzyki, dzwonki, postukiwania, klaksony, muzyka, jęk zmęczonego upałem miasta, bulgoczące odgłosy wydawane przez silniki motocykli, okrzyki *Dir balak!*, które – jak się nauczyła – oznaczały „Uważaj! Z tyłu!". Powoli niezrozumiałe dźwięki stawały się rozróżnialnymi głoskami. Z pomocą Miriam Libby zaczęła się uczyć, jak uprzejmie poprosić o to, co chciałaby kupić: *baklava, zlabia, shubbak el-habayeb*, i jak podziękować, *shukran*, sprzedawcom ulicznym, których kolorowe kramy tłoczyły się jeden przy drugim na chodnikach wzdłuż krawężników. Był to powolny, pełen momentów zwątpienia progres, ale z końcem trzeciego miesiąca mogły z Miriam prowadzić proste rozmowy, kiedy szły obok siebie w stronę rozłożystego parterowego budynku przy Arasat al-Hindiyah, gdzie mieściła się angielska szkoła, albo też wracały stamtąd z powrotem do domu.

Któregoś dnia w samym środku listopada, gdy temperatury stały się bardziej znośne i można było chodzić po mieście, nie odnosząc wrażenia, że się zaraz wyparuje albo udusi od kurzu, poszły razem do sklepiku na rogu przy Karrada Kharidge, żeby kupić *kunafę*, tradycyjne słodkie arabskie ciasto serowe. Podczas gdy Miriam targowała się o cenę, Libby wyszła przed sklep i stanęła na zakurzonym chodniku, uważając, żeby nie wdepnąć w błoto. Zaczęła się przyglądać zatłoczonej jak zwykle ulicy. Dźwięki gwarnego miasta otoczyły ją, niczym odgłosy szeleszczących na wietrze liści dawno temu w lesie. Czuła się w Bagdadzie jak w domu, tak jak niegdyś w Londynie.

Powietrze było zimne i orzeźwiające. Słońce chyliło się ku zachodowi i słoneczne zajączki zaczęły skakać po ścianach budynków. Kobiety przechodziły tuż obok, ocierając się o nią i pozostawiając za sobą smugę zapachu perfum. Jakiś mężczyzna niosący paczkę trącił ją i zepchnął ze swojej drogi. Leniwie obserwowała dwóch młodych chłopców, którzy rzucili się na chodnik, żeby podnieść upuszczony przez kogoś papieros, i zaczęli się szamotać, do kogo ma należeć.

Nagle kątem oka dostrzegła znajomą postać, która wyszła z alei naprzeciwko. Aż zamrugała oczami ze zdziwienia. To była jej matka. Ubrana w jasnoniebieską sukienkę i płócienne sandały na koturnach, w zgięciu łokcia niosła koszyk. Nie miała żadnego nakrycia głowy. Widząc to, Libby ściągnęła brwi: matka nigdy nie wychodziła z domu bez jednego ze swoich kapeluszy z miękkim, szerokim rondem.

Podekscytowana, już chciała unieść rękę, żeby jej pomachać, i nagle zamarła. Matka nie była sama. Jakiś nieznajomy mężczyzna ubrany w jasnobrązowy garnitur i czarny kapelusz szedł obok niej. Byli tak zajęci rozmową, że jej nie zauważyli. Przeszli jeszcze kilkanaście metrów i zatrzymali się przed witryną księgarni. Jej towarzysz nacisnął dzwonek, odczekał kilka sekund, a potem weszli do budynku. Mężczyzna kurtuazyjnie przepuścił matkę pierwszą. Drzwi zamknęły się za nimi.

– *Yalla* – powiedziała Miriam, pojawiając się przed nią z koszykiem pełnym zakupów. Wyglądała na bardzo z siebie zadowoloną. – Czas wracać do domu. Masz!

Odłamała kawałek i podała Libby. Dziewczyna włożyła kruche, nadziane słodkimi daktylami ciasto do ust. Nie wspomniała ani słowem o tym, co przed chwilą widziała.

Kiedy wróciły, nikogo nie było w domu. Tylko madame Abbayas zajmowała się gotowaniem. Pozwoliła im wejść do kuchni i zmyła Miriam głowę za poczęstowanie Libby słodkim ciastem jeszcze przed herbatą.

– Ale ona dała mi tylko kawałeczek – zaprotestowała poważnie Libby nieskazitelnym arabskim.

Madame Abbayas była tak zaskoczona, że wybuchnęła śmiechem.

– Słuchajcie jej! – zapiała z zachwytu. – Wkrótce zostaniesz prawdziwą Irakijką.

– Mogłaby być Irakijką – skwapliwie przytaknęła Miriam, zadowolona, że zeszła z linii ognia. – Ma prawie tak samo ciemną skórę jak ja, wie pani? Wszyscy mówią, że jesteśmy do siebie podobne.

Libby spoglądała to na jedną, to na drugą z mieszaniną dumy i przestrachu.

– *Ana binti Angleet!* – zaperzyła się. – Jestem Angielką!

Miriam i madame Abbayas się roześmiały.

– *Aiwa, aiwa!* – Madame Abbayas załagodziła sytuację i wróciła do mieszania duszących się w dużym garnku brzoskwiń, których słodki zapach unosił się w całym domu.

Libby wyszła z kuchni i była już w połowie drogi na górę, kiedy usłyszała, że drzwi wejściowe się otwierają. Na progu stała matka. Libby, całkowicie zaskoczona, zaczęła się w nią wpatrywać, bo była teraz w swoim tenisowym ubraniu: krótkiej białej spódnicy, białej koszulce i w tenisówkach. Twarz miała czerwoną ze zmęczenia i ociekającą potem, a włosy mokre i przylepione do głowy. Jak to możliwe? Nie minęła jeszcze godzina, odkąd widziała ją na mieście, ubraną jak na przyjęcie w ogrodzie. Jak udało jej się w tak krótkim czasie przyjechać do domu, przebrać się i jeszcze zagrać mecz w tenisa?

– Witaj, kochanie! – powiedziała matka i zamknęła za sobą drzwi. – Dawno wróciłaś ze szkoły?

– Nie bardzo – odrzekła zbita z tropu Libby. Popatrzyła na matkę podejrzliwie. – Gdzie byłaś?

– Grałam w tenisa z panią Ashcroft. I wiesz, co?

– Co?

– Wygrałam! Jest w domu lemoniada? Grałyśmy chyba ze dwie godziny! Myślałam, że nigdy się nie podda.

Libby nie odpowiedziała, ale poczuła, że gdzieś głęboko w środku zagnieździło się w niej ziarenko strachu. Dlaczego matka kłamała?

Kit obserwowała Libby wchodzącą po schodach. Zauważyła przelotny wyraz niedowierzania, który zagościł na twarzy córki tak wyraźnie, jakby powiedziała jej o tym na głos. Jak to możliwe? Czy została gdzieś jakimś cudem zauważona? Nie, to niemożliwe. Tak bardzo uważała. Nikt ich nie śledził – o tym była przekonana – więc skąd ta niespodziewana wrogość?

Westchnęła. Może Libby właśnie wkraczała w trudny wiek? Miała już prawie piętnaście lat, a to taki dziwny okres pomiędzy dwoma światami: już nie jest się dzieckiem, a jeszcze nie jest się dorosłym. Usłyszała, jak Libby zamyka drzwi swojej sypialni, cicho, ale dokładnie. Stała przez chwilę, przygryzając wargę, nietypowo niezdecydowana. Czy powinna pójść za nią? Co jej powiedzieć w takim wypadku? Między nimi od zawsze panowały dziwne relacje. Nigdy nie zachowywały się całkowicie swobodnie w swojej obecności. Wydawało się, że córka zawsze chciała więcej: więcej uwagi, więcej wsparcia, więcej miłości, lecz Kit nie mogła spełniać jej żądań, a przynajmniej nie w taki sposób, w jaki mała pragnęła. Kit nie mogła się pozbyć podejrzeń, że Libby coś o niej wie. Tylko jak mogłaby się dowiedzieć? Nie miała pojęcia.

Otrząsnęła się i spojrzała na zegarek. Zostało jej przynajmniej półtorej godziny do powrotu Paula, a musiała mieć chwilę spokoju dla siebie, żeby obmyślić plan działania.

Odkręciła kran, żeby silnym strumieniem zimnej wody spłukać ciało. Wzięła szybki prysznic, a potem mocno roztarła ciało orientalnym ręcznikiem *hammam*. Popatrzyła na swoje odbicie w wysokim lustrze naprzeciwko drzwi: włosy przylegające gładko do głowy, pod nosem, tam, gdzie złapało ją słońce, zaczerwieniona skóra. Wyglądała na pełną życia. Promieniowała z niej wewnętrzna energia. Mocno ją to zaskoczyło. Paul zawsze narzekał, że nawet kiedy na niego patrzyła, zdawało mu się, że jej uwaga była skupiona na czymś zupełnie innym. Próbowała otrząsnąć się z tych myśli, a przecież na swój własny, niewinny sposób mąż nie mijał się z prawdą. Jej uwaga naprawdę była skupiona na czymś innym. Zawsze tak będzie. Spotkanie dzisiejszego popołudnia tego dowodziło, a jej córka również to wiedziała. Jakim cudem?

Po drugiej stronie podestu schodów, pół piętra wyżej, Libby również stała w swojej łazience, obserwując własne odbicie. Odwróciła głowę powoli raz w jedną stronę, raz w drugą, koncentrując się na tym, jak światło pada na skórę. Twarz wydała się jej obliczem kogoś obcego, z którego życia znała przypadkiem kilka osobistych szczegółów. Oczy: jasnobrązowe, skóra: o ziemistym, żółtawym odcieniu zimą w Anglii, lecz tutaj, w pełnym słońcu, zyskała orzechowobrązową barwę. Jeszcze trochę, a ludzie uznają ją za miejscową, myślała. Choć kąciki jej ust były wygięte, mocno zacisnęła wargi. Palcem dotknęła miękkich, kręconych włosków na skroniach. Zawsze ją zadziwiały. Pozostałe włosy miała grube i falujące. Sięgały za łopatki. Jednakże włosy tuż przy szyi i wokół twarzy były inne, nieomal sprężynujące pod dotknięciem. Poza tym kilka piegów na nosie zdawało się całkowicie nie na miejscu. Podciągnęła spódnicę do góry i popatrzyła w dół na swoje nogi. Znamię, które miała od urodzenia, a które różniło ją od innych dzieci i stanowiło powód do wyśmiewania się z niej, kiedy się opaliła, stało się mniej widoczne. Zaczęła się mu przyglądać. Wyglądało jak wielka mahoniowa plama o nieregularnym kształcie, rozlana po zewnętrznej stronie jej lewego kolana. Zawsze okropnie ją to krępowało. Ostatnio polubiła nawet swoją tajemniczą łatkę, której pochodzenia nikt nie potrafił wytłumaczyć.

– Libby? – głos matki wdarł się niespodziewanie w jej rozważania. – Jesteś u siebie na górze? Przyszła Lucinda i pyta, czy nie chciałabyś pójść z nią popływać.

Libby dała sobie chwilę, żeby dojść do siebie.

– Idę! – krzyknęła i obciągnęła spódnicę.

Ściągnęła włosy jak zwykle w koński ogon, obmyła twarz zimną wodą, żeby się nieco ochłodzić, i otworzyła drzwi. Zbiegała ze schodów, stukając obcasami. Zostało jeszcze wystarczająco dużo czasu, żeby pójść z Lucindą do klubu, zanim zajdzie słońce.

Kiedy zatrzasnęła za sobą drzwi frontowe, usłyszała, że Eluned znów się rozwrzeszczała. Pozwoliła sobie na leciutki uśmieszek. No i dobrze. Niech matka ma za swoje za to, że skłamała.

CZĘŚĆ VI

UCIECZKA

1958

Kit

40

Zamalek, Kair

Zauważyła go od razu, jak tylko weszła do kawiarni. Postarzał się. Dostrzegła to natychmiast. Prawie całkiem już posiwiał, a twarz miał wychudzoną i pooraną zmarszczkami. Minęły jednak prawie dwa lata, odkąd ostatnio się widzieli – jak sobie to szybko przeliczyła w pamięci. Siedział oparty o ścianę i czytał jakąś francuską gazetę. Ukryta dyskretnie pod szklanym blatem stołu stała laska. Opuścił gazetę, kiedy Kit podchodziła, i uśmiechnął się lekko.

– *Ça va, Suzette?* – spytał, wstając z trudem i zapraszając ją do swojego stolika. A więc rozmowa będzie po francusku. – *Comment vas-tu?*

– *Très bien* – odpowiedziała i pospiesznie zasygnalizowała gestem, żeby usiadł, a sama zajęła miejsce naprzeciwko. – *Et toi?* – spytała z autentycznym niepokojem.

Zrobił smutną minę i wskazał na laskę.

– Och, jakoś sobie radzę. Czasem jest gorzej, czasem lepiej.

Pokiwała głową ze współczuciem.

– Co zamawiasz, moja droga? Może chociaż herbatę?

Dla ciekawskich obserwatorów mogli wydawać się starymi znajomymi albo na przykład wujem i jego bratanicą. Panowało pomiędzy nimi wzruszające porozumienie – aż miło było na nich patrzeć.

*

Prowadzili bardzo intensywną rozmowę prawie przez godzinę. Dwa razy podchodził do nich kelner, proponując coś do zjedzenia, lecz odmawiali. Ona wolała herbatę, on – wodę. Pili je nieomal bez przerwy. Pod koniec spotkania poczęstował ją papierosem.

– Prawdę mówiąc, nie sądziliśmy, że wyskoczy z czymś takim – powiedział cicho, podając jej ogień. – Nie doceniliśmy Nasera, choć zwykle nam się to udawało.

– A więc co właściwie miałabym robić?

– Nasze główne obawy budzi Szukri al-Kuwatli. Zwrócił się o pomoc do Amerykanów. Oczywiście mu odmówili, a nas martwi to, że zaczął się przymilać do Rosjan. Przebywa teraz w Kairze. Naser jest bliski ogłoszenia zjednoczenia Egiptu.

– Gdzie w tym wszystkim moja rola? – spytała ponownie.

– Dezinformacja. Musimy nawiązać bezpośrednią łączność z al-Kuwatlim i jego ludźmi. Nie przyniesie nic dobrego próba dotarcia do Nasera; jego poczynania zaszły zbyt daleko. Syria to zupełnie co innego.

– Czy masz kogoś konkretnego na myśli? – spytała, biorąc głęboki wdech.

– Rafik al-Dalati. Jego adiutant. Taki przynajmniej tytuł nosi oficjalnie. Młody gość. Pochodzi z bogatej rodziny z Damaszku. Jego matka jest żoną kuzyna al-Kuwatlego. To zwyczajna tutaj sieć powiązań rodzinno-politycznych. Al-Kuwatli nigdzie się nie rusza bez al-Dalatiego. Był już z nim w tym roku w Moskwie. Mamy powody przypuszczać, że on i Chruszczow są o krok od podpisania długoterminowej pożyczki od Sowietów dla Syrii, co oczywiście wszczęło alarm w Waszyngtonie. Musimy to potwierdzić... i oczywiście dowiedzieć się, jaki ma charakter ta tak zwana „pożyczka". Tyle szczegółów, ile tylko zdołasz z niego wyciągnąć.

– Gdzie go znajdę?

– Przebywa teraz w hotelu Courcy w Kairze. Mamy informacje, że będzie w nim do końca miesiąca. Musisz dostać się tam jak najszybciej.

– Jasne. – Skinęła głową. – Coś jeszcze?

– Chodzą plotki, że jest nam przychylny, ale ja w to nie wierzę. No i nie wyobrażam sobie mężczyzny, który mógłby ci się oprzeć, moja droga. No cóż, wiesz, co masz robić.

– Tak – mruknęła. – Wiem.

– Mądra dziewczynka. A teraz może byśmy coś zjedli? Obawiam się, że przepadł mi już lunch w ambasadzie, a jestem głodny jak wilk.

Kiedy lord Hamilton wreszcie poszedł, Kit posiedziała jeszcze chwilę sama, obserwując przechodniów przed kawiarnią. Mieszkańcy Kairu załatwiali właśnie swoje popołudniowe sprawy.

W końcu, punktualnie o siedemnastej, kiedy słońce się już obniżało i zaczęły się modły muezinów, wstała od stolika. Udała się z powrotem ulicą Aziza Abaza do swojego *pensione* przy Ismail Mohammed, dokładnie naprzeciwko ambasady Hiszpanii, prosto do swojego pokoju. Tu zdjęła płaszcz i kapelusz i położyła się w ubraniu na łóżku. Był marzec i w powietrzu czuć było dopiero obietnicę przyszłych upałów.

Zamknęła oczy na kilka sekund i parę razy głęboko odetchnęła. Pomiędzy jej brwiami pojawiła się głęboka zmarszczka. Usta poruszały się, jakby coś do siebie szeptała. Po pewnym czasie otworzyła oczy i spuściła nogi z łóżka. Podniosła słuchawkę telefonu stacjonarnego stojącego przy łóżku i poprosiła o połączenie z numerem w Bagdadzie.

– Halo? Halo, kochanie! To ja. Jak leci? Jak dziewczynki? Och, dobrze, dobrze. Nie, nudy jak zawsze. Cały dzień lało. A to co? No cóż, powiedz im, że też za nimi tęsknię. Tak, oczywiście, że tak zrobię. Ja też.

Odłożyła słuchawkę i siedziała przez dłuższą chwilę nieruchomo, z kamienną twarzą. Potem wstała i poszła do łazienki, zrzucając z siebie po drodze wszystkie ubrania. Wzięła szybki prysznic, owinęła mokre włosy ręcznikiem i wróciła z powrotem do pokoju. Walizka leżała na podłodze. Wciągnęła ją na łóżko i rozsunęła suwak. Jej jedyna biała, jedwabna wieczorowa suknia była owinięta delikatną bibułką. Wyjęła ją i położyła ostrożnie na łóżku.

Usiadła przed toaletką i zrobiła bardzo dokładnie makijaż, a wykończyła go swoim znakiem firmowym: czerwoną szminką. Rozczesała grzebieniem wilgotne włosy, wstała i podeszła do łóżka. Wciągnęła sukienkę przez głowę i poczuła, jak miękko ześlizguje się po ciele aż po samą podłogę. Fałdy falowały zmysłowo wokół kostek, kiedy się poruszała. Wyjęła z walizki szpilki i założyła je na stopy. Była prawie gotowa. Zostało jej tylko jedno do zrobienia. Weszła do łazienki, otworzyła kosmetyczkę leżącą na umywalce i wyciągnęła z niej mały gumowy krążek. Postawiła jedną stopę na desce sedesowej, uniosła fałdy sukni i wprawną ręką umieściła krążek głęboko w środku. Umyła ręce, wzięła wieczorową torebkę i wyszła z łazienki.

Młody boy hotelowy, który wnosił walizki do pokoju obok, usłyszał, że przechodząca korytarzem kobieta gwiżdże cicho jakąś melodię. Nie potrafił jej rozpoznać. Coś wpadającego w ucho, coś zagranicznego... Jazz? Czy nie tak nazywają ten rodzaj muzyki Amerykanie?

41

Podjechała taksówką pod hotel Courcy w centrum Kairu. W latach dwudziestych i trzydziestych dwudziestego wieku był to klub oficerów kolonialnych, niedostępny dla Egipcjan, o ile nie zostali tam zaproszeni. Zmieniło się to dopiero po rewolucji z dwudziestego trzeciego lipca. Restauracja hotelowa przy wejściu frontowym od strony ulicy zachowała wciąż elegancką werandę z ciężkimi aksamitnymi, złocistymi zasłonami, które zaciągano wieczorami, żeby odizolować gości od zgiełku i gwaru ulicy Lazoghli Boulevard. Restaurację odwiedzali głównie Egipcjanie z wyższych klas społecznych, personel ambasad oraz wyżsi rangą członkowie elitarnej zbrojnej straży przybocznej Nasera.

– Dobry wieczór, madame. – Portier w liberii skłonił się prawie do ziemi wchodzącej do środka Kit. – Czy będzie pani dzisiaj gościem naszej restauracji?

– Tak – odrzekła z cierpkim uśmiechem. – Mój mąż jest już przy barze. Czy byłby pan uprzejmy poinformować go, że czekam na werandzie? Nazywa się major Forbes. Major Colin Forbes.

– Oczywiście, madame! – Pstryknął palcami uniesionej ręki i natychmiast pojawił się młodszy portier, któremu przekazał prośbę. Chłopak od razu pobiegł z powrotem.

Kit została odprowadzona na werandę. Wybrała stolik na uboczu, usadowiła się na wygodnym wiklinowym fotelu i zamówiła drinka. Wyjęła paczkę papierosów z torebki, a oczekujący obok na zamówienie kelner natychmiast podał jej ogień. Odchyliła się na oparcie i zaczęła obserwować otoczenie. Zapadał wczesny wieczór. Zmrok dopiero nadciągał, rozjarzyły się migoczące światła miasta. Rozwiała się ciepła wieczorna bryza, kołysząc liśćmi palm. Na werandę dobiegała z wnętrza restauracji leniwie sącząca się muzyka. Co chwila słychać było postukiwanie kostek lodu o szklanki i cichy syk bąbelków toniku oraz gardłowy, niski śmiech kobiet, niosący się po werandzie.

Nagle ni stąd, ni zowąd pod półprzymkniętymi powiekami Kit pojawił się obraz Lily, siedzącej obok Hansa-Georga w jadalni jej nowego domu w Niemczech. Siostra miała włosy sczesane gładko na jedną stronę głowy, a nad uchem wpiętą różę. Cała promieniała, pławiąc się w blasku uwagi, którą budziła wśród mężczyzn obecnych przy stole, prowadzących rozmowy o sprawach całkowicie jej obojętnych: o wojnie, o Hitlerze, o zbliżającej się nieuchronnie porażce Anglii – co oczywiście nigdy nie nastąpiło. Kit siedziała naprzeciwko Lily i usiłowała nadążać za tokiem rozmów, by pojąć prawdziwy przekaz wieczoru, gdy nieoczekiwanie złapała spojrzenie siostry.

Popatrz na mnie! – zdawała się mówić. – Popatrz tylko na mnie, znajdującą się w samym centrum wszystkiego! Kit pamiętała dokładnie swoje zaskoczenie tym odkryciem. Czy tego zawsze szukała starsza siostra? Czy zawsze chciała być w samym środku wydarzeń: ważnych, wstrząsających światem wydarzeń, zamiast stać na uboczu jak dziewczęta z jej sfery w tamtych czasach? Czy tylko dlatego poślubiła Hansa-Georga?

Teraz ta prześladująca ją myśl powróciła. Czy to możliwe, że każda z nich na swój całkowicie odmienny sposób szukała w życiu tego samego?

– Kochanie! – Nad jej głową rozległ się męski głos. Podniosła wzrok, wciąż jeszcze pod wrażeniem wspomnienia z przeszłości. Stał przed nią wysoki, ciemnowłosy mężczyzna w smokingu. Pochylił się, żeby cmoknąć ją w policzek. – Jak długo czekasz? – spytał z troską.

– Niedługo. Najwyżej kilka minut. – Pozbierała się niemal natychmiast.

– Co pijesz? – spytał i usiadł naprzeciwko.

– Gin z tonikiem. – Pochyliła się ku niemu i szepnęła: – Jest tutaj?

– Po lewej stronie baru. Na pewno go nie przegapisz. Jest w mundurze. Ciemne włosy. Zielone oczy. – Dopił swojego drinka i wstał od stołu, po czym pomógł jej podnieść się z fotela, ujmując ją za rękę. – Wejdźmy do środka. Wyglądasz urzekająco, tak na marginesie.

– Dziękuję, kochanie – mruknęła, wstając.

Położył jej dłoń władczym gestem na plecach nieco poniżej pasa. Ruszyli przed siebie przez salę do tańca, pośród krążących po parkiecie par, aż weszli do sali restauracyjnej. Kelner, ubrany na biało, przepasany wspaniałą czerwoną szarfą, w czerwonym fezie na głowie, robił wokół nich mnóstwo zamieszania, prowadząc ich do stolika i zapewniając co chwila, że wszystko jest „jak trzeba". Z równym zaangażowaniem przyjął od nich zamówienia na drinki.

– Jak masz na imię? – spytał mężczyzna, kiedy kelner wreszcie ich zostawił.

– Susan. A ty? Colin to nie jest twoje prawdziwe imię, jak sądzę?

– Nie. Oczywiście, że nie. – Wyszczerzył zęby w uśmiechu. – Ale na teraz wystarczy. Wypatrzyłaś go już?

Kit skinęła głową. Mężczyzna, o którym mówił Colin, siedział samotnie przy stoliku kilka kroków od nich, tak że mógł dokładnie słyszeć ich rozmowę, gdyby zaczęli mówić podniesionymi głosami.

– Doskonale. Za pięć minut zaczniemy sprzeczkę. Wstań w trakcie i przejdź obok jego stolika. Resztę już znasz.

Ponownie skinęła głową.

Kelner przyniósł im drinki. Swojego nie tknęła. Miała tylko kilka minut na wykonanie zadania i musiała zachować całkowicie trzeźwy umysł. Wyszła już nieco z wprawy. Tak też powiedziała lordowi Hamiltonowi. Od razu wszystko sobie przypomnisz – orzekł on optymistycznie. – Zawsze tak się dzieje. Jak z jazdą na rowerze. Tego się nie zapomina.

– Nie chcę słyszeć ani słowa więcej! – Wstała gwałtownie, aż nogi krzesła szurnęły głośno o podłogę. Głos podniosła idealnie. Kilku gości przy najbliższych stolikach zwróciło ze zdziwieniem głowy w ich stronę.

– Siadaj, Susan! Usiądź, proszę! – syknął ze złością, najwidoczniej zażenowany zaistniałą sytuacją. – Na litość boską! Przestań robić takie zamieszanie!

– Nie mów mi, co mam robić! Jak śmiesz!

– Susan! Zachowuj się rozsądnie! Powiedziałem tylko, że...

– Ja wcale nie żartuję! Dość mam tego! – Spojrzała na niego ze złością. – Odchodzę i żebyś się nie ważył iść za mną! Wracaj prosto do niej! Wiem, że o niczym innym nie marzysz!

Złapała swoją torebkę ze stołu i odwróciła się na pięcie. Miękkie fałdy długiej białej sukni aż zafurkotały wokół jej nóg. Oczy wszystkich były zwrócone na nią, kiedy prawie wybiegła z sali restauracyjnej. Jego również.

*

– Pani pozwoli! – Z ciemności przemówił do niej męski głos. Stał przed nią z zapalniczką płonącą niewielkim, równym niebieskawym płomykiem.

– Dzięki – powiedziała cicho, pochylając się nad zapalniczką. Jej biust napiął się w mocno wyciętym dekolcie obcisłego gorsetu sukni. Wyprostowała się i odchyliła głowę do tyłu, spoglądając na niego przez biały obłok dymu z papierosa.

– Wszystko w porządku? – spytał głębokim, dziwnie angielsko brzmiącym głosem.

Spłonęła rumieńcem.

– Czy aż tak rzucałam się w oczy? Bardzo przepraszam! Posprzeczaliśmy się.

– Zdarza się.

– Zbyt często, do cholery – zaklęła z goryczą. – Przepraszam. Nie powinnam tak się wyrażać.

Zawahał się.

– Czy mógłbym postawić pani drinka?

Był wysoki, bardzo mocno opalony, o lśniącej, oliwkowej skórze i hipnotyzującym spojrzeniu zielonych oczu. Po insygniach na mundurze zorientowała się, że to *moqqadim*, czyli podpułkownik.

– Dziękuję, byłoby miło – odrzekła. – Mam na imię Susan, tak na marginesie. – Wyciągnęła do niego rękę.

– Rafik. – Ujął jej dłoń i uniósł do ust. – A co z twoim mężem? – Wskazał na restaurację.

– On? Poszedł sobie – odpowiedziała szybko, wzruszając ramionami. – I pewnie nie wróci, a przynajmniej nie dzisiaj wieczorem.

Nastała krótka chwila milczenia. On pierwszy ją przerwał.

– Ach, no cóż, w takim razie czy pozwolisz, że będę ci towarzyszył dziś wieczorem? – Odsunął krzesło naprzeciwko niej i usiadł. Pstryknął palcami uniesionej ręki i kelner znalazł się natychmiast przy ich stoliku.

Zamówili drinki i talerz oliwek. A migdały? Czy ona lubi

migdały prażone w miodzie? A cebulki perłowe marynowane w occie winnym? Chleb? Nie dało się nie zauważyć, że nie zdążyła niczego zamówić przed sprzeczką. Koniecznie musi spróbować oliwek.

– A więc... Ile już czasu jesteś w Kairze, Susan? – spytał uprzejmie.

– Wcale nie tak długo. Colin siedzi tu od sześciu miesięcy, a ja przyjechałam zupełnie niedawno.

– Jesteś tu po raz pierwszy? Podoba ci się tutaj?

– Tak, ale prawdę mówiąc, samego Kairu jeszcze nie widziałam. – Rzuciła mu krótkie spojrzenie i uśmiechnęła się onieśmielona. – Colin jest zawsze taki... zajęty – zamilkła, żeby podkreślić znaczenie tego faktu. – Zawsze marzyłam, żeby zobaczyć Egipt. Prawdziwy Egipt. Nie taki. – Tu powiodła wzrokiem po eleganckim wnętrzu hotelu i jego najbliższym otoczeniu.

Uśmiechnął się lekko ze zrozumieniem.

– Czym zajmuje się twój mąż?

– Colin? Och, pracuje w ambasadzie. Jest prawą ręką attaché wojskowego, lecz nie to zabiera mu większość czasu – znów zrobiła delikatną pauzę. – Boże! Ja... sama nie wiem, po co ci mówię o wszystkim. Strasznie przepraszam. To nie twoja sprawa. – Szybko otarła kąciki oczu. – Jestem taka niemądra, wiem. Wszyscy mężczyźni tak robią. Moja matka ciągle mi to powtarza. Nie sądziłam tylko, że to tak szybko się wydarzy, i tyle. Nie minął nawet rok, odkąd jesteśmy małżeństwem.

Przyglądał się jej dłuższą chwilę, rozważając coś w myślach.

– Obawiam się, że w tej akurat kwestii nie pomogę, ale mogę zaoferować coś innego.

Wpatrzyła się w niego, robiąc wielkie oczy ze zdumienia.

– Co masz na myśli? – spytała, zniżając głos prawie do szeptu.

– „Prawdziwy" Egipt, jak to ty go nazwałaś. Pozwól, że zostanę twoim przewodnikiem. Oczywiście jeśli pozwoli twój mąż.

Milczała wystarczająco długo, żeby mu zasygnalizować, że zrozumiała tę propozycję zgodnie z jego intencjami.

– Byłoby cudownie! – odrzekła bez tchu. – Nie, on na pewno nie będzie miał nic przeciwko. Sądzę, że nawet nie zauważy, że gdzieś pojechałam. Dziękuję ci, Rafik. To niezwykle uprzejme z twojej strony.

Teraz nadeszła jego kolej, żeby zamilknąć. W ten sposób pokazał jej, że wszystko rozumie.

– A więc postanowione. Mój kierowca podjedzie po ciebie jutro rano około dziesiątej. Gdzie się zatrzymałaś?

– W hotelu Windsor. Znasz go? Colin mieszka w kwaterze dla samotnych mężczyzn przy ambasadzie. Dopiero przygotowują dla nas dom. Muszę przyznać, że dziwnie jest mieszkać w hotelu... ale w zasadzie mi się podoba. Obsługa jest fantastyczna. Bardzo dyskretna.

Uśmiechnął się kącikami ust. Tak. Doskonale się oboje rozumieli.

– Owszem. Znam Windsor. No cóż, Susan. Z niecierpliwością będę wyczekiwał jutra. – Wstał, ucałował jej dłoń na pożegnanie i szybko opuścił werandę.

Pozostała jeszcze przez pewien czas na swoim miejscu. Dopaliła do końca papierosa, obserwując unoszące się spiralnie do góry kłęby dymu. Potem przywołała portiera i poleciła mu, żeby zamówił dla niej taksówkę. Dla tych niewielu gości restauracji, którzy byli świadkami kłótni, pozostała piękną, acz osamotnioną nieznajomą. Po prostu kolejna żona pracującego tu od dłuższego czasu Europejczyka, która odkrywa, jak ciężko utrzymać małżeństwo w nienaruszonym stanie pod upalnym niebem Lewantu.

Jego kierowca podjechał po nią punktualnie o dziesiątej. Samochód – długi srebrny buick – stał zaparkowany naprzeciwko wejścia z włączonym silnikiem. Portier odprowadził ją troskliwie pod parasolem do samego auta. Kiedy już była blisko, kierowca wyskoczył i otworzył jej drzwi samochodu. Ubrała się w białą letnią sukienkę z angielskiej koronki, sięgającą ledwo za kolano, z krótkimi, lekko bufiastymi rękawkami i głęboko wyciętym dekoltem w karo. Do tego założyła białe sandałki na koturnie, pojedynczy sznur pereł i słomiany kapelusz z szerokim, miękko opadającym rondem. Dla przechodniów stanowiła uosobienie angielskiego piękna i wdzięku kobiety z wyższych sfer.

Kierowca pospieszył na swoje miejsce i wytłumaczył jej łamaną angielszczyzną, że podjadą teraz pod biuro jego szefa i zabiorą go stamtąd.

– Pięć minuta – obiecał, zawracając szerokim łukiem. – Długo nie.

Uśmiechnęła się do niego pięknie, aby pokazać mu, że nie budzi to w niej żadnych obaw, i odwróciła się w stronę okna. Kiedy przejechali na drugą stronę Nilu i minęli bogato zdobiony budynek opery, eleganckie, francuskie miasto kolonialne ustąpiło miejsca współczesnej zabudowie Kairu: jedna zakurzona ulica za drugą, jednakowe pudła bloków mieszkalnych, brudne, odrapane blokowiska bez żadnych cech szczególnych. Tu po ulicach przemieszczało się równie dużo samochodów, co pieszych i osiołków.

Zauważyła, że zmierzają w stronę Uniwersytetu Kairskiego. Kierowca skręcił w Sudan Street i zatrzymał się przed pudełkowatym, nijakim budynkiem. Umundurowany strażnik stanął na baczność, zasalutował i podniósł szlaban. Podjechali pod boczne wejście i tam kierowca wyłączył silnik. Lekkie uczucie niepokoju podpełzło jej pod gardło. Dlaczego zatrzymali się akurat tutaj?

– Główny biuro – szybko powiedział kierowca, wyczuwając jej niepokój. – Czekać tutaj.

– Och, tak, tak, oczywiście. – Spróbowała się uśmiechnąć uspokajająco.

Nagle dostrzegła go wychodzącego z budynku przez boczne drzwi. Był z dwoma innymi oficerami. Popatrzył na samochód i machnął ręką. Jeden z mężczyzn zaczął się wpatrywać w auto i najwyraźniej zauważył ją na tylnym siedzeniu. Zamienili ze sobą kilka słów, po czym Rafik zostawił ich i ruszył w jej stronę. Kierowca natychmiast wyskoczył z auta i otworzył przed nim drzwi.

Kiedy wsiadł, poczuła przyjemny cytrynowy zapach jego wody po goleniu.

– *Marhaba* – rzekł z leniwym uśmieszkiem. – Nie byłem pewien, czy przyjedziesz.

– Dlaczego miałabym nie przyjechać? – spytała szczerze. Zdjęła kapelusz i położyła na siedzeniu pomiędzy nimi. Zerknął na niego przelotnie, rozważając jej ruch.

– Będziesz go potrzebować – zauważył, gdy kierowca skręcił w główną ulicę. – Dzisiaj ma być upalny dzień. – Zastukał w szybę dzielącą go od kierowcy i rzucił szybkim, szczekliwym głosem jakąś komendę w języku arabskim, a potem znów zwrócił się do niej. – Jak długo, mówiłaś, jesteś już tutaj? Zdążyłaś złapać trochę arabskiego?

– Ani słowa, obawiam się – stwierdziła radośnie. – Jestem całkowitym antytalentem co do języków. Moja biedna mama! Przez całe dzieciństwo miałam francuską guwernantkę, ale nie zapamiętałam nic ponad *bonjour*, niestety. Natomiast twój angielski jest naprawdę perfekcyjny.

– To miłe z twojej strony, ale nie jest to prawda. Wcale nie jest perfekcyjny. Spędziłem kilka miesięcy w wyższej szkole oficerskiej wojsk brytyjskich w Sandhurst.

– No cóż, jak dla mnie brzmi perfekcyjnie – odrzekła poważnie.

Szybko zdała sobie sprawę, że zaczął ją sprawdzać. Niewinne pytania... Pewnie nikt inny by się nie zorientował, ale ona i owszem. „Jak długo, mówiłaś, jesteś już tutaj?". Czy ją podejrzewał? Zrobiło jej się nieswojo, kiedy zaczęła się nad tym zastanawiać.

– Czy twój mąż również ukończył Sandhurst?

– Nie, uchowaj Boże! Skąd! Przyjechał tu prosto po studiach uniwersyteckich. Mówiąc między nami, jest z wykształcenia lingwistą. Studiował arabistykę w Cambridge. Ale... posłuchaj, czy nie miałbyś nic przeciwko, żebyśmy nie rozmawiali o Colinie? Tak bardzo chciałabym spędzić przyjemnie ten dzień. Razem z tobą.

– Oczywiście – powiedział bez zająknienia. – Poprosiłem kierowcę, żeby zawiózł nas najpierw pod piramidy. Stamtąd powinna się zaczynać każda wycieczka po Kairze.

– Absolutnie fantastycznie! Ale skoro zaczynamy od piramid, to gdzie skończymy? – spytała, zwracając lekko kolana w jego stronę, tak że delikatnie zetknęły się z jego kolanem. Poczuła, że cały zesztywniał. Odsunęła się, ale tak wolno, żeby nie wzbudzić w nim żadnych podejrzeń, i zaczęła wyglądać przez okno.

Okazał się twardszym orzechem do zgryzienia, niż przypuszczała. Może lord Hamilton miał rację? Może on jednak nie interesował się kobietami? Czuła przez skórę, że jednak nie miał racji. Spędziła trochę czasu wśród homoseksualnych mężczyzn i umiała odczytywać pewne znaki, a u Rafika tych znaków nie zauważyła. Nie, ta jego przesadna ostrożność musiała wynikać z czegoś zupełnie innego. Znów poczuła przelotne, nieprzyjemne ukłucie strachu.

Jechali na południe, w stronę Gizy. Udawała, że podziwia miasto pojawiające się we fragmentach, a to po jednej, a to po drugiej stronie imponującej autostrady.

– Wszystko jest takie nowoczesne – powiedziała, pokazując na modernistyczne budowle, które ukazały się przelotnie ich oczom po lewej stronie i po chwili zostały z tyłu.

– A czego oczekiwałaś? Nędzy i brudu? – spytał uprzejmie.

– Nie, wcale nie – odparła pospiesznie. – Są bardzo piękne, muszę przyznać.

Odwrócił się i spojrzał na nią.

– A czego nie musisz przyznawać?

Momentalnie wytrącił ją z równowagi. Znów to samo. Próbował wysondować coś z jej słów i gestów. Postanowiła zbagatelizować jego pytanie.

– Och, to może głupie, wiem, ale wciąż mam przed oczami filmy takie jak *Lawrence z Arabii*. Wiesz pewnie: wąskie, kręte uliczki, sprzedawcy dywanów, zatłoczone bazary... Oczekiwałam czegoś w rodzaju starego Kairu, jak sądzę.

– No, pełno tego tutaj, jeśli to właśnie chcesz zobaczyć – rzucił lekceważąco. – Możesz sobie pójść do Kasr Al Ainy, tu niedaleko, tuż za twoim hotelem. Wszędzie zobaczysz Lawrence'ów z Arabii. – Jego głos nieoczekiwanie nabrał goryczy. Najwyraźniej poruszyła czułą strunę.

Dotknęła lekko jego dłoni.

– Nie to miałam na myśli – powiedziała cicho.

– Przepraszam! – Tym razem nie zrobił żadnego ruchu, żeby uniknąć jej dotyku. – Zachowałem się nie fair.

– Dlaczego tak mówisz? – zdziwiła się, znów zwracając kolana w jego stronę.

Spojrzał w dół na jej dłoń, bladą i szczupłą w porównaniu z jego ręką. Obrączka rozbłysła złośliwie w promieniach słońca.

– Czy cały Egipt to muzeum? – spytał, a potem wysunął swoją rękę spod jej dłoni i odwrócił jej dłoń wnętrzem do góry. Przeciągnął palcem wzdłuż jej kciuka. Poczuła przebiegający przez całe ciało dreszcz. – Czy nigdy nie będzie nam dane uwolnić się od przeszłości?

Pokręciła w milczeniu głową, nie mając pewności, jak powinna zareagować.

– Tak wolałabyś nas widzieć? – drążył, przeciągając palcem wzdłuż jej dłoni. – Mam rację?

Znów pokręciła głową. Walczyła z przemożną chęcią wyrwania swojej dłoni z jego. Czuła, że całe jej ramię płonie. Potem, równie nagle jak zaczął, przestał i puścił jej rękę.

– Przepraszam! – powiedział ponownie. – Wybacz mi.

– Co miałabym ci wybaczyć?

Pogrywał z nią, z czego z wolna zaczęła sobie zdawać sprawę. Z niepokojem spostrzegła, że nie miała wszystkiego pod kontrolą, tak jak zamierzała. Jego powściągliwość w mowie nie miała nic wspólnego z jej wcześniejszymi podejrzeniami czy wskazówkami lorda Hamiltona. Wręcz przeciwnie. Tuż pod skórą mężczyzny kryły się niewyczerpane pokłady energii seksualnej, które w każdej chwili groziły wybuchem. Poczuła to już niejeden raz. Teraz zdała sobie sprawę, dlaczego się tego obawiała. Przypominały jej kogoś innego...

– Czy spotkamy się jeszcze?

Kierowca podjechał zgrabnie pod wejście hotelu Windsor. Czekał na sygnał od Rafika, żeby wyskoczyć z auta i otworzyć drzwi.

Patrzyła na niego w mroku panującym we wnętrzu auta. Dochodziła osiemnasta. Zachodzące słońce rzucało długie cienie na ziemię. „Stwórz pewien dystans pomiędzy wami".

– Spędziłam dzisiaj cudowny dzień – powiedziała powoli. – Naprawdę. Nigdy nie będę w stanie się odwdzięczyć...

– Proszę. Ja po prostu muszę.

– Ja... – Wzięła głęboki wdech. – Ja... Sama nie wiem. Nie sądzę, żeby...

Położył dłoń na jej ramieniu. Aż podskoczyła pod tym dotykiem.

– To nie sądź – uciął krótko. – Po prostu powiedz „tak".

Nerwowo przełknęła ślinę.

– Kiedy? – Nie była w stanie myśleć jasno.

– W sobotę. Przyślę po ciebie kierowcę.

Nawet nie wspomniał o jej mężu.

– Może... – Podniosła na niego wzrok. – Może powiem mu, że jadę odwiedzić przyjaciółkę... – zaczęła z wahaniem. – Moja przyjaciółka z dawnych lat mieszka w Aleksandrii. M-mogę mu powiedzieć, że zostanę u niej na noc.

Machnął niecierpliwie ręką na jej małżeńskie rozterki. To twoja sprawa, zapewne pomyślał.

Spojrzał na nią i powtórzył:

– Sobota. Będę czekał.

42

– Co chcesz przez to powiedzieć? – W głosie lorda Hamiltona usłyszała szorstkość, której nigdy wcześniej nie było.

– Sądzę, że... – Przełknęła nerwowo ślinę. – ...że on coś podejrzewa.

– Rozumiem – stwierdził i czekał.

– Mam takie przeczucie. Nie potrafię tego racjonalnie wyjaśnić...

– To zupełnie nie w twoim stylu, Katherine. Przydzieliłem to zadanie tobie, ponieważ jesteś jedną z niewielu agentek, która nie polega wyłącznie na własnym instynkcie. Zawsze opierałaś swoje działania na faktach.

– Nie o to chodzi... – zaczęła niepewnie.

– W takim razie o co? Czy interesują go mężczyźni? Czy to w tym leży problem?

– Nie. Nic z tych rzeczy. Nic podobnego. Pewnie tylko mi się wydaje... – zakończyła niezbyt przekonująco.

– Czy chcesz, żebym powierzył komuś innemu to zadanie?

– Nie. Oczywiście, że nie. Czuję tylko... Czułam tylko dziwny niepokój, to wszystko.

– No cóż, Katherine, może mi coś umknęło, chociaż właściwie do tej pory nie udało ci się zakomunikować mi, w czym leży źródło twojego niepokoju. Jeśli jest coś konkretnego, czego mogłabyś się obawiać, powiedz mi to, proszę, właśnie teraz. Jeżeli nie, sugeruję, żebyś jednak powalczyła z tym uczuciem. Nie masz zbyt wiele czasu.

Zebrała się w sobie. To nie była odpowiednia pora na odstawianie fuszerek.

– Przepraszam, lordzie. Sama nie wiem, co się ze mną dzieje. Ja... Ja natychmiast nawiążę z nim kontakt.

– Zrób to.

Połączenie zostało zakończone.

Stała ze słuchawką telefonu w dłoni, czując się wyjątkowo niezręcznie. Był czwartek. Do soboty pozostały jeszcze całe dwa dni, a w przyszłym tygodniu powinna zostać przerzucona z powrotem do Bagdadu. Lord Hamilton miał rację: pozostało bardzo niewiele czasu.

43

Światło z zewnątrz wpadało do środka przez ażurowe okiennice, rzucając na jej skórę ciemne cienie. Nad dachami miasta popłynęło wezwanie do modlitwy: *Allahu akbar. Ash hadu an la ilaha ill Allah*. Znała te słowa na pamięć, ale pilnowała się, żeby nie mamrotać ich pod nosem.

Rafik spał głęboko jak dziecko, z jedną ręką odrzuconą na bok, drugą spoczywającą bezwładnie na brzuchu. Poruszyła się ostrożnie, starając się go nie obudzić, i sięgnęła ręką po zegarek leżący na szafce przy łóżku. Dochodziła osiemnasta. Była cała obolała.

– Dokąd się wybierasz?

Odwróciła się zdziwiona. Sądziła, że śpi jak zabity.

– Donikąd – szepnęła. – Sprawdzałam, która godzina.

– Po co? Myślałem, że nie musisz dzisiaj wracać do domu.

– N-nie muszę – odpowiedziała szybko, starając się nie okazywać nerwowości. – Zastanawiałam się tylko, która godzina.

– Chodź tu do mnie. – Poklepał puste miejsce obok siebie, wciąż wilgotne od jej potu.

Przysunęła się znów do niego, starając się nie patrzeć mu w oczy. Właśnie poznała jego ciało: jego mocno opaloną, szorstką skórę, gęste, ciemne włosy, które okrywały jego klatkę piersiową jak futro, jego dłonie o twardej, zrogowaciałej skórze, dłonie żołnierza. Miał złamany obojczyk po upadku z konia, jak jej powiedział, i oparzoną od góry do dołu jedną rękę ze skórą pomarszczoną i czerwoną. Te blizny i okaleczenia świadczyły jedynie o niezmierzonej sile ciała, które dążyło do przekraczania granic własnych możliwości. Kiedy uniósł rękę, żeby osłonić oczy przed światłem, i ujrzała bladą skórę, nietkniętą przez słońce, aż wstrzymała oddech. Nie była przygotowana na widok skóry tak delikatnej i białej, nieomal jak u kobiety. Żeby skryć zmieszanie, zwróciła oczy na jego klatkę piersiową. Całym jej ciałem wstrząsnął podstępny, słodki dreszcz oczekiwania na erotyczną rozkosz. Wyciągnął rękę i pogłaskał jej policzek, przeciągając po nim leciutko opuszkami palców. Te mięśnie zareagowały automatycznie: zadrżały pod jego dotykiem. Przestał na chwilę, dopóki się nie uspokoiła, a potem znienacka nakreślił linię w dół, aż po samo dno brzucha. Westchnęła, kiedy zanurzył głęboko w niej swój palec. Jęknęła i naparła mocniej, a całe ciało błagało o więcej, lecz przytrzymał ją drugą ręką. Miał nad nią całkowitą kontrolę. Drażnił ją palcem w środku, potem wysunął go powoli tylko po to, żeby lekko przemknąć po nabrzmiałym pączku rozkoszy, i znów wsunął go do środka. Przez cały czas wpatrywał się w nią z takim skupieniem, że musiała zamknąć oczy na wypadek, gdyby dostrzegł w nich coś, co powinna raczej przed nim ukryć. Czuła, jak całe jego ciało się napina – nie tylko penis, pozostający wciąż w stanie niesamowitej erekcji, lecz dosłownie wszystko: szyja, palce, usta... wszystko nabrzmiałe żądzą. Nigdy nie doświadczyła czegoś podobnego.

Nawoływania do modłów się skończyły, niepostrzeżenie nadeszła noc, a on wciąż jeszcze jej nie posiadł. Jego palec wciąż poruszał się w tym samym rytmie, głaszcząc, muskając, pieszcząc ją... aż do chwili, kiedy nie mogła dłużej tego znieść. Błyskawicznie odtrąciła jego rękę na bok i jednym ruchem, który zdumiał ich oboje, dosiadła go, pochłaniając całą jego męskość. On wyszedł naprzeciw jej pragnieniu, eksplodując w niej z pomrukiem, który wyrwał się z jego gardła i rozbrzmiewał echem jeszcze długo, kiedy leżeli wyczerpani i spełnieni obok siebie.

44

W łazience panowała taka cisza, że słyszała swój oddech. Usiadła na podłodze, owinięta luźno ręcznikiem w pasie, z głową wspartą na rękach. Stała pod prysznicem tak długo, że cała jej skóra się zmarszczyła. Palcami wyczuła inne strumienie wilgoci, które moczyły jej policzki i skapywały na gołe kolana. Wierzchem dłoni otarła ze zniecierpliwieniem nos i policzki. Przypomniały jej się urywki rozmów, które prowadzili wczesnym rankiem.

– Nie masz na imię Susan, prawda?

– Skąd wiesz?

Za wolno reagowała. A więc wiedział... Po chwili poczuła, jak się zaśmiał prosto w jej kark.

– A więc kim jesteś?

Nie odpowiedziała.

Jego głos w ciemnościach zdawał się wydobywać wprost z jego piersi. Znów się kochali i w ten sposób odpowiedziała mu bez słów, których nie umiała sformułować. On wiedział. Wiedział i wcale się tym nie przejmował, myślała. Położyło to kres jakimkolwiek kombinacjom, żeby popchnąć go do zrobienia czegokolwiek więcej.

Rozmyślania przerwał jej jakiś zduszony odgłos. Dopiero po chwili zorientowała się, że ten dźwięk wydaje ona sama. Kolana bezwładnie opadły jej w dół. Siedziała teraz z nogami wyciągniętymi przed siebie, jak szmaciana lalka z lat dziecinnych. Zaczęła najpierw szlochać po cichu, potem zaś coraz głośniej, aż w końcu ochrypła od zawodzenia. Dłońmi zaciśniętymi w pięści okładała swoje uda, brzuch, głowę. Nie płakała tak strasznie od lat... a może nawet nigdy. Płakała dotąd, aż nie zostało w niej ani jednej łzy, ani kropli śliny w ustach. Czas mijał, ale czy siedziała tak pięć minut, czy pięć godzin, tego nie wiedziała.

Kiedy poczuła się całkowicie wyczerpana, przewróciła się na bok, dotykając policzkiem zimnych kafelków podłogi. Leżała bez ruchu, czekając, aż jej serce wróci do normalnego rytmu, zmuszając się, żeby o niczym nie myśleć. Przez siedemnaście lat ani razu nie wymówiła jego imienia na głos, nawet cicho szepcząc do siebie samej. Nagle jej język, ciało i serce całe przepełniły się jego imieniem.

Zasunęła suwak walizki i zdjęła ją z łóżka. Rozejrzała się po pokoju hotelowym. Nie pozostało nic, co wskazywałoby, że ktokolwiek tu przebywał. Pochyliła się, żeby podnieść kawałek nitki z podłogi.

Ktoś dyskretnie zapukał do drzwi. Natychmiast podeszła i otworzyła je na oścież. Na progu stał boy hotelowy.

– Te dwie – powiedziała płynnym arabskim, wskazując na walizkę i torbę podróżną obok łóżka.

– Tak jest, madame! – odparł i pospiesznie wszedł do środka. Wyszli żwawo i zjechali windą na parter. – Taksówka dla pani czeka przed hotelem. Tędy, proszę... tak, to tamta.

Portier zaczął skakać wokół niej: „Proszę uważać na schodek!", a potem pstryknął palcami na taksówkę, która podjechała pod sam krawężnik. Otworzono bagażnik, umieszczono tam walizki, ona dała napiwek, drzwi się zatrzasnęły.

– Dokąd, madame? – spytał taksówkarz, kiedy włączyli się do ruchu.

– Na lotnisko.

Pozostała jej tylko ucieczka.

CZĘŚĆ VII

REWOLUCJA

1958–1959

Libby / Kit

45

Londyn, lipiec 1958

Obudził ich brzęczący, pełen napięcia głos spikera radia BBC. Małe tranzystorowe radio Paula stało na szafce przy łóżku.

– Grupa wojskowych dokonała w Iraku zamachu stanu i obaliła monarchię. Radio Bagdad podało tego ranka, że wojsko uwolniło mieszkańców Iraku od dominacji skorumpowanej grupy ludzi, która doszła do władzy dzięki siłom imperialistycznym.

– A to co znowu? – wymamrotał Paul, unosząc rękę, żeby osłonić oczy przed promieniami wschodzącego słońca.

– Coś tam wydarzyło się w Bagdadzie – wyjaśniła najspokojniej, jak mogła. Serce waliło jej jak młotem. – Jakiś przewrót czy coś.

– Co takiego?! – Paul usiadł natychmiast na łóżku i nastawił radio głośniej. Głos spikera wypełnił niewielką sypialnię.

– Zgodnie ze słowami generała-majora Abd al-Karima Kasima, nowego premiera Iraku, ministra obrony i dowódcy sił zbrojnych, Irak zostanie republiką, która będzie zacieśniać stosunki dyplomatyczne z innymi krajami arabskimi. Mówi się, że około dwunastu tysięcy żołnierzy stacjonujących w strefie Jordanu dostało rozkaz powrotu. Radio Bagdad ogłosiło również, że król Fajsal II, książę korony Abd al-Ilah oraz Nuri as-Sa'id, premier Federacji Iracko-Jordańskiej, zostali zamordowani.

– Słyszałaś to? Jezu Chryste! Co się dzieje?! – Paul patrzył na żonę oczami wytrzeszczonymi z przerażenia.

W głowie miała mętlik.

– N-nie mam pojęcia – powiedziała, starając się wyglądać na zaskoczoną.

– Założę się, że rozszalało się tam piekło! – krzyknął Paul i wyskoczył z łóżka jak oparzony. – Jakie to szczęście, że nas tam nie ma! I co teraz będzie? Przecież mieliśmy tam wracać w przyszłym tygodniu! Lepiej zadzwonię do biura.

– Jestem przekonana, że wszyscy przebywający tam cudzoziemcy będą bezpieczni – rzuciła szybko Kit. Obserwowała Paula wciągającego spodnie. – Najprawdopodobniej dodzwonienie się do biura nie będzie teraz możliwe. Dokąd się wybierasz?

– Po gazetę. – Paul już wkładał płaszcz.

Kiedy wyszedł, położyła się z powrotem na plecach. Serce biło jej mocno. Wysłuchała jeszcze raz uważnie wiadomości. Premierowi Nuriemu as-Sa'idowi udało się jednak zbiec, jak się okazało, jednak miejsce jego pobytu nie jest znane. Wydarzyło się to szybciej, niż ktokolwiek się spodziewał, i wszystkich zaskoczyło. I była to po części jej wina.

Paul podniósł na nią wzrok, kiedy weszła do kuchni. Od rana siedział przed telewizorem.

– Wychodzisz gdzieś? – spytał zdziwiony, widząc ją ubraną, w płaszczu i kapeluszu.

– Tak. Zapomniałam ci powiedzieć. Jadę do miasta.

– A po co?

– Dzwonił wczoraj agent nieruchomości... Zupełnie wypadło mi to z głowy. Najwidoczniej znaleźli jakiegoś najemcę na mieszkanie aż do naszego powrotu. Pomyślałam sobie, że przy okazji wyskoczę po jakieś zakupy dla dziewczynek. Wszyscy nie lubicie chodzić po sklepach. Wrócę na popołudniową herbatę.

– Och, oczywiście. W porządku. Jesteś pewna, że nie chcesz, żebym ci towarzyszył?

– Nie, kochanie. Zostań z dziewczynkami. Wrócę, nim się

obejrzysz. – Przesłała mu pospiesznie całusa, zanim zdążył zadać kolejne pytanie, i szybko wyszła z domu.

Metro okazało się zatłoczone, jak zresztą przypuszczała. Wagony pełne były mężczyzn w ciemnych garniturach i melonikach – maklerów giełdowych i bankierów – zdążających do pracy. Jechały tam też młode dziewczyny, ubrane w eleganckie kostiumy, z toczkami na głowach, które świergotały bez przerwy jak stado ptaków. Po kilku miesiącach pobytu na Bliskim Wschodzie Anglia wydawała się jej jakimś nieznanym krajem.

Na stacji metra Embankment, kiedy tylko wyjechała ruchomymi schodami na powierzchnię, podszedł do niej mężczyzna, którego nigdy wcześniej nie widziała, lecz który najwyraźniej wiedział, kim ona jest.

– Pani Kentridge? – Był młody, o bardzo poważnym wyglądzie, nosił druciane okulary i miał duże, kościste dłonie.

– Tak?

– Jestem Martin Holdsworthy. Lord Hamilton wysłał mnie po panią. Samochód już czeka.

Poszła za nim bez słowa. Żołądek miała ściśnięty ze zdenerwowania. Nie miała pojęcia, co mogło ją czekać.

Lord Hamilton czekał na nią na górze, w sali River Room.

– Proszę wejść po schodach na górę. Drugie drzwi po prawej – poinformował ją wyniośle portier, kiedy podjechali pod imponujący, elegancki budynek Narodowego Klubu Liberałów, londyńską bazę lorda Hamiltona.

Martin Holdsworthy czekał dyskretnie, żeby Kit pozbyła się płaszcza i kapelusza, a potem wyciągnął do niej rękę.

– Poczekam na panią tutaj – powiedział wesołym głosem. – I odwiozę po spotkaniu.

Została odprowadzona na górę po wspaniałych marmurowych schodach przez eleganckiego mężczyznę we fraku i cylindrze. Sala z bogato zdobionym, wysokim sufitem, mahoniową boazerią i niezliczonymi rzeźbami podziałała na nią dziwnie kojąco. Przemawiały tu wieki tradycji i porządku, wyważonego spokoju świata, który zmieniał się na ich oczach.

– Ach, Katherine! – Lord Hamilton podniósł na nią wzrok, kiedy zaczęła się zbliżać do jego stołu. Był z kimś. – Usiądź, proszę, i dołącz do nas.

Usiadła obok niego ze ściśle złączonymi kolanami. Nagle poczuła, że ma spocone dłonie. Nie kontaktował się z nią jeszcze od jej nagłej ucieczki samolotem z Kairu.

– To Simon Pender. Przejmuje sprawy Środkowego Wschodu.

Simon Pender skinął jej głową z ponurą miną. Był młody i wyglądał na sztywniaka. Gdy tylko złożył zamówienie, zaczął się jej przyglądać.

– A więc, co tam u ciebie, moja droga? Wieki minęły, odkąd się ostatnio widzieliśmy – zagaił lord Hamilton. Nie wspomniał ani słowem o Kairze.

– Bardzo dobrze, wasza lordowska mość – mruknęła.

– Och, dajmy sobie spokój z tytułami – roześmiał się krótko. – Przypuszczam, że słyszałaś ostatnie wiadomości?

– Tak... Słyszałam. – Popatrzyła na niego niepewnie. Nie miała pojęcia, co Simon Pender może o niej wiedzieć, jeżeli w ogóle cokolwiek wiedział.

– Co za bajzel! – rzucił smętnie lord Hamilton.

– Delikatnie mówiąc – mruknął Pender. – Fakt faktem, że obudziliśmy się z ręką w nocniku. Oględnie mówiąc, oczywiście.

Zerknęła szybko na lorda Hamiltona. Miał nieprzenikniony wyraz twarzy.

– D-dlaczego tak mówicie? – spytała, mając nadzieję, że jej głos nie zdradza zdenerwowania.

– Mieliśmy w tym roku agentkę w Kairze. Suzette de Vere. Nigdy jej nie spotkałem, ale najwidoczniej była niedobitkiem Kierownictwa Operacji Specjalnych z tysiąc dziewięćset czterdziestego piątego. Pracowała dla twojego zespołu. – Odwrócił się nieznacznie, żeby zyskać potwierdzenie lorda Hamiltona. –

Miała dostarczać informacji dla wywiadu wojskowego o jednym z Syryjczyków, którego obserwowaliśmy, lecz nikt z nas nie wie, co się tam tak naprawdę wydarzyło. Najwyraźniej uciekła. Po prostu zniknęła. Rozpłynęła się.

– Zniknęła? – ledwo wykrztusiła Kit. – Czy... Czy nie żyje?

– No właśnie. Tego nie jesteśmy pewni. Nie znaleziono ciała, nie było żadnych doniesień o zmarłych. Zupełnie nic. Nie daje znaku życia. Rozpłynęła się. Nie ma raportu z jej ostatniego spotkania. Wymeldowała się z hotelu i nikt jej od tamtej pory nie widział. Zresztą nieważne. Strata dobrego agenta to dla nas nieszczęście i takie tam... Chodzi o to, że od roku śledzimy Nasera, a przecież to tych cholernych Irakijczyków powinniśmy się obawiać – zamilkł, ale po chwili zwrócił się do Kit: – Jak mi powiedziano, twój mąż jest w Bagdadzie kierownikiem wyższego szczebla w jakimś przedsiębiorstwie zajmującym się ropą naftową?

– Tak, ale teraz jesteśmy na urlopie – odrzekła szybko Kit. – Cała nasza rodzina przebywa aktualnie w Londynie. Nie sądzę, żeby ktokolwiek wiedział, co się teraz wydarzy. Za kilka tygodni mieliśmy tam wracać.

– Och, przerzucimy męża, niech się pani nie obawia. Szczerze mówiąc, za kilka tygodni może już nie być stanowiska kierownika wyższego szczebla. To zwykle pierwsza rzecz, którą oni robią. Następstwem zamachu stanu zawsze jest nacjonalizacja majątku państwa. Rozważamy, czy nie lepiej by było prowadzić operacje z Omanu. Jest tam bardziej przewidywalnie.

– Z Omanu?! – Oczy Kit zrobiły się okrągłe ze zdziwienia.

– Mhm. Przez ostatnie kilka miesięcy wszystko przycichło. Sułtan jest nam bardzo wdzięczny za pomoc w przywróceniu porządku. Dostaliśmy dwie bazy dla lotnictwa RAF: w Masirah i Salalah. To stosunkowo bezpieczne bazy. Dzięki temu będziemy mogli mieć na oku starego Taliba. Mam przeczucie, że jeszcze nam nie pokazał, na co go stać.

Kit się nie odzywała. Lord Hamilton najwyraźniej ją chronił, choć nie miała pojęcia dlaczego.

– To niezłe miejsce na pobyt czasowy w delegacji... – powiedział znacząco lord Hamilton.

Dłonie miał całe w plamach starczych, jak zauważyła Kit ze ściśniętym gardłem. Mimo że od pobytu w Kairze minęło dopiero kilka miesięcy, znów znacznie się postarzał i stał się jeszcze bardziej wątły i kruchy.

– Przypomnij mi, proszę, jakie stanowisko ma mąż obecnie.

– Jest kierownikiem wyższego szczebla do spraw dystrybucji.

– Zajmij się tym, Pender, dobrze?

– Tak jest, wasza lordowska mość! Zajmę się tym natychmiast.

– Dobry z ciebie chłopak. A teraz, gdybyś zechciał zostawić nas samych... Mamy jeszcze coś do omówienia. Holdsworthy odwiezie panią do domu.

– Oczywiście. – Simon Pender skoczył na równe nogi. – W takim razie pojadę od razu do Whitehall. Wspaniale było w końcu panią poznać, Katherine. – Odwrócił się do niej z lekkim ukłonem. – Dużo o pani słyszałem. Same dobre rzeczy.

Skinęła głową z wahaniem. Odwróciła się do lorda Hamiltona, jak tylko Pender wyszedł.

– Lordzie Hamiltonie! – zaczęła cichym głosem. – Zawiodłam cię w Kairze. Bardzo poważnie. Zawiodłam całą drużynę, a ty mnie kryjesz. Dlaczego?

Przez chwilę nic nie mówił, a potem wziął do ręki menu.

– Wypijesz kieliszek wina? Powiedziano mi, że mają dziś wyśmienite bordeaux.

Czekał cierpliwie, aż ich obsłużą, po czym odwrócił się do niej. Trudno było coś wyczytać z wyrazu jego twarzy.

– Nigdy nie spotkałaś mojej najstarszej córki Daphne, prawda? – spytał głosem przepojonym smutkiem.

– Nie, nigdy. – Kit pokręciła głową. – Pani Arscott wspominała coś o niej, kiedy pierwszy raz się spotkaliśmy. W restauracji hotelu Claridge's. Pewnie nie pamiętasz.

– Och, pewnie, że pamiętam! – Lord Hamilton uśmiechnął się lekko. – Pamiętam dokładnie.

– Wtedy nie wiedziałam, kim jesteś. Niczego nie wiedziałam. Wydaje się, że to było tak strasznie dawno temu!

– Bo to było dawno temu. Świat się zmienił. – Pochylił się ku niej nieoczekiwanie. – Nie zamierzam dopytywać się o Kair, Katherine. Doszedłem do wniosku, że miałaś swoje powody. – Machnął tylko ręką, gdy usiłowała protestować. – To właśnie miałem na myśli, jak powiedziałem, że przypominasz mi Daphne. Była bardzo bystra – powiedział i dodał szybko: – Oczywiście jest nadal, tyle że... No cóż, ma teraz inne sprawy na głowie.

– Jest mężatką, prawda? – zainteresowała się Kit.

Skinął głową i upił duży łyk wina, wyraźnie się nim delektując.

– Tak. Wszystkie moje córki wyszły za mąż. Mamy dwanaścioro wnucząt. Są cudowne. Wszystkie razem i każde z osobna.

W głosie lorda Hamiltona pojawiło się wahanie, które poprzedziło kolejne pytanie.

– Ale?...

– Staję się sentymentalny. – Westchnął. – Kiedy zaczęłaś pracować dla nas, zawsze spoglądałem na Daphne, a potem na ciebie... i zaczynałem się zastanawiać, co jest powodem tego, że taki rodzaj życia może prowadzić tylko ta osoba, a nie inna. Było was bardzo niewiele... no wiesz, młodych dziewcząt z bardzo dobrych rodzin... wykonujących niewyobrażalne wręcz zadania. Nigdy tego nie żałowałaś?

Kit odetchnęła głęboko. Znaleźli się na nieznanym dla nich gruncie. W latach wojny widywała go jedynie sporadycznie, rzadko wcześniej umówiona. Wtedy oboje nie pozwalali, żeby związki pomiędzy rodzinami i przynależność do wyższych sfer kolidowały z ich pracą. Jednakże prawda była taka, że wiedział o niej tyle samo, co ktokolwiek inny, z kim mieszkała czy pracowała w ciągu tych ostatnich czternastu lat. No, może odrobinę więcej.

Upiła łyk wina.

– Dziewczęta z mojej sfery nigdy nie pracowały, więc nie było mi to przeznaczone – powiedziała w końcu cicho. – Nie chciałam jednak tylko tego, czego według mojego otoczenia powinnam chcieć. Pewnie wiesz: mąż, rodzina... dom. Te zwykłe sprawy wydawały mi się w pewien sposób dla mnie... nieodpowiednie.

– Jednakże udało ci się i to, i to. Może to niewygodne pytanie dla ciebie, wybacz, ale stanowicie raczej dobre małżeństwo, prawda?

Skinęła głową z pewnym ociąganiem.

– Chyba tak. – Pochyliła głowę i zaczęła przyglądać się swoim dłoniom. – Jeśli Kierownictwo Operacji Specjalnych nie zaaranżowałoby go... Nie wiem, czy to by się kiedykolwiek wydarzyło.

– Mogę wiedzieć dlaczego? – Lord Hamilton przyglądał się jej uważnie.

Przygryzła dolną wargę i odczekała kilka sekund, zanim udzieliła odpowiedzi.

– Coś mi się przytrafiło... – zaczęła ostrożnie. – Dawno temu, kiedy jeszcze byłam nastolatką.

Lord Hamilton zasygnalizował dyskretnie, że chcą zamówić kolejne dwa kieliszki bordeaux.

– Nie musisz mi o tym mówić, jeśli nie chcesz – rzekł, na krótką chwilę przykrywając jej dłoń swoją. Zerknęła na nią przelotnie.

– Nie. Chcę to zrobić. Nigdy... Nigdy wcześniej nikomu o tym nie opowiedziałam, a przynajmniej nie całą historię. Tylko... ułamki.

– Co naprawdę wydarzyło się wtedy w Niemczech? – spytał jak najdelikatniej.

Spojrzała na niego szeroko otwartymi ze zdumienia oczami.

– Skąd wiesz, że to miało miejsce w Niemczech? – zdziwiła się, nagle przyciszając głos.

– Faunce – odrzekł zwyczajnie. – Och, nie podał nam żadnych szczegółów, to oczywiste. Nie trzeba jednak żadnego geniusza, żeby się domyślić. Co się stało z dzieckiem?

Zaschło jej w gardle. Potrzebowała dłuższej chwili, żeby wziąć się w garść.

– Nie wiem. Oddałam je, kiedy miało kilka tygodni. Wszystko zorganizowała pani Arscott.

– Ach! – Lord Hamilton skinął głową jakby na potwierdzenie tego, czego sam już wcześniej się domyślał lub wiedział. – Jednakże jest coś jeszcze, prawda?

– Tak – odpowiedziała zwyczajnie. – Po tym wszystkim, kiedy przyjechałam do Londynu, nie sądziłam, że będę kiedykolwiek... hm... szczęśliwa... i wtedy właśnie... wtedy, podczas wojny, poznałam kogoś. Prawdę mówiąc, zaraz po rozpoczęciu pracy u was. Występował w klubach z jazzowym zespołem muzycznym. Grał na trąbce.

– Café de Paris?

– Skąd wiesz?

– Trudno było przeoczyć tę informację. Amerykanin?

– Tak. – Skinęła głową. – Z Chicago.

Bolało nawet wypowiadanie tych słów.

– Czarnoskóry?

Znów skinęła głową.

Jeśli nawet przyszło mu na myśl kolejne pytanie, które mógłby zadać, zdecydował się nie wypowiadać go na głos.

– Nigdy nie przestaniesz mnie zadziwiać, Katherine – stwierdził w końcu. – Wróćmy teraz do spraw bieżących. – Pochylił się ku niej. – Nie wiem, co wydarzyło się w Kairze, i nie chcę wiedzieć. Chcę tylko mieć pewność, że więcej się to nie powtórzy.

– Nie powtórzy się. Nigdy.

– To dobrze. – Sięgnął ręką w dół po neseser i położył go na stole, po czym wyjął z niego szarą kopertę. – Wewnątrz znajdziesz dossier pewnego mężczyzny, z którym chcielibyśmy zawrzeć znajomość. Talal bin Said al-Said. Jest bratankiem obecnego imama. Eton, Sandhurst, Genewa... Erudyta. Odebrał doskonałe wykształcenie. Musimy mieć pewność, że jest po naszej stronie, zanim uczynimy pierwszy krok.

– Gdzie go znajdę?

– On znajdzie ciebie. Wiesz, jak to działa. Informuj mnie na bieżąco. – Lord Hamilton dopił resztę wina. – A teraz, moja droga... Wybacz, że cię opuszczę. – Wstał niezgrabnie i sięgnął po laskę. Zatroskała się nagle o niego, lecz on tylko machnął ręką. – Nie, nie... Czuję się całkiem nieźle. Nie wstawaj. Dopij wino. Ten miły młody mężczyzna wróci po ciebie... Jak też on się nazywa? Holdsworthy? Tak, Holdsworthy. Odwiezie cię z powrotem do metra. Powodzenia, moja droga. I staraj się tym razem zachować zimną krew. To niebezpieczne czasy, wymagające ostrożnych działań.

Powiedziawszy te słowa, odwrócił się i wyszedł powoli z sali klubowej, a na odchodnym ukłonił się jeszcze sztywno staremu znajomemu.

Kit pozostała na swoim miejscu z opróżnionym do połowy kieliszkiem na białym obrusie, lecz nie wykonała najmniejszego ruchu, żeby go podnieść do ust. W głowie miała niezły mętlik od nadmiaru ponurych myśli i wrażeń.

Musiała zapaść w krótką drzemkę, bo kiedy nagle do jej świadomości dotarł znad stolika głos mężczyzny, aż podskoczyła wystraszona. To był Martin Holdsworthy. Nachylił się ku niej zaniepokojony.

– To tylko ja. Czy wszystko w porządku?

– Tak, tak. – Pokiwała głową, jeszcze nieco oszołomiona. – Nic mi nie jest. Ja... Ja... Musiałam się chyba zdrzemnąć... – wydukała i zaczęła się rozglądać za torebką. – Pewnie przez wino. Zwykle nie pijam go do obiadu.

– To na pewno sprawka wina – przyznał jej rację, ale wciąż wyglądał na zaniepokojonego stanem swojej rozmówczyni. – Czy mógłbym jakoś pomóc?

– Och, nie... Nic mi nie jest, mówię zupełnie szczerze. Lepiej będę się zbierać... Rodzina na mnie czeka.

– Podwiozę panią do stacji metra.

– Naprawdę dziękuję. Nie ma takiej potrzeby. – Odprawiła go gestem ręki. – Przejdę się. To przecież niedaleko stąd.

– Jest pani pewna? – Spojrzał na nią z powątpiewaniem.

– Jestem – powiedziała zdecydowanym tonem głosu. – Czuję się świetnie.

– No cóż. Raczej nie zdąży pani wpaść w żadne kłopoty po drodze stąd do stacji Embankment – stwierdził żartobliwie. – Do widzenia, pani Kentridge.

– Do widzenia! – mruknęła i wzięła do ręki torebkę.

Obserwowała go, jak lawirował między stolikami, dopóki nie zniknął jej z oczu. Później założyła torebkę na ramię i udała się w stronę wyjścia. Zatrzymała się w szatni, odebrała lekki letni płaszcz i kapelusz, a potem wyszła wprost na ulicę tonącą w promieniach lipcowego słońca.

46

– Oman?! Gdzie jest Oman? – Libby patrzyła podejrzliwie na rodziców.

Matka zaczęła wygłaszać gładką, pieczołowicie przygotowaną przemowę, podkreślającą jej autorytet:

– Położony jest nad morzem, kochanie. Jest tam przepięknie. Są tam długie, piaszczyste plaże. Leży nad samym Oceanem Indyjskim. Na pewno ci się tam spodoba i...

– A skąd możesz to wiedzieć? Przecież nawet nie wiesz, co ja lubię! – przerwała jej ze złością.

– Libby! Nie mów takim tonem do matki! – Ojciec zganił ją spojrzeniem. – Tak czy inaczej wszystko jest już zdecydowane. Jedziemy tam. Zaoferowano mi nową pracę i...

– Możecie sobie tam jechać, jeśli chcecie! Ja nie jadę! – Nawet ona sama była zdumiona, że przeszło jej to przez usta.

Matkę i ojca zamurowało. Libby poczuła napływające do

oczu piekące łzy. Wszystko, tylko nie płacz przed rodzicami! Zerwała się z krzesła i wypadła jak strzała z pokoju.

– Co się z nią, u licha, dzieje?! – Doleciał jej uszu okrzyk ojca, gdy wbiegała po schodach do swojego pokoju.

– Zostaw ją w spokoju. Przemyśli sobie wszystko i zmieni zdanie. – Usłyszała głos matki: zdystansowany, spokojny, niewzruszony.

To doprowadziło Libby nieomal do furii. Trzasnęła drzwiami za sobą i poddała się fali paniki, która nagle ogarnęła ją całą.

– A niech was cholera! – mruknęła ze złością pod nosem, nieomal bez tchu. – Niech was wszystkich jasna cholera!

Zsunęła się na podłogę. Łzy wściekłości dusiły ją w gardle. Oman? Dlaczego akurat Oman?! Właśnie zaczynała coraz bardziej lubić Bagdad. Po raz pierwszy, odkąd tam wyjechali, zaczęła się odnajdować w szkole. Nieomal rok zajęło jej wywalczenie sobie pazurami dostępu do zamkniętej grupki dziewczyn, które rządziły w klasie i rozstawiały resztę po kątach. Wreszcie – wreszcie! – zagwarantowała sobie miejsce pośród tych wszystkich Clare'ek, Susanek i Joannek, które decydowały, kto jest z nimi w grupie, a kto „wypada". Nie miała pojęcia, dlaczego ni stąd, ni zowąd nadeszła akceptacja – a raczej dlaczego tak długo to trwało – ale nadeszła, a ona była im za to absurdalnie i pożałowania godnie wdzięczna. W ciągu jednego dnia przestała być tą dziewczyną, z której wszyscy się śmiali, bo miała nie takie skarpetki, nie taką spódnicę, nie taki ołówek czy złą torbę na książki...

Wszystko u niej było nie takie jak trzeba. Kiedy podnosiła rękę do odpowiedzi, Norweżka Clare Jorgenssen, zepsuta jedyna córka kierownika działu zaopatrzenia w tej samej firmie, w której pracował ojciec, natychmiast wznosiła oczy ku niebu, a jeśli siedziała cicho, Susan Hetherington, córka Wysokiego Komisarza rządu brytyjskiego w tutejszej ambasadzie, szeptała do innych: „Widzisz? Ta nowa nic nie wie. Ale musi być głupia!".

W żaden sposób nie można było z nimi wygrać. Jej zapakowane na drugie śniadanie kanapki, przygotowywane z taką czułością przez madame Abbayas, za każdym razem były poczytywane a to za „zbyt cuchnące", a to za „zbyt arabskie" albo za „zbyt lokalne". Miriam, która odprowadzała ją codziennie do szkoły i która stała się jej najlepszą przyjaciółką, nazywały „kolorową".

Któregoś dnia podsłuchała w szatni, jak rozmawiały o niej dwie najładniejsze dziewczyny w klasie: „Ona sama wygląda trochę jak kolorowa, nie sądzisz? Ma prawie tak ciemną skórę jak oni. Błe!".

Libby poczuła się tym zbyt zakłopotana, żeby spytać matkę, kto to są ci „kolorowi" ludzie. Zamiast tego poprosiła Miriam, żeby nie wchodziła na teren szkoły, jak po nią przychodzi. Wiedziała, że nie powinna tak robić, ale tak bardzo chciała się z którąś z nich zaprzyjaźnić – z którąkolwiek z nich – że zwyczajnie dała się ponieść fali zbiorowego snobizmu i rasizmu. Była zbyt młoda i nie zdążyła jeszcze doświadczyć na własnej skórze, jak działają takie międzynarodowe szkoły. Nie wiedziała, że jest po prostu kolejną nową uczennicą z wielu wciąż się wymieniających i rola klasowego kozła ofiarnego, która jej przypadła, nie miała absolutnie nic wspólnego z nią samą. Nieodpowiednia dziewczyna znalazła się w nieodpowiednim miejscu w nieodpowiednim czasie.

Przez cały przygnębiający pierwszy rok spoglądała na nie z zazdrością z boku i marzyła o tym, żeby ją przyjęły do swojego grona. Wreszcie nadszedł taki dzień, kiedy ni z tego, ni z owego Clare Jorgenssen i Joanna Barrington-Browne podeszły do niej i spytały, czy chce pójść z nimi na basen po szkole.

– Ja?! – Popatrzyła na nie podejrzliwie. – Ja?

– Tak, ty. A co? Jest tu jeszcze jakaś inna Libby Kentridge, której mogłyśmy nie zauważyć? – prychnęła nonszalancko Clare. – Oczywiście, jeżeli nie chcesz...

– Ależ nie, nie, tak, tak. Tak, oczywiście, że chcę iść! Jestem tylko... Ja właśnie nie... Eee...

– No dobra, to się pospiesz! – łaskawie rzuciła Joanna. – Kierowca zabiera nas zaraz po szkole.

– Muszę tylko wrócić do domu po kostium kąpielowy – ledwo wydusiła z siebie Libby, a jej uradowane serce o mało nie wyskoczyło z piersi.

– Czy twój kierowca nie może cię po prostu podrzucić do klubu? – spytała Clare, najwyraźniej znudzona narastającymi problemami.

Libby tak się tym zasugerowała, jakby to było najmądrzejsze z możliwych rozwiązań jej dylematów. Prawie biegła całą drogę do domu, a potem nie odstępowała na krok matki, błagając ją, żeby zawiozła ją do klubu na drugą. Nastąpiła krótka chwila pełnego udręki wyczekiwania, gdy matka zaczęła mamrotać coś pod nosem na temat upału i „czy nie lepiej byłoby pojechać na czwartą", a poza tym „dlaczego to takie ważne, żeby zdążyć na drugą?" i „czy ona nie rozumie, że matka chce tylko chronić jej skórę" i że „kiedy już dorośnie, podziękuje za to matce" i tak dalej, i tak dalej. W końcu Libby postraszyła ją, że się „chyba zabije", jeśli matka nie pozwoli jej iść, a Kit, zbyt osłupiała po wybuchu córki, żeby dalej się kłócić, zwyczajnie się poddała. To był najszczęśliwszy dzień w życiu dziewczyny.

A teraz rodzice jedną decyzją zrujnowali ten niewątpliwy sukces i każą zaczynać wszystko od nowa. Kto wie, czy za drugim razem znów jej się poszczęści?

Oman. Chciała umrzeć.

47

Maskat, Oman, październik 1958

Dom w Qurum został wybudowany na samym szczycie wzgórza. Widać było z niego lazurowe wody Zatoki Omańskiej. Pokój miał okna skierowane na północ i na zachód. Na północy rysował się lekki łuk falującej, połyskującej jedwabiście, niebieskawej powierzchni morza. Od zachodu ciągnęły się skaliste, spalone słońcem góry, które otaczały Oman prawie ze wszystkich stron. Ta piękna, surowa i nieprzyjazna kraina, co zadziwiające, u ludzi wykształciła coś całkowicie odwrotnego: niesamowitą wprost gościnność. Posługiwano się tu również językiem arabskim, lecz różnił się on od tego używanego w Iraku. Mimo to Kit bez trudu mogła wszystko zrozumieć. Przebywali w Maskacie dopiero od kilku tygodni, a już zaczynała się osłuchiwać z jego śpiewną intonacją.

Siedziała za biurkiem i coś pisała. Jej dłoń szybko przesuwała się po papierze z lewej strony do prawej. Raport, który zawierał opis poprzedniego wieczoru, spędzonego w rezydencji ambasadora Francji, miał się znaleźć w Londynie dzisiaj po południu. Była zbyt zajęta organizowaniem nowego gospodarstwa domowego, żeby się do tej pisaniny porządnie przyłożyć.

Jej cel, Talal al-Said, się nie pojawił, pomimo krążących gorączkowo plotek. Lord Harrington nie żartował. W ściśle ze sobą powiązanych, śmiertelnie znudzonych społecznościach rodzin wysokiej klasy specjalistów z zagranicy, pracujących tutaj, oraz mieszkających tu na stałe przybyszów z Europy Talal al-Said odgrywał rolę szczególną. Kit jeszcze nie zdążyła zobaczyć bratanka imama na własne oczy, a już czuła się, jakby dobrze go znała. Dla żon mężczyzn zajmujących się wydobywaniem i dystrybucją ropy naftowej z Zatoki Omańskiej trzydziestokilkuletni członek najbliższej rodziny aktualnego imama stanowił doprawdy łakomy kąsek. Jednak wszystkie znaki na niebie i ziemi wskazywały, że był lokalną osobistością, przychodzącą na wszelkie spotkania i dobierającą sobie znajomych wedle własnego widzimisię.

„Niewiarygodnie przystojny! – szeptały kobiety na boku. – Mam na myśli jedynie to, że jest niewiarygodnie wprost przystojny".

Kit widziała jego zdjęcie: dumne, wyniosłe oblicze spoglądało na świat spod daszka oficerskiej czapki. Nagły wybuch śmiechu na ulicy pod oknem rozproszył jej uwagę. Westchnęła i wstała od biurka. Rozsunęła lekkie siatkowe zasłony i spojrzała w dół. Przez gęste pnącze bugenwilli dostrzegła imponujący, niebieski amerykański kabriolet, na sam widok którego poczuła zdenerwowanie. To była Libby. Wróciła. Jej przyjaciel Chip podwiózł ją do domu.

Westchnęła ponownie. Libby właśnie skończyła piętnaście lat i już zaczęła sprawiać kłopoty. Tu, w Omanie, wpadła w szkole w zupełnie inne towarzystwo. W odróżnieniu od raczej posłusznych małych angielskich snobek z Bagdadu, z którymi tak rozpaczliwie pragnęła się zaprzyjaźnić, tutaj uczniowska gromadka prezentowała się zgoła inaczej. Przebywała tu o wiele liczniejsza grupa głośnych i absurdalnie pewnych siebie Amerykanów – to po pierwsze, a po drugie chłopcy nagle zaczęli ją zauważać. Łącznie z Chipem nieznanego bliżej nazwiska.

Libby była już prawie tak wysoka jak matka, szczupła i ładnie zbudowana, emanująca tym samym leniwym, niewymuszonym wdziękiem, co zauważał każdy. Tutaj jednak kończyły się podobieństwa. Kit – chłodna blondynka o przeszywającym spojrzeniu niebieskich oczu, a Libby – dokładne jej przeciwieństwo: ciemnowłosa, o zmysłowej urodzie, z gładką, oliwkową skórą, która przywodziła na myśl dziewczęta znad Morza Śródziemnego. Była nad wiek rozwinięta, myślała Kit. Zmieniła się z raczej niezbyt proporcjonalnie zbudowanej nastolatki w dziewczynę o nieprzeciętnej urodzie, która wkrótce stanie się kobietą. Odziedziczyła po Kit szerokie usta i może jeszcze coś z budowy ciała, lecz to wszystko. Trudno uwierzyć, że to matka i córka. Eluned reprezentowała zupełnie inny typ urody. Po ojcu miała rumianą cerę i słabe włosy w kolorze jasnego blondu, a jej brwi i rzęsy wydawały się cienkie i prawie białe. Obie siostry różniły się również temperamentem. Libby była cichym, spokojnym dzieckiem, cieszącym się z własnego towarzystwa, no może tylko czasem jej napraszające się, nieomal błagalne spojrzenia podążały za Kit, gdziekolwiek się ruszyła, lecz nie wymagała od matki specjalnej uwagi. Eluned stanowiła jej przeciwieństwo. Prawie od chwili, kiedy się urodziła, domagała się większej uwagi i większej przestrzeni, niż na nią, jako młodszą siostrę, przypadało. Pierwsze słowo, które nauczyła się wymawiać, brzmiało: „chcę". Częściowo wynikało to z dużej różnicy wieku, jak przypuszczała Kit. Trzynaście lat pomiędzy nimi... to cała wieczność.

Rzadko pozwalała sobie na porównywanie relacji pomiędzy jej córkami do tych pomiędzy nią a Lily... Przez całe miesiące nawet nie myślała o siostrze, ale co jakiś czas wspomnienia wracały. Żadna z jej córek nie przypominała ani jej, ani Lily... chociaż zdarzało się jej dostrzec jakąś podobną cechę, która równie szybko umykała. Ten zwyczaj Libby rozpoczynania zdania, którego nigdy nie udawało jej się skończyć – zupełnie jak u Lily. Sposób, w jaki zamykała się w sobie, kiedy uważała, że nikt jej nie słucha – niczym trzynastoletnia Kit. Dojrzała Kit broniła się przed wspomnieniami; to był jedyny sposób, żeby jakoś funkcjonować. Jednak czasami silna wola nie wystarczała i pamięć o przeszłości okazywała się mocniejsza.

Silnik samochodu pod oknem wciąż pomrukiwał gardłowo. Obserwowała Libby, która wysiadła z auta, ale potem oparła się o drzwi, żeby jeszcze chwilę pogadać. Zdawała się niezbyt chętnie opuszczać kierowcę. Kit ściągnęła gniewnie brwi. Zauważyła w córce pewnego rodzaju żywiołową ostentację, identyczną jak u Lily, wyrastającą z głęboko zakorzenionego pragnienia, żeby być lubianą, a nawet kochaną. Zdawała sobie sprawę, że pierwszy rok w Bagdadzie był dla Libby bardzo trudny, mimo że nie powiedziała na ten temat ani słowa. Wychodziła ze skóry, żeby być miła i sympatyczna dla tej okropnej zgrai dziewuch z klasy – oczywiście bez rezultatu. Nigdy nie dopuściłyby jej do swojego ścisłego grona, a na pewno nie tak po prostu, bez niczego. Kit widziała to jak na dłoni, nawet jeśli Libby okazała się ślepa.

„Nie rób tego! Bądź sobą!" – Tak bardzo chciała powiedzieć te słowa córce. Jak jednak miała to zrobić? Przecież takie stwierdzenie w jej ustach zabrzmiałoby absurdalnie. „Bądź sobą"? Ona sama przecież, na miejscu Libby, nie wiedziałaby, jak to zrobić. Były takie czasy, że wciąż się zastanawiała, kim właściwie jest, i miała przy tym o wiele większe wątpliwości niż jej nastoletnia córka.

48

– No, dalej! Nie bądź takim cykorem. Trzymaj to porządnie w palcach, o tak! Okej, a teraz pociągnij... Byle nie za mocno. Taa... Bardzo dobrze! A teraz się oprzyj wygodnie i czekaj, aż cię walnie.

Libby zrobiła wszystko dokładnie według instrukcji i oparła się plecami o gorące, lepkie siedzenie samochodu. Kilka sekund później poczuła przypływ przyjemnej lekkości. Trochę ją zamroczyło i zaczęła chichotać.

Chip wyszczerzył zęby w uśmiechu.

– Wrzuć na luz, mała. A teraz daj mnie.

Podała mu jointa i przymknęła oczy. Oddychała głęboko. Znów świat był w porządku. Wybiegła dzisiaj w trakcie obiadu z jadalni po kolejnej burzliwej wymianie zdań z matką, ale nawet nie pamiętała, kto właściwie zaczął. Ostatnimi dniami nie robiła nic innego, tylko ciągle kłóciła się z nią. Zawsze potem czuła się winna, lecz jakoś tak samo wychodziło. Matka chciała wszystko kontrolować i jeszcze mieć rację, a na dodatek ostatnio traktowała ojca w taki sposób, że nawet Libby zaczęło to drażnić. Raz czy dwa przypadkiem dostrzegła taki wyraz twarzy matki, kiedy ta myślała, że nikt nie patrzy, że aż po plecach przebiegł jej zimny dreszcz mimo lejącego się z nieba żaru. Teraz, bardziej niż kiedykolwiek, matka zachowywała się tak, jakby chciała się znaleźć gdziekolwiek, byle nie tutaj, z nimi. Nieoczekiwanie pamięć podsunęła jej stare, bolesne wspomnienia. Dzień, w którym została przyłapana w gabinecie matki; pobyt na promie płynącym z Cypru, kiedy zauważyła tego zabawnego małego człowieczka; tamto popołudnie w Bagdadzie, gdy wyszły razem z Miriam na miasto kupić słodycze. W jakiś niezrozumiały sposób coś jej w osobie matki nie pasowało. Jakby coś ona zgubiła, jakby odpadł od niej jakiś istotny element, który sprawiał, że stawała się jednolitą, kompletną całością – jak matki innych koleżanek. Przerażało to Libby. Czuła się tak, jakby widziała postać matki, lecz gdyby chciała jej dotknąć, wymknęłaby się jej dłoniom.

Teraz jednak wszystko przestało mieć znaczenie. Joint był przekazywany bardzo uważnie z ręki do ręki wszystkim siedzącym w aucie. Chip załatwił skręta u Musaha, nocnego dozorcy w kompleksie mieszkalnym w Muttrah, gdzie kwaterowała większość Amerykanów. Ojciec Chipa należał do grona ekspatów; pracował na stanowisku kierownika platformy wiertniczej. Chip był najbardziej odjechanym chłopakiem, jakiego Libby kiedykolwiek poznała. Nie bał się niczego i nikogo, nawet jej matki. Kiedy podjechał po Libby swoim jasnoniebieskim chevroletem impalą, jedynym tego rodzaju samochodem w całym Maskacie, po prostu wstał ze swojego siedzenia kierowcy (budę miał złożoną do tyłu) i wrzasnął: „Siemanko, pani K.!". Libby pomyślała, że chyba nikt w jej towarzystwie jeszcze nie zrobił niczego odważniejszego.

Wtedy po raz pierwszy przyjechali do nich pod dom wraz z dwiema koleżankami z klasy. Wszyscy chodzili do amerykańskiej szkoły średniej w Maskacie, stanowiącej jedyną przeciwwagę dla szkoły z internatem w Anglii albo jednej z tych okropnych szwajcarskich szkół, do których uczęszczała część jej koleżanek z Bagdadu. Libby wpatrywała się w twarz matki, oczekując oznak niechęci. Była przekonana, że zareaguje w ten sposób na wyskok Chipa, a jednak tak się nie stało. Przyjęła go zupełnie spokojnie. Libby pomyślała, że zapewne z powodu wyglądu chłopaka i jego uroku osobistego. Nikomu innemu jak nic nie uszłoby to na sucho.

Chip był wysoki i szczupły. Miał złotobrązową skórę jak ona, a oczy zawsze przymrużone, jakby cały czas się uśmiechał. Szkołą zdążył się znudzić – jak oświadczył Libby przy pierwszym spotkaniu. Skończył siedemnaście lat – o dwa więcej niż ona – i udawał, że coś robi, ale naprawdę tylko czekał, aż „wreszcie będzie mógł docisnąć cholernego impa". Libby nie śmiała spytać, kto zacz ten imp i dlaczego Chip chce go „dociskać". Chłopak wypalał olbrzymią liczbę skrętów, jeździł jasnoniebieskim kabrioletem chevroletem impalą, kupionym dla jego matki, która zdecydowała „zupełnie bez powodu" – jak mówiły plotki – nie wracać nad zatokę z mężem i synem po letnich wakacjach i została w domu, w Warren, w Pensylwanii.

– Chcesz przez to powiedzieć, że zostawiła ciebie i tatę samych?! – spytała Libby, nie mogąc wyjść ze zdumienia. Nagle doznała przypływu macierzyńskich uczuć, których nie umiała jeszcze rozpoznać, na myśl o dwóch mężczyznach mieszkających samotnie w wielkim domu nieopodal portu. – Wzięli rozwód?

– Żartujesz sobie? – Chip skrzywił się z lekceważeniem. – Za bardzo kocha kasę. Po prostu nie lubi mieszkać tutaj.

– Och, to okropne! Przykro mi... – Libby poczuła się zakłopotana.

– Nie ma najmniejszego powodu do zmartwienia. Mojego starego nigdy nie ma w domu. Mogę robić, co mi tylko przyjdzie do głowy. I dostałem jej samochód, no nie? – Zaprezentował zblazowany uśmiech, aby pokazać dziewczynie, że źle trafiła z okazywaniem współczucia.

Zerknęła na niego ukradkiem.

– A kto wam w takim razie gotuje? – spytała, zorientowawszy się już w trakcie zadawania pytania, że jest co najmniej niemądre. Tutaj, tak jak i w Bagdadzie, potrawy przygotowywały kucharki, a służba podawała do stołu i sprzątała. Ogrodnicy zajmowali się ogrodem, a kierowcy prowadzili samochody. Nianie, jak ich nowa dziewczyna Salah, zajmowały się dziećmi. Ojcowie pracowali, a matki... no cóż, robiły wszystko, co zazwyczaj robią matki.

Znów dopadły ją wątpliwości. Cokolwiek robiła jej matka, na pewno w niczym nie przypominało tego, co zajmowało inne matki w Maskacie. Ani mama Kerry, ani Mary-Beth nigdy nie spotykały się z matką Libby, no chyba kiedyś po kilku niezwykle osobliwych zaproszeniach typu: „może przyprowadź ją na herbatę albo nawet na drinka".

– Czy ta kobieta w oknie to twoja matka? – Chip wyciągnął szyję i gapił się do góry, w okno gabinetu matki.

Libby również spojrzała w tę samą stronę i przytaknęła.

– Tak, prawdopodobnie mnie szpieguje.

– Niezła laska.

Humor Libby zepsuł się natychmiast.

– Wszyscy zawsze opowiadają, jaka to z niej piękność – stwierdziła nadąsana. – Nie wiem dlaczego.

– Mhm. No może nie jest piękna, ale seksowna to i owszem, jeśli wiesz, o czym mówię.

Libby spojrzała niepewnie na chłopaka.

– Wcale nie – zaoponowała. – Właściwie jest dziwna.

– Ech, co za różnica. – Chip lekceważąco machnął ręką. – Muszę już jechać – powiedział i położył ręce na kierownicy, żeby wyraźnie zaznaczyć, że zaraz ruszy.

Odsunęła się od samochodu, zbyt wystraszona, by zapytać, dokąd zamierza się udać.

– Czy... Czy będziesz jutro w szkole? – spytała pospiesznie.

– Może... – Wzruszył nonszalancko ramionami. – Zobaczę, jak się będę czuł. Do zobaczyska, mała!

Nacisnął gaz do dechy i zawrócił ogromnym autem niemal w miejscu. Libby patrzyła za nim, jak pędził z rykiem silnika w dół wzgórza.

– Libby? – Głos matki zatrzymał ją w miejscu. Popatrzyła w górę. Matka stała w arkadowym holu, który prowadził do jej gabinetu, na samym szczycie schodów. Przez chwilę obie mierzyły się spojrzeniami. – Czy miło spędziłaś popołudnie? – spytała w końcu zupełnie spokojnie.

Libby wzruszyła ramionami.

– Chyba tak – powiedziała, naśladując niefrasobliwość Chipa, lecz tym razem matka nie zareagowała. Libby ogarnęło zwątpienie w niezawodność własnych odczuć.

– Wróciłem! – przerwał im głos ojca. – Jesteście w domu? – Usłyszała trzaśnięcie drzwi wejściowych.

– Już idę! – krzyknęła matka.

Libby zastygła w bezruchu w oczekiwaniu, aż matka przejdzie obok niej w drodze na dół, żeby przemknąć się do swojego pokoju, gdzie przez nikogo nienękana będzie mogła paść na łóżko i z twarzą w poduszce oddać się rozpaczliwemu myśleniu o uwolnieniu się od swojej rodziny, choć równocześnie przerażona myślą, jakie byłyby tego konsekwencje. Kiedy matka zrównała się z nią, zupełnie nieoczekiwanie wyciągnęła rękę i ujęła córkę mocno za przedramię.

– Auć! – wyrwało się zaskoczonej dziewczynie. Czy matka wyczuła z jej oddechu, że paliła skręta? Czy węchem można było to wyczuć? – Puść mnie! – mruknęła pod nosem ze złością.

– Libby... Proszę, nie rób tego.

– Czego? – odburknęła Libby, usiłując zachować spokój.

– Nie odpychaj nas. Wiem, przez co przechodzisz. Ja też tak się zachowywałam.

– O czym ty mówisz? – ledwo wydusiła z siebie schrypniętym głosem córka. W holu panował półmrok. Zawsze zamykano o tej porze okiennice, żeby chronić wnętrze przed ostrymi promieniami chylącego się ku zachodowi słońca, i Libby nie mogła dostrzec wyrazu twarzy matki.

– Och! Tu jesteście! – głos ojca przerwał pełną napięcia, ciężką ciszę pomiędzy nimi. Szedł do nich po schodach. – Co, u licha, robicie obie tutaj, w tych ciemnościach?

– Właśnie schodzimy. – Matka ruszyła w dół schodów, zostawiwszy córkę samą, dygoczącą z wrażenia w poczuciu, że w ostatniej chwili została odwiedziona od zrobienia czegoś, do czego prostą drogą zmierzała.

49

Foyer hotelu Intercontinental w Ras al Hamra było rozjarzone światłami jak choinka w Boże Narodzenie. To porównanie przyszło Kit do głowy, kiedy znalazła się w środku i miała przed oczami całą tę tętniącą życiem scenerię. Obchodzono akurat Eid al-Adha, Święto Ofiarowania, które wypadło trzeciego grudnia, gdy temperatura na zewnątrz wcale nie była bożonarodzeniowa. Przeciętna temperatura w cieniu wynosiła prawie czterdzieści stopni, a wyczekiwane z utęsknieniem deszcze nie utworzyły jeszcze nad horyzontem nawet cienia chmurki na bezlitośnie błękitnym niebie. Okna hotelu wychodziły na zatokę. Około kilometra od brzegu widać było wyspę Fahal, która wznosiła się nad powierzchnią morza jak zaciśnięta pięść. Za hotelem aż po horyzont ciągnęły się surowe, kamieniste góry.

Przez krótką chwilę pomyślała o Chalfont Hall i ośnieżonych polach, które w porze świąt Bożego Narodzenia wyglądały jak gładkie, białe prześcieradło rozciągnięte za domem. Bardzo wcześnie w świąteczny poranek, jeszcze zanim służba zaczęła rozpalać w kominkach, razem z Lily podkradały się do ogromnej choinki, zawsze stojącej w holu, i liczyły, ile dostaną prezentów. Westchnęła. Co było z nią nie tak? Po raz drugi po tylu miesiącach znów wracała w myślach do Lily.

Otrząsnęła się szybko ze wspomnień i odwróciła się, żeby spojrzeć na zieleń przed budynkiem. Personel hotelu porozciągał między palmami sznury świątecznych lampek, otaczając cały ogród połyskującym naszyjnikiem świateł. Wszystko wyglądało pięknie i radośnie. Sułtan postanowił zrobić przyjemność gościom z krajów chrześcijańskich – niezwykle doceniali ten ukłon w ich stronę – i na cały grudzień zniósł w hotelach sieci międzynarodowych zakaz sprzedaży i spożywania napojów alkoholowych. Cudzoziemcy szalenie się tym ekscytowali. Kit poprawiła ramiączka swojej białej wieczorowej sukni i uniosła wyżej podbródek.

W najdalszym kącie sali siedział już rozradowany Paul w otoczeniu swoich kolegów z pracy oraz ich rozgadanych, wystrojonych przesadnie małżonek. Kit rozejrzała się dokoła. Jak długo jeszcze będzie w stanie to znosić? Otrząsnęła się. Niemądrze było tak myśleć. Wszystko szło zgodnie z planem. Spotkała al-Saida w różnych miejscach już dwa razy i mogła z pewnością stwierdzić, że zdążyła zaintrygować go na tyle, żeby zaczął szukać jej towarzystwa, jeśli znów nadarzy się ku temu stosowna okazja. Wszystko wskazywało na to, że nastąpi to dzisiaj wieczorem. Czego więcej mogła chcieć? Przygotowywała się do wyjścia ze szczególną pieczołowitością. Siedziała przed lustrem toaletki chyba całą wieczność, ale najpierw wybrała suknię, obuwie i biżuterię, a potem wprawną ręką zrobiła makijaż. Włosy ściągnęła do tyłu w kok i wpięła w nie nad lewym uchem rzucającą się w oczy pąsową jedwabną różę. Suknia była biała, z górą ściśle opinającą ciało, z niezwykle apetycznym wycięciem na plecach i czarnym, cieniutkim jedwabnym paskiem.

– Siemka, pani K. Wygląda pani... niesamowicie.

Odwróciła się zaskoczona. To był ten chłopak... Przyjaciel Libby.

– O! Witaj! Chyba Chad, tak? – spytała z namysłem.

– Chip – poprawił ją. – Ale Chad też brzmi nieźle.

Mówił lekko kpiarskim tonem głosu. A może jej się tylko zdawało? Obrzuciła go szybkim spojrzeniem od góry do dołu, pełnym zaskoczenia. Tego samego wzrostu co ona na obcasach, w swojej eleganckiej marynarce wyglądał na o wiele starszego, niż kiedy widziała go za pierwszym razem. Ile właściwie miał lat? Starała się przypomnieć sobie, co też mówiła na jego temat Libby. Był bardzo przystojny – myślała rozkojarzona – i niewątpliwie o tym wiedział.

– Dobrze się pani tutaj bawi? – rzucił z pobłażliwym uśmieszkiem.

Droczył się z nią.

– Tak, tak. I owszem. A ty nie? – spytała, spoglądając znacząco na kieliszek, który trzymał w dłoni.

– Och! – Machnął lekceważąco ręką. – To dopiero mój pierwszy, ale nie to mnie kręci. – Poklepał się po kieszeni marynarki. – Zanim zacznie się imprezka, malutkie co nieco. – Uśmiechnął się porozumiewawczo.

Otworzyła usta ze zdumienia. Jego tupet całkowicie ją zaskoczył.

– Raczej nie pójdę za twoim przykładem – orzekła chłodno.

– Taa... – Popatrzył na nią z krzywym uśmieszkiem. – Wy, paniusie z wyższych sfer, zawsze się tak krygujecie. Daj znać, kiedy najdzie cię chętka na coś pobudzającego. Się widzimy, pani K.! – Zasalutował niedbale i oddalił się bez pośpiechu.

Patrzyła za nim oniemiała, nie wiedząc, czy śmiać się, czy płakać.

– Widziałaś coś zabawnego, kochanie? – Paul spojrzał na nią badawczo, kiedy podeszła do ich stolika.

Pokręciła głową, zgarnęła jedwabne fałdy sukni na jedną stronę i szybko usiadła. Kilka par oczu śledziło ją, gdy pochyliła się po ogień. Kobiety siedzące za stołem z zazdrości udawały, że patrzą akurat w drugą stronę. Zanosiło się na długi wieczór. Miała nadzieję, że al-Said nie pojawi się za późno.

Nagle wszyscy mężczyźni jak jeden mąż wstali od stołu i z hurgotem odsunęli krzesła. Podniosła wzrok. Jej serce zabiło mocniej. To był mężczyzna, na którego czekała, w asyście doborowej stawki ochroniarzy i sługusów. Kobiety pozostały na swoich miejscach – z każdą z nich witał się z osobna. Na samym końcu ciemne oczy o przeszywającym spojrzeniu spoczęły na niej. Aż otworzył usta w dowód uznania.

– Ach, pani Kentridge! Widzieliśmy się już na otwarciu biblioteki dla dzieci. – Dał sygnał, że ją zauważył.

Oboje byli tam obecni. W jednym zdaniu wspomniał o nieszkodliwych zainteresowaniach ekspatów w jego mieście, zarazem podkreślając, że łączyły ich wszystkich.

– Czyżbyśmy spotkali się już wcześniej? – nieomal wymruczała rozbrajająco.

Rozejrzała się. Oczy wszystkich skierowane były na nią. Obrzuciła ich śmiałym spojrzeniem.

Rozmowy, które przerwał jego przyjazd, zostały szybko podjęte z powrotem. Kit odchyliła się na oparcie krzesła i przysłuchiwała się jednym uchem to przycichającym, to wznoszącym się na nowo głosom wokół, świadoma spoczywającego na niej spojrzenia jego ciemnych, gorejących oczu. Paliła papierosa, znów trzymając się nieco na uboczu całego towarzystwa. Za nim, jeszcze w zasięgu jej wzroku, stał bez ruchu jeden z jego ochroniarzy, w każdej chwili gotowy rzucić się do akcji. Ich oczy się spotkały na ułamek sekundy. Na szczęce drgnął mu drobny mięsień. Już dawno temu nauczyła się rozpoznawać nieomal niezauważalne znaki, jakie ludzie wysyłają bezwiednie, i zmarszczyła czoło w zamyśleniu. Choć zachował chłodną maskę profesjonalisty, to, co zobaczyła, zasygnalizowało jej, że być może ją znał. Drgnięcie więcej się nie powtórzyło. Teraz patrzył na nią pustym wzrokiem.

Znów odwróciła się do stołu i skoncentrowała przez chwilę na rozmowie toczącej się wartko bez jej udziału. Kiedy w końcu wstali, żeby przejść do sali bankietowej, rzuciła ukradkowe spojrzenie na ochroniarza. A jednak nie. Musiało jej się coś przywidzieć.

Szła u boku Paula, lecz wciąż czuła żar spojrzenia al-Saida na swoich plecach. Tak, bez wątpienia wpadła mu w oko.

50

Stała przez chwilę w drzwiach z ręką na klamce. Głęboko odetchnęła i otworzyła drzwi. Paul leżał na łóżku z zamkniętymi oczami. Podeszła cicho do niego, trzymając w dłoni filiżankę herbaty. Podniósł powieki, kiedy usiadła przy łóżku i postawiła ostrożnie filiżankę na szafce nocnej. Osłonił oczy dłonią przed światłem.

– Proszę. Przyniosłam ci filiżankę herbaty – powiedziała i lekko się uśmiechnęła. – I aspirynę – dodała.

Z wysiłkiem podniósł się do pozycji siedzącej.

– Jesteś aniołem! – Wsparł się plecami o poduszkę. – Nieźle się ubawiłem wczoraj, co? Zdecydowanie za dużo wypiłem. – Połknął jedną tabletkę aspiryny i zaraz potem drugą. Znów spojrzał na żonę. – Wychodzisz gdzieś? Jesteś już ubrana.

Skinęła głową.

– Al-Said zaprosił mnie na piknik ze swoją rodziną w Dagmarze. Najwidoczniej jedna z jego żon właśnie wróciła z Londynu i zapragnęła potrenować rozmówki w języku angielskim.

– Dagmar? To strasznie daleko. Jak się tam dostaniecie?

– Będziemy jechać w konwoju. Przyśle po mnie samochód z kierowcą. Nie masz nic przeciwko, prawda, kochanie? Wiem, że akurat masz wolne, więc zostaniesz z dziewczynkami.

– Może zabrałabyś ze sobą Libby? Siedzi ciągle w domu, odkąd zaczęły się wakacje.

Kit wstała.

– Nie. Strasznie długo się tam jedzie, a poza tym jego dzieci są znacznie od niej młodsze. Pozwoliłam jej iść na basen z koleżankami. Ten młody Amerykanin je podwiezie... Jak też on ma na imię?

– Chip. Prawdę mówiąc, widziałem go wczoraj wieczorem. – Paul spojrzał na żonę. – Czy nie sądzisz... – zaczął niepewnie i zamilkł.

– Co takiego?

Wyglądał na dziwnie zawstydzonego.

– Czy on nie jest dla niej nieco za... za stary?

Zaskoczył ją. Rzadko, jeżeli w ogóle, wtrącał się do wychowania dziewczynek.

– Jest nieszkodliwy – powiedziała pewnym głosem. – Może za bardzo się popisuje, ale nieszkodliwie.

– Nie o niego się martwię.

– Co, do licha, chcesz przez to powiedzieć? – Zaczęła się uważnie przyglądać Paulowi.

– Chodzi mi o Libby. Przestaje nas słuchać, Kit. Czy tego nie zauważyłaś?

– Nie, wszystko z nią w porządku. – Przyłożyła dłoń do krtani. – Jest tylko nieco... zbyt uparta, to wszystko. Ona ma dopiero piętnaście lat, Paul.

– Tak, wiem, ale w dzisiejszych czasach dzieciaki zachowują się inaczej... Ci młodzi nastolatkowie. Teraz nie jest tak jak wtedy, kiedy to my mieliśmy po piętnaście lat. Ech! My byliśmy tak... tak niewinni. Teraz jest inaczej.

Żadne słowa nie przeszły Kit przez gardło. Kiedy ona miała piętnaście lat, jej niewinność została brutalnie zszargana.

– Nie – wykrztusiła w końcu. Miała nadzieję, że w jej głosie nie słychać drżenia. – Nie, wcale nie jest inaczej. Z Libby wszystko w porządku. Próbuje się odnaleźć i tyle.

Zaczął gryźć dolną wargę, jakby się zastanawiał, jakie jeszcze argumenty mógłby wysunąć.

Zapięła szeroki czerwony pasek, który dobrała do białej letniej sukienki w duże czerwone grochy, i wzięła ze sobą torebkę.

– Będę z powrotem przed podwieczorkiem – powiedziała szybko, żeby mąż przypadkiem nie ciągnął dalej rozmowy. Wyszła, zanim zdążył otworzyć usta.

Przed domem stał zaparkowany kremowo-bordowy daimler. Kierowca przysłany przez al-Saida już na nią czekał. Wyskoczył z auta, jak tylko ją dostrzegł, i z zamaszystym ukłonem otworzył drzwi. Dopiero kiedy się upewnił, że pasażerka siedzi wygodnie na tylnej kanapie, zamknął drzwi i wrócił za kierownicę. Włączył silnik i powoli ruszyli w dół wzgórza. W ten sobotni poranek ulice miasta były puste. Jechali wzdłuż wybrzeża, mijając kolejne przecznice, czasem stając na światłach... Powierzchnia morza połyskiwała ostro w promieniach słońca... Jakaś słodka woń, próbująca się przebić przez duszące spaliny przejeżdżającego obok samochodu... Mężczyźni w białych, powiewających thawbach, siedzący w grupkach dookoła ciężkich, bogato zdobionych ornamentami fajek wodnych, których węże zwijały się w spirale u ich stóp... Szyldy sklepów pisane zamaszystym arabskim alfabetem...

Obserwowała wszystko uważnie, wdychała razem z powietrzem głęboko do płuc, chłonęła całym ciałem jak tlen, stanowiący siłę napędową życia. Stoliki wystawiane na zewnątrz kawiarni po obu stronach drogi wyglądały jak małe wysepki. Czasami gdzieś mignęła odziana w czerń postać kobiety i równie szybko zniknęła. Kiedy zbliżali się do fortu, w którym zamieszkiwał al-Said ze swoją wielką rodziną podopiecznych oraz osób opiekujących się nimi, ulice stawały się coraz węższe, aż w końcu zaczęły przypominać szczeliny w białych, gładkich kamiennych fasadach budynków, upchanych gęsto jeden przy drugim.

Przed bramą fortu mieli krótki postój, a potem masywne boczne drewniane drzwi, ponabijane żelaznymi ćwiekami, otworzyły się i pojawiła się grupka mężczyzn z al-Saidem pośrodku. Byli pogrążeni w rozmowie. Biali mężczyźni w obowiązkowych zestawach, wyróżniających Europejczyków w ciepłych krajach: zmięty lniany garnitur, panama i zaczerwieniona od upału twarz. Kiedy samochód podjechał do nich, najwyższy z trójki odwrócił się w jej stronę. Rozpoznała charakterystyczny profil sir Anthony'ego Edena. Poczuła rosnący niepokój.

Al-Said oderwał się od grupy i podszedł do samochodu. Szofer wyskoczył z wozu i otworzył przed nim drzwi.

– Pojadę razem z tobą do Dagmaru – powiedział al-Said i usadowił się obok Kit. – Nie masz nic przeciwko, prawda?

– Nic a nic. – Pokręciła głową. – Kim są ci wszyscy mężczyźni? – spytała, mając nadzieję, że jej głos nie zadrży. – Myślałam, że to będzie rodzinny piknik.

Nie odzywał się przez chwilę. Patrzył gdzieś w drugą stronę.

– Niechże pani da spokój, pani Kentridge – odparł powoli. – Po co udawać. Pani wie, kim ja jestem, ja wiem, kim jest pani. Dyplomacja przez tylne drzwi. To się chyba tak jakoś nazywa.

Zerknęła na niego ukradkiem.

– Skąd pan wie, kim jestem? – spytała przyciszonym głosem.

– Nawet gdyby mi nie powiedziano, domyśliłbym się. Ma pani ten właśnie typ twarzy – rzekł i rozsiadł się wygodnie na komfortowej skórzanej kanapie auta. Skinął na kierowcę, żeby ruszał. – Pojedziemy przodem – powiedział po arabsku. – Reszta za nami. Nie za szybko. Starszy Anglik nie czuje się najlepiej.

– Doprawdy? – zdziwiła się.

– Pani arabski jest nieskazitelny.

– Dziękuję, ale nie używam go tak często, jak bym chciała – dodała. Oddalali się coraz bardziej od fortu. Wkrótce mieli wjechać na niedawno ukończoną autostradę. – Co jest sir Anthony'emu, jeśli wolno spytać?

– Febra, może wrzody żołądka. Kto to wie...

– Dlaczego akurat on jest tutaj?

– Dlaczego akurat pani jest tutaj? – odpowiedział pytaniem. – Chociaż ja powinienem znać odpowiedź na to pytanie, czyż nie? Hamilton chce wiedzieć, czy można mi zaufać. Jak sądzę, to pani przekaże mu tę informację.

Zamilkła zamyślona.

– Co oni panu zaproponowali? – zainteresowała się w końcu.

– Wsparcie. Logistykę. Pomoc zbrojną, jeśli zajdzie taka potrzeba. Jak zapewne pani się orientuje, Brytania traktuje instrumentalnie pomoc mojemu wujowi w utrzymaniu władzy. A co z panią? Jakie zadanie otrzymała pani?

– Chcieliby, żeby zawarł pan znajomość z pewną osobą. Ja mam wyczuć pańskie nastawienie do sprawy, zanim wystąpią z tą inicjatywą. Stawka jest wysoka, jak zapewne pan wie. Jestem o tym przekonana. Irak zaskoczył wszystkich.

– Łącznie z panią?

Zaschło jej w gardle. Ile mógł wiedzieć? Tego jej na pewno nie powie.

– Tak, łącznie ze mną – potwierdziła ostrożnie.

– A więc w jakim terminie miałoby się odbyć owo spotkanie w Londynie? – spytał spokojnym tonem głosu.

– Właściwie nie w Londynie, a w Szkocji. W Cheswick

House, niedaleko Berwick-upon-Tweed. To wiejska posiadłość lorda Hamiltona.

– Rozumiem. Kiedy?

– Jak tylko dam znak, że można zaczynać. – Starała się zachować spokój.

– A da go pani? – Odwrócił się, żeby widzieć, jak odpowiada. Ich spojrzenia się spotkały. Mogła jedynie zaufać swojemu instynktowi. Wzięła głęboki wdech i kiwnęła głową.

– Tak. Dam.

51

Jej pióro przesuwało się szybko po kartce papieru.

Jestem przekonana, że możemy mu zaufać. Minęły już trzy tygodnie i jak do tej pory nie popełnił żadnego błędu. Sir Anthony Eden i Glubb znów byli tutaj w zeszły weekend i wszyscy uważamy zgodnie, że on jest tą osobą, z którą powinniśmy rozmawiać.

Nagle zadzwonił telefon, burząc ciszę i spokój w domu. Był piątek w samo południe, i właśnie przebrzmiało wezwanie do modłów. Wszyscy oprócz niej wyszli. Eluned była w żłobku, Libby w szkole. Nawet służące poszły rano razem na targ.

Syknęła cicho, rozdrażniona, i wstała.

– Idę już, idę – mruknęła pod nosem i zbiegła ze schodów. – Halo?

– Kit? – To był męski głos brzmiący z angielska, głęboki, o dokładnej wymowie.

– Kto mówi? – Nie rozpoznała rozmówcy.

– Pewnie mnie nie pamiętasz, Kit, ale to teraz nie jest ważne. Wytłumaczę ci, kiedy się spotkamy. Sytuacja jest krytyczna. Przed domem stoi samochód. Łap, co możesz: paszporty, papiery, i uciekaj. Szofer po drodze zabierze pozostałych członków twojej rodziny i zawiezie was do ambasady brytyjskiej. Spotkamy się przy bramie. Pospiesz się! Nie masz ani chwili do stracenia!

Czuła, jak włoski na karku stają jej dęba. W głosie mężczyzny było coś znajomego, jakby słyszała go już wcześniej, dawno temu, ale nie umiała go przyporządkować do konkretnej osoby.

– O co chodzi? – spytała wystraszona. – Czy coś się stało?

– Nie mogę mówić przez telefon. Zaufaj mi, Kit. Będę czekał. Kierowca ma na imię Ahmed.

– Zaczekaj! Nie wiem nawet, z kim rozmawiam! Skąd mogę wiedzieć, że to nie pułapka?

– Nie możesz, ale zaufaj mi – zawahał się przez moment. – Byłem tam, gdzie ty tamtego wieczoru – powiedział, ściszając głos.

Zaschło jej w gardle i ledwo przełknęła ślinę.

– Którego wieczoru? – spytała, ale już się domyśliła.

– Wtedy, kiedy go poznałaś. Pamiętasz, co piliśmy? Szampana Monopole Heidsieck trzydzieści dziewięć.

Poczuła, jak uginają się pod nią kolana. W jednej chwili wszystko wróciło. Piwnica. Muzyka. Dym z papierosów. Earl.

– Joel? – Wszystko nagle zaczęło do siebie pasować. – To ty! – Aż zabrakło jej tchu z wrażenia. – To ty byłeś tym ochroniarzem!

– Kit! Nie teraz! – uciął. – Bierz paszporty, płaszcze dla córek i zbieraj się stamtąd, do cholery! Spotykamy się przy bramie. Pospiesz się! To nie żarty.

Coś kliknęło w słuchawce i na linii zapadła cisza.

Stała w miejscu jeszcze przez chwilę, zbyt oszołomiona, żeby się ruszyć, lecz lata treningów dały jej kopa. Pobiegła na górę, wyciągnęła dużą torbę z szafy i w pośpiechu pakowała najpotrzebniejsze rzeczy. W głowie przewijały się obrazy z przeszłości: Joel, Ruth, Earl, miłość, przyjaźń...

Jak cuda i bogowie, przyszło jej na myśl, gdy serce waliło jak oszalałe. Wcale nie pojawiają się w miejscach, gdzie byśmy ich oczekiwali: w kościołach, katedrach czy w uświęconym domowym zaciszu. Pojawiają się przypadkowo, pośród pospólstwa, w zdesperowanym tłumie.

Zgarnęła wszystko z biurka, żeby nie pozostał ślad po notatkach czy papierach. Pamiętała dokładnie instrukcje ze szkoleń: Nie zostawiaj niczego po sobie! Zbiegła na dół. Kierowca już czekał, zgodnie z tym, co mówił Joel. Wrzuciła dwie torby na tylne siedzenie i szybko wskoczyła do auta. Najpierw Eluned, potem Libby. O siebie się nie bała. Nie po wszystkim, co przeszła. Jednakże jeśli cokolwiek stałoby się im... Z przerażenia nie mogła złapać tchu.

– Jedź! – prawie krzyknęła na kierowcę. – No jedźże!

CZĘŚĆ VIII

SEKS

1961

Libby

52

Sans Souci, Trynidad i Tobago

Dwa odrzutowce znaczyły niebo białymi śladami, na których jak na linach wisiało kobaltowe płótno morza z kołyszącą się na nim gromadką połączonych ze sobą jachtów. Błękitna godzina...

Libby siedziała z kolanami podciągniętymi pod brodę, leniwie kreśląc palcem wskazującym kółka w zimnym, mokrym piasku. Nieco w lewo od niej siedzieli rodzice z dwiema siostrami: pięcioletnią Eluned i Maev, która niedawno przyszła na świat.

Błękitna godzina... Zamknęła oczy. Wciąż brzmiał jej w uszach głos Tima Cricka, zupełnie tak, jakby stał tuż obok w tych swoich obcisłych dżinsach, w których kryły się długie, smukłe uda. „Błękitna godzina to stan przejściowy między dniem a nocą, tuż po zachodzie słońca i tuż przed jego wschodem, kiedy słońce znajduje się poniżej linii horyzontu. Resztka promieni słonecznych, dochodzących jeszcze zza horyzontu, ma w przeważającej części kolor niebieski. Efekt wywołany jest rozproszeniem niebieskich fal światła, które są krótsze niż fale czerwone. Przeciętnie trwa to około czterdziestu minut. Wówczas fale czerwone trafiają wprost w przestrzeń kosmiczną, podczas gdy światło niebieskie zostaje rozproszone w atmosferze ziemskiej i jest dla nas widzialne. Z powodu niesamowitego koloru nieba błękitna godzina była ceniona wysoko przez artystów... i dlatego właśnie się o niej uczymy".

Poczuła przebiegający po plecach niesamowicie przyjemny dreszcz.

Podniosła głowę i spojrzała na morze. Chłonęła widok fal, które rozbijały się o wystające głazy i zamieniały w kolistą białą pianę; patrzyła na gęstą zieleń, spływającą wprost do oceanu.

Docierali tutaj po wyboistej drodze Paria Main Road, zjeżdżając w dół w stronę morza, a z każdym kilometrem powietrze stawało się lżejsze i świeższe. Od ich ogromnego domu w St Clair była to daleka droga, ale dziewczynki uwielbiały takie wycieczki, szczególnie Maev. Tak jak wszyscy starali się nie poddawać żądaniom wiecznie nadąsanej i wiecznie się o coś upominającej Eluned, to nigdy nie mogli odmówić niczego Maev. Miała w sobie coś, co na każdego rzucało czar. Nigdy, przenigdy nie płakała, przy niczym się nie upierała. Może to nie do końca prawda, bo przecież wszystkie niemowlęta płaczą, Maev jednakże płakała tylko wtedy, kiedy naprawdę miała ku temu powód. Elly była jej dokładnym przeciwieństwem – Libby zapamiętała ją jako niemowlę drące się wniebogłosy prawie bez przerwy.

Maev przypominała małego aniołka ze swoimi gęstymi blond włoskami, zwijającymi się w drobne loczki. Niemowlęta nie miewają zwykle takich włosów. Miała ogromne ciemnoniebieskie oczy, ciemne brwi i malusieńkie usteczka. Aż chciało się ją złapać w objęcia i całować bez końca. Tak jak Libby wyróżniała się oliwkową karnacją i prześlicznymi rumieńcami. Każda z sióstr była inna. Wszyscy zwracali na to uwagę. Mówili o nich: „Tamte siostry Kentridge". Różniły się nie tylko wyglądem zewnętrznym, ale i charakterami. Nawet inaczej mówiły. Eluned miała bardzo dokładną, angielską wymowę, podobną do rodziców. Libby w szkołach w Omanie i Port-of-Spain złapała amerykański akcent, który natychmiast traciła, gdy tylko postawiła nogę w Anglii. Była to bardzo przydatna umiejętność. Zachowywała się jak kameleon. Mimo że niewielu o tym wiedziało, posługiwała się również płynnie językiem arabskim.

W Port-of-Spain arabski raczej nie był do niczego przydatny. Pewnego dnia wyszła do miasta z dwiema najlepszymi przyjaciółkami Karlą i Gracie. Wstąpiły do kawiarni Salazar's przy Maraval Road tuż obok parku. Były w szoku, kiedy Libby zaczęła rozmawiać po arabsku z właścicielem knajpki z Libanu.

– Gdzie się tego nauczyłaś?! – spytała zdumiona Gracie.

Libby się zaczerwieniła.

– Ehm... No cóż... Mieszkaliśmy przedtem w Omanie... Złapałam jakoś tak mimochodem.

– Coś takiego! To niesamowite! – Karla była pod wrażeniem.

– Dla mnie brzmi dziwnie – orzekła Gracie. – To jakiś niezrozumiały bełkot.

– Lib! – zawołała matka, przerywając jej rozmyślania. – Co się z tobą dzieje? Nie chcesz dołączyć do nas?

Libby pokręciła głową. Nie miała najmniejszej ochoty grać z resztą rodziny w karty. Wyciągnęła nogi przed siebie i zaczęła się im przyglądać krytycznie. „Wspaniałe cycki, świetne nogi. Ale seksowna laska". Dokładnie tak powiedział. Słowa Tima pochodzące z pewnego źródła. Sądził, że jest najpiękniejszą dziewczyną na świecie, a przynajmniej co chwila to powtarzał. Słuchanie go było jak miód na jej uszy, a nawet więcej! Było jak taplanie się w płynnym miodzie, jak kąpiel w mleku, jak topienie się w szampanie. Libby lubiła wymyślać różne porównania. Z tego, co pamiętała, uchodziła raczej za przeciętne dziecko. Nikt bez przerwy nie nosił jej na rękach i nie rozpływał się nad nią bezustannie, jak nad Maev. Była nieproporcjonalnie zbudowana i niezgrabnie się poruszała, a jcj włosy nigdy nie chciały się układać jak należy. Dopiero w wieku lat trzynastu wszystko zaczęło powoli wskakiwać na swoje miejsce. Nogi wyciągnęły się i wyprostowały, nagle urosły jej piersi, choć reszta ciała pozostała szczupła i koścista jak u charta. Przez pewien czas Tim Crick nawet zwracał się do niej Ty Moja Charcico – dopóki nie zaczął z nią sypiać – a potem wymyślał wciąż inne przydomki, z których żaden nie nadawał się do powtórzenia na głos. Nie można jej było jednak posądzać o próżność. Matka szybko reagowała na wszelkie przejawy czegokolwiek, co miało choćby posmak próżności. „Przestań się tak gapić w lustro, bo pęknie z wrażenia". Zawsze komentowała z humorem poczynania córki. Owszem, sama była piękna, ale na pewno nie dałoby się jej nazwać próżną. Wykazywała równy brak zainteresowania własną urodą co własnymi córkami. Córkami innych zresztą też. Nie, matka była zbyt silną kobietą, by posądzać ją o próżność.

Tego wieczoru, kiedy opuścili Oman – co dla Libby w dalszym ciągu pozostawało najbardziej przerażającym doświadczeniem całego dotychczasowego życia – właśnie wtedy zdała sobie sprawę, jak silną kobietą jest matka. Podjechała pod szkołę z rykiem silnika samochodem z szoferem i zgarnęła ją prosto z boiska na oczach zdumionych koleżanek. Eluned już siedziała na tylnej kanapie i ryczała, jakby ją obdzierali ze skóry. W kilka minut znaleźli się pod ambasadą brytyjską. Ojciec już tam był, ale to matka przejęła dowodzenie. Właśnie wtedy do Libby dotarło, jak bardzo potrzebuje matki. Ojciec zachował się poniżej krytyki. Już w ambasadzie matkę natychmiast zabrano na górę. Libby przykazano zaopiekować się Eluned. Ojciec stał z boku. Wyglądał na całkowicie zagubionego.

Zabrała Eluned do toalety i wtedy na korytarzu wpadła na ojca, wydającego dziwne, chrapliwe dźwięki. Zdrętwiała, nie wiedząc, co robić. Po chwili zdała sobie sprawę, że on płacze, i ogarnęło ją przerażenie. Odwrócił się i przez chwilę patrzyli na siebie.

Wciąż nie rozumiała, skąd znalazła w sobie tyle siły, że powiedziała mu rozkazującym głosem: „Przestań płakać! Niech lepiej Elly tego nie zobaczy, bo wszystko wypapla mamie!".

Przestał od razu.

To matka rządziła. To ona wszystko zorganizowała. Ludzie w ambasadzie musieli ją znać. Libby pojęcia nie miała skąd. Zauważyła dziwną scenkę z mężczyzną, który wyszedł z jednych z szeregu drzwi pokoi biurowych, kiedy byli już gotowi do wyjazdu na lotnisko. Stanęli z matką nieco z boku i rozmawiali przyciszonymi głosami. Libby nie słyszała, o czym mówią, lecz sposób, w jaki prowadzili rozmowę, świadczył o zażyłości, której nigdy wcześniej nie była świadkiem w przypadku matki. Ojciec przyglądał się im bezradnie.

Odlecieli pod osłoną ciemności jeszcze tej samej nocy i wylądowali rano w zimnym, mokrym Londynie. Na dwa tygodnie zatrzymali się w mieszkaniu przy Bayswater, a potem przenieśli się z powrotem do swojego domu w Chelsea. Taki był koniec Omanu.

Dwa dni po ich dramatycznej ucieczce Libby usłyszała w wiadomościach, że w Omanie doszło do nieudanego zamachu stanu, a mężczyzna, z którym kilkakrotnie widziała matkę – bratanek władcy – został zamordowany. Nic z tego nie rozumiała.

Przez dwa miesiące nie ruszali się z Londynu, a potem ojciec dostał nową pracę. Dwa tygodnie później znaleźli się w Trynidadzie, który okazał się tak różny od Omanu, że czuli się, jakby znaleźli się w innym świecie.

Tak, matka potrafiła być zarówno przerażająca, jak i zniewalająca. Libby zastanawiała się, czy zdarzyła się kiedykolwiek taka chwila, żeby cień matki nie znajdował się gdzieś tuż obok niej.

– Chodźcie, dziewczynki! – Głos matki zburzył spokój.

Dzień zbliżał się ku końcowi. Jedynie to, w jaki sposób tutaj zapadała noc, przypominało Libby pobyt na Środkowym Wschodzie: noc nadchodziła niespodziewanie, jakby ktoś nagle zaciągnął zasłonę, a z nieba miękko i niezauważalnie wyciekło całe światło.

Westchnęła i wstała. I po błękitnej godzinie. Nie, w Londynie było jednak inaczej.

– Pospiesz się! Tata nie lubi wracać w całkowitych ciemnościach. Pojedziemy w odwiedziny do państwa Tessarów.

Eluned podniosła wzrok, rozpoznała nazwisko Tessarów i ryknęła płaczem. Nie znosiła, kiedy działo się coś niespodziewanego. Uwielbiała zasady i ograniczenia wszelkiego rodzaju we wszystkich możliwych sytuacjach. Była w niej jakaś szorstkość, może nawet opryskliwość, czego Libby nie mogła pojąć. Zawsze szukała w innych jakichś oznak słabości, starała się wyniuchać, co ich drażni, żeby potem wykorzystać to przeciwko nim. Ten i ten obgryza paznokcie; ten kłamie, a tamten sika w łóżko. Miała chyba skatalogowane wszystkie błędy i pomyłki koleżanek i kolegów z przedszkola. Była małym tyranem i prześladowcą. Dlaczego? Tego Libby za nic nie mogła rozgryźć.

– Chodź wreszcie, córeczko! Siedzisz z głową między nogami przez całe popołudnie. Czy na pewno wszystko u ciebie w porządku? – Matka podeszła do niej, zostawiając siostry w towarzystwie ojca.

To była rzadka chwila sam na sam z mamą. Libby zawahała się. W tylnej kieszeni szortów ukryła blister z pigułkami, który dał jej Tim. „Bierz jedną każdego ranka, dziecinko – rzekł. – Zaoszczędzi to nam wielu kłopotów. Nie martw się, są całkowicie bezpieczne. Żadnych efektów ubocznych. Małe białe cudeńka, tak je nazywam".

Czy odważy się powiedzieć matce?

– Nie, wszystko w porządku. – Jednak się nie zdecydowała.

– To dobrze. No cóż, ruszajmy. Czekają na nas.

Libby jęknęła w duchu. Tessarowie – chyba najgłośniejsza amerykańska rodzina z tych, które znała – byli właścicielami jednego z wielu letnich domków w stylu chatki z piernika w pobliżu plaży. Ich stał tuż przy końcu drogi i był tak gęsto pokryty zielenią, że sprawiał wrażenie tworu, który samoistnie wyrósł z ziemi, a nie został na niej wybudowany przez człowieka. Pomalowano go w wesołych, jaskrawych kolorach, charakterystycznych dla wyspy: ściany na ciemny róż, spłowiały teraz, a okiennice na złocistożółty, pasujący do słoneczników, co wieczór pochylających ogromne żółte głowy ku linii horyzontu, gdzie chowało się słońce.

Pan Tessaro pracował dla firmy Texaco, amerykańskiego rywala koncernu BP, który zatrudniał teraz ojca, ale mężczyźni ze sobą nie rywalizowali. Pan Tessaro był głośnym, bezpośrednim mężczyzną, uśmiechającym się od ucha do ucha. Pochodził z południa Stanów – z Luizjany albo z jej okolic. Mówił tak niedbale, że czasem nawet Libby nie mogła go zrozumieć. Jego żona Veronica – „mów mi Vera, kochanie!" – była równie głośną, radosną kobietką z włosami bezustannie nakręconymi na różowe wałki.

Mieszkali w Laventille, jednym z południowych przedmieść Port-of-Spain, gdzie wszystkie domy wyglądały tak samo: parterowe bungalowy z szerokimi połaciami nieomal płaskich dachów, a od frontu podjazdy po wznoszących się ku domom strzyżonych trawnikach. Laventille nie było nawet w połowie tak przyjemne jak St Clair, gdzie mieszkali Kentridge'owie. Tu każdą elegancką willę otaczały ogrody, które zdawały się nie mieć końca, choć matka nie widziała żadnej różnicy. Na zrobienie fryzury i makijażu, dobór wina czy whisky, które zabierali na liczne przyjęcia u nich, poświęcała tyle samo czasu, co na przygotowania do wyjścia do kogokolwiek innego.

Poszli piaszczystą ścieżką pod górę w stronę samochodu ukrytego za mangrowcem, którego ciemnozielone, pierzaste liście muskały delikatnie ich ramiona i nogi, kiedy przechodzili obok. Niebo nad ich głowami zrobiło się czarne i aksamitnie miękkie. Wszyscy wsiedli do wozu. Trzy siostry siedziały ściśnięte z tyłu. Jak zwykle wybuchła sprzeczka, która którą dotknęła, której nogi zajmowały więcej miejsca. Wreszcie ojciec włączył silnik. Matka zapaliła papierosa. Elly zaczęła nucić pod nosem jakąś nieznaną melodię ze szkoły. W światłach samochodu migały jakieś cienie, które łączyły się ze sobą, stając się rozpoznawalnymi kształtami, rzeczami... samotną osobą, idącą skrajem drogi, owiniętą szczelnie ciemnym płaszczem nocy.

Rozmowa w pokoju dziennym toczyła się wartko, coraz częściej przeplatana wybuchami śmiechu i okrzykami. Robiło się głośniej i weselej również dzięki drinkom, których nie żałowała im Vera Tessaro.

– Och, nie, nie! Już dosyć! Już dziękuję, Vero. – To głos ojca.

Kpiarskie prychnięcie, a po nim chichot.

– Ale z was typowi Angole! Sztywniacy jakich mało! Jest weekend. Napijmy się! Macie całe dwanaście godzin, zanim pójdziecie jutro do pracy. Powiedz im coś, Alfonso!

Dwie siostry siedziały całkiem przytomne na długiej wiklinowej kanapie, której poduchy wygniotły pośladki niezliczonych gości. Maev spała, przykryta kocykiem pomimo upalnej nocy.

Libby wstała, zniecierpliwiona tym odseparowaniem od dorosłych, które zepchnęło ją do świata dzieci. Podeszła do krawędzi werandy i stanęła z nosem wciśniętym w elastyczną siatkę przeciw owadom. Mocno wciągnęła do płuc świeże powietrze nocy. Wydało jej się, że słyszy lekkie pobrzękiwanie dzwonków wietrznych. Dźwięk był słaby, lecz ciekawie zwielokrotniony, jak wszystko w tropikach. Za plecami miała rozjarzony światłami pokój dzienny z drzwiami otwartymi na korytarz, a z tyłu domu mieściła się kuchnia. Weranda znajdowała się gdzieś pośrodku: ani całkiem na zewnątrz domu, ani całkiem w jego wnętrzu. Od ogrodu osłaniały ją gałęzie koralodrzewu, którego szkarłatne pazury teraz wydawały się czarne na tle nocnego nieba. Po cichu otworzyła uchylne drzwi werandy. Przywitała ją ciepła noc, wypełniona ekstatycznym cykaniem owadów.

– Nie wychodź do ogrodu! – natychmiast upomniała ją przemądrzała Eluned. – Mama tak mówiła.

– Za chwilę wracam. – Libby zamknęła za sobą drzwi i zeszła na żwirowaną ścieżkę, która obiegała dom.

Miała dość obrzydliwie słodkiej fanty i namokniętych, gąbczastych herbatników, które przyniósł im służący. Na litość boską! Przecież miała już dziewiętnaście lat! Czy rodzice nie zdawali sobie sprawy z tego, że ona pija już wino, tak samo jak oni? Piwo zresztą też, a raz nawet – ale tylko raz – napiła się drinka z wódką, po którym natychmiast się pochorowała.

Szybko obeszła narożnik domu. Z oddali słychać było głuchy pomruk rozbijających się o brzeg fal, wyciszony przez obfitą roślinność. Dom Tessarów był oddalony o jakieś półtora kilometra od plaży. Teraz, w spowijających go ciemnościach, na tle których światło wylewające się z domu jarzyło się jasną plamą, oślepiający blask słońca za dnia wydawał się tylko mirażem, czymś nie do uwierzenia.

Podeszła bliżej do tylnej ściany domu i nagle usłyszała odgłosy rozmowy dobiegające z kuchni. Przywarła do ściany, wciąż częściowo pogrążona we własnych myślach. Za jej plecami cykady nagle ucichły i głosy stały się dobrze słyszalne.

– Galeota zrobił na tym złoty interes.

– Ile?

– Sześćdziesiąt pięć milionów baryłek.

– Sześćdziesiąt pięć milionów?! To ponad trzydzieści procent tego, co zwykle. Jak zareagował na to PNM*?

Zdziwiona Libby rozpoznała głos matki. Rozmawiała z jakimś mężczyzną o brytyjskim akcencie. Zaczęła się zastanawiać, kto to może być. Znalazła się tuż przy kuchennych drzwiach. Ciekawość wzięła górę. Wspięła się na palce i zerknęła przez siatkę. Dostrzegła matkę przy lodówce z butelką czegoś – może ginu? – w jednej ręce, a w drugiej z pojemnikiem z lodem. W drzwiach stał pan Tessaro. Nikogo więcej w pomieszczeniu Libby nie widziała. Głos, który słyszała, nie mógł należeć do pana Tessara. On był przecież Amerykaninem.

– Udało ci się porozmawiać z Williamsem? Mam na myśli stosowną rozmowę.

– Nie było na to czasu. Powiedziałem jego sekretarzowi, że wpadnę później...

– Alfonso! – Piskliwe wołanie z głębi domu przerwało tę rozmowę. To głos pani Tessaro.

Libby patrzyła jak zaczarowana na matkę, która zasygnalizowała mu na migi, żeby zamilkł. Pomiędzy jej brwiami pojawiła się niewielka zmarszczka, ale to postawa Kit przyciągała uwagę. Jej ciało było w pełnej gotowości, napięte jak sprężyna.

---

*Ludowy Ruch Narodowy, PNM – niepodległościowa partia Trynidadu i Tobago.

Nastąpiła chwila wahania, a potem pan Tessaro wsunął palec pod kołnierzyk, rozpiął go i opuścił kuchnię bez słowa. Matka została na swoim miejscu, tylko odetchnęła głęboko, żeby dojść do siebie. Później zamknęła drzwi lodówki, wzięła butelkę piwa za szyjkę i poszła za panem Tessarem.

– Kto prosił o piwo? – zapytała wesoło. Cała wcześniejsza tajemniczość zniknęła z jej głosu.

Libby widziała wszystkich przez otwarte drzwi. Ojciec stał przy gramofonie, pani Tessaro siedziała w głębokim wyściełanym fotelu przy stole, kołysząc stopą w rytm przyciszonej muzyki. Nawet z tej odległości zauważyła w twarzy matki jawną obcość. Wciąż rozróżniała niezwyczajne dla niej ożywienie.

Libby powoli wypuściła powietrze z płuc. Nawet nie zwróciła uwagi, kiedy wstrzymała oddech. Pan Tessaro mówił z innym akcentem – znaczyło to, że nie jest tym, za kogo się podaje. Ale jak to możliwe?! Zdawało jej się, że stoi tak całe wieki w gęstych ciemnościach nocy. Ruszyła się dopiero wtedy, gdy znów rozległo się chóralne granie cykad.

53

Dwa tygodnie później Libby wróciła z powrotem do Londynu, do swojego świata na Akademii Sztuk Pięknych. Przerwa świąteczna ze wszystkimi jej tajemnicami i zagadkami została za nią. Upał i oślepiające promienie słoneczne Port-of-Spain zdawały się przywidzeniem. Jedynym śladem po pobycie u rodziny był nieco ciemniejszy niż zwykle odcień skóry, muśniętej słońcem.

– Jezu! Jesteś cudowna! – Tim podparł się na łokciu, jedną ręką zapalił papierosa, a drugą nie przestawał kreślić linii od jej szyi do pępka. Libby czuła, że dosłownie się rozpływa pod jego dotykiem.

– Naprawdę? – spytała, pławiąc się w jego zachwytach.

– Mmm... Wiesz, że tak. – Zaciągnął się, a potem podał jej.

– A który kawałek lubisz najbardziej?

Prychnął krótko i przetoczył się na plecy. Czar prysł. Libby powinna była ugryźć się w język.

– Tylko znowu nie zaczynaj! – ochrzanił ją krótko.

Libby poczuła, że zaczyna ją szczypać pod powiekami. Dlaczego zawsze musiała wszystko zepsuć? Tak trudno było wyczuć, co powiedzieć, kiedy powiedzieć i jak powiedzieć. Starała się, naprawdę się starała, ale wyglądało na to, że nie obowiązywały tu żadne reguły. Zdarzało się, że uśmiechali się do siebie i radośnie przekomarzali, po czym on w jednej chwili potrafił stać się poirytowany i opryskliwy. Istna huśtawka nastrojów. Falowanie i spadanie. Jeszcze nie utonęła, choć czasem miała wrażenie, że tonie. A nawet częściej niż czasem. Głównie tonęła.

Nie tak miało to wyglądać. W ostatniej klasie szkoły średniej w Port-of-Spain podjęła zaskakującą decyzję, że nie pójdzie na uniwersytet, lecz będzie próbowała się dostać na uczelnię artystyczną. Reakcja matki wywoływała u niej ciarki na plecach za każdym razem, kiedy o tym pomyślała.

– Uczelnia artystyczna?! Zwariowałaś?!

– Kit, Kit... pozwól jej skończyć. – Ojciec przyszedł jej na ratunek. Od pamiętnej nocy, kiedy opuścili Oman, zrobiło się pomiędzy nimi jeszcze dziwniej. Chodził wokół niej na paluszkach, jakby wciąż czegoś się bał. Libby czuła się przez to niekomfortowo, ale przynajmniej teraz mogła być zadowolona ze wsparcia.

– Mamuś, to nie tak, jak myślisz. To porządna uczelnia. Jest jak uniwersytet, tylko studiuje się na niej sztukę.

– Ech, dlaczego nie chcesz iść na jakąś porządną uczelnię jak Oxford albo Cambridge? Moglibyśmy ci załatwić studia na Ruskin University. Jestem tego pewna.

– Ale ja wcale nie chcę, żebyście mi cokolwiek załatwiali. Chcę wrócić do Londynu!

– A może chociaż szkoła sztuk pięknych Slade przy uniwersytecie w Londynie? – podrzucił ojciec, wpatrując się w małżonkę w oczekiwaniu na akceptację jego pomysłu.

– No właśnie, a co sądzisz o Slade? To szkoła o światowej renomie i kończysz ją z tytułem magistra, jak w normalnej szkole wyższej.

Libby spoglądała z niedowierzaniem to na matkę, to na ojca.

– Nie do wiary! – rzuciła arogancko. – Ty nawet nie pracujesz. Co ci za różnica, na jakiej uczelni ja zrobię tego głupiego magistra?

– Libby! Dość tego! Nie mów tak do matki!

– Ale przecież to prawda! Nie przepracowałaś normalnie ani jednego dnia w życiu! Wciąż tylko grasz w tenisa i... i plotkujesz z innymi niepracującymi żonami i...

– Libby, dość! – powiedziała cicho matka. Na jej policzkach pojawiły się czerwone plamy.

Jednak w Libby coś wstąpiło i darła się dalej.

– A co? Może nie mam racji? Och, wiem, że sto lat temu poszłaś na Oxford... Kogo to dzisiaj obchodzi? Nigdy nie zdobyłaś się na odwagę, żeby zrobić cokolwiek ze swoim życiem, więc teraz mi nie mów, co ja powinnam zrobić ze swoim! Rzygać mi się chce od ciągłego słuchania, jak mam postępować. Nie jestem dzieckiem! – Kiedy te słowa sypały się z ust córki, twarz matki tężała, na widok czego Libby niemal padła trupem ze strachu. Nikt poza matką nie potrafił wzbudzić w niej takiego przerażenia. Uczucie paniki rosło. Próbowała jakoś odwrócić tok swojej mowy, ale już było za późno. Znalazła się w potrzasku zastawionym przez samą siebie. – Zresztą nie interesuje mnie twoje zdanie. Wyjeżdżam! Zawsze mogę wystąpić o stypendium...

Zamilkła. Nieoczekiwanie matka znalazła się tuż obok. Wstała z krzesła przy oknie i stanęła oko w oko z córką. Były prawie tego samego wzrostu. Obie patrzyły na siebie przez chwilę, a potem Kit zamachnęła się i po raz pierwszy w życiu uderzyła ją w twarz.

Był to ostatni raz, kiedy Libby odważyła się podnieść głos na matkę.

*

Miesiąc później, już bez protestów, została wpisana na listę studentów Chelsea College of Art. Ojciec poleciał z nią samolotem. W pierwszej chwili poczuła się tak, jakby wylądowała na Marsie: wprost z karaibskich upałów wpadli w chłodny wrześniowy poranek. Mimo że Libby całkiem dobrze potrafiła poruszać się po Londynie, przez trzy lata ich nieobecności wiele się zmieniło. Był rok tysiąc dziewięćset sześćdziesiąty pierwszy i stolica błyskawicznie się rozwijała. Wszystko wokół przytłaczało Libby – tak wielu ludzi podążało zawzięcie w sobie tylko wiadomym celu! Jak zaskakująco wyglądały ich ubrania! Ulica King's Road, kilka kroków od ich domu, stała się centralnym punktem tych zmian. Już następnego dnia, kiedy przechodzili z ojcem na drugą stronę ulicy, o mało nie wpadła pod samochód, bo zagapiła się na dziewczynę ubraną w sukienkę w geometryczne wzory z biało-czarnych pasków i cytrynowe rajstopy. Nie wiedziała, na czym zatrzymać wzrok.

Pod koniec pierwszego tygodnia ojciec poleciał z powrotem do Trynidadu i zostawił Libby samą. Ogarnęła ją panika, lecz równocześnie odczuła ulgę. Kiedy taksówka wioząca go na lotnisko skręciła w najbliższą przecznicę, zdusiła łzy. Po raz pierwszy w życiu została zupełnie sama i sama będzie musiała się o siebie troszczyć. Większość studentów, których poznała, pochodziła z takich okolic jak Surrey czy Hampshire i już zaczynali planować pierwszy weekend w domu, żeby zrobić zapasy jedzenia na następny tydzień i zawieźć rzeczy do uprania. Jej „dom" był oddalony o ponad siedem tysięcy kilometrów. Nie zobaczy swojej rodziny wcześniej jak w święta Bożego Narodzenia.

Gdy taksówka zniknęła, Libby odwróciła się i weszła po schodach do domu, zastanawiając się po drodze, co robić dalej. Została zakwaterowana w akademiku mieszczącym się w paskudnej wiktoriańskiej kamienicy na tyłach Fulham Road, ale za to na uczelnię mogła dojść na piechotę. Mieszkało tu w przybliżeniu trzystu studentów pierwszego roku, przy czym na każdym piętrze naprzemiennie zamieszkiwały osoby tej samej płci.

Pchnęła drzwi wejściowe i stanęła niezdecydowana w pustym holu. Czuła się okropnie zagubiona. Nie było nawet do kogo zagadać. Za biurkiem w recepcji siedział srogo wyglądający woźny w średnim wieku. Miał tam urządzony wygodny kącik z mikroskopijną kuchenką i nieco zużytym fotelem, ale za to wyglądającym na bardzo wygodny.

Rozejrzała się dokoła. W holu leżał wytarty czerwony chodnik, tu i ówdzie stały krzesła, każde od innego kompletu, a w najdalszym kącie, na trójnożnym stoliku, ustawiono mały telewizor. Całą jedną ścianę zajmowały drewniane przegródki na wszelaką korespondencję przychodzącą do studentów, co przypominało nieco hotelowe lobby, ale winda z rozsuwaną kratą drzwi na przeciwległej ścianie – z odręcznie napisaną informacją: *Nie więcej niż trzy osoby jednocześnie!!!* – przywodziła na myśl wejście do więzienia.

Libby wydęła policzki. Była czwarta po południu w mokre, sobotnie, wrześniowe popołudnie. Zajęcia miały się zacząć dopiero w poniedziałek. Nikogo nie znała i nie miała zupełnie nic do roboty. Podeszła do windy i nacisnęła guzik. Kabina zjechała na dół, stukocząc i zgrzytając, a przez otwarte drzwi z jej wnętrza wytoczyło się pięć osób, które były w niej upchnięte jak sardynki. Śmiali się i rozprawiali o czymś z ożywieniem. Libby odsunęła się i udawała, że patrzy w inną stronę, po czym pospiesznie weszła do środka i nacisnęła trójkę.

Zanim drzwi się zamknęły, ktoś jeszcze zdążył wśliznąć się do kabiny.

– Trzecie poproszę! – wysapała nieznajoma dziewczyna, odwijając z szyi długi szalik. – Przepraszam, ale ta winda tak strasznie się wlecze, że nie chciało mi się czekać, aż wjedzie i znowu zjedzie na parter, a wbiegać po schodach co godzina na trzecie piętro też mi się nie chce.

– Nie no, jasne... – Libby przyznała jej natychmiast rację. Może zrobiła to nieco za szybko...

Dziewczyna, która przecisnęła się przed chwilą przez szczelinę w zasuwających się drzwiach, popatrzyła na nią surowo.

– To trochę jak wspinaczka wysokogórska – dodała nerwowo Libby.

Dziewczyna dalej patrzyła na nią bez słowa, kiedy jechały w górę rozklekotaną windą.

– Jak masz na imię? – spytała w końcu.

– Libby. Libby Kentridge. – Znowu zapadła niezręczna cisza. – Ehm... A ty?

– Hortense Heatherwick-Hamilton de Hubert.

Libby osłupiała, a dziewczyna się roześmiała.

– Żartowałam. Mam na imię Charlie. Charlie Guthrie.

– Och! – Libby w dalszym ciągu nie mogła zebrać myśli.

Charlie miała rude włosy i pełno piegów, zielone oczy o kształcie migdałów i najjaśniejszą skórę, jaką kiedykolwiek Libby widziała. Nosiła modną fryzurkę z bobem, którą Libby widziała u wielu dziewczyn, ale nie miała odwagi wypróbować na sobie. Włosy z tyłu były ścięte krócej niż z przodu. Ich długie, spiczaste końcówki zawijały się pod brodą. Obcięta równo z brwiami grzywka przylegała gładko do głowy. Dziewczyna obwiodła oczy ciemną kredką i mocno wytuszowała rzęsy, bladoróżowych ust nie pociągnęła szminką. Ubrana była w czarny sweter z golfem, krótką spódniczkę w szkocką kratę i szokująco różowe rajstopy. Miała cudowną powierzchowność.

– Na którym piętrze mieszkasz? – spytała Charlie z przelotnym, zuchwałym uśmieszkiem.

– Ja?

– A jest tu ktoś jeszcze?

– Nie... Tak... To znaczy... Ja też będę mieszkać na trzecim.

– Jaki masz numer pokoju?

– Hm, chyba piętnaście „B" – zawahała się. – A ty?

– Dwanaście „A". To po drugiej stronie korytarza. Napiłabyś się wina? Mam butelkę jakiegoś okropnego czerwonego pod łóżkiem. Może się ze mną napijesz, jeśli masz ochotę.

*

Półtorej godziny później, siedząc po turecku na podłodze pokoju Charlie i pijąc wino prosto z butelki, Libby nie czuła się już tak bardzo samotna. Upiła łyk, podała butelkę Charlie i zachichotała.

– Co cię tak śmieszy? – spytała Charlie, a oczy tak jej rozbłysły, jakby już wiedziała, co zaraz powie nowa koleżanka.

– Gdyby moja matka mnie teraz zobaczyła, na pewno wpadłaby w szał. Właśnie dlatego nie chciała mi pozwolić na studia w uczelni artystycznej.

– Ach, moja tak samo! Co robią twoi rodzice? Założę się, że są okropnie egzotyczni.

– Egzotyczni? – zdziwiła się Libby. – Na jakiej podstawie tak sądzisz? Są przeraźliwie zwyczajni.

– Założę się, że nie. No to powiedz mi, gdzie mieszkasz? Poza akademikiem, oczywiście.

– No cóż, tak właściwie to mieszkamy za granicą.

– Jasne. A gdzie?

– W Trynidadzie, ale dopiero od kilku lat – dodała pospiesznie Libby, bo zabrzmiało to tak, jakby się przechwalała.

– W Trynidadzie? A niech mnie! Straszne tam upały, co? – Charlie o mało oczy nie wyszły na wierzch. – Co, u licha, robią tam twoi rodzice?

– Mój ojciec pracuje dla koncernu BP. Jest kierownikiem sprzedaży. Nic poważnego. Mama natomiast nic nie robi. Grywa w tenisa całymi dniami.

– Ale bym chciała, żeby moja nic nie robiła! – jęknęła Charlie ponuro. – Mam odwrotny problem.

– To znaczy?

– Moi rodzice są naukowcami. Moja mama była jedną z pierwszych kobiet na uniwersytecie w Cambridge, które obroniły doktorat z fizyki. Możesz sobie wyobrazić, jak musiał ich ucieszyć mój wybór. Mój tata prawie dostał zawału, kiedy mu wyznałam, że pragnę zostać projektantką mody.

– Mój tak samo. Czy to właśnie studiujesz? – spytała Libby. Była pod wrażeniem. Projektantka mody! Brzmiało świetnie!

– Ach! Już od najmłodszych lat chciałam zostać projektantką mody. Razem z siostrami całymi dniami szyłyśmy ubranka dla lalek. Masz siostrę?

– Tak. Nawet dwie, ale środkowej nie znoszę.

Charlie wyglądała na oburzoną.

– Nie możesz tak mówić! Nie powinnaś.

– Dlaczego nie? To prawda. Jest okropna. Wprawdzie to moja siostra i tak dalej, ale jest taka wredna, że nie daje się lubić. Druga moja siostra dopiero niedawno się urodziła.

– To zabawne. Jesteśmy całkowitymi przeciwieństwami – stwierdziła Charlie i dopiła resztkę wina. – Ja uwielbiam swoje siostry. – Wrzuciła pustą butelkę z powrotem pod łóżko. – Sprzątaczki chodzą w poniedziałki i mają obowiązek donieść, jeśli coś takiego znajdą w pokoju. Przypomnij mi jutro, żebym się jej pozbyła.

Libby kiwnęła głową i nagle poczuła przypływ ciepłych uczuć do Charlie. Z tego, co mówiła, wynikało, że chce się z nią spotkać również jutro. Czy naprawdę wszystko pójdzie tak gładko?

– Dlaczego uważasz, że jesteśmy przeciwieństwami? – zainteresowała się.

– No bo jesteśmy. Ja jestem najmłodszą z sióstr, a ty najstarszą. Ty nie cierpisz swoich sióstr, a ja moje kocham. Twoja mama jest gospodynią domową, a moja naukowcem. Widzisz? Wszystko na odwrót. Dlatego tak dobrze się dogadujemy. Nigdy się nie mylę w takich sprawach.

Libby była zbyt zadowolona, żeby to skomentować. Oparła się plecami o łóżko i skrzyżowała wyciągnięte do przodu nogi w kostkach. Zaczęła się przyglądać rajstopom Charlie. Pierwsze, co zrobi jutro z samego rana, to kupi sobie takie same wściekłego koloru rajstopy, tylko żółte.

Uczelnia artystyczna to był świat, w którym wszystko obracało się wokół sztuki, ekspresji, kreatywności. Nie minęły dwa tygodnie, a wciągnął ją całkowicie. Z Charlie zostały najbliższymi przyjaciółkami. Charlie miała większość zajęć bliżej centrum, gdzie w nowych budynkach w pobliżu Baker Street odbywały się wykłady z projektowania ubioru i grafiki. Spędzały razem mnóstwo czasu, siedząc na podłodze albo w pokoju u niej, albo u Charlie, z butelką wina, jeśli akurat było je na nie stać. Upijały się, paliły i omawiały wszystko, czego się nauczyły i czego nie zdołały pojąć.

Libby odkryła, że rysowanie było stanem, w którym jej umysł przestawał działać, a myślała za nią ręka. Z pełnym zaangażowaniem rysowała wszystko, co przed nią stawiano: talerz owoców, nagie ciała, głowy, dłonie... Niezbyt interesowała się obiektami, które rysowała z natury, choć każdy niósł własny ładunek emocjonalny, grał światłocieniem. Ekscytowało ją jedynie to, co dzieje się w trakcie powstawania rysunku. We wszystkie kolejne poniedziałki, środy i piątki punktualnie o dziewiątej zasiadała wraz z piętnastoma innymi studentami pierwszego roku w olbrzymiej sali zalanej światłem i zaczynała rysować, cokolwiek ustawiono przed nimi na podeście. Uwielbiała duże płachty grubego, białego kartonu. Widok śnieżnobiałego prostokąta zapierał jej dech w piersi. Wygładzała go i wygładzała, zanim odważyła się postawić pierwszą kreskę. Kiedy wreszcie grafit ołówka stykał się z powierzchnią i widziała rezultat dociskania go do papieru, karton zaczynał się zmieniać, w którąkolwiek stronę przeciągnęła po nim ołówkiem. To dopiero było prawdziwe odkrycie! Mogła tworzyć i zmieniać świat – jego obraz – dowolną liczbę razy. Uczucie zaiste oszałamiające!

Zawsze nieźle sobie radziła na lekcjach plastyki, ale dopiero teraz zobaczyła, że jej dziecinne rysuneczki nie miały nic wspólnego ze sztuką. Z prawdziwą sztuką. Sztuka była niczym innym jak życiem. Jej życiem. Na stronach szkicownika znajdowało się to, co w jej głowie, obrazowały one stan umysłu. Kiedy tylko pozwalała dłoni wędrować bez udziału własnej woli po papierze, pojawiało się na nim to, o czym akurat myślała. Można to porównać do nauki przemawiania innym językiem albo mówienia za pomocą innego narzędzia niż własny język i Libby to uwielbiała.

*

Potem dokonała kolejnego odkrycia. Któregoś popołudnia pod koniec października siedziała w ogródku kawiarni naprzeciwko uczelni, paliła papierosa i czekała na Charlie, z którą się akurat umówiła. Dzień był niespotykanie ciepły jak na tę porę roku i właśnie zaczęła żałować, że ma na sobie swoje żółte rajstopy, kiedy nagle na jej stolik padł cień. Podniosła wzrok. To był pan Crick, jej nauczyciel rysunku ze studiów. Tim – poprawiła się natychmiast w myślach. Wszyscy wykładowcy kazali sobie mówić po imieniu. Mówienie do kogoś per pani, pan czy nawet sir było beznadziejne i całkowicie przestarzałe.

– O! Cześć! – powiedział wyraźnie zadowolony ze spotkania. – Czyżby Libby Kentridge?

– Cześć! – Starała się ze wszystkich sił, żeby wyglądać przy tym jak najbardziej nonszalancko.

– Korzystasz z ostatnich promieni letniego słońca?

– Tak. Mhm...

Zaciągnęła się dymem z papierosa, żeby ukryć zakłopotanie. Jeszcze nie bardzo wiedziała, jak zachowywać się przy nauczycielach, szczególnie tych prawie w jej wieku. Tim Crick wyglądał na starszego od niej, a młodszego od jej rodziców. Nie wydawał się specjalnie przystojny; zbyt szczupły i kościsty jak na jej upodobania, ale miał w sobie coś intrygującego. Może nawet i był najbardziej interesującym mężczyzną z tych, których spotkała w życiu. Kiedy wyjaśniał coś swoim przejętym studentom, zdawało się, że fakty, które przy okazji przytaczał, nie mają końca. Speszyła się tym, że zapamiętał, jak się nazywa. Na zajęciach prawie nie rozmawiali.

– Nie masz nic przeciwko, że się przysiądę? – zapytał, odsunął krzesło od stolika i usiadł. – Czekam na kogoś.

– Och, oczywiście, że nie. To znaczy tak, oczywiście.

Uśmiechnął się z sarkazmem. Jej zmieszanie nie przeszło niezauważone.

– Mam nadzieję, że ci nie przeszkadzam? – Popatrzył znacząco na książkę, którą trzymała, sięgając równocześnie do kieszeni po paczkę tytoniu.

– Och, nie, skąd. – Ledwie się powstrzymała, żeby nie odepchnąć książki od siebie. – To... To tylko... Takie tam... coś, co właśnie czytam. Też na kogoś czekam.

– Na jakiegoś młodego przystojniaka, jak sądzę?

– Och, nie! – Spiekła raka. – Na moją najlepszą przyjaciółkę. Mieszkamy w tym samym akademiku. Właściwie to nie jest moja najlepsza przyjaciółka. Mieszka... – Ugryzła się w język w dobrym momencie. – Przepraszam, gadam od rzeczy.

– Nie martw się. – Roześmiał się. – Zwykle to zajmuje trochę czasu, zanim się człowiek przyzwyczai, jak to jest na studiach. Trochę tu inaczej niż w szkole średniej, szczególnie w takiej, do której akurat ty musiałaś chodzić, jak się domyślam. – Mówił z akcentem, który matka określała mianem „akcentu klas pracujących". Chyba z północy Anglii. Tego dokładnie nie umiała określić. Spędziła prawie całe życie za granicą i miała raczej mgliste pojęcie o geografii wysp brytyjskich.

– A do jakiej szkoły średniej według ciebie uczęszczałam?

Uśmiechnął się lekko i zaczął skręcać papierosa.

– Jakiejś niezmiernie eleganckiej, bezpiecznej... wygodnej. Sam nie wiem. Ty mi powiedz.

– Nie zgadłeś. – Roześmiała się. – W ogóle nie chodziłam do tego rodzaju szkół. Mylisz się co do mnie.

– Naprawdę? – mruknął pod nosem, spoglądając na nią spod przymrużonych powiek przez chmurę dymu. – Najstarsza z rodzeństwa, wciąż nieobecny ojciec, a może matka również. Wysłana do szkoły z internatem. Nie dogadujesz się z rodzeństwem. Pozwól, że będę zgadywać dalej... Masz dwie albo trzy siostry, ale ani jednego brata. Spędziłaś większość życia na staraniach, żeby przypodobać się innym, ale to nie zdało egzaminu, więc wyjechałaś na studia w nadziei, że znajdziesz tu odpowiedź na gnębiące cię pytania.

Gapiła się na niego i z przerażeniem czuła rosnącą w gardle gulę.

– To nie tak... Nie, to nie tak... – zaczęła i głos utknął jej w gardle. Och Boże! Jeszcze chwila i się rozpłacze!

– Daj spokój!... Nie chciałem cię zdenerwować – powiedział wystraszony jej reakcją.

Serce biło jej mocno.

– W porządku – powiedziała słabym głosem, ocierając oczy. Powinna sama dać sobie kopa.

– Widzę, że nie. To było bezmyślne z mojej strony. Wyglądasz, jakby przydało ci się coś na wzmocnienie. Właściwie oboje moglibyśmy się czegoś napić.

Wstał, zanim zdążyła zaprotestować, i poszedł do baru. Chwilę później pojawił się z butelką czerwonego beaujolais i dwoma kieliszkami.

– Proszę, częstuj się! Przepraszam! Naprawdę nie chciałem! Nie wiem, dlaczego tak mi się wyrwało. Chciałem się tylko popisać. Proszę, napij się ze mną! Zapomnij, że coś takiego w ogóle przeszło mi przez gardło – mówił, nalewając wino do kieliszków, a potem podał jej jeden. – Zdrowie! Za nieszczęśliwe rodziny! Nie myśl sobie, że twoja jest jedyna, moja dziewczynko!

Początek do niej nie dotarł. Usłyszała tylko „moja dziewczynko". Było coś niezwykle seksownego i dorosłego w tym, jak to powiedział. „Moja dziewczynko". Nie była jego „dziewczynką", lecz jego studentką. Uniosła kielich i osuszyła go do dna za jednym razem.

– Spokojnie! – Zaśmiał się z niej. – Wiesz... To nie sok pomarańczowy.

– Przepraszam. Jestem trochę podenerwowana. Nie za bardzo wiem, jak powinnam się do ciebie odnosić.

– Jak tylko chcesz – odparł ściszonym głosem.

Sięgnęła niepewną ręką po butelkę. Miała nieodparte wrażenie, że teraz wszystko się może wydarzyć, jednak zanim otworzył usta, dopadła ich stolika Charlie.

– Strasznie cię przepraszam... Mogę się założyć, że czekasz całe wieki! – wykrzyknęła, padając na wolne krzesło. Odwinęła z szyi jaskrawoczerwony szal, torbę z książkami rzuciła na ziemię i dopiero wtedy zauważyła Tima. Oczy o mało nie wyszły jej z orbit. – O! Witaj! Jestem Charlie. Jesteś na naszym roku?

– Uczy na pierwszym roku – przerwała jej szybko Libby, czując, że się czerwieni. – Jest moim nauczycielem rysunku.

– Och! – Chyba po raz pierwszy Charlie wyglądała na zdziwioną uzyskanymi informacjami. – No tak, w końcu ktoś musi to robić. – Szybko odzyskała formę. – Jak się nazywasz?

– Tim. Tim Crick.

– No cóż, Timie Cricku. Miło cię poznać. Ach! Butelka wina, jak widzę. Cudownie! Można liczyć na więcej?

Dwie butelki później, kiedy obie dziewczyny nie przestawały chichotać ze wszystkiego, co tylko powiedział Tim Crick, on w końcu niechętnie wstał.

– No cóż, dziewczyny! Było cudownie i w ogóle, ale muszę już lecieć. – Machnął tylko ręką na protesty dziewczyn i propozycję Libby, że zapłaci za wino. – Nie zgadzam się. Absolutnie! Cała przyjemność po mojej stronie. Może jeszcze kiedyś to powtórzymy? – Zabrał ze stołu paczkę tytoniu i wcisnął ją do tylnej kieszeni dżinsów. Rzucił im jeszcze na odchodnym jeden ze swoich sardonicznych uśmieszków i oddalił się bez pośpiechu.

I Libby, i Charlie w milczeniu śledziły wzrokiem oddalającą się postać, a gdy zniknął im z oczu, popatrzyły na siebie i wybuchnęły śmiechem.

– A więc... – Charlie aż zachłysnęła się z podniecenia. – Gadaj mi tu wszystko jak na spowiedzi! I bez pomijania szczegółów!

– Ale o co ci chodzi? Nic się nie stało. My dopiero...

– Och, przestań! Wiesz dobrze, co mam na myśli. Belfer! No, no, no! Jest nieco za stary, nie sądzisz?

– Czy ja wiem. Ile on może mieć lat? – Libby wzruszyła ramionami. – Trzydzieści? Czterdzieści?

– Hm, pewnie jest bliżej trzydziestki. Założę się o wszystko, że teraz zaproponuje ci randkę.

Libby spiekła raka.

– Nie żartuj sobie – wymamrotała. – Przecież to belfer.

– No i co z tego? Przecież to dozwolone.

– Co jest dozwolone?

– Seks ze studentkami. To właściwie reguła.

Twarz Libby płonęła.

– Jestem przekonana, że nie masz racji! W każdym razie nie sądzę, żeby akurat o to mu chodziło.

– Och, na litość boską! Im wszystkim o to chodzi! – stwierdziła ochoczo Charlie. – Myślisz, że po co on przyszedł do kawiarni? – Popatrzyła uważnie na Libby. – Chyba robiłaś to wcześniej? Nie robiłaś?!

– Ehm... No niezupełnie.

Oczy Charlie zamieniły się w szparki.

– Jak to „niezupełnie"? Albo to robiłaś, albo nie.

– Nie – wymamrotała Libby, zawstydzona całą rozmową tak, że bardziej nie można.

– Hmm... W takim przypadku szczerze polecam Tima Cricka. Lepiej zrobić to z kimś starszym, przynajmniej ten pierwszy raz.

Libby wpatrywała się w przyjaciółkę. Cała pewność siebie, którą udało jej się wypracować przez te pierwsze kilka tygodni, nagle wyparowała. Znów znalazła się na uboczu, niepewnie przesuwając się naprzód. Czy była jedyną dziewicą w Londynie?

Charlie wyczuła jej skrępowanie. Kiedy wstały, żeby wyjść, złapała ją pod rękę.

– Nie martw się. Jestem przekonana, że nie jesteś osamotniona – pocieszyła przyjaciółkę, jakby czytała jej w myślach. – Naprawdę, mówię ci, lepiej mieć to z głowy. Wtedy dopiero się przekonasz, że to wcale nie jest warte całego zamieszania, które się wokół tego robi. – Starała się mówić jak najserdeczniej. – Spędzamy tyle czasu na zamartwianiu się, jak to będzie... boimy się... szukamy „tego właściwego" chłopaka i tak dalej w ten deseń. A potem, kiedy wreszcie jest po wszystkim, zaczynasz zdawać sobie sprawę, że to nic takiego nadzwyczajnego, i wtedy z kolei dziwisz się, po co, u licha, spędziłaś tyle czasu, przeżywając, jak to będzie.

– Chyba naprawdę tak nie myślisz, co? – spytała Libby na wpół zaciekawiona, na wpół przerażona.

– A myślę, myślę! Och, nie zrozum mnie źle. To naprawdę jest fajne i w ogóle, ale na pewno nie aż tak, jak się mówi. Mocno rozczarowujące moim zdaniem.

– Więc dlaczego robi się z tego takie wielkie halo? – zdziwiła się Libby.

– Nie czytałaś Simone de Beauvoir?

Libby w milczeniu pokręciła głową.

– Niczego cię nie nauczyli? – spytała z niedowierzaniem Charlie. – W każdym razie... – kontynuowała, rozkręcając się w temacie, który chyba należał do jej ulubionych. – Jak mówi Simone de Beauvoir, w głównej mierze chodzi o to, że mężczyźni zawsze chcą ze wszystkiego robić cholerne tajemnice, żeby móc nas kontrolować.

– Ale jak? – Libby była coraz bardziej zaintrygowana.

– To proste. Udają, że kobiety są dla nich zagadką, i w ten sposób nie muszą nawet podejmować najmniejszego wysiłku, żeby nas zrozumieć. Głoszą, że kobiety są zbyt skomplikowane, zbyt głupie, a przy tym tajemnicze, i w ten sposób mają nas z głowy. Nie muszą nam pomagać w dążeniu do sukcesów.

– A powinni? – zdziwiła się dziewczyna.

– Och, czy tego nie widzisz, Libby? To faceci zorganizowali sobie świat. Jeśli mówisz: „Po ulicy szedł człowiek”, to masz na myśli mężczyznę. O kobiecie powiesz, że szła kobieta. Czyli mężczyzna to człowiek, a kobieta to kobieta. To wszystko męska retoryka, a my dajemy się w to wciągać. Rozumiesz, o co mi chodzi?

– Chyba tak. – Libby była pełna wątpliwości.

– To samo dotyczy Murzynów albo... albo na przykład Żydów. Zawsze postrzega się ich jako tych innych, a nie „nas”, wiesz, o czym mówię.

– Prawdę mówiąc, nie znam ani żadnego Murzyna, ani żadnego Żyda – zamyśliła się Libby. – To znaczy w tym sensie, że w Trynidadzie jest wielu czarnoskórych, ale nawet się do nich nie odzywamy. To znaczy nie tak, jak do przyjaciół czy coś. Żadnego Żyda chyba też nigdy nie spotkałam. Skąd to wiesz?

Charlie się zatrzymała i spojrzała zdumiona na Libby.

– Wychowano cię pod kloszem, kochana. Czy nie mam racji? Musimy to wszystko zmienić, jednak zacznijmy od spraw najważniejszych. Najpierw prześpij się z Timem, a dopiero potem zajmiemy się resztą. Dobrze ci radzę. I nie zwlekaj z tym zbyt długo, bo weźmie na celownik inną niewinną istotę. Zapamiętaj moje słowa! Tylko się w nim nie zakochaj. Obiecujesz?

– Obiecuję! – odpowiedziała automatycznie Libby, zastanawiając się, jak niby ma utrzymać kontrolę nad swoimi uczuciami.

– A jak już będziesz miała to za sobą – kontynuowała z zapałem Charlie – i z nim skończysz, przedstawię cię innym, o wiele bardziej interesującym ludziom. Londyn pełen jest ekscytujących osób. Musisz tylko wiedzieć, w którą stronę patrzeć.

54

Tamto spotkanie miało miejsce sześć miesięcy temu. Libby poszła za radą Charlie do pewnego momentu. Do momentu, w którym przyjaciółka powiedziała: „Tylko się w nim nie zakochaj”. Nic nie mogła na to poradzić. Jak się nie zakochać w Timie Cricku? Wystarczyło, że spojrzał na nią i wymruczał: „Chodź tu do mnie, moja mała charciczko. Czemu dziś taka ponura?” i natychmiast jej serce wariowało ze szczęścia. Kiedy ją ignorował – a robił to coraz częściej – wpadała w czarną rozpacz. „To dla twojego dobra”, powtarzał jej wciąż, ale nie bardzo rozumiała, co konkretnie miał na myśli.

Charlie przewróciła oczami.

– Przecież ci mówiłam! – zdenerwowała się. – Tylko mi nie mów, że cię nie przestrzegałam. A poza tym w jednym nie miałam racji.

– W jakim jednym?

– Nie wolno im sypiać ze swoimi studentkami. Oni wszyscy oczywiście to robią, ale to zabronione. W tym się myliłam. Mogą go za to wylać.

– Och!... – To wyjaśniało, dlaczego nigdy nie chciał, żeby widywano go z nią na terenie uczelni ani w jej pobliżu. Zawsze spotykali się na drugim końcu miasta, nieopodal stacji metra Euston. Tam zabierał ją do czegoś w rodzaju hotelu, który chyba miał wielu klientów na godziny.

– Dlaczego nie moglibyśmy spotykać się u ciebie w domu? – spytała kiedyś.

– Mieszkam strasznie daleko stąd, praktycznie poza Londynem. Jechalibyśmy tam całą wieczność, a ja nie chcę marnować nawet sekundy na jazdę cholernym pociągiem, gdy mogę ten czas spędzić z tobą tutaj. Tak jak teraz. No, chodź tu do mnie.

Zrobiła, jak prosił. Natychmiast, zanim zdążył zmienić zdanie.

Któregoś dnia na początku grudnia siedziała w knajpce U Luigiego, kiedy weszła grupka studentek drugiego roku. Odłożyła na chwilę książkę i ostrożnie obejrzała się za siebie. Rozpoznała je od razu: Imogen Wardle-Clegg rządziła. Była córką pewnego arystokraty, który uciekł kilka miesięcy temu z nianią jego dzieci. Wszyscy o tym wiedzieli. Trąbili o tym w gazetach przez kilka tygodni. Sama Imogen została obfotografowana ze wszystkich stron, a ponieważ była nie tylko arystokratką, lecz również wysoką, długonogą blondynką, zyskała jeszcze większą sławę niż jej zbiegły ojciec. Uchodziła za łatwą, co było zabawnie obłudne, jak twierdziła wkurzona takimi plotkami Charlie, ale niezależnie od prawdy, atrakcyjna Imogen Wardle-Clegg roztaczała wokół siebie aurę dwuznaczności. Bez wątpienia zyskała tytuł najpopularniejszej dziewczyny na uczelni.

– Skarbie, podejdź no i siadaj tutaj obok mnie! – rzuciła Imogen rozkazującym tonem w stronę kółka swoich popleczniczek. – Nie! Nie ty, Diano! Odsuń się, grubasie. Chcę siedzieć obok Chloë.

Libby brnęła właśnie przez *Drugą płeć* Simone de Beauvoir, którą to książkę pożyczyła jej Charlie ze ścisłą instrukcją, żeby „przypadkiem nie opuściła żadnej strony. Przepytam cię potem, więc nie myśl, że ci się uda przeskoczyć po łebkach".

Wypiła już do niej dwie filiżanki kawy i wypaliła trzy papierosy. Czuła, że zaczyna się jej kręcić w głowie od zabójczej mieszanki feminizmu, nikotyny i kofeiny. Kiedy pojawiła się Imogen z całą swoją babską koterią, z największą przyjemnością oderwała się od czytania. Ich plotki wydały się jej o wiele bardziej interesujące niż wnikliwa analiza kobiety, przedstawionej jako „dysponentka płci recesywnej" – cokolwiek to znaczy. Wciąż wodziła oczami po stronicy książki, lecz dawno przestała rozumieć sens tego, co czyta.

– No i właśnie w tym rzecz... – mówiła Imogen z coraz większym dramatyzmem w głosie. – Wpadłam wczoraj w Café Paradis na Sophie Weston, a ona mi powiedziała, że ten Crick jest żonaty!

– Nie mów! – wyrwało się jednej z wianuszka dziewczyn. – Jak się dowiedziała? Och, to obrzydliwe! Ale z niego kanalia!

– Widziała go gdzieś z żoną i dwójką dzieci. Wyobrażacie to sobie?! Biedna Sophie. Będzie musiała się z tego czym prędzej wymiksować.

– Nigdy go nie lubiłam – zawtórował jej kolejny przemądrzały głos. – Zawsze gapił się na mój biust.

– Wcale mnie to nie dziwi, Annabel. Trudno go przeoczyć. Ale wiecie co? Ten drań sypia też z jakąś dziewczyną z pierwszego roku... Jak też się ona nazywa? Libby jakaś-tam. Wiecie, ta wysoka. Jest okropnie zarozumiała. Nigdy nikomu nie mówi cześć ani w ogóle.

– Jak nic skończy jak Sophie Weston, jeśli nie będzie uważać. Słyszałam, że mimo wszystko jest całkiem niezła. On zawsze wybiera sobie niezłe sztuki. Wszystkie po kolei źle przez niego kończą. Coraz bardziej się boi, że jedna z nas może go przyćmić.

– Hę. Tobie na pewno to nie grozi – rzuciła szyderczo Imogen i cały stolik wybuchł śmiechem.

Libby zamurowało tak, że nie była w stanie się ruszyć. Czuła, jak całe jej ciało płonie. Siedziała cicho jak mysz pod miotłą, w obawie, by nie została zauważona albo, co gorsza, rozpoznana. Tim był żonaty? Miał dwójkę dzieci?! Kim była Sophie Weston? I czy to prawda, że wybierał tylko utalentowane dziewczyny, żeby je zniszczyć? Pytania te krążyły i krążyły w jej głowie, aż w końcu poczuła się tak, jakby miało ją za chwilę rozerwać z bólu przez całe to zamieszanie.

W końcu, kiedy już myślała, że nie da rady wysiedzieć tutaj ani minuty dłużej, grupka dziewczyn wstała i hałaśliwie opuściła kawiarnię. Nikt jej nie zauważył. Posiedziała jeszcze chwilę dłużej, przyswajając zasłyszane rewelacje. Potem wstała, zapłaciła i wyszła. Skierowała się prosto do akademika. Może Charlie znajdzie jakąś radę.

– Czy cię nie ostrzegałam? Przecież czytasz de Beauvoir, i co? Wszystko tam jest, Libby! – gorączkowała się Charlie bez odrobiny współczucia dla koleżanki. – On czuje w tobie zagrożenie, to widać jak na dłoni! Jedyny sposób, w jaki radzi sobie ze swoją niedoskonałością, to wykańczanie partnerek.

– Ale on nic mi nie zrobił! – Rozpłakała się Libby.

– Oczywiście, że zrobił! Popatrz tylko na siebie. Mam nadzieję, że wzięłaś pod uwagę moje przestrogi. Chyba nie chcesz skończyć jak tamta dziewczyna, o której rozmawiały.

– Tak... Wzięłam. On... On dawał mi tabletki.

– Hmmf. No cóż, przynajmniej miał na tyle rozsądku. Jednak muszę stwierdzić, że chyba robił to bardziej ze względu na siebie niż dla twojego dobra. Jeżeli już ma dwójkę dzieci, chyba nie sądzisz, że marzy o trzecim?

Libby próbowała powstrzymać łzy, ale nie dała rady.

– Nie wiem, co robić – chlipała. – Jestem taka głupia...

Charlie to nie wzruszyło. Obserwowała Libby chłodno spoza kłębów dymu.

– Skończ z tym – powiedziała i wypuściła dym kącikiem ust. – Po prostu zakończ to. Zerwij z nim, zanim on to zrobi.

– Nie mo-o-ogę – łkała Libby. Na samą myśl o zerwaniu czuła fizyczny ból. – Nie mogę ży-y-yć bez niego.

– Możesz, możesz. Uwierz mi. Masz. Przeczytaj, o, tę. – Charlie wzięła jedną z książek leżących na łóżku i podała Libby.

Dziewczyna popatrzyła na nią półprzytomnie spoza zasłony łez. *Mistyka kobiecości*. Kolejna biblia przyjaciółki. Nie przytrzymała jej ręką i książka zsunęła się z kolan na podłogę. Czy do Charlie to nie dociera? Ona go kocha. Jest beznadziejnie w nim zakochana... i całkowicie bezradna wobec tego uczucia. Czy ona nie może tego zrozumieć?

55

Tim Crick musiał wyczuć, że gra skończona. Wpadła na niego, kiedy wychodziła z sali wykładowej, i jakoś nie mogła się zebrać, żeby spojrzeć mu w oczy. Patrzył na nią przez chwilę, po czym odwrócił się bez słowa. Obserwowała jego wysoką, szczupłą postać znikającą gdzieś w perspektywie korytarza z uczuciem wszechogarniającego smutku i żalu.

Nie miała od niego żadnych wiadomości przez resztę tygodnia. Spotkała go przypadkiem jeszcze ze dwa razy, ale udawał, że jej nie widzi. Sama już nie wiedziała, co gorsze: być zauważaną i karmić się kłamstwami, czy być ignorowaną. Spędziła cały tydzień, włócząc się wokół uczelni, bo nie mogła jeść, rysować ani myśleć.

Kiedy nadszedł kolejny piątek i kiedy już myślała, że nie może być gorzej, Charlie zastukała gwałtownie do drzwi jej pokoju i – jak to miała w zwyczaju – bez czekania na odzew wtargnęła do środka. Stała w progu, taksując wzrokiem jawne dowody złamanego serca Libby, i ciężko westchnęła.

– No dobra. Dość już tego nonsensownego zachowania! Czas najwyższy stanąć na nogi. On nie jest tego wart, Libby. Żaden mężczyzna nie jest tego wart. – Wskazała gestem brudne filiżanki po kawie, niedojedzone tosty i niedopałki papierosów walające się po podłodze. – Założę się, że nie wychodziłaś z tego pokoju od rana. Tak?

Libby pokręciła głową w milczeniu. Ze wstydem poczuła, że po policzkach spływają jej dwie łzy wielkości ziaren grochu. Znowu! A myślała, że wypłakała już wszystkie.

– O-on o-odszedł – zaczęła mówić i ryknęła takim płaczem, że nie dała rady wydobyć z siebie ani słowa więcej.

– To chyba jasne, że odszedł. – Charlie stała nieporuszona. – Pewnie zauważył, że go przejrzałaś. No i krzyżyk na drogę. Świetnie. Obiecałam, że zabiorę cię w pewne miejsce, i mam zamiar to zrobić, ale najpierw wstaniesz, opłuczesz twarz i zrzucisz z siebie te wygniecione szmaty, których nie zdejmowałaś od tygodnia. Obiecaj mi, że się pozbierasz!

Libby popatrzyła w dół na swoje poplamione kawą dżinsy. Charlie miała rację. Nie przebierała się już ze trzy dni, a może i z tydzień. Po jej policzku stoczyła się kolejna okrągła łza. Jeszcze nigdy w życiu nie czuła się tak fatalnie.

– Rusz się! Wstawaj! Jeśli zaczniesz się rozczulać nad sobą, będzie jeszcze gorzej. Dawaj! Pójdę do łazienki z tobą. Nie mamy całej nocy do stracenia.

Libby z ociąganiem zwlokła się z podłogi, zdając sobie sprawę, że lepiej posłuchać przyjaciółki. Nie dało się z nią dyskutować, kiedy wpadała w taki nastrój.

Najpierw zauważyła, że do pociągu, który ruszył na zachód ze stacji Baker Street, na każdym przystanku wsiadało coraz więcej ciemnoskórych. Ich liczba zauważalnie wzrastała. Zanim dojechały do Westbourne Park, w wagonie było pewnie tyle samo czarnych, co białych.

– Dokąd idziemy? – szepnęła do Charlie, która siedziała obok niej z lekkim uśmieszkiem na ustach.

– Zaraz zobaczysz. – Tylko tyle zdołała wyciągnąć od przyjaciółki.

Libby nie była zaniepokojona, raczej zaciekawiona. Lubiła Londyn z wielu powodów, a jednym z nich było to, że mieszkało tu po sąsiedzku wiele różnorodnych społeczności. W Chelsea odkryła Włochów i Portugalczyków, którzy prowadzili restauracje i kafejki wzdłuż King's Road, a mieszkali w blokach komunalnych na końcu ulicy World's End (koniec świata – co za niefortunna nazwa!). Jednak ta część Londynu była zupełnie inna.

Wysiadły na stacji Ladbroke Grove. Charlie prowadziła. Było ciemno i zimno. Kiedy szły ulicą, Libby znów dopadło wcześniejsze uczucie pustki i beznadziei.

– Dokąd idziemy? – ponownie spytała Charlie, marszcząc nos. Smród uryny i stęchłej wilgoci unosił się z rynsztoka. Złapała przyjaciółkę pod ramię. – Czy tu na pewno jest bezpiecznie?

– Pewnie, że tak. Idziemy do klubu parę kroków stąd.

– Do klubu? Jakiego znowu klubu? – Starała się bez powodzenia ukryć zaniepokojenie.

Charlie tylko się roześmiała.

– Do klubu muzycznego. To świetne miejsce, zobaczysz. Spotkamy tam kilku moich przyjaciół.

Libby jeszcze mocniej ścisnęła ramię Charlie. Kim byli ci przyjaciele, o których nigdy wcześniej nie słyszała? Dlaczego Charlie nigdy nawet nie wspomniała o Notting Hill? Równie dobrze mogłoby to być Port-of-Spain, gdyby nie wąskie, szeregowe domy, podobne do tych w Chelsea, tyle że tutaj były brudne i zniszczone, z połamanymi balustradami i powybijanymi oknami. Okolica wyglądała na dawno opuszczoną.

*

„Klub" mieścił się zaraz za Chepstow Road, w piwnicy wysokiej wiktoriańskiej kamienicy. Charlie zadzwoniła do drzwi. Otworzyła im czarnoskóra kobieta w połyskliwej czerwonej sukience. Paliła papierosa. Obrzuciła obie dziewczyny taksującym spojrzeniem od góry do dołu i z szyderczym uśmieszkiem spytała:

– A kogóż to, kochanieńka, szukasz?

Mówiła specyficznym żargonem czarnych, przeciągając samogłoski. Libby natychmiast poczuła się jak w Port-of-Spain. Nie spuszczała z niej wzroku. Równie dobrze mogłaby ją spotkać na ulicach St Clair czy Maraval, dzielnic stolicy Trynidadu.

– Czy jest może tutaj Dwayne? – Uprzejmie zadała pytanie Charlie.

Kobieta przyjrzała się jej uważniej, a potem odwróciła głowę do tyłu i wrzasnęła:

– Dwayne! Cho no tu, chopie! Jakaś kobita cie szuka.

Slang nie był identyczny jak ten używany w Trynidadzie, lecz melodyjny zaśpiew chwilami brzmiał znajomo. Libby poczuła się dziwnie swobodnie. Z piwnicy dobiegały odgłosy rytmicznego tupania i muzyki. Po chwili na schodach pojawił się młody mężczyzna. Ostatnie dwa stopnie pokonał jednym skokiem. Był wysoki, o skórze ciemnej jak bezksiężycowa noc. Miał na sobie włóczkowy beret, marynarkę przypominającą smoking z wytartymi jedwabnymi klapami i czarne spodnie rurki. Wulkan energii. Powitał Charlie z autentycznym zachwytem.

– Nie sądziłem, że kiedykolwiek uda ci się tu dojechać. – Wyszczerzył do nich zęby w szerokim uśmiechu.

– Cześć, Dwayne! – rzuciła Charlie, równie rozanielona. – Przyprowadziłam ze sobą moją przyjaciółkę Libby. Opowiadałam ci o niej, pamiętasz?

– Jasne. Zespół jeszcze nie dojechał, ale wkrótce powinni się zjawić. – Potem zwrócił się do kobiety w czerwieni: – Są spoko. Wpuść je.

– Skoro tak mówisz, Dwayne – mruknęła pod nosem i odsunęła się na bok, żeby zrobić im przejście. – Płaszcze za drugie drzwi. Samoobsługa.

Podziemna kondygnacja budynku, dokąd je zaprowadził, przypominała bardziej piwnicę. Podłogę stanowił goły beton. Wszędzie dokoła były poustawiane małe stoliki i krzesła. W jednym końcu wzniesiono podest, na którym stała już perkusja, keybord i kilka pustych krzeseł dla muzyków. Nieopodal znajdował się prowizoryczny bar, gdzie czekało kilkanaście osób, wspartych o blat, z drinkami w dłoni. Z głośników leciała dudniąca, bardzo głośna melodia. Libby natychmiast rozpoznała rytm muzyki reggae, muzyki zaułków Port-of-Spain.

Odwróciła się do Charlie, cała rozpromieniona.

– Jest świetnie!

– Tak myślałam, że powinno ci się tu spodobać – ucieszyła się Charlie. – Papierosa? – Podsunęła jej paczkę. – Chodź, zajmiemy miejsca siedzące. Kiedy przyjedzie zespół, wszyscy zaczną schodzić na dół i zrobi się okropny tłok.

– Będzie można potańczyć?

– No pewnie! Po to tu się przychodzi. Zobaczysz. O! Siadaj tutaj. Dwayne zaraz do nas dołączy.

Libby chciała się o coś spytać, ale nie bardzo wiedziała jak.

– Czy... Czy wy dwoje... No, wiesz... Chodzicie ze sobą? – wydukała w końcu.

Charlie parsknęła śmiechem.

– Och, na Boga, nie! Skądże! On jest gejem – szepnęła. – Domyśliłabyś się?

Libby była w szoku. Homoseksualista?!

– Nie. – Pokręciła głową. – Ja... Ja chyba nigdy wcześniej nie miałam okazji poznać żadnego. Homoseksualnego mężczyzny, znaczy się.

– Reeety! – westchnęła nad nią Charlie i machnęła ręką, żeby rozwiać kłąb papierosowego dymu. – Jak już wcześniej mówiłam, wychowałaś się pod kloszem, kochana. On jest kochankiem Dina Constanzy.

– A kto to jest ten Dino Constanza?

– Wykładowca, o którym ci wspominałam. Prowadzi zajęcia z projektowania ubioru na trzecim roku. Jest Włochem i jest absolutnie boski... Niestety, nie gustuje w dziewczynach. Może też tu przyjedzie później. Zajmijmy jednak te miejsca siedzące, co?

Libby usiadła i zaczęła się rozglądać wokół siebie. Klub się powoli zapełniał. Drzwi co chwila się otwierały i wchodziła a to kolejna para, a to cała grupa młodych ludzi. Mężczyźni byli ubrani w garnitury, kapelusze i cienkie krawaty śledziki. Kobiety zdejmowały zimowe płaszcze, spod których ukazywały się różnobarwne sukienki. Libby dostrzegła też kilka białych dziewczyn i dziwnie jej ulżyło, że nie będą z Charlie jedyne w całym klubie.

Kłęby dymu z papierosów unosiły się leniwie ku górze i krążyły w świetle lamp. Muzyka stawała się coraz głośniejsza. Hipnotyzujący rytm reggae grzmiał z ogromnych głośników, umieszczonych po obu stronach podestu. Kilka par zaczęło tańczyć.

Libby spojrzała na Charlie. Przyjaciółka przymknęła oczy, żeby lepiej słyszeć i czuć muzykę. Sama też odkryła przypływ nieznanych emocji, jakby dopadło ją coś, czego jeszcze nie umiała pojąć. Czasem ktoś zatrzymywał się przy ich stoliku, żeby przywitać się z Charlie, chwilę gawędzili, wciągając do rozmowy również Libby, a na odchodnym, uśmiechając się, mówili: „Miło było cię poznać”. Cieszyła się jak dziecko w wesołym miasteczku, sącząc wolno drinka, paląc papierosy i chłonąc otaczający ją rozgardiasz.

Jeszcze przed dwudziestą drugą tłum szczelnie wypełnił pomieszczenie klubu. Kilka minut później dosiadło się do nich dwóch chłopaków: Len i Junior. Obaj najwyraźniej już wcześniej znali Charlie. Musieli przekrzykiwać muzykę, żeby się nawzajem usłyszeć.

– Miło cię poznać, Lizzie! – przywitał się Junior, spoglądając na nią z góry.

– Nie Lizzie, tylko Libby – odkrzyknęła.

– Co to za imię? – Muzyka była ogłuszająca.

Pokręciła głową, uśmiechnięta: „Nieważne, nic nie słychać". Uśmiechnęli się nieśmiało do siebie. Spodobał się jej. Miał szarozielone oczy lwa ze złotawymi kropeczkami na tęczówkach, skórę koloru kawy, kręcone, krótko obcięte brązowe włosy i szeroki uśmiech, odsłaniający białe zęby. Miły chłopak. Drugi, Len, usadowił się obok Charlie.

– Zatańczysz? – spytał Junior bez zbędnych ceregieli.

– Tak. Podoba mi się ta muzyka. – Znowu obdarzyła go uśmiechem. Przynajmniej nie będzie musiała patrzeć na Charlie i Lena.

Poprowadził ją prosto w tłum. Znaleźli akurat tyle miejsca, żeby się w miarę swobodnie poruszać. Ona z łatwością złapała rytm, a on okazał się całkiem niezłym tancerzem.

– Lubisz muzę, co? – Patrzył na nią najwyraźniej rozbawiony. – Nieźle tańczysz. Lepiej niż Charlie, szczerze mówiąc. Ona jest beznadziejna.

Roześmiali się równocześnie. W okolicach drzwi wejściowych zrobiło się jakieś poruszenie i rozległy się głośne okrzyki. Odwrócili się oboje w tamtą stronę, żeby zobaczyć, co się dzieje.

– Ach! Jest już zespół. The Cats. Słyszałaś kiedykolwiek, jak grają?

Pokręciła w milczeniu głową, obserwując czterech młodych mężczyzn, przepychających się w stronę sceny. W tłumie zapanowało zdecydowane ożywienie.

– Jesteś głodna? – spytał, gdy zaczęli grać. Tłum tak zgęstniał, że nie dało rady dłużej tańczyć.

Nagle poczuła, że jest głodna jak wilk.

– Tak! Mogłabym zjeść konia z kopytami! – krzyknęła.

– W takim razie chodźmy!

Podążyła posłusznie tuż za nim, przeciskając się pomiędzy licznymi gośćmi klubu. Kiedy szli w górę po schodach, zupełnie naturalnie ujął ją za rękę. Wziął ich płaszcze od tej samej kobiety, która poprzednio pilnowała wejścia. Uśmiechnęła się do nich, gdy wychodzili.

Na ulicy było upiornie cicho. Nie słyszeli nawet muzyki. Nie padało, ale nad miastem wisiała lekka mgła. Docierało do nich rozproszone w niej niebieskawe światło przy posterunku policji na rogu Ladbroke Grove i Chesterton Road. Panował przejmujący chłód i Libby zaczęła się trząść z zimna w cienkim płaszczu. Spojrzała ukradkiem na swojego towarzysza. Był wyższy od niej o głowę, czyli musiał mieć przynajmniej metr dziewięćdziesiąt wzrostu.

– Dlaczego mówią na ciebie Junior? – zainteresowała się.

– Taki karaibski zwyczaj. Pierworodny syn zawsze dostaje imię po ojcu i wołają na niego Junior.

– A jak wobec tego nazywa się twój ojciec?

– Aloysius Jackson. A ja: Junior Jackson.

– Ładnie. Brzmi bardzo wytwornie – orzekła zupełnie szczerze Libby.

– Wytwornie? Hm. W ustach takiej dziewczyny jak ty zabrzmiało to jak komplement, a przynajmniej mam taką nadzieję.

Nie bardzo wiedziała, jak zareagować.

– Dokąd mnie zabierasz? – spytała w końcu.

– Do najlepszej knajpki karaibskiej w zachodniej części Londynu. Słyszałaś kiedykolwiek o czymś takim jak roti?

– Oczywiście, że słyszałam. – Roześmiała się radośnie.

– Jak to możliwe?

– Moi rodzice mieszkają na Trynidadzie. Ojciec pracuje dla koncernu BP.

Spojrzał na nią rozbawiony.

– Nie mów! Twoi starzy mieszkają na Karaibach?! Życie jest dziwne.

– A ty skąd jesteś? – Ośmieliła się spytać. – Z jakiej wyspy pochodzisz?

– Z Liverpoolu, Manchesteru, Londynu... Wybieraj dowolnie. Mieszkałem już wszędzie – powiedział i zaczął się śmiać. – Ale mój tata pochodzi z Jamajki.

– Och... – Poczuła się głupio. – Naprawdę nigdy nie byłeś na Jamajce?

– Nie. Znam tylko Wielką Brytanię. Urodziłem się w Londynie, a mój tata mieszka w Liverpoolu. Studiuję razem z Lenem na uniwersytecie tu nieopodal.

– O! – Poczuła się jeszcze bardziej głupio. – A można wiedzieć, na jakim kierunku jesteś?

– Skończyłem studia inżynierskie, a teraz robię magistra – powiedział z nutką dumy. – A ty? Jesteś na roku razem z Charlie?

Studia inżynierskie – to brzmiało o wiele poważniej niż jej uczelnia artystyczna.

– Tak, ale ja wybrałam sztukę, a ona modę.

– Będzie w przyszłości projektantką mody. Zawsze nam to powtarzała. – W ten prosty sposób przekazał jej, że znają się z Charlie od dawna. – Zaraz będziemy na miejscu – powiedział i pokazał szereg sklepików i knajpek przed nimi. – Na wszelki wypadek, gdybyś się obawiała, że mam zamiar cię porwać albo coś.

– Wcale się nie boję. – Uśmiechnęła się.

– Jak długo już twoi rodzice siedzą za granicą?

– Och, nie tak znowu długo. Około dwóch lat, tylko nie wiem, ile jeszcze tam zostaną. Wcześniej byliśmy w Iraku i Omanie, ale musieliśmy wrócić ze względu na sytuację polityczną. Oba kraje opuszczaliśmy w środku nocy.

– Rety! Ale fajne miałaś życie! – Junior westchnął z zachwytem.

– Zaręczam, że brzmi to bardziej ekscytująco, niż było w rzeczywistości – szybko sprowadziła go na ziemię Libby. Nie chciała, aby pomyślał, że się przechwala. – Co chwila w nowej szkole, konieczność dopasowywania się do nowych warunków i te sprawy...

– Ech, wiem coś na temat dopasowywania się – powiedział półżartem. – Nieważne, właśnie dotarliśmy na miejsce. Mamuśka Johnson piecze najlepsze chlebki roti w mieście. Robi też doskonałe nadzienie mięsne. – Pchnął drzwi wejściowe małej restauracyjki i przepuścił ją przodem.

W środku było tak gorąco, że ich zmarznięte policzki szybko się zarumieniły. Najwyraźniej Junior był tu częstym gościem. Z właścicielką lokalu zamienili radośnie parę słów w karaibskim żargonie i kilka minut później podano im przez ladę roti z gorącym farszem. Wgryźli się w nie zgłodniali.

– A może weźmiemy też dla Lena i Charlie? – zaproponowała, wcinając swoją porcję ze smakiem.

– Niezły pomysł. Potrzymaj. Pójdę zamówić jeszcze dwie porcje.

Pięć minut później prawie biegli ulicą Landbroke Grove, żeby się rozgrzać. Charlie i Len byli zachwyceni przekąską. Charlie trzymała roti daleko od siebie, żeby sos przypadkiem nie kapnął jej na sukienkę. Zjedli na klatce schodowej, z dala od dudniącej muzyki, śmiechów i dymu z papierosów.

Libby całkowicie odżyła i czuła się świetnie. Przysunęła się do ucha Charlie, której oczy błyszczały w półmroku, i szepnęła:

– Miły jest, nie sądzisz?

Charlie zwróciła wzrok na przyjaciółkę i nagle spoważniała.

– Owszem, jest, ale uważaj, Libby. Należysz do osób, które rzucają się bez zastanowienia w ogień i ryzykują dla uczucia wszystko. Łatwo nie będzie.

Przyjaciółka była na lekkim rauszu, jak zauważyła Libby, ale w tych słowach zabrzmiała opiekuńczość i chęć uchronienia jej przed popełnieniem kolejnego błędu. Libby bardzo spodobał się opis jej osoby, widzianej oczami Charlie, jako tej, która potrafi „zaryzykować wszystko”, gdy kogoś pokocha.

Spojrzała w górę schodów, gdzie stali Len z Juniorem, paląc papierosy i gawędząc. Tim Crick wylądował na śmietniku przeszłości. Junior akurat popatrzył w dół schodów i ich spojrzenia się spotkały. Wstrzymała oddech. Nie padło żadne słowo, ale w jego szarozielonych oczach dostrzegła obietnicę, która warta była więcej niż tysiąc słów. Puścił do niej oko, powoli, znacząco.

Tyle wystarczyło, żeby wpadła po uszy.

CZĘŚĆ IX

ZDRADA

1963

Libby / Lily / Kit

56

Chelsea, Londyn

Zaczęło się od lekkiego przeziębienia, niewinnego sezonowego przeziębienia, które łapie się zwykle wraz ze zmianą pogody. Złe samopoczucie jednak uparcie nie przechodziło. Był październik. Minęły już prawie dwa lata od chwili, kiedy się poznali. Libby rozpoczęła ostatni rok studiów. Rodzice w końcu ustąpili i zgodzili się, żeby zamieszkała w ich domu w Chelsea.

– Ale tylko dopóki nie skończysz studiów – orzekła stanowczo matka. – I lepiej, żebyś skończyła je z bardzo dobrą oceną końcową.

Ani mi się śni!, pomyślała Libby, jednak mądrze to przemilczała.

Dom był dwa kroki od uczelni, miał pięć pokoi i oddzielną kuchnię – i cały dla niej. Rodzice przebywali akurat w Singapurze. Teraz więc, zamiast pospiesznych randek w kawalerce, którą Junior wynajmował do spółki z Lenem, albo zamiast upokarzającego przeszmuglowywania chłopaka do pokoju Libby w akademiku, żeby przypadkiem nie dojrzała ich swoim świdrującym spojrzeniem pani Sampson, mieli cały dom tylko dla siebie. Junior nie zrezygnował jednak z wynajmowanego lokum w wysokiej, wąskiej kamienicy przy Oxford Gardens. Zawilgocona, duszna kawalerka, przedzielona parawanem z prześcieradła na pół, znajdowała się na samym szczycie rozklekotanych schodów, upchnięta pod stromym dachem. Jak większość domów w okolicy ten również od sutereny po dach zamieszkany był przez licznych najemców, z których większość wyemigrowała z wysp karaibskich. W suterenie, w dwupokojowym mieszkanku, gnieździła się czteroosobowa rodzina. Kiedyś Libby zerknęła w dół przez poręcz schodów i zobaczyła, że jest mniejsze niż kuchnia ich domu w Chelsea. Aż ścisnęło się jej serce. Zawsze tuż przy wejściu wpadała na dwójkę dzieciaków stamtąd. Młodsze zawsze mówiło na nią: „panienko", a starsze udawało, że jej nie widzi. Na parterze mieszkało młode małżeństwo z niemowlęciem. Dzielili dwupokojowe mieszkanie z teściową. Na pierwszym i drugim piętrze przewijali się wciąż nowi mieszkańcy, głównie samotni mężczyźni. Odnosiła wrażenie, że zmieniali się co tydzień.

Junior był, tak jak i Libby, na ostatnim roku studiów i bardzo dużo czasu spędzał w bibliotece przy Marylebone Road. Len również studiował, ale dorabiał nocami jako portier w szpitalu, więc w wynajmowanej kawalerce na samej górze mieli wieczorami luz, choć mimo wszystko trudno tu było się skupić na nauce czy – jak w ich przypadku – na romansowaniu.

Charlie już dawno zakończyła flirt z Lenem i tłumem emigrantów z Karaibów, z którymi znajomością tak się kiedyś chlubiła. Junior zrozumiał o wiele wcześniej niż Libby, że entuzjazm, który wykazywała Charlie dla wszelkich nowości, nowo poznanych ludzi i nowych doświadczeń, był jedynie krótkotrwałą fascynacją, która rzadko kiedy wytrzymywała próbę czasu. Urzeczona świeżością, skakała z kwiatka na kwiatek, niepomna tego, co za sobą zostawia. Dołączyła do innej grupy znajomych ze studiów i teraz większość czasu spędzała na różnego rodzaju protestach.

Wciąż odnosiły się do siebie przyjaźnie, ale więź między nimi coraz bardziej słabła. Libby specjalnie to nie przeszkadzało. Większość czasu i tak spędzała z Juniorem, pomagając mu stawić czoło wszelkim trudnościom, piętrzącym się przed nim w drodze ku tytułowi magistra.

*

– Najprościej by było, gdybyś zamieszkał tutaj razem ze mną – powiedziała do niego Libby kilka tygodni po swojej przeprowadzce w pewien niedzielny wieczór. Spędzili u niej cały weekend, od piątkowego popołudnia włącznie.

– E, nie. Z Lenem jest mi okej.

– Ale tutaj będzie ci znacznie wygodniej – upierała się nieśmiało Libby. W oczekiwaniu na odpowiedź aż wstrzymała oddech.

– Nie. Tam jest w porządku.

– Ale tutaj będziesz miał mnóstwo miejsca. Dlaczego nie?

– Dobrze mi tam i tyle – uciął krótko, czego zwykle nie robił w rozmowach z Libby.

– Ale...

– Libby! Chyba wyraziłem się jasno: nie! – Wyszło nieco za ostro. Gdy zauważył, że osłupiała, zmiękł. – Słuchaj, nie zamierzam przekradać się po domu twoich rodziców jak złodziej, kiedy ciebie nie będzie w domu, rozumiesz? Byłoby inaczej, gdyby... Nie, nie. Zapomnij! Nie zrobię tego i koniec rozmowy.

Nie odważyła się zadać pytania, które miała na końcu języka: Gdyby co się wydarzyło, „byłoby inaczej"?

Z końcem października nastąpiło zdecydowane pogorszenie pogody i wtedy właśnie Junior złapał przeziębienie, które szybko zamieniło się w zapalenie gardła.

Tym razem Libby nie przyjęła odpowiedzi odmownej.

– Wszystko przez ten twój cholerny pokoik! – burczała, zajmując się skrzętnie jak każda porządna pielęgniarka chorym leżącym w podwójnym łóżku rodziców. – Ciągle panuje w nim chłód i wilgoć, a ty nigdy nie włączasz ogrzewania na wystarczająco długi czas.

– Drogo wychodzi – ledwo szeptem wyrzęził Junior. Tylko w ten sposób mógł jeszcze mówić.

– No cóż, tu przynajmniej nie musisz płacić za ogrzewanie. Nigdzie nie pójdziesz, dopiero jak poczujesz się lepiej. Nie pozwolę ci wrócić do siebie, dopóki nie nastąpi zdecydowana poprawa. Ugotuję ci rosół i będziesz musiał go zjeść do ostatniej łyżki.

– Tak jest, siostro! – wyszeptał Junior. Był zbyt osłabiony, żeby się sprzeczać.

Stała jeszcze chwilę przy łóżku, przyglądając się choremu chłopakowi. Nie odezwał się więcej. Zapadł w sen. W powietrzu unosił się lekki zapach przegrzanej pościeli, powstający zawsze, gdy ktoś zbyt długo leży w łóżku z wysoką gorączką. Poczuła nagły przypływ czułości. Nigdy nie musiała się nikim opiekować. I Eluned, i Maev miały nianie, które wykonywały wszystkie czynności w innych rodzinach zarezerwowane dla starszych sióstr, a ona sama nie miała nigdy nawet zwierzątka domowego. Jej matka należała do tych, które niczym się nie przejmują, a już najmniej własnymi dziećmi.

Przepełniało ją pragnienie opiekowania się Juniorem, poświęcenia mu całej swojej uwagi. Skąd to się u niej wzięło? Pojęcia nie miała.

Delikatnie zsunęła kołdrę z jego twarzy. Znów był cały rozpalony. Gorączka wzrosła. Lekarz, którego do niego wezwała, przepisał antybiotyk. Jeśli zdziwiło go, że zobaczył ciemnoskórego mężczyznę, leżącego w łóżku w uroczym małym domu przy ulicy Drayton Gardens numer trzydzieści dziewięć, zachował to dla siebie.

Libby wzięła do ręki buteleczkę z tabletkami i je przeliczyła. Jeśli mu się nie poprawi do jutra, pomyślała podenerwowana, znów zadzwoni po lekarza.

Podeszła do okna, odsunęła zasłonę i zerknęła w dół, na ogród. Zbliżała się dziewiętnasta i niebo zaczynało już ciemnieć. Zza szyby dobiegały odgłosy ruchu ulicznego, zmieszane z grającym gdzieś w pobliżu radiem. Do wnętrza wpadło światło, przesiane pomiędzy pomarańczowozłotymi liśćmi brzóz rosnących wzdłuż chodnika. Pokój wypełniła miedziana poświata, podobna do rzucanej przez płomień świecy. Puściła zasłonę i pozwoliła jej swobodnie opaść, a potem po cichu wyszła.

W kuchni wyjęła z kredensu jeden z fartuchów matki i zaczęła kompletować składniki do przyrządzenia rosołu. Nalała sobie małą porcję ginu, czując się w tym momencie całkowicie dorosła i zdolna do objęcia komendy nad garnkami i patelniami. Niestety, kiedy schyliła się, żeby zerknąć pod zlew, w koszyku na warzywa znalazła tylko jedną osamotnioną cebulę. Szybko dopiła gin i zdjęła fartuch. Jak widać, nadszedł czas, żeby uzupełnić zapasy. Musi jak najszybciej pójść do zieleniaka na rogu, zanim go zamkną. Wzięła płaszcz i wyszła z domu.

W sklepie niczym się nie różniła od innych pań domu, które w ostatniej chwili wyskoczyły, żeby dokupić jakiś brakujący składnik potrawy, bo miały zamiar przygotować ją zaraz po powrocie ze sklepu. Rozkoszowała się tą małą mistyfikacją przy wybieraniu cebuli i potem, w drodze powrotnej, niosąc zakupy w plastikowej reklamówce w biało-niebieskie paski. Czuła się wtedy młodą mężatką w każdym calu.

Kolejnego poranka, ku jej radości, gorączka spadła i Junior zaczął powoli wracać do zdrowia. Jednakże doświadczenie z mieszkania razem pozostało i zrodziło w niej pragnienie stworzenia życia opartego na intymności, której nigdy nie dostrzegała u swoich rodziców, zawsze zachowujących pewien dystans wobec siebie. Marzyła o bliskości, która tak naturalnie przychodziła jej i Juniorowi, kiedy mieszkali razem. Zadzwoniła na uczelnię i powiedziała, że jest chora. Przez tydzień żyli tylko ze sobą i tylko dla siebie.

Gdy tydzień dobiegł końca i oboje musieli wrócić do codzienności, zrozumiała, że jest dla niej nie do pomyślenia, aby znów miało być tak jak przedtem. Nie mogła znieść myśli, że znów musieliby się widywać tylko w przelocie, w niezręcznych dla obojga sytuacjach, spędzając czas w obdrapanych budkach telefonicznych czy kawiarniach, siedząc nad wspólnie wypijaną jedną filiżanką kawy. To niedorzeczne! – wykłócała się z nim. To nie miało najmniejszego sensu.

Więc został.

57

Codzienne zajęcia, które Libby musiała wykonywać, odkąd zamieszkała z Juniorem, nadały jej życiu – które dotychczas płynęło luźno i swobodnie – określony kształt i kierunek. Dość szybko doszła do wniosku, że nie wystarczy być w miarę dobrym w dziedzinie sztuk plastycznych. Wszyscy studenci akademii sztuk pięknych mieli pewne uzdolnienia plastyczne, ale żeby się wyróżniać, potrzeba było czegoś więcej. Zdawała sobie sprawę, że tego akurat nie ma. Tak wiele dziewcząt na jej roku studiowało tylko po to, żeby nie robić tego, co ich matki i babki. Zwykle nie potrafiły ubrać w słowa, czego tak naprawdę pragną od życia. Wolały je definiować poprzez negację: nie chciały należeć do świata kobiet, nie chciały zawierać małżeństwa z rozsądku, a jeżeli już, to z miłości. Żadnego: „Muszę spytać męża, co on o tym sądzi". Nie zamierzały w oczekiwaniu na powrót męża z pracy uczestniczyć w zajęciach kółek robótek ręcznych czy czytelniczych grup dyskusyjnych, jak to robiły ich matki.

Libby przysłuchiwała się gorącym dyskusjom w kawiarniach z rosnącym poczuciem wyobcowania. Problem odrzucania pewnych wartości, którymi kierowało się poprzednie pokolenie, dla niej nie istniał. Ona wręcz przeciwnie: tego właśnie najbardziej pragnęła! Wprawdzie nie śmiała o swoich marzeniach poinformować Juniora, ale własną przyszłość widziała bardzo precyzyjnie wokół tych spraw, które jej koleżanki całkowicie odrzucały. Pragnęła wyjść za mąż, pragnęła mieć dzieci, pragnęła stworzyć przytulny dom, którego nie zapewniła jej matka. Obraz przyszłej rodziny pojawiał się za każdym razem w jej rozkojarzonych, rozmarzonych myślach, gdy kończyli się kochać. Był zwyczajny jak zdjęcie na pocztówce: jedna wielka szczęśliwa rodzina, której nie dotyczą jakiekolwiek podziały klasowe, rasowe czy wyznaniowe. To był jej sen o przyszłości. Nigdy jeszcze nie powstał taki związek, jaki stworzą oboje z Juniorem. Już ona wszystko obmyśli!

58

Pewnego piątkowego poranka na początku listopada Libby obudziła się później niż zwykle i zmysłowo przeciągnęła, bo myślała, że poczuje obok siebie Juniora. Ręka trafiła w pustkę. Chłopaka nie było. Odwróciła głowę i zmusiła się do otworzenia oczu. Mały budzik na stoliku nocnym wskazywał, że dochodzi właśnie dziewiąta trzydzieści. Zaspała dobre kilka godzin. Otrzeźwiała natychmiast i usiadła na łóżku. Pierwszy wykład na uczelni rozpoczynał się o dziewiątej. Mowy nie było, żeby dotarła choćby na koniec.

Opadła na zagłówek, kiedy poczuła pulsujący ból w lewej skroni. Wszystko przez to tanie wino, którego opili się wczoraj wieczorem, świętując pierwszy ze zdanych przez Lena egzaminów. Będzie ich jeszcze całe mnóstwo i może któregoś dnia świat ujrzy nowego adwokata. Junior wpadł w jakiś dziwny nastrój i nie mógł usiedzieć na miejscu. Wszyscy wypili za dużo, lecz on musiał zachować na tyle przytomności umysłu, że zerwał się skoro świt i udał na uczelnię.

Spuściła nogi z łóżka i podniosła szlafrok z podłogi. Należał do Juniora. Uśmiechnęła się do siebie i związała go mocno w pasie. Czuła zapach ciała chłopaka. Znała go tak samo dobrze jak swój własny.

Zeszła po schodach do kuchni. Drżała z zimna, stojąc na podłodze boso. Był dopiero listopad, a zrobiło się tak zimno, jak w środku zimy. Na kuchennym stole leżał liścik do niej. Podniosła go do oczu i ściągnęła brwi, czytając: *Jadę na weekend do Liverpoolu. Mój tata źle się czuje. Do zobaczenia w poniedziałek. J.*

Wydęła policzki, rozdrażniona. Tak bardzo liczyła na weekend sam na sam z nim. Zerknęła jeszcze raz na notkę. Typowo dla niego: krótko, zwięźle i na temat. Relacje Juniora z ojcem były dość skomplikowane. Wiedziała o tym, choć rzadko mówił cokolwiek o nim i o innych członkach swojej rodziny. Wiedziała, że w Liverpoolu mieszkają dwie jego przyrodnie siostry, z którymi dopiero niedawno nawiązał kontakt. Jego ojciec zostawił pierwszą żonę. Junior wychowywał się sam na osiedlu bloków komunalnych w Canton, jednej z najgorszych dzielnic Cardiff. Jego matka poddała się i odebrała sobie życie, kiedy miał około sześciu lat, i od tamtej pory wychowywał się w rodzinach zastępczych. Wyrwał się stamtąd, mając lat siedemnaście, i odtąd sam szukał własnej drogi na świecie. Więcej raczej o sobie nie mówił, co jeszcze potęgowało w Libby odczucie, że wytworzyła się pomiędzy nimi jakaś szczególna więź.

Odłożyła liścik i stanęła przed kuchenką. Jej ręka automatycznie sięgnęła po dzbanek do parzenia kawy po włosku, który matka przechowywała na drugiej półce nad płytą. Poczuła się niepewnie, stojąc tak na bosaka w przydługim szlafroku, z rozczochranymi włosami prosto z łóżka. Odstawiła dzbanek. Pójdzie jednak do kawiarni, tak jak to robiła zawsze, zanim Junior się do niej wprowadził.

Wróciła na górę, umyła twarz, wyszorowała porządnie zęby. Rozsunęła zasłony, żeby rzucić szybko okiem na pogodę. Było zimno, szaro i mokro. Wzięła gruby wełniany sweter z oparcia krzesła i szybko wciągnęła go przez głowę, z szuflady w komodzie wyjęła dżinsy, stopy wsunęła w półbuty. Złapała jeszcze wiszącą na poręczy schodów torebkę i wyszła z domu.

W zimnym powietrzu wisiała leciutka mżawka, która natychmiast osiadła na jej włosach. Na ulicy panowała cisza. Domy naprzeciwko wciąż miały pozamykane okiennice. Mężczyźni wychodzili do pracy przed ósmą, lecz kobiety zaczynały się pokazywać dopiero koło południa – niektóre wystrojone tak, jakby wybierały się do kościoła albo na przyjęcie. Czasami zdarzało się, że po ulicy spacerowała w tę i z powrotem z wózkiem jakaś ubrana w mundurek niania, ale dzisiaj było pusto.

Poszła ulicą Drayton Gardens do kawiarni, która mieściła się na rogu King's Road i Beaufort Street. Tę odwiedzała najczęściej. Kiedy przeszła na drugą stronę Fulham Road, zauważyła starszą kobietę, którą już kilka razy widywała na ławeczce przed kinem. Zawsze spoglądała na nią z zainteresowaniem. Miała na sobie płaszcz z postawionym kołnierzem, za którym skrywała twarz. Zawsze nosiła przeciwsłoneczne okulary. Libby widziała ją też kiedyś w drzwiach sklepu, raz dostrzegła przechodzącą na drugą stronę ulicy – dziwna, lekko przygarbiona postać, zawsze w tym samym ciemnobrązowym płaszczu z czarnym futrzanym kołnierzem i takimi samymi mankietami. Siwe włosy miała ściągnięte do tyłu w ścisły kok. W swoich zabawnych, ogromnych przeciwsłonecznych okularach wyglądała jak podstarzała gwiazda filmowa, która wpadła w tarapaty. Jej zniszczone buty o zdartych podeszwach pamiętały lepsze czasy. Zamiast torebki nosiła plastikową reklamówkę. Przez chwilę kobieta stała z twarzą zwróconą w stronę Libby, lecz przez ciemne okulary trudno było stwierdzić, na co właściwie patrzy.

Libby poszła dalej Beaufort Street z dłońmi wciśniętymi głęboko w kieszenie dżinsów, żeby zachować ciepło.

Kawiarnia U Stana była o tej porze pełna ludzi. Zamówiła kawę z mlekiem u nachmurzonej dziewczyny za kontuarem i zabrała kubek ze sobą do małego stoliczka przy oknie; po drodze żałowała, że nie kupiła gazety. Usiadła, ujęła kubek w obie dłonie i upiła łyk. Nagle drzwi wejściowe otworzyły się z głośnym brzękiem.

Rzuciła okiem w tamtą stronę. Zobaczyła znów tę samą starszą kobietę, z bliska wyglądającą bardziej na bezdomną. Obserwowała ją kątem oka, kiedy szła, powłócząc nogami, do kontuaru. Głośno, perfekcyjnie modulowanym głosem z minionej epoki, poprosiła kelnerkę o „filiżankę czegokolwiek, co zamówiła tamta". Ton jej głosu wywołał u Libby dreszcz wzdłuż kręgosłupa – czyżby coś rozpoznawała? Zdawało jej się, że gdzieś kiedyś słyszała ten głos... Ale gdzie?

Znów popatrzyła na tę kobietę: zdjęła przeciwsłoneczne okulary i podążała prosto w stronę jej stolika, trzymając ostrożnie w szponiastej dłoni spodek z przesuwającą się po nim filiżanką. No chyba nie zamierza...? Niestety, zamierzała przysiąść się do Libby.

Och Boże!, pomyślała niezbyt życzliwie. Dlaczego ja?!

– Nie masz nic przeciwko, że się dosiądę? – spytała kobieta i nie czekając na odpowiedź, postawiła filiżankę na stoliku. Kawa chlusnęła przez brzeg spodka i rozlała się po blacie.

Libby rozejrzała się nerwowo po kawiarni. Czy szurnięta stara baba nie mogła sobie wybrać innego miejsca i musiała niepokoić akurat ją?

– Nie, skąd. Proszę! – powiedziała może odrobinę zbyt burkliwie. Przesunęła się razem z krzesłem, żeby zrobić jej miejsce.

– Ach, tak będzie znacznie lepiej. – Kobieta westchnęła. Zanim usiadła, umościła jeszcze swoją reklamówkę pod stolikiem, a potem długo poprawiała płaszcz, który zawiesiła na poręczy krzesła.

Nie była aż tak wiekowa, jak wydawała się Libby z daleka... Może około sześćdziesiątki? Teraz, kiedy siedziała naprzeciwko i zdjęła te niedorzecznie wielkie okulary, dziewczyna mogła się jej dokładnie przyjrzeć. W twarzy kobiety dostrzegła coś dziwnie znajomego, jakby kiedyś, dawno, dawno temu już ją widziała. Miała wyskubane, cieniutkie brwi, jakie były modne przed wojną. Sztucznie zaokrąglony łuk nadawał jej twarzy wyraz permanentnego zdziwienia. Siwe włosy zaczesała z przodu na gładko, z tyłu ściągnęła w kok, w który wpięła szpilę z brylantem. Jasnoniebieskie oczy błyszczały jak dwa turkusy na alabastrowobiałej twarzy. Nieoczekiwanie kobieta przemówiła spod namalowanej maski swojej twarzy.

– Jesteś córką Kit, zgadza się?

Kubek Libby zawisł w powietrzu. Opuściła go z powrotem na stół.

– Czy my się znamy? – spytała.

Kobieta pokręciła głową, zaprzeczając.

– Masz może papierosy? – spytała uprzejmie.

– Nie, nie palę – odrzekła Libby.

– Przynajmniej zdrowo. No cóż, ja akurat palę, ale nie mam. Nie kupiłabyś mi przypadkiem paczki, moja droga?

Libby spojrzała na nią zdumiona, ale wstała i poszła do baru. Chwilę później wróciła z papierosami.

– Proszę – powiedziała, kładąc je na stoliku. – Kim pani jest?

Kobieta nie odpowiedziała od razu. Wysupłała jednego papierosa z paczki, odwróciła się i poprosiła o ogień mężczyznę, który siedział przy stoliku za nimi. Dopiero wówczas usiadła prosto i odpowiedziała pytaniem skierowanym wprost do Libby.

– Nie poznajesz mnie? – spytała filuternie.

– A powinnam? – Serce Libby nagle przyspieszyło. – Spotkałyśmy się już kiedyś?

Kobieta patrzyła jej prosto w oczy.

– Nie. Ale ja widziałam ciebie. – Wypuściła dym kącikiem ust i machnęła mocno ręką, jakby od czegoś się opędzała. – Och, ona niczego z własnej woli mi nie pokazała. Nie, oczywiście, że nic. Ale przez wszystkie te lata kilka zdjęć wpadło mi w ręce. Niewiele. Czasem jedno, czasem dwa. Przysyłała je matka. Ojciec nigdy więcej się do mnie nie odezwał. Ani razu. Wyobraź sobie, że zmarł, nie wypowiedziawszy do mnie ani słowa!

Serce Libby waliło tak mocno, jakby za chwilę miało wyskoczyć z piersi.

– Co to wszystko ma znaczyć?! Kim pani jest?

– Jestem twoją ciotką. – Kobieta się uśmiechnęła. – Czy ona nigdy nie wspomniała o mnie nawet słowem?!

Pomimo zuchwałości, okularów przeciwsłonecznych, futra i roztaczanej wokół aury pewności siebie nieznajoma w spojrzeniu miała jakiś ogromny smutek.

Libby bardzo powoli pokręciła głową z boku na bok. Ogarniało ją dramatyczne przeczucie, że jej życie za chwilę zostanie przewrócone do góry nogami.

59

W ciemności zamkniętych powiek wydarzenia kilku ostatnich godzin zdawały się jej absolutną niemożliwością, jakby wszystko to jedynie jej się przyśniło, jednak kiedy uniosła rękę, żeby otrzeć policzki, wyczuła na wierzchu dłoni lekki zapach tamtej kobiety (wciąż nie mogła się przemóc, żeby zacząć o niej myśleć jako o ciotce Lily), i ponownie się zatrzęsła z wrażenia. Wstała od stołu i poszła do holu wejściowego, gdzie leżała książka telefoniczna, wsunęła ją pod pachę. Rozłożyła zmiętą karteczkę, którą dała jej tamta kobieta, i najpierw ją wygładziła. Odręczne pismo było zadziwiająco podobne do charakteru pisma matki: podobne pętle i zawijasy, niezwykle równo i starannie stawiana każda litera. *Lady Wharton. Chalfont Hall, Hooke, Dorset.* Zabrała książkę telefoniczną do kuchni i podniosła słuchawkę. Wybrała numer operatora. Słyszała własny oddech, chrapliwy i ciężki.

– Halo, centrala? Poproszę o połączenie z Hooke numer siedemset trzydzieści dwa.

– Chwileczkę. Proszę czekać... – odezwała się telefonistka niedorzecznie wesołym głosem. – Łączę.

Usłyszała tylko jeden sygnał na linii. Zanim odezwał się drugi dzwonek, ktoś podniósł słuchawkę.

– Chalfont Hall.

– Czy... Czy mogłabym rozmawiać z lady Wharton? – zaczęła Libby głosem, który, miała nadzieję, brzmiał normalnie.

– Mogę wiedzieć, kto mówi? – To był głos jakiejś młodej kobiety.

Serce Libby tłukło się w piersi. W jedno popołudnie jej życie stanęło na głowie. Matka twierdziła, że jej dziadkowie nie żyją, że zmarli, jeszcze zanim przyszła na świat. Okazało się też, że matka nie była jedynaczką. Miała siostrę. Dlaczego kłamała?

– N-nazywam się Libby Kentridge. Jestem... Jestem... – zamilkła, nie będąc w stanie wymówić ani słowa więcej. Co właściwie powinna powiedzieć?

– Proszę zaczekać. – Usłyszała odgłos odkładanej słuchawki, a potem oddalające się kroki. Po pewnym czasie ktoś ponownie podniósł słuchawkę.

– Halo? Z kim mam przyjemność? – Arystokratyczna wymowa z minionego wieku; głos przesadnie, rozwlekle artykułujący poszczególne zgłoski. – Halo? – powtórzył kobiecy głos.

– J-ja... Jestem Libby. Libby Kentridge i...

– Elizabeth?! – kobieta przerwała jej nieomal natychmiast. – Elizabeth Kentridge?!

Libby zaschło w gardle.

– T-tak...

– Jesteś gdzieś tutaj? W Anglii? – znowu jej przerwała.

– Tak. Jestem w Londynie i...

– Przyjeżdżaj do mnie w odwiedziny! Nie trać ani chwili. Muszę koniecznie cię zobaczyć, muszę jak najszybciej cię zobaczyć! Złap najbliższy pociąg. Szofer będzie na ciebie czekał na stacji. Och, moja kochana dziewczynka! Przyjeżdżaj natychmiast! – Usłyszała odgłos odkładanej słuchawki.

Ugięły się pod nią kolana i opadła ciężko na najbliższe krzesło. Poczuła się tak, jakby cały jej świat stanął na głowie, jakby głaz leżący na brzegu morza został nieoczekiwanie porwany przez silny prąd odpływu, a ona została półprzytomna, jak oślepione słońcem stworzenie, które skrywało się pod tym głazem, nagle wystawione na działanie światła. Siedziała z twarzą ukrytą w dłoniach, czekając, aż przestanie się trząść.

60

Szofer czekał na nią na peronie – tak jak zapowiedziała kobieta, o której wciąż trudno jej było myśleć jako o własnej rodzonej babci. Starszy mężczyzna, dobiegający siedemdziesiątki, miał na sobie uniform i czapkę ze sztywnym, okrągłym rondem i daszkiem. Podszedł do niej, kiedy tylko postawiła nogę na peronie.

– Panienka Elizabeth?

– Tak, tak... – Zaczęła kiwać głową z przejęciem. – To ja, ale nikt tak na mnie nie mówi. Jestem Libby.

– Zauważyłem panienkę od razu, kiedy wysiadła z pociągu. Takie podobieństwo do niej! Do matki, znaczy się! Och, jaśnie pani nie posiada się z radości! Nie zmrużyła oka od panienki telefonu! – Szofer mówił z wyraźnym gardłowym, szkockim akcentem.

Libby odebrało mowę. W głowie miała mętlik, serce biło jej jak oszalałe. Przez ostatnie kilka godzin ledwo powstrzymywała wciąż od nowa napływające łzy.

Skręcali z jednej pustej wiejskiej drogi w kolejną, czasami ocierając bokiem auta o rosnące zbyt blisko żywopłoty, teraz ogołocone z liści przed nadchodzącą zimą. Otaczały ich miękko falujące pagórki, przywodzące jej na myśl powieści, które czytywała jeszcze w szkole w tak egzotycznych, upalnych miejscach jak Bagdad czy Oman. Wówczas za nic nie mogła sobie wyobrazić angielskich krajobrazów, o których rozpisywał się Thomas Hardy. Na horyzoncie stały rzędem dęby, jak strażnicy pilnujący granic. Co chwila na niebie pojawiały się dosłownie znikąd stada ptaków – gęsi i szpaków – kreśląc leniwie jakieś sobie tylko znane wzory w przestworzach. Kiedy wyjeżdżała z Londynu, mżył deszcz i świat krył się we mgle, ale zanim dojechała do Yeovil, mgły się rozwiały.

Samochód, klasyczny kanciasty lancaster w wykończeniu, jakiego w życiu nie widziała, podskoczył na wybojach przy przejeździe przez mostek nad strumieniem, i nagle w oddali zobaczyła dom. Posiadłość ogrodzona była niskim murkiem z bladożółtego piaskowca, który ciągnął się po obu stronach bramy z mosiężną tablicą informującą o celu podróży: Chalfont Hall. Prosta jak strzelił, żwirowana droga, obsadzona po obu stronach drzewami, wiodła pod górę ku budynkowi mieszkalnemu.

– Jesteśmy na miejscu! – zupełnie niepotrzebnie obwieścił szofer, gdy zatrzymał się przed głównym wejściem. – Jaśnie pani czeka w salonie. Wezmę bagaż panienki. Proszę się nie martwić.

Libby otworzyła usta ze zdumienia. Rezydencja wybudowana była z czerwonej cegły, z obramowaniami z kremowego piaskowca. Miała boczne skrzydła i podkreślającą wejście, usytuowaną centralnie imponującą wieżę. Rzędy oszałamiająco wysokich okien z wyszukanymi draperiami zasłon, ciągnące się na parterze i pierwszym piętrze, kojarzyły się Libby z widokiem pięknej damy, która kokieteryjnie wygląda na zewnątrz. Przycięty równo żywopłot okalał schody wejściowe, prowadząc wzrok ku masywnym, nabijanym ćwiekami dębowym drzwiom. Otworzyły się, kiedy zdążała w ich stronę. W progu stanęła pokojówka, oczekując na nią. Była młodziutka, może nawet w wieku Eluned. Libby od pierwszej chwili zdała sobie sprawę, że wkracza w inny świat. W świat swojej matki.

– Dzień dobry panience. Jaśnie pani oczekuje w salonie, proszę panienki. – Pokojówka zgrabnie dygnęła podczas swojej przemowy. – Zaraz tymi schodami na górę.

Libby wkroczyła do holu wejściowego. Stanęła jak wryta. Ogromna klatka schodowa pięła się ku pierwszemu piętru. Każdy metr kwadratowy ścian bocznych obwieszony był porożami i portretami. Sufit zdobiły gzymsy i kasetony ze stylizowanymi rozetami róż, których nie powstydziłby się żaden cukiernik przy ozdabianiu weselnego tortu. Mimo że na pierwszy rzut oka wszystko robiło oszałamiające wrażenie, kiedy Libby zaczęła wchodzić po schodach i przyjrzała się bliżej, zobaczyła podniszczone detale, wionące smutkiem. Wyszukane kotary były poprzecierane nieomal na wylot, dywan pod stopami – postrzępiony, podobnie jak tapicerowane siedzenia w oknie na półpiętrze przy spoczniku schodów. Zabytkowy zegar szafkowy ze złoconymi wagami wielkości młota kowalskiego wybił akurat pełną godzinę, kiedy dotarła do górnego podestu schodów, co tak ją wystraszyło, aż podskoczyła. Podwójne drzwi prowadzące do salonu były szeroko otwarte.

Spoza nich rozległ się doniosły, patrycjuszowski głos:

– Czy już jest? Czy to ona, Mary?

Libby stanęła w drzwiach. Serce jej łomotało. Przez wysokie okna na końcu pokoju wpadało ciemniejące światło dzienne. Dochodziła trzecia po południu. Dotarcie do Chalfont Hall zajęło jej większą część dnia. Nic nie jadła od śniadania i z tego wszystkiego zrobiło jej się słabo.

– Czy to ty, Elizabeth? Podejdź no tu do mnie!

Libby ruszyła powoli przed siebie. Babcia zasiadała na jednej z ogromnych skórzanych kanap chesterfieldów, które poustawiane były w różnych konfiguracjach w całym pokoju. Obie kobiety, które dzieliło pół wieku i odmienne ścieżki życia, przez pewien czas przyglądały się sobie w milczeniu.

Jest taka drobna, pomyślała Libby. Głos miała potężny w porównaniu do postury. Ubrana prawie całkowicie na czarno, z siwymi włosami, zebranymi w kok starannie upięty na karku; na szyi lśnił gruby sznur pereł. Obok stała laska, na której starsza pani mocno się wsparła, podnosząc się z fotela.

– Podejdź tutaj. Pozwól, że ci się porządnie przyjrzę. Wzrok mam już nie ten sam, co kiedyś – powiedziała i skinęła na Libby. Złapała wnuczkę za przedramię i przyciągnęła bliżej do siebie.

Libby popatrzyła w dół na dłoń babci. Była taka szczupła! Ścięgna jej palców przypominały delikatne listewki wachlarza, który kiedyś miała matka.

– Jesteś bardzo do niej podobna, wiesz? – stwierdziła powoli babcia. – Masz oczywiście ciemniejszą karnację, co się samo przez się rozumie. Ale jesteś podobna. Bardzo podobna.

– J-jak powinnam się do pani zwracać? – wyrwało się Libby.

Babcia skierowała na nią zdziwione spojrzenie.

– A jakżeby inaczej?! Babcia! – odrzekła, jakby pytanie było całkowicie niedorzeczne. – Ja mówiłam tak na swoją babkę. Czy nie jesteś przypadkiem głodna, kochanie? Może zadzwonię, żeby przynieśli nam herbatę?

– Tak... tak, poproszę – powiedziała Libby i usiadła ostrożnie obok babci.

Babcia wzięła do ręki srebrny dzwonek i energicznie nim potrząsnęła.

– Mary zaraz powinna się tu zjawić – wytłumaczyła, sadowiąc się z powrotem wygodnie na kanapie i poprawiając sztywne fałdy swojej plisowanej spódnicy. – Kucharka upiekła ciasto. Wezwałam ją rano, od razu, kiedy tylko odłożyłam słuchawkę po twoim telefonie. Tylko ona przychodzi tutaj dwa razy w tygodniu. Znak czasów, obawiam się – westchnęła. Przez okno wpadł do pokoju pojedynczy promień słońca. Zatańczyły w nim drobinki kurzu, wzbudzone niewyczuwalnym ruchem powietrza. – Od razu, kiedy tylko odłożyłam słuchawkę – powtórzyła.

Libby pod powiekami poczuła napływające łzy.

– Niczego już nie rozumiem – powiedziała łamiącym się głosem. – Dlaczego... dlaczego nigdy was nie odwiedzaliśmy? Matka zawsze powtarzała, że oboje już dawno nie żyjecie. Dlaczego? Dlaczego tak mówiła? Dlaczego nigdy nie wspomniała słowem o siostrze?

Babcia zerknęła na nią, a potem szybko odwróciła wzrok.

– Naprawdę nigdy o nas nie wspominała? Nigdy? Nawet raz?

– Nie. – Libby pokręciła głową. – Matka nigdy nie mówi niczego ani o sobie, ani o swojej przeszłości. Ojciec tak samo. Tak jakby ich życie rozpoczęło się dopiero po wojnie. Ojciec podobno ma siostrę, ale też jej nigdy nie poznałam. Dlaczego?

Babcia wyjęła z kieszeni koronkową chusteczkę i otarła nią oczy. Libby przyjrzała się jej twarzy. Babcia płakała.

– W tej rodzinie było tyle smutku – mówiła przez łzy. – Tyle smutnych wydarzeń... Nie wiesz nawet o połowie z nich, Elizabeth. Całe to zamieszanie z Lily... Och! To wydarzyło się lata temu, zanim pozwolono jej wrócić do domu...

– Jakie zamieszanie?

Babcia popatrzyła na nią zaskoczona.

– Lily nic ci nie powiedziała?

– Nie. – Libby gwałtownie potrząsnęła głową. – Nalegała tylko, żebym koniecznie tu przyjechała i spotkała się z tobą, babciu.

– To typowe dla niej – kwaśno stwierdziła babcia. – Cała Lily. Wszystko zawsze zwala na mnie. Tak samo zachowywała się przez całe życie. – Znów otarła oczy. – Biedna Lily. Straciła wszystko. Dokumentnie. Wszystko jej zabrali. Bo wiesz... Ona była wtedy taka młoda... a on był taki przystojny i taki bogaty, i w ogóle...

– Kto?

– Jej mąż. Niemiecki hrabia.

Libby zrobiła wielkie oczy.

– Co się z nim stało?

– Och, powiesili go. Od razu po wojnie. Dzięki Bogu nie mieli dzieci. No i oczywiście ona chciała wrócić do domu, ale ojciec się nie zgodził. Nie pozwolił jej wrócić. Wszystko przez tę listę, wiesz... Podała Niemcom listę wytypowanych przez siebie nazwisk... Podała nasze nazwisko, naszych przyjaciół, wszystkich... Wybuchł skandal. A była po prostu zbyt młoda. – Babcia nie przestawała biadolić, chciała usprawiedliwić wszystkie grzechy córki. – Zbyt młoda.

– Kiedy wróciła?

– Po śmierci ojca. Przecież nie mogłam powiedzieć jej „nie". Jak bym mogła? Została z niczym. Nie miała absolutnie nic! Tylko te ubrania, które akurat nosiła. Zabrali jej wszystko. To wprost niewyobrażalne, co tam się działo po wojnie. Traktowali ich tak okropnie! Tak strasznie źle!

– Skąd wiedziała, gdzie mnie szukać?

– Wszystko to sprawka Margaret. Margaret Arscott. Ona przyjęła ją do siebie. Zrobiła to samo dla twojej matki. No wiesz... Z dzieckiem i ze wszystkim.

– Z dzieckiem?! Z jakim dzieckiem?... – Libby słyszała głośno i wyraźnie, jak krew tętni jej w głowie. Znalazła się tak blisko rozwiązania tajemnicy, która rzucała cień na życie ich wszystkich, łącznie z nią samą.

Nagle zapadła cisza. Spojrzenie jasnoniebieskich oczu babci spoczęło na wnuczce. Ten sam kolor oczu miały i matka, i ciotka Lily, ale nie ona.

Babcia położyła rękę na jej dłoni.

– Moja kochana dziewczynko – powiedziała nagle. – Czasem wracam myślami do przeszłości i zastanawiam się, co by to było, gdybym... no cóż... gdybym jej nie odesłała. Nie wiedziałam wtedy, co robić. Widzisz... oni wszyscy obwiniali za to mnie. Przede wszystkim za to, że ją tam wysłałam, ale co jeszcze takiego zrobiłam? Nigdy nie myślałam, że... Nikt z nas nie przypuszczał nawet. Nikt nie mógł przewidzieć. Zrobiłam po prostu to, co uważałam za najlepsze w tej sytuacji. Napisałam do niej. Och, nie mogłabyś sobie nawet wyobrazić, co takiego jej pisałam! Nie byłabyś w stanie wyobrazić sobie ogromu winy! Kiedy zmarł mój mąż, zostałam zupełnie sama, moja kochana. Nie wiedziałam, jak żyć. Nie umiałam się odnaleźć. Błądziłam w ciemnościach... Czułaś coś podobnego kiedykolwiek?

Libby z trudem złapała oddech.

– Babciu! – To słowo ledwo przeszło jej przez gardło. – Tak bardzo cię proszę! Powiedz mi prawdę!

Babcia milczała przez dłuższy czas, a potem popatrzyła prosto w oczy Libby.

– Powiedzieć ci prawdę? – powtórzyła cicho. – Nie mam pojęcia, co się wtedy stało. Chcesz wiedzieć, spytaj o to ją samą. Prawdę zna tylko twoja matka.

61

– To ty, Lib? – Junior usłyszał, jak drzwi na dole cicho się zamykają. Pospiesznie wstał i zbiegł na dół po dwa stopnie. Martwił się o nią.

– Tak, to ja. Jestem – odpowiedziała słabym głosem, zdejmując płaszcz.

Odwróciła się do niego i wtedy zobaczył, że płacze.

– Co się dzieje? Gdzie byłaś? Wróciłem z samego rana i zobaczyłem, że zniknęłaś. Gdzie byłaś cały dzień? Co się z tobą dzieje, Lib?

Nie była w stanie mówić. Patrzyła tylko na niego w milczeniu, kręcąc głową. Oczy miała podpuchnięte od płaczu, z rozmazanymi smugami tuszu przy rzęsach. W dłoniach miętła nerwowo rękawiczki.

– Co z tobą? – spytał ponownie, tym razem z czułością. Podszedł do niej i wziął ją pod rękę. – Chodź, powiesz mi, co się stało.

Libby zdawała się zbyt oszołomiona, by mówić. Zaprowadził

ją do stołu kuchennego i podstawił krzesło. Nigdy jeszcze nie widział jej tak załamanej. Po pewnym czasie opanowała łkanie i słowa popłynęły wartkim strumieniem.

62

Kiedy kilka godzin później szli ulicą Embankment, trzymając się mocno pod rękę, Junior myślał, że Libby to jednak zabawna dziewczyna. Wysłuchał całej opowiedzianej przez nią historii z dziwną obojętnością. Dlaczego to miało dla niej jakiekolwiek znaczenie? Matka nigdy nie opowiadała jej o swoim życiu sprzed poznania ojca... A czy to takie ważne? Jej ciotka sympatyzowała z nazistami podczas wojny... Kogo to teraz obchodzi? Wszystko to wydarzyło się tak dawno temu. Było też nieślubne dziecko... No i co z tego? Próbował obrócić to w żart. Tam, skąd pochodził – powiedział, tuląc ją mocno do siebie – nieślubne dzieci to norma, co wywołało jedynie kolejny atak szlochów.

– Pewnie matka za bardzo się wstydziła – spróbował znowu powiedzieć coś, co powstrzyma jej łzy, lecz bez powodzenia.

Kręciła wciąż głową z niedowierzaniem.

– Wyobrażasz sobie, żeby uciąć tak wszelkie kontakty? Odsunąć się od własnej siostry? Miałam dziadka, którego nigdy nie poznałam! Jak ona mogła mi to zrobić!

Zabrakło mu argumentów, więc tylko wzruszył ramionami. On sam wychowywał się z dala od prawdziwej rodziny, a to tu, a to tam. Przez pierwsze pięć lat swojego życia kursował pomiędzy domem matki w Cardiff a domem ojca w Liverpoolu, w obu czując się źle... dopóki matka nie zdecydowała, że ma wszystkiego dość, i odebrała sobie życie. Wtedy znalazł się w rodzinie zastępczej. Nowa żona jego ojca nie chciała go i musiał się z tym pogodzić. Przenosili go z jednej rodziny zastępczej do drugiej, dopóki nie dorósł na tyle, że mógł opuścić je na stałe. Rodzina? Właściwie nie wiedział, co oznacza to słowo, i nie mógł zrozumieć, dlaczego Libby tak bardzo to obchodziło.

Głaskał ją po głowie, zastanawiając się, czy powinien kontynuować, a potem pokochać się z nią... Czy to by pomogło?

Nie pomogło.

Teraz, kiedy szedł u jej boku, odczuwał wyraźną ulgę, że najgorsza burza, jak mu się przynajmniej zdawało, już minęła. Tak, zabawna z niej dziewczyna. Gdy zobaczył ją po raz pierwszy, był pod wrażeniem jej wyglądu zewnętrznego, jak zresztą wszyscy. Ponadprzeciętnie wysoka, szczupła, o niezwykłym zabarwieniu skóry, no i te rysy twarzy... Nie umiał ich dopasować do żadnej nacji. Przyglądał się jej tego pierwszego wieczoru, próbując rozgryźć, jakiej też może być narodowości. Włoszka? Hiszpanka? Turczynka? Tego nie dało się stwierdzić na pierwszy rzut oka. A potem zaczęła mówić tak pięknym głosem, o tak poprawnej wymowie, jaką słyszy się tylko w telewizyjnych wiadomościach albo u dziewcząt pochodzących z arystokratycznych domów, kulturalnych dziewcząt z wyższych sfer. Miała długie, gęste włosy i zapach ciała, który przenikał do jej najbliższego otoczenia, ale jakoś tak lekko i świeżo, a nie przesycał wszystko w nadmiarze, nieomal oblepiając, jak u większości dziewczyn, które znał. To było pierwsze, co go w niej urzekło: jej zapach. Po tamtym pierwszym wieczorze w klubie czuł go na sobie całą noc. Za każdym razem, kiedy ruszył głową, czuł jej zapach. Gdy obudził się następnego dnia i poszedł włożyć marynarkę, ten zapach wciąż na niej był. Chodził w niej cały dzień; zanim nadszedł wieczór, zaczęło mu tak bardzo brakować obecności Libby, że był to ból nieomal fizyczny, który można porównać ze ssącym uczuciem głodu. Dostał numer telefonu do jej akademika, gdzie mieszkała razem z tą drugą dziewczyną, Charlie, przyjaciółką Lena. Nie przejmował się w ogóle Charlie, wszystkimi jej chichotami i śmiechami, które świadczyły o tym, że wie, co jest grane. Wyczuwał jej zniecierpliwienie, pragnienie, żeby zająć się czymś nowym. Dla niej fascynacja Lenem i innymi –

jej „chłopcami", jak o nich mówiła – będzie trwała jedynie do momentu, dopóki będzie czuła, że robi coś niezwykłego lub przynajmniej innego niż reszta kumpli ze studiów.

Libby taka nie była. Nie robiło jej różnicy, kto skąd pochodził i czym się zajmował. W towarzystwie tej dziewczyny nic z tych rzeczy nie miało znaczenia. Kiedy siedziało się obok niej, rozmawiało, śmiało, przekomarzało, flirtowało, czuło się, że każdy jest jej równy, ni mniej, ni więcej. Życie wcale się nie zmieniło. Na ciemnoskórych wciąż patrzono z ukosa, rzucając ukradkowe spojrzenia, czy z tyłu nie czai się większa zgraja czarnuchów z nożami. Jeden ciemnoskóry w najbliższym otoczeniu powodował jakiś dyskomfort dla reszty białych, dwóch stanowiło pewne niebezpieczeństwo, a trzech już groziło niemal zamieszkami. W obecności Libby przestawał o tym myśleć. Może to nie za wiele, ale jemu wydawało się bezcenne.

Kiedy zaczęli ze sobą chodzić, ale już tak na poważnie, odkrył, że Libby ma również drugie oblicze. Mimo wszystkich swoich przywilejów była równie samotna, równie pozbawiona korzeni jak i on. Choć pozornie tak różni, okazali się doskonałą parą. Innym dziewczynom, które znał – a poznał ich całkiem sporo – nie wystarczało to, że są razem. Chciały go mieć dla siebie, formować, zmieniać po swojemu, posiadać go jak własną zdobycz. Libby zupełnie odwrotnie. Zdawała się marzyć tylko o tym, żeby całkowicie się dla niego poświęcić. Ogromnie schlebiało to Juniorowi, szczególnie na początku, a potem zaczęło również niepokoić. Czy taki układ będzie mu odpowiadać? Czy może mu odpowiadać? Wzbudziło to w nim wszystkie te obawy, które, jak sądził, dawno już pokonał. Okazało się, że był w błędzie. Nieomal natychmiast przypomniały mu się zdarzenia z dzieciństwa, z którejś z kolejnych – trzeciej czy czwartej – rodzin zastępczych. Nie pamiętał już teraz, gdzie miało to miejsce, w Nottingham, a może Birmingham? Nieważne. Ubrał się w świeżą koszulę i przyczesał równo włosy. Kobieta prowadząca rodzinę zastępczą zeszła na dół po schodach, żeby się z nim przywitać. W jej oczach dojrzał ulgę. Owszem, miał kolorową skórę, ale nie aż tak ciemną. To było pozytywne. Nikt nie chciał brać dzieci o skórze czarnej jak noc. On jeszcze się nie rozluźnił – jeszcze niezupełnie – ale zauważył, że ona tak, i to również dobrze rokowało. Stał na baczność, wyprężony jak struna, i patrzył jej prosto w oczy, bo liczył, że w ten sposób uwidocznią się jego najlepsze cechy. Nie miał niczego więcej do zaoferowania oprócz pewnego spojrzenia i tej czystej koszuli. Niczego poza tym. Mógł polegać tylko na sobie i tak było potem już zawsze, dopóki nie spotkał Libby.

Odkąd poznał Libby, otworzył się przed nim świat nowych możliwości, które, jak sądził, były poza jego zasięgiem: dom, rodzina i wszystko z tym związane... Chciał jej o tym wszystkim opowiedzieć, ale nie umiał. Instynkt, który nigdy go nie zawiódł, podpowiadał mu, żeby zachować pewne sprawy dla siebie. Przynajmniej trochę. Na wszelki wypadek.

No i teraz wyszło to wszystko. Mocny powiew wiatru uniósł włosy Libby, zarzucił jej na twarz i na jego ramię. Z czułością odgarnął je na miejsce. Podniosła na niego wzrok i uśmiechnęła się delikatnie, a wtedy z jego ust popłynęły słowa, których nie zdołał powstrzymać:

– Wyjdź za mnie!

63

Dom lśnił czystością. Cały dzień spędziła, szorując, polerując i czyszcząc wszystko od początku, jakby zamierzała nie tyle oczekiwać akceptacji matki co do poślubienia Juniora, ile jej uznania co do umiejętności prowadzenia domu. Wreszcie skończyła. Wytarła ostatni talerz do sucha, odkurzyła ostatni mebel. Zbliżała się dziesiąta i rodzice mogli się pojawić w każdej chwili. Usiadła za świeżo wypolerowanym kuchennym stołem i próbowała uspokoić nerwy. Minęło sześć tygodni od dnia, kiedy podeszła do niej ciotka. Sześć tygodni od dnia, w którym Junior poprosił ją o rękę. Sześć tygodni od dnia, gdy jej życie stanęło na głowie. Zadzwoniła do rodziców, żeby przekazać im najnowsze wieści o zaręczynach, ale przemilczała pozostałe odkrycia. O tych ostatnich musi porozmawiać osobiście. To nie były pytania, które się zadaje, rozmawiając przez trzeszczącą międzynarodową linię telefoniczną. Chciała, żeby matka się przed nią wytłumaczyła, żeby prosto w oczy wyjaśniła, co to wszystko miało znaczyć.

Nagle usłyszała warkot silnika zatrzymującego się przed domem samochodu. Wstała od stołu najspokojniej, jak się dało, i na palcach – nie wiadomo dlaczego zaczęła się skradać, zamiast iść normalnie – podeszła do drzwi wejściowych. Otworzyła je dokładnie w chwili, kiedy matka wysiadła z taksówki. Miała na sobie trencz, ściągnięty paskiem w talii, filcowy kapelusz i czarny jedwabny szal, owinięty dookoła szyi. Maev wyglądała jak mały tobołek w płaszczyku i jaskrawożółtym kapelusiku. Obserwowała ojca, który najpierw zapłacił taksówkarzowi, a potem podszedł do bagażnika i wypakował z niego dwie walizki. Matka wzięła Maev na ręce i oboje szybko pokonali krótkie schody zewnętrzne. Libby pochyliła się, żeby uściskać siostrę, i przez chwilę wszyscy stali w drzwiach, przyglądając się sobie nawzajem. Matka miała bardzo jasną skórę przysypaną jasnymi piegami. Wyglądała na zmęczoną, ale widać było, że przed chwilą poprawiała makijaż: usta podkreśliła tradycyjnie ulubioną szminką, a nos przyprószyła pudrem, żeby nie błyszczał. Kit podeszła do córki i uścisnęła ją krótko, otulając zapachem perfum L'Air du Temps, który Libby miała zakodowany w pamięci jako należący do matki; zapach jej dzieciństwa.

– W końcu dojechaliśmy – powiedziała, odsuwając się od niej. – Witaj, kochanie.

– Cześć, mamo!

Libby poczuła znienacka onieśmielenie. Uściskała się z ojcem. Wszyscy troje spoglądali na siebie z wyczekiwaniem. Maev ogarnęło niezwykłe u niej zawstydzenie. Nie widziała swojej starszej siostry ponad rok.

– No cóż, wejdźmy do środka, bo zamarzniemy. Napilibyśśmy się herbaty. Jesteśmy z ojcem okropnie spragnieni. – Matka energicznie weszła do holu. Libby i ojciec spojrzeli na siebie, uśmiechnęli się nieśmiało i poszli za nią.

– Dom jest czysty jak łza – orzekła Kit, schodząc po kilku schodkach w dół do kuchni pół godziny później. – Wzięłaś kogoś do sprzątania?

Libby zaprzeczyła. Ojciec udał się na górę, żeby uciąć sobie krótką drzemkę. Zostały na dole same.

– Jakoś nie sprawia mi problemu samodzielne sprzątanie, mamo – stwierdziła z przekąsem.

Były razem dopiero od pół godziny, a już napięcie pomiędzy nimi zaczynało rosnąć. Wiedziała, że jest niesprawiedliwa, że sama wywołuje konfliktową sytuację. Przez ostatnie sześć tygodni szarpały nią najbardziej sprzeczne emocje, jakich kiedykolwiek w życiu doświadczyła: od całkowitej niepewności i dezorientacji po euforię. Junior poprosił ją, żeby za niego wyszła, ale matka stała się dla niej całkowicie obcą osobą. Nie wiedziała nawet, jak się przy niej zachowywać.

– Oczywiście, kochanie. – Matka szybko skończyła temat. – A gdzie jest twój narzeczony? Kiedy go zobaczymy?

– Zaprosiłam go jutro na niedzielny obiad – zaczęła Libby niepewnie. – Tak sobie pomyślałam, że... że to będzie odpowiedni moment, żebyście się poznali.

– Dobry pomysł – przyznała Kit. Zapadła niezręczna cisza. Córka czuła na sobie wzrok matki, kiedy wstała, żeby napełnić ponownie jej kubek. Po chwili spytała przyciszonym głosem: – Czy... Czy wszystko w porządku?

– Nie rozumiem, o co ci chodzi. – Libby się odwróciła i spojrzała matce prosto w oczy.

Znów zapadła niezręczna cisza. Matka przygryzła wargę. Libby nigdy jeszcze nie widziała jej tak niepewnej siebie i niezdecydowanej.

– Chodzi mi o to, że... Tak nagle się zdecydowaliście.

– A skąd! Jesteśmy razem od dwóch lat. To chyba nie jest nagle?

– Dwa lata?! Ale przecież... nie wspomniałaś nawet słowem!

– Cóż, nigdy nie pytałaś.

Patrzyły na siebie z wyrzutem. Dziewczyna poczuła, że zbiera się jej na płacz. Zamrugała mocno powiekami. Zawzięła się, żeby nie uronić nawet łzy przy matce. Kit pierwsza spuściła wzrok. Zaczęła się przyglądać swoim dłoniom.

– Libby? – zaczęła niepewnie. – Czy jest coś, o czym nie chcesz mi powiedzieć?

Libby zagryzła usta.

– To znaczy? – spytała posępnie.

Matka wyglądała tak, jakby chciała coś powiedzieć i w ostatniej chwili zrezygnowała. Znów nastała cisza.

Jak ona śmie tak do mnie mówić!, myślała Libby. Akurat ona ze wszystkich ludzi! Sama wszystko trzyma w tajemnicy, a ze mnie próbuje wyciągać sekrety!

– No cóż, nie mogę się doczekać, kiedy go poznam – powiedziała w końcu matka. – Oboje nie możemy się doczekać.

Libby nie była w stanie wydusić z siebie ani słowa. Przyglądała się matce. Kim była naprawdę? Co takiego zrobiła? Co zrobiła ze swoim dzieckiem? Z tym nieznanym, tym pierwszym. Z bratem Libby.

64

Kit odłożyła na bok pędzelek do różu i przyjrzała się swojemu odbiciu. Z lustra patrzyło beznamiętnie jej oblicze. Jak dla niej był to ten sam wyraz twarzy, który miewała zazwyczaj: wyrażający rozważną pewność siebie. Zawsze ten sam od najmłodszych lat. Uniosła do ust palec, żeby zetrzeć odrobinę nierówno położonej szminki, i nagle coś się w niej załamało. Jej twarz przybrała żałosny wygląd. Jak to się mogło stać, że własna córka nie chce z nią rozmawiać o swoich problemach? Wiedziała, że Libby ma przed nią jakąś tajemnicę – wyczuwała skrywane tuż pod skórą negatywne emocje: może urazę, może złość. Coś ją gryzło, ale nie dała matce żadnej wskazówki. Sposób, w jaki na nią patrzyła – tak jakoś z daleka... Tak nie patrzy się na kogoś, z kim łączą cię więzy miłości, jaka zazwyczaj panuje w rodzinie.

Te rozważania przerwał jej dzwonek do drzwi. Kilka chwil później do domu wpadł zimny powiew wiatru, pachnący deszczem, i popłynął wąskimi schodami na górę. Drzwi zamknęły się z głośnym trzaśnięciem.

Przyszli. Już czas, żeby powitać młodego mężczyznę, który miał wkrótce stać się ich zięciem.

Wstała i poprawiła spódnicę. Paul był już w pokoju dziennym i przygotowywał powitalne drinki. Miała przeczucie, że przyda się im wkrótce odrobina alkoholu na wzmocnienie.

Libby i Junior stali razem zakłopotani w drzwiach, obserwując Kit schodzącą po schodach na dół. Aż przymrużyła oczy, zaskoczona. On był czarny! Przez chwilę nie mogła się pozbierać.

– Witaj! – zawołała jeszcze z góry nienaturalnie wysokim głosem. – Nareszcie możemy się poznać. Wejdźcie do środka. Zapraszam do pokoju dziennego. Tam przynajmniej będzie nam cieplej.

Czuła na sobie wzrok Libby, kiedy prowadziła ich do salonu. Modliła się, żeby spojrzenie Paula go w jakiś sposób nie zdradziło. Szczerze mówiąc, pojęcia nie miała, jak zareaguje.

Boże drogi! Czy dlatego Libby trzymała to w tajemnicy?

Pod wyszukaną gościnnością matki kryło się dziwne napięcie, co Junior odkrył niemal natychmiast. Stwierdził, że ona zachowuje się sztucznie. Sam nie wiedział, jak to wyczuł, ale na pewno się nie mylił. Lata tkwienia na uboczu w rodzinach zastępczych wyrobiły w nim świadomość istnienia niedopowiedzeń czy faktów, o których się nie wspomina w gronie najbliższych. Co za ironia! On, który od tak długiego czasu nie pragnął niczego więcej, jak należeć do rodziny, jakiejkolwiek rodziny, stał się wyczulony na każdy fałszywy ton, na wszystko nie do końca w porządku. A tu rzeczywiście coś nie grało. Matka Libby na pewno była silną kobietą, lecz źródło jej siły nie pochodziło – jak sądziła córka – z tego, co na świecie słuszne i właściwe. W jej przypadku działo się całkowicie odwrotnie. Zdawała sobie sprawę z tego, co było złe, nie na miejscu. Doszedł do wniosku, że przypominała jędrny, przyciągający wzrok owoc, taki do oglądania i pogłaskania... lecz przy mocniejszym naciśnięciu kciuk wpadał w miękki, zgniły miąższ.

– A więc jak naprawdę masz na imię, jeśli Junior to tylko twój przydomek? – spytała, a potem wstała, żeby wziąć coś z kredensu.

– To nie przydomek. Na Jamajce panuje taki zwyczaj – powiedział z przelotnym uśmiechem. – Dziedziczysz imię po ojcu, ale nikt tak na ciebie nie mówi. Zawsze zostajesz Juniorem. – Mówił ostrożnie, mając na uwadze instrukcje Libby, żeby przypadkiem nie wygadał się ani słowem o swojej „sytuacji", jak to ona określiła. Nie chciała, żeby wiedzieli, że tułał się po rodzinach zastępczych ani „nic z tych rzeczy".

– A jak w takim razie nazywał się twój ojciec? – spytał Paul, choć raczej przez grzeczność niż z ciekawości.

Libby zapewne sobie tego nie uświadamiała, ale ojciec nie był tak spięty jak matka. Junior widział to jak na dłoni: zwyczajna wrogość. Dobrze wiedział, jak sobie z tym radzić.

– Aloysius Jackson. Ja nazywam się tak samo, tyle że mnie zwą Junior, a ojciec to senior.

– Jest muzykiem – z dumą wtrąciła Libby. – Kiedyś był bardzo znany i występował w najlepszych klubach w Londynie. Jak nazywał się jego zespół? Chicago Jets albo coś w tym rodzaju. Przypomnij mi, Junior.

– Nie. – Junior poczuł się nieco skrępowany sytuacją. – Louie Lejeune i...

Przerwał mu trzask rozlatującej się na kawałki szklanej salaterki. Obaj mężczyźni skoczyli na równe nogi. To Kit wypuściła z ręki miseczkę z deserem owocowym. Bita śmietana i sos budyniowy rozprysnęły się na wszystkie strony, brudząc im ubrania. Kawałki owoców leżały porozrzucane po całej podłodze. Nastąpiła chwila konsternacji, a potem matka osunęła się na kolana, jakby ktoś wymierzył jej cios. Libby pozostała na swoim miejscu, zdrętwiała z przerażenia. Junior rzucił się na pomoc matce, ale sam się poślizgnął na rozpaćkanej po podłodze masie. Ojciec pochylił się i zaczął zbierać co większe kawałki szkła. Libby również w pierwszej chwili zabrała się do sprzątania. Oboje co chwila z niepokojem spoglądali na Kit.

– Co się stało, mamo?

– Czy już w porządku?

– Nagle się przewróciłaś... Ot tak bez powodu...

Matka siedziała na podłodze i lekko oszołomiona, wciąż kręciła głową.

– Sama nie wiem... Musiałam się potknąć... Przepraszam. Narobiłam takiego bałaganu...

– Ach, tym się nie martw! – Ojciec wreszcie mógł przejąć dowodzenie. – Wesprzyj się, proszę, na moim ramieniu.

Razem z Libby pomogli jej się podnieść. Powoli, słaniając się na nogach, matka wstała. Pozwoliła im się wyprowadzić z pokoju i wciąż przepraszała pod nosem. Junior został na miejscu, obserwując oddalającą się trójkę. Spojrzał w dół, na swoje stopy. Buty całe miał w zasychających plamach śmietany i rozmazanych owoców. Pokręcił głową: co za dziwna rodzina! Coś tu było nie w porządku.

Kit machnęła ręką na gorączkowe próby oczyszczenia jej spódnicy i butów przez męża.

– Nic mi nie jest... Nic mi nie jest... – mamrotała wciąż, pozwalając córce prowadzić się w górę po schodach do swojego pokoju. – Zajmij się lepiej Juniorem. Libby pomoże mi się przebrać.

Libby zamknęła za nim drzwi. Kit usiadła ciężko w swoim fotelu. Nie mogła zapanować nad szczękającymi zębami.

– Co się dzieje, mamo? – dopytywała się coraz bardziej zaniepokojona Libby. – Naprawdę się potknęłaś?

– Nie, ja... Ja właśnie wstałam po deser i po prostu nagle zrobiło mi się słabo. Nic mi nie będzie.

– Może powinnam wezwać karetkę?

– Nie, nie... Nic... Nic mi nie będzie. Ja... Sama nie wiem, co się właściwie stało.

– Może przynieść ci wody? – Libby się wyprostowała, gotowa znów biec na dół.

Kit pokręciła głową. Przez chwilę obie patrzyły sobie prosto w oczy.

– Nie spodobał ci się, prawda? – spytała ni z tego, ni z owego Libby. Z jej twarzy znikła obawa.

– Nie bądź niemądra. Przecież ja go nawet nie znam.

– Może i nie znasz, ale widziałam to w twoim spojrzeniu. Przeżyłaś szok, kiedy go zobaczyłaś, prawda?

– Libby, proszę cię. Przesadzasz z tymi podejrzeniami. Byłam po prostu zaskoczona, to wszystko. To znaczy... przecież nawet nie wiedzieliśmy, że...

– Nie wierzę ci! – W głosie Libby pojawił się przerażający chłód. Lampa nad głową Kit świeciła jej prosto w oczy. – Skłamałaś! – Nigdy jeszcze Libby nie przemawiała do matki takim tonem. – Całe życie kłamałaś nam prosto w oczy! Nam wszystkim! Ojcu, mnie... wszystkim!

– O-o czym t-ty mówisz? – wyjąkała Kit, a serce zaczęło jej walić jak oszalałe.

– Wiem, kim jesteś! Wiem, co zrobiłaś!

Dopadło ją przerażenie. Otworzyła usta, żeby coś powiedzieć, ale nie zdołała wymówić nawet słowa.

– Chcesz wiedzieć, jak się dowiedziałam?

Kit zaschło w gardle.

– O czym się dowiedziałaś? – ledwo zdołała wyszeptać. Nie miała ani cienia wątpliwości, jakie będzie następne pytanie.

– Babcia powiedziała mi o wszystkim. Chcesz wiedzieć, jak się dowiedziałam, gdzie jej szukać? Chcesz wiedzieć, kogo spotkałam? Tutaj, w Chelsea? Twoją rodzoną siostrę! Nigdy się nam nie przyznałaś, że masz siostrę! Nigdy nie powiedziałaś nam, że urodziłaś syna!

– Libby, proszę cię!... – Kit zaczęła błagać po raz pierwszy w życiu. Nigdy jeszcze jej się to nie zdarzyło, szczególnie w stosunku do własnych dzieci. Nie była w stanie się powstrzymać. Jej mózg pracował na najwyższych obrotach.

Libby się rozpłakała z jedną ręką na klamce drzwi, jakby chciała za chwilę uciec.

– Jak mogłaś?!... – krzyczała.

– Libby... Drzwi! Zamknij drzwi! – Tylko o tym była w stanie myśleć teraz Kit. Słyszała zbliżający się odgłos kroków. Ktoś wchodził po schodach.

Libby zrobiła dokładnie na odwrót. Otworzyła drzwi tak szeroko, aż jęknęły zawiasy. W jej twarzy widać było wściekłość i ból, lecz pojawiła się również konsternacja. Nie umiała nad sobą zapanować. Do Kit dopiero w tej chwili dotarło, że napięcie, które wyczuwała u córki od chwili przyjazdu, musiało wynikać właśnie z tego: z konieczności tłumienia w sobie tych wszystkich okropieństw.

W drzwiach nagle pojawiła się twarz Paula. Widać było, że otwiera usta i coś mówi, lecz krzyki Libby go zagłuszyły.

– Jak mogłaś?! – darła się. – Tak po prostu go porzuciłaś! Oddałaś go jak niepotrzebną rzecz!

– Libby! – ojciec podniósł głos. Próbował złapać ją za rękę. – Libby! Uspokój się! Co tu się dzieje?

Jednak dziewczyna tak się zacietrzewiła, że nic do niej nie docierało.

– Odeszłaś... tak jak zawsze! Zawsze tak robisz: odwracasz się i odchodzisz, a zostawiasz za sobą bajzel i zamieszanie, które sama spowodowałaś! Nas zostawiasz, żebyśmy po tobie sprzątali! – Twarz Libby wykrzywiała wściekłość.

Paul próbował ją spacyfikować, łapiąc za ręce.

– Co tu się dzieje, do cholery?! – ryknął wreszcie.

– Proszę, nie... – Kit wstała z fotela, chwiejąc się na nogach.

Gdzieś w oddali Maev zaczęła płakać. Cały dom chwiał się w posadach. Ze schodów dobiegł odgłos kolejnych kroków i za twarzą Paula pojawiła się twarz Juniora. Kit miała mętlik w głowie. Czuła się jak złapana w potrzask.

– Nie, nie... To wcale nie było tak. Uwierz mi, proszę!

– Nie wierzę ci! Czy tego nie rozumiesz?! Nie wierzę w żadne twoje słowo! Jesteś zwykłą kłamczuchą! Kłamałaś o wszystkim: o siostrze, o babci... a teraz chcesz zrobić wszystko, żebym ja też nigdy nie zaznała szczęścia!

Kit zamknęła oczy. Kręciła głową z lewej na prawo, z prawej na lewo, dukając:

– To nie tak, uwierz mi, kochanie! To nie tak! Chodzi o to... Ja po prostu nie mogę... – Nie była w stanie mówić dalej. Lily?, myślała gorączkowo. Lily była tutaj? Libby spotkała się z babcią?! Jak to możliwe?!

Junior próbował przecisnąć się obok Paula, żeby dostać się do Libby, lecz ręka Paula blokowała mu przejście. Wszystko zmierzało w złą stronę...

– Libby!

Teraz każde z ich trójki próbowało pierwsze dostać się do szlochającej dziewczyny.

– Pozwól mi przejść, stary – powiedział Junior, próbując zepchnąć dłoń Paula z futryny drzwi.

– Jesteś zwyczajnie zazdrosna! Pewnie o to chodzi! Sama nigdy nie zaznałaś szczęścia, kłamiąc wszystkim w oczy, a teraz chcesz, żebym ja też była nieszczęśliwa! No dawaj! Przyznaj mi rację!

– Libby, przestań!... Robisz tyle zamieszania bez sensu. Słuchaj no, pozwól mi przejść! – Junior wydarł się w końcu na Paula i naparł z całej siły na jego rękę.

– Jak śmiesz tak się do mnie odzywać! – Twarz Paula nagle pociemniała z gniewu.

Przez krótką chwilę obaj mężczyźni siłowali się w drzwiach, Paul najwyraźniej zdeterminowany, żeby nie pozwolić Juniorowi przedostać się do Libby. Co tu się działo? Kit ruszyła w ich stronę, starając się zrobić coś, żeby nie zaczęli się nakręcać, żeby ich działania nie wymknęły się spod kontroli. I wtedy to się stało.

– Precz z łapami, ty cholerny czarnuchu!

Nagle zapadła cisza. Wszyscy byli w szoku. Junior i Libby zastygli w bezruchu. Kit z niedowierzaniem przenosiła wzrok z Paula na Juniora.

– Wiedziałam! – syknęła w końcu Libby. – Wiedziałam od samego początku! Proszę, proszę... I o to właśnie chodziło, co? Gówno warte te twoje opowieści, że wszyscy są tacy sami, że wszystkich należy traktować jak równych sobie. To stek kłamstw! Kłamstwa! Jesteś dokładnie taki sam jak ona! Zasługujecie jedno na drugie! Słyszycie mnie, do jasnej cholery?

– Libby! Przestań! On nie chciał! – krzyczała Kit, trzymając córkę za ramię. – To tylko tak... tak mu się wymsknęło... Jest zdenerwowany... Wszyscy jesteśmy zdenerwowani...

– Doprawdy? No to w takim razie pozwólcie, że dostarczę wam powodu do prawdziwego zdenerwowania – wrzasnęła Libby. – Niedługo sama będę miała własnego małego czarnucha. Tak, tak! Dobrze słyszycie! Wkrótce będziecie mieli wnuka. Czarnego wnuka! Wyobrażacie to sobie? Ale to wcale nie jest powodem, dla którego chcemy się pobrać. Nie jestem taka jak wy! Widzicie to teraz? – odwróciła się, żeby stanąć twarzą w twarz z matką.

Znów zapadła cisza. Ręka zszokowanego Paula opadła bezwładnie, Kit zamarła. Czuła, jak rysy twarzy ściągają się jej z gniewu.

Libby wpiła się w nią spojrzeniem spod zmrużonych z wściekłości powiek. Policzki o mało nie trysnęły jej krwią. W jej głosie słychać było niepokojącą nutę triumfu, gdy krzyczała:

– Kocham go! Dla mnie to bez różnicy, czy jest czarny, zielony czy żółty! Kocham go!!!

– Sama nie wiesz, co mówisz – przerwał jej chrapliwym głosem Paul, a Kit natychmiast pojęła, że córka źle go zrozumiała. Widziała twarz Juniora. Miał minę, której nie potrafiła rozgryźć.

– A właśnie, że go kocham! – wrzeszczała Libby. – Kocham go!

Kit zamknęła na chwilę oczy, bo nie mogła się skupić. Kiedy je otworzyła, Juniora już nie było.

65

Junior sam nie wiedział, dokąd niosą go nogi ani dlaczego ruszył przed siebie. Dobrze jeszcze, że odruchowo wziął płaszcz z wieszaka obok drzwi, kiedy wychodził z domu. Teraz był zadowolony, że ma go na sobie. Ostre strugi deszczu cięły go po twarzy, a powietrze zrobiło się przejmująco zimne. Wepchnął dłonie głęboko do kieszeni i szedł najszybciej, jak mógł, byle dalej od domu. W głowie wrzało mu od nadmiaru emocji: złości, bólu, niedowierzania i... i strachu. O, tak! Strachu również. Libby była w ciąży. Miała mieć, a właściwie mieli mieć dziecko. Dlaczego nie powiedziała mu o tym? Jeszcze bardziej dręczyło go pytanie, jak, u licha, ich wszystkich utrzyma?! Miał dwadzieścia dwa lata i dopiero kończył studia, o zarabianiu jakichkolwiek pieniędzy nawet nie myślał. A Libby przywykła do życia na zupełnie innym poziomie.

Zdał sobie dopiero teraz sprawę, że nawet nie zaczął myśleć o ich wspólnej przyszłości. Poprosił wprawdzie, żeby za niego wyszła, ale sam ożenek zdawał mu się niezwykle odległy... tak odległy, że aż nie do uwierzenia, a co tu dopiero mówić o tym, żeby miał nastąpić. I co teraz? Rodzice Libby byli całkowicie temu przeciwni. Wystarczyło niecałe pół godziny, żeby wyszedł na jaw prawdziwy stosunek ojca do niego. Kiedy tylko te słowa zostały wypowiedziane – „ty cholerny czarnuchu!” – uświadomił sobie, że właśnie tego się przez cały czas obawiał, choć nie zdawał sobie sprawy. Jak w ogóle mógł pomyśleć, że to nie będzie miało dla nich znaczenia? Przecież przez całe jego życie TO miało znaczenie... Dlaczego miałoby nie mieć znaczenia teraz? Tylko dlatego, że Libby udawała całkowitą obojętność wobec tego problemu? Przecież wiedzieli, że dla reszty świata nie będzie to równie mało istotne. Jednak ona była inna... Zauważała to, czego nie widzieli inni, interesowało ją to, co inni omijali. Naiwnie sądził, że tak ją wychowano, że w takim środowisku dorastała. Wszystkie te podróże do egzotycznych miejsc, zebrane tam doświadczenia, o jakich mógł tylko pomarzyć. W końcu i tak jego rozważania sprowadzały się do jednego: jeśli tak bardzo go kochała, dlaczego trzymała ciążę w tajemnicy przed nim? Dlaczego musiał dowiedzieć się o dziecku w ten sposób? To było upokarzające. Nie! Jeszcze gorzej: ona całkowicie zdeprecjonowała jego rolę w ich związku! Sprawiła, że przed jej rodzicami poczuł się jak ostatni głupek, jak ktoś, kto nie ma dla niej żadnego znaczenia. Czy ona też czuła w stosunku do niego to co oni? A taki był przekonany, że nie jest drugą Charlie, szukającą wrażeń gdziekolwiek, byle mocnych... Może jednak był w błędzie?

Przeszedł na drugą stronę ulicy, ledwie zauważając, gdzie idzie. Usłyszał zegar wybijający godzinę i spojrzał w górę. Przeszedł całą długość ulicy Embankment i znalazł się na placu Parliament Square. Przez mgłę widział podświetlony cyferblat Big Bena. Wskazówki pokazywały ósmą trzydzieści.

Ledwo uskoczył przed rowerem, kiedy skręcił na most Westminster Bridge. Woda w rzece zdawała się gęsta i lepka, z powierzchnią podziurawioną kroplami deszczu. Zatrzymał się na chwilę na moście i spojrzał prosto w dół. Czarny, lśniący oleiście jęzor rzeki zdawał się odzwierciedlać jego myśli: ponure, wstrętne, płynące mętną falą. Postawił kołnierz płaszcza i poszedł dalej; pragnął tylko jednego: żeby szalony mętlik myśli w jego głowie w końcu ustał. Wszystkie dawno zapomniane obawy z dzieciństwa, że nie jest wystarczająco dobry, narastały mu w gardle, dławiły, dusiły. Znów miał sześć lat i znów musiał czekać na decyzję rodziny, która widziała jego zdjęcie. Czy zgodzą się go wziąć do siebie? Znów miał lat trzynaście i był jedynym ciemnoskórym dzieckiem w klasie. Znów jako czternastolatek uczył się bronić własnymi pięściami, bo zawsze oskarżano go o wszczynanie bójek...

– Ej! Patrz, gdzie leziesz, ofermo! – Jakiś głos wyrwał go z zamyślenia.

Zatrzymał się. Przed nim stało trzech młodzieńców w skórach.

– Kto? Ja? – Zdziwił się.

– Taa... A niby kto, pieprzona cioto!

– Coś z wami nie tak? – Przymrużył oczy i ściągnął brwi. – Dajcie mi spokój!

Jeden z nich nieoczekiwanie wyciągnął rękę i pchnął go w pierś.

– Specjalnie wpadłeś na niego, pieprzona cioto! Patrz, gdzie leziesz, brudasie!

Junior rozejrzał się szybko na prawo i lewo. Nie miał pojęcia, gdzie zaniosły go nogi. Poczuł, że puls mu przyspiesza.

– Nie masz gdzie wiać, czarnuszku. No chyba żebyś nawiał tam, skąd cię przywieźli pod pokładem. To nie twój kraj. Odpierdolcie się od nas, wy wszyscy! – prychnął mu w twarz najwyższy, ze skórzaną obrożą nabijaną ćwiekami na szyi.

Serce w piersi Juniora waliło jak oszalałe.

– Słuchaj no, gościu. Nie wiem, jaki masz problem, ale ja nic ci nie zrobiłem. Przepuśćcie mnie.

– Huknąłeś jednego z naszych! – Naskoczył na niego pierwszy. – Więc będziesz miał wpierdol!

– Źle trafiliście, koledzy! – Juniorowi zaschło w gardle, ale starał się mówić normalnie. – Ja nawet nie jestem stąd.

– I tu, kurrr... masz rację! Wracaj, skąd cię przywiało... do Afryki, co nie? – Ryknęli śmiechem.

Jeden z nich sięgnął do kieszeni kurtki i w tej samej sekundzie Junior dostrzegł błysk ostrza. Czuł, że serce zaraz wyskoczy mu z piersi. Nie było ani chwili do stracenia. Spiął się i skoczył przed siebie. Biegł, ile tchu. Słyszał w uszach własne tętno, kiedy oddalał się od nich, wciąż biegnąc i biegnąc... pojęcia nie miał dokąd. Słyszał za sobą jakieś krzyki, lecz był zbyt przerażony tym, od czego uciekał. Mijał jedną ulicę po drugiej, na oślep, byle dalej od pogoni, koncentrując się na jednej myśli: Uciekać!!!

66

– Daj już spokój, córeczko... Może chociaż filiżankę herbaty? – Ojciec chodził wokół niej coraz bardziej zaniepokojony.

Libby wpadła w skrajną rozpacz. Nie była w stanie nawet unieść głowy. Kiedy tylko za Juniorem zatrzasnęły się drzwi, wszyscy nagle zamilkli. Cisza była straszna. Po raz pierwszy w życiu żadne z nich nie mogło spojrzeć drugiemu w oczy. Czuli się tak, jakby przez ich dom przeleciał huragan i rozbił na kawałki wszystko i wszystkich, którzy weszli mu w drogę.

Matka poszła się położyć na górę, zostawiwszy córkę z ojcem samych, unikających swoich spojrzeń. Libby nie potrafiła myśleć jasno. Co było gorsze: usłyszeć z ust ojca tamte słowa czy zobaczyć minę Juniora, kiedy sama wyskoczyła z wiadomością o ciąży? Nie chciała, żeby dowiedzieli się w ten sposób – najpierw zamierzała powiedzieć to jemu w cztery oczy, ale nie było sposobności – a kiedy doszło do tej okropnej sceny, jakoś samo się jej wymsknęło. Straciła kontrolę nad swoim językiem. Chciała powiedzieć coś, czym zaszokuje rodziców jak nigdy dotąd, i owszem, lecz nie zamierzała przy tym zranić Juniora.

– Nie. – Pokręciła głową.

Nagle poczuła obezwładniające zmęczenie. Marzyła tylko o tym, żeby wtulić się w objęcia Juniora i wyobrazić sobie, że wydarzenia z kilku ostatnich godzin były tylko złym snem, że nic się nie stało, nic się nie zmieniło.

– Libby! – Ojciec ponownie zwrócił się do niej, lecz tym razem bardziej stanowczo, więc podniosła na niego wzrok. W jego twarzy odbijało się nerwowe napięcie. – Nie bądź dla matki zbyt ostra – powiedział cicho. – Nie zawsze jest tak, jak nam się wydaje.

– Nie masz racji! – odrzekła z uporem. – W tej rodzinie zawsze tak jest. Nic nie jest takie, jak się wydaje... a ja chciałabym się w końcu dowiedzieć dlaczego.

Ojciec westchnął ciężko.

– Wiesz... To jest... To jest bardziej skomplikowane...

– Nie! Nie jest! – Libby czuła, że cała jej złość powraca. – Właśnie w tym rzecz! Czy ty tego nie rozumiesz? Prawda nie jest skomplikowana! Prawda to prawda i już! Wiesz coś o tym? – rzuciła ze złością. – Oczywiście, że nie, bo dla ciebie to nieważne! Nie wiem, jaki masz problem, ale to na pewno nie...

Zadzwonił dzwonek u drzwi, przerywając w połowie potok jej słów. Zerwała się z miejsca, w jednej chwili odprężona. To Junior! Wrócił! Rzuciła się do drzwi wejściowych i otworzyła je na oścież, czując już pod powiekami łzy ulgi. Niestety, nie był to Junior. Na podeście schodów stało dwóch policjantów. Jeden z nich zdjął czapkę.

– Czy tu mieszka pan Junior Jackson? – spytał z tak zdumionym wyrazem twarzy, że od razu zdradził jego myśli.

Libby poczuła, że serce skacze jej do gardła. Za plecami słyszała kroki zbliżającego się do drzwi ojca.

– A o co chodzi? – rzuciła.

– Przepraszam panią... Wygląda na to, że możemy mieć zły adres. – Jeden z policjantów uniósł do góry małą plastikową butelkę. Libby natychmiast ją rozpoznała. To był pojemnik po antybiotykach, które Juniorowi przepisał lekarz kilka tygodni temu.

– Nie – powiedziała ze ściśniętym gardłem. – Nie, to jego. – Pokazała na pojemnik. – To jego tabletki. Co się stało?

– Dobry wieczór panu! – odezwał się drugi policjant na widok ojca, który stanął w drzwiach za Libby. – Przepraszamy, że przeszkadzamy, ale miał miejsce pewien incydent...

– Incydent?! Jaki znowu incydent? – Libby prawie krzyknęła. – Gdzie jest Junior?

Zapadła chwila pełnej bólu ciszy. Policjanci wymienili spojrzenia.

– Czy możemy wejść do środka, proszę pana? – spytał starszy z nich.

– Kto przyszedł? – rozległ się głos wołającej z góry matki.

Libby nagle zakręciło się w głowie. Odsunęła się na bok, żeby przepuścić policjantów. Wydawało się jej, że wyczuwa u nich strach przed czymś, lecz się nie domyśliła, dopóki wszystkiego nie usłyszała.

– Wplątał się w bójkę jakiś czas temu. Jakieś porachunki, ciemne sprawki... Przy ulicy Bermondsey.

– Gdzie on jest? Czy coś mu się stało?

Policjant, który zaczął już wyjaśniać zajście, zdjął okulary, rozmasował nos u nasady kciukiem i palcem wskazującym, a potem znów założył okulary. Otworzył usta, odetchnął i wyrzucił z siebie:

– Nie żyje. Przykro mi, że muszę państwa o tym poinformować. Dostał kilka pchnięć nożem. Nie miał szans. Znaleźliśmy to u niego w kieszeni. – Uniósł pojemnik po antybiotyku. – A teraz, czy mógłbym spytać... – odchrząknął – jakiego rodzaju więzi łączyły go... eee... z państwem? Czy tu mieszkał?

Libby nie była w stanie wykrztusić nawet słowa. Usłyszała, że ktoś mocno nabrał powietrza – ojciec? Kroki kogoś jeszcze, podchodzącego do drzwi – matka? Płacz Maev... A potem wysoki, przeraźliwy krzyk kobiety. Jej własny krzyk.

CZĘŚĆ X

PRAWDA

2014

Kit / Libby / Ro

67

Crabtree Wood, Kent

– Libby! Och, Libby! – Już z daleka słychać było w głosie Toby'ego typowe dla niego jęki rozpaczy. – Popatrz tylko na to! No popatrz tylko!

– Co to takiego? – Libby wyszła ze spiżarni, wytarłszy dłonie w fartuch. Toby stał w drzwiach prowadzących do holu, trzymając w dłoniach pacynę gliny, żeby mogła sama dokładnie ją obejrzeć. – Co to takiego? – spytała powtórnie.

– Oni byli w mojej pracowni. A prosiłem ich, żeby tam nie wchodzili! – Wymierzył solidnego kopniaka rowerkowi dziecięcemu, który stał w holu oparty o ścianę.

– Tak mi przykro, kochanie! – powiedziała uspokajającym tonem głosu Libby, przyglądając się glinie z udawanym zainteresowaniem. Wyglądała, przynajmniej na jej oko, identycznie jak inne kawały gliny w pracowni Toby'ego.

Toby był rzeźbiarzem, a dokładniej rzecz biorąc: został rzeźbiarzem po przejściu na emeryturę, kiedy oboje mieli po sześćdziesiąt pięć lat. Toby zdecydował się skończyć pracę rok wcześniej, niż zawsze miał w planach. Sprzedał ich mieszkanie w Londynie i przeprowadził się do pięknego domu w Kent, w którym Libby spędziła większą część swojego życia, wychowując ich czworo dzieci. Pierwsze, co zrobili po przeprowadzce, to przebudowali część dużego budynku gospodarczego na tyłach sadu z jabłoniami, gdzie Toby mógł się poświęcić temu, co, jak zawsze sądził, stanowiło jego powołanie: sztuce. Czasem Libby stawała w drzwiach remontowanego budynku, obserwując, jak robotnicy burzą ściany, wstawiają nowe okna, kładą nową posadzkę, i w jej głowie rodziły się pytania: Czy to nie powinno być dla mnie? Czy sztuka nie była moim powołaniem? Odpędzała takie myśli natychmiast, kiedy tylko się pojawiały. Jej powołaniem była rodzina, ich dzieci i dom, który stworzyła i prowadziła już prawie od czterdziestu lat.

– Czy nie da się tego jakoś uratować? – spytała z czułością.

– Nie, za cholerę się nie da! Patrz tutaj! Nie widzisz tego?! Pełno w niej zielska i... i innych śmieci. Z tego już nic nie będzie.

Libby westchnęła. Pracowni nie było widać z domu i pewnie zabłąkały się tam dwie rozrabiaki Maev: Daisy i Zoë. Cameron, ich starszy przyrodni brat, pewnie je tam zaprowadził. Miał piętnaście lat, a to wiek pomiędzy dzieciństwem a dorosłością, kiedy do głowy wciąż przychodzą głupie pomysły.

– Dobrze, kochanie! – powiedziała uspokajająco. – Zaraz z nimi pogadam. Napijesz się może kawy? – spytała tonem głosu, którego zawsze używała do uspokajania dzieci, jak były młodsze.

Uśmiechnęła się w duchu. Gdy przyjeżdżała Ro, nieźle się zawsze obśmiały, poruszając ten temat. Cały rodzinny klan zjeżdżał się na obchody dziewięćdziesiątych pierwszych urodzin Kit. Znów zobaczy Ro! Tak bardzo się z tego cieszyła, że w końcu poczuła się winna w stosunku do pozostałych.

Minęło już trochę czasu, odkąd ostatnio gościli wszystkie swoje dzieci jednocześnie. Ro, mówiąc wprost, nie była dzieckiem Toby'ego. Miała trzy latka, kiedy Libby poznała i poślubiła Toby'ego, i to on stał się dla niej prawdziwym ojcem. Wszystkie dzieci traktowali jednakowo. Zawsze się starała, żeby żadne z nich nie poczuło różnicy, jednak ze wszystkich jej dzieci to Ro najbardziej przypominała ją samą. Tylko w takich chwilach jak ta – gdy okazywało się, że wspólnie ze starszą córką mogą się pośmiać z tego samego – przyznawała, że istnieje pomiędzy nimi szczególna więź. Mimo że nie pozwalała sobie zbyt często o tym myśleć, jej życie mogło potoczyć się zupełnie inaczej...

Zawdzięczała wszystko Toby'emu, który zdecydował się spędzić życie z samotną matką z dzieckiem, w dodatku nie jego. Na pierwszy rzut oka widać było, że Ro jest Mulatką, lecz Toby nie pozwolił na to, żeby ten fakt rozbił ich rodzinę. Od samego początku ciężko pracował nad tym, żeby zespolić ich w jedną całość. Kiedy jeszcze była malutka, zanim na świat przyszły kolejne dzieci, był całkowicie pochłonięty rozwiązywaniem problemów, jakie powodował ten stan.

– To maleństwo jest naszą ukochaną córeczką, prawda, czekoladowy pączuszku? Pierwszą i najpyszniejszą. – Miał dla niej w zanadrzu niezliczoną liczbę smakowicie brzmiących imion, pochodzących od słodkości i czekoladek, więc Ro dorastała w przekonaniu, że zawsze była najukochańszym i najbardziej wyczekiwanym dzieckiem na świecie.

Nie zachowała w pamięci tych pierwszych okropnych lat, kiedy Libby po śmierci Juniora porzuciła rodziców. Obwiniała ich za to przez całe lata. Borykała się samotnie z życiem, wynajmując kolejne mieszkania w takich okolicach Londynu, o których istnieniu jej rodzice zapewne nie mieli pojęcia. Wyszła wtedy z domu z samego rana, nikogo nie budząc i z nikim się nie żegnając, i udała się prosto do Lena. Dziecko urodziła otoczona jego siostrami i ciotkami, wmawiając sobie, że tak będzie najlepiej. Postanowiła nigdy nie wybaczyć rodzicom. Miała teraz dziecko na utrzymaniu. W przerwach pomiędzy zmienianiem pieluch i podgrzewaniem mleka na małej kuchence wynajmowanego mieszkania nauczyła się pisać na maszynie.

Przeprowadziła się do dzielnicy Mile End. Nie była zbyt dobra jako sekretarka, ale miała reprezentacyjny wygląd i miły głos, więc firmy, dla których pracowała, tolerowały ją, przynajmniej przez pewien czas.

Pracowała już w trzeciej firmie na stanowisku sekretarki. Tym razem była to kancelaria adwokacka niedaleko ulicy Grey's

Inn Road. Tam poznała młodego aplikanta adwokackiego Toby'ego Mortimera, który zaczął przejawiać nią o wiele większe zainteresowanie, niż wypadało – a przynajmniej tak uważali jego koledzy z pracy. Raz czy dwa musiała zabrać do pracy córeczkę, kiedy nie miała z kim jej zostawić, i wtedy zobaczył ją szef.

– Najwyraźniej holuje za sobą kawałek przeszłości, stary.

Jednakże Toby Mortimer nic sobie z tego nie robił. Ze swoim niezawodnym instynktem prawnika zawsze doprowadzał do rozwiązania problemu, więc któż jak nie on miał przekonać obie strony do zakończenia konfliktu w rodzinie?

– Tego, co się stało, już się nie zmieni, kochanie. Ważne jest to, co nadchodzi. Wkrótce się pobierzemy, będziemy mieli jeszcze kilkoro dzieci i to bardzo niedobrze, że istnieje pomiędzy wami tak poważny rozdźwięk. Nie wolno ci odcinać się od rodziny w ten sposób.

– A ona tak właśnie zrobiła! – zaprotestowała Libby z goryczą. – Nie znasz nawet połowy tej historii. Nikt z nas jej nie zna. Odcięła się całkowicie od wszystkich. Mam gdzieś na tym świecie przyrodniego brata, o którego istnieniu nie wiedziałam. Mam dziadków... Karmiła nas kłamstwem przez tyle lat!

– Musiała mieć swoje powody.

– Nic mnie to nie obchodzi! Nie miała prawa!

– Rozumiem, że jesteś zła z tego powodu. Masz prawo. Zrozum jednak, że to wszystko należy już do przeszłości. To przyszłość ma znaczenie. Skontaktuj się z nimi, proszę, bo inaczej ja to zrobię.

Powiedział i dotrzymał słowa. Ich pierwsze spotkanie po czterech latach było prawdziwą katastrofą. W obu stronach tkwiło tyle złości i bólu! A potem Kit poznała swoją wnuczkę i wszystko inne przestało się liczyć. Od pierwszego wejrzenia stały się kumpelkami na całe życie. Istniała pomiędzy nimi niesamowita więź, której nikt nie potrafił wyjaśnić. Od samego początku Ro mówiła do niej po imieniu, nawet gdy była jeszcze zupełnie mała, choć reszta rodzeństwa, która pojawiła się później, zawsze nazywała babcię Nana. Tylko dla Ro zawsze była i pozostała Kit. To dzięki Ro rozdźwięk nieomal samoistnie zanikł, a w rezultacie możliwe stało się wspólne spędzanie weekendów i świąt Bożego Narodzenia w tym samym domu w Chelsea, gdzie życie Libby niegdyś rozsypało się na kawałki.

Panowała pomiędzy nimi niepisana zasada: nikt z nich nigdy nie wypowiedział imienia Juniora, nie wracali też do wydarzeń i wzajemnych oskarżeń z tamtego pamiętnego wieczoru. Z czasem Libby zaakceptowała fakt, że pewnych spraw dotyczących matki nigdy nie uda jej się zrozumieć, że może nigdy nie dowie się wszystkiego. I o to chodziło.

Zawsze pamiętała, że pogodziła się z rodzicami tylko dzięki Toby'emu – i dlatego wybaczała mu wszystko, nawet jego dziecinne wybuchy z powodu kawałka gliny.

– A może ciasteczko? – nęciła, podchodząc do okna, gdzie stała puszka, do której przed chwilą przesypała całą tacę świeżo upieczonych pierniczków.

Czekała chwilę na odpowiedź.

– No dobrze, niech będzie – zgodził się zrezygnowany.

– To pewnie sprawka najmłodszych dziewczynek. Założę się, że to Cameron pokazał im, gdzie była schowana. Upomnę je przy obiedzie, kochanie. Obiecuję! A teraz powiedz mi, co o nich myślisz? – Wyjęła na talerz dwa ciastka. – Mam nowy przepis, ale wydaje mi się, że dodałam za dużo imbiru. Jak sądzisz?

Odgryzł kawałek i zobaczyła, że od razu kąciki jego ust poszły w górę. Ulżyło jej. Przez czterdzieści lat małżeństwa nie zdarzyło się, żeby mała przekąska nie rozwiązała jakiegoś nieporozumienia. No, może raz czy dwa się nie udało... ale to były wyjątkowe sytuacje.

– Masz rację, przebija mocny smak imbiru – skomentował. – Ale mimo to niezłe. – Wziął talerzyk i postawił na pięknym dębowym stole, na którym jadali od ponad dwudziestu lat. Jego gładka powierzchnia o ciepłej barwie aż lśniła od ciągłego polerowania. – Na kiedy zapowiedziała się Ro?

– Będzie po obiedzie. Około pierwszej ma zabrać Phoebe z lotniska Heathrow. Sądzę, że powinny potem wyskoczyć na obwodnicę Londynu.

– O której wyjechać po Kit, żebym zdążył wrócić z nią na czas?

– Wystarczy o czwartej. Wiesz, jak lubi popołudniową sjestę, a musi być wypoczęta na dzisiejszy wieczór. Wprawdzie mówiła, że jej to dzisiaj niepotrzebne, ale przecież jest już po dziewięćdziesiątce! Przyjęcie na pewno ją zmęczy. Poza tym chciałabym dać chwilkę czasu Ro i Phoebe, żeby się rozgościły. Wiesz sam, jak zachowuje się Phoebe po każdym powrocie z Ameryki. „Tatuś to", „tatuś tamto" i „Ameryka jest o wiele fajniejsza niż ta stara, okropna Anglia". Potrzebuje trochę czasu, żeby się uspokoić. Swoją drogą Kit uwielbia się z nią droczyć.

– Mmm. Czy dobrze słyszałem, że robi się kawa? – spytał Toby. Humor prawie całkiem mu się poprawił.

– Jeszcze nie. – Uśmiechnęła się. – Ale za chwilę będzie.

Odwiązała troczki fartucha, podeszła do zlewu i przez chwilę płukała dłonie pod zimną wodą. Podczas parzenia kawy już myślała o zerwanych niedawno w ogródku rzodkiewkach, które zamierzała przygotować jako lekko piekącą w język przekąskę dla gości.

Jeszcze raz w myślach przerobiła całe menu. Na przystawkę poda leciutkie jak pianka wędzone bakłażany z kremem jogurtowym, posypane rubinowymi ziarnami owocu granatu i tłuczonymi nasionami czarnego sezamu. Wystawi też jedną ze swoich ogromnych biało-niebieskich ceramicznych mis, które udało im się upchnąć w jej bagażu podręcznym, gdy wracali z Meksyku, wypełnioną pysznymi przyprawionymi ziołami i uprażonymi orzechami nerkowca, migdałami, orzechami pekan i pestkami z dyni, wcześniej obtoczonymi w rozmarynie z miodem i wstawionymi na blasze do piekarnika na tyle wcześnie, żeby zdążyły zbrązowieć i stwardnieć. Będą też ułożone w zgrabne stosy gorące chlebki pita oraz trzy lub cztery ceramiczne miseczki z hummusem. Przygotowała jedno z jej ulubionych niedzielnych dań obiadowych: delikatną, smażoną jagnięcinę z figami, cykorią i endywią. W całym domu pachniało szałwią, rozmarynem i miodem, w których jagnięcina została uduszona i pozostawiona na noc w stygnącym piekarniku. Takie uczty Kit lubiła najbardziej: mieszankę potraw z Bliskiego Wschodu, przeplataną typowymi smakołykami angielskiej kuchni, jak deser z rabarbaru czy malinowo-czekoladowy deser o nazwie Eaton Mess z kruszonymi bezami i bitą śmietaną, chrupiące włoskie pieczywo oraz wyśmienite francuskie i hiszpańskie wina.

To było trochę dziwne, rozmyślała Libby, obserwując męża dopijającego kawę (pochłonął jeszcze dwa zbyt mocno doprawione imbirem pierniczki), że Kit zdawała się nigdy nie przykładać większej wagi do przygotowywania posiłków. We wszystkich domach, w których zdarzyło się im mieszkać, wybór dań pozostawiała zawsze kucharkom, podawanie – służbie. Libby zajmowała się tym na co dzień przez czterdzieści lat. Matka osobiście brała udział w przygotowaniach oraz podejmowaniu decyzji, co kupić, co i jak zrobić, tylko wtedy, kiedy wydawali proszony obiad. Wówczas dopiero Kit pokazywała swoje drugie oblicze: widać było, jak dobrze zna się na winach, jak pięknie potrafi nakryć stół, dobrać bukiety kwiatów, wie, jakie dania zestawić ze sobą i w jakiej kolejności je podać. Na tych przyjęciach w Bagdadzie, Maskacie czy Port-of-Spain, które na zawsze pozostały w pamięci Libby, ujawniało się drugie oblicze matki, którego w innym wypadku zapewne by nie poznała: osoby uroczej, troskliwej, zaangażowanej. Czy ten a ten ma odpowiednie wino? Czy ten a ten nie dostał przypadkiem zbyt małej porcji? Dla Libby były to wspaniałe, naprawdę wyjątkowe dni, bo zdawała sobie sprawę, że potem znów wszystko wróci do normy. Nie pamiętała, żeby wtedy specjalnie ją to oburzało. Wręcz przeciwnie, była oczarowana widokiem Kit, która przy obcych zachowywała się zupełnie inaczej niż przy własnych dzieciach. Jednakże kiedy Libby sama została matką, okazało się, że ma jedno głęboko ukryte w podświadomości pragnienie, które małżeństwo i macierzyństwo wydobyły: żeby przy swoich dzieciach zawsze zachowywać się tak samo jak przy innych. Obiecała sobie, że każdy posiłek będzie wyjątkowy, że każdy dzień będzie okazją do świętowania.

Teraz patrzyła na te swoje obietnice z pewną obawą. Czy udało się ich dotrzymać? Miała nadzieję, że tak. Wszystkie jej dzieci były ze sobą tak blisko, jak ona, Elly i Maev nigdy ze sobą nie były. Uważała jednak, że działo się tak przez Eluned. Nawet teraz, mimo że wyszła za mąż i urodziła dziecko, nic to nie zmieniło w ich lodowatych, pełnych goryczy stosunkach. Wystarczała jedna chwila nieuwagi, żeby wszystko złe wróciło. Tak też się stało zaraz po ich przyjeździe. Elly zawsze robiła wielkie halo z tego, że wyszła za Francuza i w ich domu używało się przede wszystkim języka francuskiego, a nie angielskiego. Libby popełniła błąd, zwracając się do ich syna, Loïca, w języku angielskim.

– Witaj, kochanie! – powiedziała, biorąc chłopaka w objęcia, gdy tylko wysiadł z samochodu. – Och, tak długo już się nie widzieliśmy! Za każdym razem, jak cię widzę, wydaje mi się, że to ktoś zupełnie inny. – To była zupełnie niewinna uwaga.

– Życzyłabym sobie, żebyś więcej tego nie robiła – poinformowała ją chłodno Eluned, gdy znalazły się poza zasięgiem uszu Loïca i jego ojca Luca.

– Czego? – zdziwiła się Libby.

– Po pierwsze, u nas w domu rozmawia się po francusku i nie lubię, jak się używa angielskiego. A po drugie, dlaczego zawsze zaczynasz od tego, że go często nie widujesz? Stawiasz go w niekomfortowym położeniu.

Libby zdumiała się tak, że nie była w stanie zareagować. Zacisnęła szczęki, odwróciła się i zamiast odpowiedzieć, poszła zająć się rozdysponowaniem bagaży gości.

Na szczęście żadne z jej dzieci nie przejawiało braku pewności siebie ani nie musiało walczyć o uwagę rodziców, jak ona i jej siostry. Ro, Trinity i Emily pozostawały sobie tak bliskie, jak to tylko możliwe, i nawet Duncan, osiem lat młodszy od

Emily, który zupełnie niespodziewanie dość późno pojawił się w ich rodzinie, był rozpieszczany i hołubiony tak, jak zwykle najmłodsze dziecko, w dodatku jedyny chłopak.

Może jednak ta więź stała się zbyt mocna? Decyzja Duncana o przeprowadzce do Tajlandii zaraz po ukończeniu uniwersytetu mogła być odczytana jako sposób na wywalczenie dla siebie jakiejś przestrzeni do życia i niezależności, która – dla najmłodszego brata trzech utalentowanych, niemożliwie wręcz błyskotliwych sióstr, z których każda osiągnęła sukces – wydawała się trudna do osiągnięcia. A naprawdę wszystkie błyszczały inteligencją. Ro była cenionym naukowcem. W wieku lat trzydziestu czterech została jednym z najmłodszych profesorów w szpitalu uniwersyteckim King's College Hospital. Libby za każdym razem, kiedy czytała o sukcesach córki, czuła się ogromnie szczęśliwa. Jej powierzchowność: gładka brązowa skóra, masa niesfornych, skręconych w sprężynki loczków, inteligentny, acz wesoły wyraz twarzy, sprawiała, że z chęcią zapraszano ją do wystąpień publicznych. Wygłaszała również często prelekcje u siebie w pracy, w szpitalu. Dwa razy otrzymała tytuł kobiety naukowca roku. Była młodą ambitną rozwódką z dzieckiem, nieposiadającą żadnych zwierząt domowych. W przeciwieństwie do matki Ro zupełnie nie interesowała się inwestowaniem w swoje miejsce zamieszkania. Razem z córką Phoebe wciąż zajmowały to samo trzypokojowe lokum w Hammersmith, które kupiła, gdy kończyła staż w St Thomas' i, szczerze mówiąc, od tamtej pory niewiele się w nim zmieniło.

– Jest zupełnie wystarczające jak na nasze potrzeby – odcinała się za każdym razem matce, gdy ta wypominała jej staromodny wzór tapet lub kanapę, która najwyraźniej pamiętała lepsze czasy. – Nam na razie wystarczy! – Cała Ro.

Trin była inna. Została architektem i współudziałowcem w jednej z tych globalnych firm, które zdają się stawiać identyczny drapacz chmur w każdej nowej lokalizacji, gdzie otwierają biuro. Wciąż wynajmowała kolejne mieszkania – ku rozczarowaniu ojca – lecz ceniła sobie to, że w każdej chwili mogła obudzić się rano i pojechać, gdziekolwiek chciała albo dokąd akurat wzywała ją wykonywana praca. Ciągle latała samolotami, ciągle znajdowała się gdzieś w drodze z Singapuru do Dubaju albo z Nowego Jorku do Honolulu, jeśli tylko firma, w której pracowała, chciała wysłać swój młody, energiczny zespół, by przetarł ścieżki dla postawienia nowego, identycznego jak poprzednie, sześćdziesięciokondygnacyjnego drapacza chmur ze szkła i stali na atrakcyjnej działce w samym centrum miasta, co będzie przynosiło ogromne zyski. Zastanawiała się, czy nie rzucić tego wszystkiego i nie przenieść się „gdzieś na wieś", gdziekolwiek, ale jak dotychczas inwestowała tyle samo miłości, dobrego smaku i dbałości w kolejne dwupokojowe mieszkania w jakichś nieznanych okolicach Londynu: Victoria Park, Exmouth Market czy Clacton, co Libby w swoją ośmiopokojową rezydencję na wsi.

Emily była podobna do Trin: równie twórcza i ambitna jak siostra, została znaną projektantką mody, z własnym butikiem w Hampstead i marką ubrań, sprzedawanych w najbardziej prestiżowych galeriach handlowych w Londynie: w Harrodsie, Harvey Nicksie czy Brown's. Libby za każdym razem czuła się poruszona do głębi, gdy szła do galerii Harvey Nicks, wchodziła na drugą kondygnację i widziała tam tuż przed sobą, na wprost, wypisane wielkimi, prostymi literami bez szeryfów nazwisko córki EMILY LOUISE MORTIMER. Te ubrania były zbyt trendy jak na gust matki, szczególnie dla osoby w jej wieku, lecz nie mogła zaprzeczyć, że córka odniosła sukces. Na pokazy jej kolekcji przychodziły gromadnie kobiety pracujące, a wielkość sprzedaży ów sukces potwierdzała.

Ani Trin, ani Emily nie wyszły za mąż, choć obie od wieku lat nastu miały nieprzerwanie chłopaka za chłopakiem – i to zarówno odpowiednich, jak i całkowicie nieodpowiednich facetów. Libby czasami wzdychała, co też ci mężczyźni robili koło jej córek: były tak ewidentnie uzdolnione prawie we wszystkim, co tylko można sobie wyobrazić! Gdyby ona została mężczyzną – myślała sobie czasami – uciekłaby, gdzie pieprz rośnie.

Ostatnimi czasy Emily kupiła sobie jaguara F-type, wymuskany, przerażająco sportowy samochodzik, który wyglądał tak, jakby po dodaniu gazu mógł razem z kierowcą wystrzelić prosto w kosmos. Co, u licha, musieli myśleć faceci, kiedy podjeżdżała na spotkanie czymś takim? – zastanawiała się Libby. W jej czasach było zupełnie inaczej...

Nagle coś błysnęło jej prosto w oczy. To emblemat na masce auta. Jaguar wolno wtaczał się na podjazd.

O wilku mowa, Libby się uśmiechnęła. To była Emily.

– Jest Em, kochanie – powiedziała do męża. – Przyjechała tym swoim nonsensownym autkiem.

– Ach, jaguarem! – Toby zerwał się z miejsca. Czasem trudno było stwierdzić, co wywoływało w nim większą radość: widok najmłodszej córki czy jej sportowego dwuosobowego kabrioletu.

Loïc też musiał usłyszeć charakterystyczny pomruk pracującego silnika; spotkali się w holu wejściowym, a po piętach deptali im Cameron i Tim. Wszyscy rozmawiali po angielsku, na co zwróciła uwagę Libby, kwitując to drwiącym uśmieszkiem. W wieku lat dwudziestu Loïc zachowywał entuzjazm i aparycję nastolatka.

Wyszła za hałaśliwą grupką wprost na rozświetlony słońcem dziedziniec. Ogród wyglądał znakomicie, jak zauważyła. Toby skosił trawnik poprzedniego dnia, a kwiaty prezentowały się wspaniale w pełnej krasie ostatnich dni lata. Hortensje, groszek pachnący, róże, maki, klomb z kwitnącym fioletowo bzem, driakiew purpurowa wokół pnia brzostownicy japońskiej, doskonale komponująca się kolorystycznie z jego ciemnymi liśćmi, oraz niewielka kępa wciąż kwitnących bladoniebieskich klematisów. Libby od wielu lat stosowała na kwiatowych rabatach i obramowaniach ścieżek wypróbowane zestawienia kolorystyczne. Efekt jeszcze nigdy jej nie zawiódł.

– Mamo! Tato! Witajcie! – krzyczała do nich Emily z podjazdu.

Chłopcy właśnie dotarli do auta i chodzili dookoła niego

w zachwycie, jak to młodzi mają w zwyczaju w obliczu mocy tylu koni mechanicznych.

Emily kogoś ze sobą przywiozła, zauważyła Libby. Młody mężczyzna właśnie wygrzebywał się z siedzenia pasażera i po chwili stanął w pełnym słońcu. Nawet sympatycznie wygląda, pomyślała. Ciekawe, czy córcia wytrzyma z nim dłużej niż tydzień. Znając jej tempo, pewnie to niemożliwe.

Przestań wreszcie, upomniała się w myślach, idąc po żwirowanym podjeździe w ich stronę. Nigdy nic nie wiadomo.

– Kochanie! – Uśmiechnęła się jednym z najradośniejszych, najszerszych swoich uśmiechów. – Jak wspaniale znów cię widzieć! Jak się jechało? Bez większych problemów? Kogo przywiozłaś?

– To Declan – oświadczyła Emily z nutką dumy. – Pochodzi z Dublina – dodała, jakby to wystarczało za resztę wyjaśnień.

– Cóż, witaj Declanie-z-Dublina! – Libby nachyliła się lekko ku niemu, nadstawiając swój świeżo upudrowany policzek. – Miło cię poznać!

Wszyscy się roześmiali.

Kobiety zostawiły gromadkę mężczyzn, żeby wyjęli bagaż. A one wzięły się pod rękę i poszły spacerkiem w stronę wejścia do domu.

68

Stół w jadalni nigdy nie wyglądał lepiej. Śnieżnobiały obrus, który rozciągał się przez całą długość stołu na osiemnaście miejsc siedzących, wciąż jeszcze nosił ślady zaprasowania kantów gorącym żelazkiem przez kobietę o imieniu Katie, która przyszła do pomocy przy przygotowywaniu przyjęcia. Libby wystawiła swoją najlepszą porcelanową zastawę i kryształowe szkła, które kupił jej Toby z okazji dwudziestej piątej rocznicy ślubu. Bladożółte talerze ze srebrnymi zdobieniami wyglądały tak elegancko na białym lnianym obrusie! Dopełniały dekoracji bladoniebieskie i żółte serwetki oraz ogromne wazy z gałązkami świeżo ściętych niebieskich klematisów, stojące w równych odległościach na całej długości stołu.

W ogrodzie, w oczekiwaniu na przyjazd Kit, rozstawiono biały namiot, a w nim długi stół, przykryty lnianym haftowanym obrusem. Znalazły się tam też przypadkowo dobrane ogrodowe krzesła, które nadawały miejscu przytulny charakter, w przeciwieństwie do oficjalnej dekoracji jadalni z jej drapowanymi aksamitnymi kotarami i resztą wystroju w odpowiedniej tonacji i szyku. Przyjęcie miało mieć dwie części: najpierw na zewnątrz, z likierem dla dorosłych i lemoniadą dla dzieci oraz tartaletkami z bitą śmietaną i owocami, o cieście tak delikatnym, że rozpływało się w ustach. Spędziły z Trin całe popołudnie na pieczeniu i dekorowaniu wszystkiego. Przed wieczorem dorośli przeniosą się do środka i wtedy zacznie się właściwe przyjęcie.

Rzuciła okiem na wszystko ostatni raz, zadowolona z efektu. Była trzecia po południu. Toby już wyruszył po Kit, która po śmierci męża, już od dwunastu lat, zamieszkiwała w przytulnym, ekskluzywnym domu spokojnej starości. Odmówiła wszystkim prośbom Libby, żeby przeniosła się do nich.

– Nie ma takiej możliwości, moja droga – ucięła krótko. – Nie chcę więcej o tym słyszeć. Zbyt wysoko cenię niezależność. Wiesz o tym. Jeśli przeprowadzę się do ciebie, będziesz bez końca skakać wokół mnie.

Przez chwilę Libby myślała o ojcu, o jego jasnoniebieskich oczach, spoglądających zawsze zza szkieł okularów, o ciepłym uśmiechu dobrym na wszystko, czasem pełnym humoru, czasem cierpkim... Na kilka sekund pociemniało jej przed oczami; cały pokój zafalował. Westchnęła ciężko. Z ojcem nigdy nie czuła zbyt bliskiej więzi. Ich relacje określała odległość, lecz obojętne nie były. Kochała ojca mimo wszystko. Jego śmierć podeszła ich znienacka, cicha i spokojna, podobna w wielu aspektach do całego jego życia. Zawsze grał drugie skrzypce w ich rodzinie, od samego początku w cieniu Kit. Odszedł wiele lat przed nią, co wszystkim zdało się zupełnie naturalne i przeszło prawie niezauważone, pomyślała z przelotnym poczuciem winy. To nie jego śmierci, a odejścia Kit wszyscy się obawiali. Choć nie można było powiedzieć, że angażowała się zbytnio w wychowanie dzieci, jej obecność pośród nich była odczuwana niezwykle mocno. Dzisiaj kończyła dziewięćdziesiąt jeden lat. Zdawało się nie do pomyślenia, że mogłaby kiedykolwiek ich opuścić, a jednak musiało to kiedyś nastąpić. Nieodwołalnie.

– Och, przestań już! – mruknęła stanowczo do siebie. – To jej urodziny, do cholery, a nie stypa.

Odwróciła się od perfekcyjnie zaaranżowanej scenerii, tonącej w ciszy, i zaczęła wchodzić po schodach na górę. Została jej niecała godzina, żeby wykąpać się, ubrać i przygotować. Ze swojej sypialni na piętrze miała widok na pracownię męża, gdzie bezkształtnym bryłom gliny nadawał formę poszczególnych części ludzkiego ciała: głów, popiersi, bezgłowych torsów, które jakoś do niej nie przemawiały, lecz jego widocznie uszczęśliwiały. Szybko się rozebrała i przystanęła na widok swojego odbicia w dużym lustrze. Gdzie to wszystko się podziało? – zastanawiała się, przyglądając się sobie. Oczywiście nie miała już dwudziestu lat, ale jej kształtne ciało, kiedyś budzące podziw, zniknęło. W przeciwieństwie do Kit, która starzała się jakoś tak powoli i prawie niezauważalnie, u niej nastąpiło to nagle, prawie z dnia na dzień, a przynajmniej ona to tak widziała. Wciąż pamiętała ten dzień, gdy spojrzała w dół na swoje opalone nogi (gdzie to było? we Francji? Grecji?) i zauważyła pajączki drobnych żyłek, rozchodzące się we wszystkie strony spod fałdy tłuszczu na udzie, a poniżej obwisłe mięśnie łydki. Czy to starzejące się ciało naprawdę należało do niej? Jak szybko ją to dopadło...

Z pięknej czterdziestolatki, która z niekłamaną satysfakcją potrafiła zwracać na siebie uwagę wszystkich, niepostrzeżenie stała się obwisłą, z wolna rozsypującą się starszą kobietą po sześćdziesiątce, za którą nikt nawet się nie obejrzał... Nawet teraz trudno było uwierzyć Libby, że widzi swoje własne odbicie. Nigdy nie charakteryzowała jej chłodna, wyważona elegancja Kit. Dawne piękno wynikało jedynie z młodości, z gładkiej, oliwkowej skóry i kontrastu pomiędzy ciemnymi, piwnymi oczami i jasnoorzechowymi włosami, które po menopauzie stały się cienkie i bez życia. Gładkie włosy Kit posiwiały i przerzedziły się, ale każdy, kto na nie patrzył, odnosił wrażenie, że ich srebrzysta barwa jest jak najbardziej naturalnym, wymarzonym kolorem dla niej, ożywionym dodatkowo czerwienią ust i pięknie pomalowanych paznokci u wciąż zadbanych dłoni.

Libby odwróciła się, żeby ocenić swoje plecy i nogi, widoczne w lustrze. Skrzywiła się. Miała siedemdziesiąt dwa lata! Czego, u licha, się spodziewała? Ruszyła szybko do białej marmurowej łazienki i zajęła się kąpielą.

Wybrała zieloną jedwabną suknię, która doskonale układała się na jej figurze. Miała ją od dawna, ale oddała do przerobienia, kiedy się okazało, że nieco przybrała na wadze. Było jej bardzo dobrze w tym fasonie – najmodniejszym w połowie lat siedemdziesiątych – jakby zaprojektowanym na specjalne zamówienie dla niej: z głęboko wyciętym dekoltem, rozszerzanymi rękawami, długą do kostek. Wciągnęła ją na siebie i zasunęła długi suwak na plecach. Była nieco za ciasna (zbyt dużo tartaletek wrzucanych do ust, kiedy nikt nie widział), lecz bardzo wygodna, choć tak na styk. Żadnego chleba dzisiaj, pomyślała ponuro. Daleko jej było do Keiry Knightley w zwiewnych zielonych jedwabiach, ale na dzisiejszy wieczór ujdzie.

Zasiadła przed toaletką i otworzyła kuferek z kosmetykami. Nauczyła się już zachowywać w makijażu umiar i prostotę: lekki podkład, odrobina różu, muśnięcie rzęs tuszem... Nic rzucającego się w oczy. Przypomniała sobie, jak dawno temu małe jeszcze córeczki Trin i Emily dreptały wokół niej w zachwycie, gdy przygotowywała się do wyjścia na jakąś wieczorną imprezę czy przyjęcie, w ostrym makijażu, mocno wyperfumowana, zupełnie jakby oczekiwały jakiejś sensacji. Dawno i nieprawda. Pokazała język swojemu odbiciu w lustrze. Wszystko było w największym porządku; ona też czuła się dobrze. To miał być wielki dzień Kit, nie jej.

Wstała. Lubiła chłodne muśnięcia jedwabiu, falującego wokół nóg, kiedy szła. Otworzyła drzwi garderoby i wybrała na wieczór ciemnozielone sandałki na wysokich obcasach. Wiedziała, że nie dotrwa w nich do końca przyjęcia. Kiedy zamknęła za sobą drzwi sypialni i zaczęła schodzić po schodach, usłyszała okrzyki z podjazdu. Zatrzymała się na podeście i uśmiechnęła do siebie. To przybyła Kit.

Tuż za nią, w zamieszaniu, które nastąpiło po tym wydarzeniu, nadjechały Ro i Phoebe. Wszyscy byli już na miejscu. Przyjęcie mogło się rozpocząć.

EPILOG

Crabtree Wood, Kent, 2014

Libby wrzuciła do ust czerwone kółeczko papryki i żuła je powoli, krojąc pozostałe zielone i żółte papryki na sałatkę do obiadu. W całym domu panowała cisza. Dorośli jeszcze spali, co było efektem spożycia zbyt dużej ilości wina, a Tim zabrał dzieciaki nad rzekę, która płynęła za domem – na szczęście na tyle daleko, że nie dobiegały stamtąd żadne odgłosy.

Spała źle, wciąż mając głowę i serce przepełnione listem Kit. Niektóre – nie wszystkie – brakujące kawałki układanki jej trudnej relacji z matką nagle wpadły na swoje miejsce. Jeszcze nigdy nie czuła się z nią tak blisko. Wciąż jednak pozostawało wiele niewiadomych.

Skończyła kroić paprykę i pomidorki koktajlowe. Zrobiła miejsce na środkowej, szklanej półce ogromnej lodówki w amerykańskim stylu, która zajmowała połowę spiżarni, i wstawiła tam wielką michę z sałatką. Spojrzała na zegarek. Właśnie minęło południe. Pójdzie teraz na górę, weźmie prysznic i sama pojedzie do Benenden. Zakupy i lunch z Ro mogą poczekać jeszcze jeden dzień. Było parę spraw, o które chciała spytać matkę.

W ich sypialni było wciąż ciemno, kiedy tam weszła. Ciężkie aksamitne kotary stanowiły skuteczną przeszkodę dla promieni popołudniowego słońca. Toby natychmiast otworzył oczy, kiedy tylko nacisnęła klamkę. Do środka przez otwarte drzwi wpadło trochę światła.

– Która godzina? – spytał półprzytomnie.

– Prawie pora lunchu, ale nie wstawaj. Mam zamiar skoczyć do Benenden i spotkać się z Kit – szepnęła i zamknęła drzwi. – Odeśpij wczorajszy wieczór. Wezmę land rovera. Najpóźniej o trzeciej powinnam być z powrotem.

– Jesteś pewna? Nie chcesz, żebym cię podwiózł?

– Nie. – Pokręciła głową. – Śpij! Tim zabrał dzieci nad rzekę. W lodówce stoi gotowa sałatka na obiad. Wrócę, nim się obejrzysz.

Zareagował ni to chrapnięciem, ni to chrząknięciem, a potem zaczął zastanawiać się na głos:

– Zachowywała się jakoś nieswojo wczoraj wieczorem. Czy nie wydawało ci się, że coś z nią nie tak?

Libby była już w połowie drogi do łazienki. Odwróciła się do męża. Czuła ucisk w gardle.

– Wyglądała dobrze. A co? Czy coś ci mówiła?

– Nie, w sumie nic takiego. – Stłumił ziewnięcie. – Ale wiesz, jaka ona jest. Według mnie wyglądała na trochę rozkojarzoną, to wszystko.

Już miała mu powiedzieć o liście, ale się powstrzymała. Wciąż dręczyło ją tyle pytań, na które nie znała odpowiedzi.

– Pewnie czuła się zmęczona. Zapomnieliśmy... ona ma już dziewięćdziesiąt jeden lat!

– Ech, masz rację! Jakoś trudno o niej myśleć jako o zgrzybiałej staruszce. – Toby roześmiał się cicho. – No dobrze, jeśli jesteś pewna, że nie chcesz, żebym cię podwiózł...

– Jestem całkowicie pewna, kochanie – odrzekła z przekonaniem.

Zanim doszła do łazienki, jego oddech zdążył się wyrównać. Spał jak zabity.

Cała okolica hrabstwa Kent stała w przepięknej jesiennej krasie. Gęste drzewa, rosnące na obrzeżach krętych dróg, ustroiły się w czerwienie, bordo i złoto. Była niedziela i mały ruch na drogach. Minęła budynek poczty na rogu, od ponad roku opuszczony – znak zmieniających się czasów. Pamiętała go z przeszłości, kiedy z mężem przeprowadzili się do Crabtree Wood. Wtedy mała poczta stanowiła centrum życia towarzyskiego okolicznych wsi. Trochę czasu zajęło jej wejście w powolny, plotkarski rytm życia wioski, tak różny od bezosobowego, anonimowego życia, które wiodła w Londynie. Pokochała to miejsce, a cała wieś natychmiast przyjęła Ro. Wszystko, czego tak się obawiała Libby: spojrzeń z ukosa, złośliwych komentarzy o ciemniejszej niż zwykle skórze dziecka, które mieszka pośród nich, nigdy nie miało miejsca. Komentowano wyłącznie jej maniery – nieskazitelne – a nie kolor skóry.

Jechała powoli krętą drogą. Minęła ostatni zakręt przed Rolvenden, a potem na pierwszym skrzyżowaniu skręciła w lewo, na Benenden. Upton Hall, okazała rezydencja, która została adaptowana na dom seniora, mieściła się tuż przy Sandhurst Lane. Zajechała przed wejście; pod kołami zachrzęścił żwir. Na parkingu dla gości stało jeszcze kilka samochodów rodzin, które przyjechały spędzić niedzielę z dziadkami czy krewnymi w starszym wieku.

Zamknęła samochód i narzuciła sweter na ramiona. Pchnęła furtkę i poszła w górę wilgotną, wyłożoną kamieniem ścieżką, podziwiając płożące się aż po wejście różyczki drobnokwiatowe. Pobyt w Upton Hall kosztował fortunę, ale Kit opłacała go z własnych prywatnych dochodów. Libby i Toby mogli spokojnie pokrywać te koszty, ale Kit nie chciała o tym słyszeć. Sama miała mnóstwo pieniędzy, więc grzecznie, acz stanowczo odmówiła.

Po śmierci matki, a potem siostry Lily, lata temu, sprzedała Chalfont Hall Narodowemu Funduszowi Ochrony Zabytków, po czym otworzyła dla wszystkich wnuków i prawnuków szczodrze zaopatrzone fundusze powiernicze. Libby nigdy nie wnikała w finanse matki. Był to jeden z tematów, którego nie poruszało się przy Kit.

*

Recepcjonistka podniosła na nią wzrok, kiedy tylko przekroczyła próg domu.

– Dzień dobry, pani Mortimer. Co słychać? Nie, proszę iść prosto do matki. Nie widziałam jej jeszcze dzisiaj, ale Marek zaglądał tam po śniadaniu. Mówił, że jeszcze spała.

Libby skinęła głową w podziękowaniu i poszła korytarzem w stronę dziedzińca. Apartament Kit, składający się z dużej, ślicznej sypialni, małej kuchni i przytulnego saloniku, mieścił się na parterze i miał wyjście na zielone patio. Matka wybrała go, bo z sypialni miała widok na fontannę, która przypominała jej Bagdad, jak kiedyś powiedziała mimochodem. W pamięci Libby został jedynie mętny obraz ogrodu w Karradzie. Była tam fontanna, i owszem, a poza tym drzewka cytrynowe i pomarańczowe, i gruby biały mur, który oddzielał spokojne wnętrze dziedzińca od zakurzonej, hałaśliwej ulicy. Nagle przypomniała jej się Miriam. Co też mogło się z nią stać? Tyle lat minęło, odkąd musieli opuścić Bliski Wschód. Tyle wojen przetoczyło się tam przez ten czas...

Chciała zapukać, dając znać matce, że nadchodzi, ale lekko pchnięte drzwi same się otworzyły.

– Kit?

Weszła do środka. Panował tu półmrok. Żaluzje wciąż były zamknięte. Drzwi do łazienki pozostały uchylone, a przy łóżku świeciła się jedna lampka nocna. Kit leżała na łóżku. Przez drzwi sypialni Libby widziała stopy matki. Zastanowiło ją, dlaczego nie zdjęła butów. Musiała być strasznie zmęczona po wczorajszym przyjęciu i nie chciało jej się rozbierać, pomyślała w pierwszej chwili.

W tle bardzo cicho grała muzyka. Zostawiła włączone radio. Stacja z muzyką klasyczną. Jakiś utwór Mozarta, ale nie znała tytułu. W powietrzu wciąż czuć było lekką woń dymu z papierosa. Weszła po cichu do sypialni.

– Mamo? Znów paliłaś! – powiedziała cicho, żeby jej nie wystraszyć. – I zostawiłaś otwarte drzwi.

Nie było żadnej odpowiedzi. Obeszła łóżko, stanęła u wezgłowia i przyjrzała się matce. Dopiero wtedy to do niej dotarło. Zdusiła okrzyk przerażenia.

Kit miała zamknięte oczy. Nie zdjęła eleganckiej granatowej sukni, w którą była ubrana na swoim urodzinowym przyjęciu, a jej ramiona wciąż okrywała kaszmirowa paszmina. Głowę lekko przechyliła na jedną stronę i włosy zsunęły się na czoło.

Nie spodobałoby się to mamie, pomyślała niedorzecznie Libby.

Nie mogła się ruszyć, z trudem oddychała. Wpatrywała się we wciąż piękną, spokojną twarz matki. Jedynym słyszalnym dźwiękiem w pokoju był jej własny oddech. Wdech i wydech... Stała pochylona z ręką zastygłą nad jej czołem. Wreszcie sięgnęła ręką i odgarnęła z czułością niesforny pukiel włosów. Na taki gest Kit nigdy nie pozwoliłaby za życia. Jej skóra wciąż jeszcze była ciepła w dotyku, lecz nic poza tym: żadnych ruchów, odgłosu oddychania, wznoszenia się i opadania klatki piersiowej. Odeszła.

Libby przysiadła ostrożnie na brzegu łóżka. Wokół panował niesamowity spokój. Czasem tylko z pokoju dziennego falami dobiegały dźwięki przyciszonej muzyki. Nie miała pojęcia, ile czasu siedziała bez ruchu. W końcu poczuła chłód.

Przyjrzała się matce. Prawa ręka leżała bezwładnie wzdłuż ciała. Coś trzymała w zaciśniętej dłoni. Przyjrzała się bliżej. Cienki złoty łańcuszek z krzyżykiem. Libby ściągnęła brwi. Nigdy nie widziała, żeby matka go nosiła. Delikatnie wyłuskała łańcuszek spomiędzy jej palców i przysunęła bliżej oczu. Dziwne. Krzyżyk miał odłamane jedno ramię. Kolorem bardziej przypominał mosiądz. Ostre brzegi zostały wypolerowane przez czas. Włożyła go z powrotem do dłoni matki.

Po chwili wstała i przeszła do saloniku. Powinna zadzwonić do Toby'ego. Rozejrzała się po pokoju w poszukiwaniu swojej torebki i jej wzrok padł na ciemną mahoniową skrzynię z uchylonym wiekiem, stojącą w rogu pokoju. Tak naprawdę nigdy wcześniej nie zwróciła na nią uwagi. Jak wszystko, co należało do Kit, była doskonale dopasowana do reszty wyposażenia wnętrza. Nieomal wtapiała się w otoczenie.

Libby podeszła do niej i uklękła obok. Pchnęła ciężkie wieko, otworzyła skrzynię na całą szerokość i zajrzała do środka. Dopiero po chwili dotarło do niej, na co patrzy. Aż dech jej zaparło. W środku, poukładane równo rządek przy rządku, leżały dziesiątki notesów w skórzanych oprawach, grzbietami do góry, z tłoczonymi złotą czcionką napisami. Tworzyły one zdumiewający ciąg dat, kończący się na roku dwa tysiące trzynastym. Drżącymi palcami wyjęła pierwszy z brzegu. Były to pamiętniki. Pamiętniki Kit.

Zaczęła wyjmować je po kolei i układać w stosy latami. 2002, 1986, 1977, 1965. Rok po roku. Identyczny notes. Rok wytłoczony tą samą czcionką w technice filigranu. 1958, 1957, 1952, 1948, 1947, 1942.

Najwcześniejszy pochodził z roku tysiąc dziewięćset czterdziestego drugiego. Libby aż zaschło w gardle z wrażenia, kiedy ostrożnie go otworzyła. Cała strona zapisana była równym pismem matki.

Kwiecień 1942. Minął już miesiąc od jego tragicznej śmierci, a wciąż są takie dni, że nie mogę się zmusić, żeby wstać z łóżka...

Promień słońca przecisnął się przez szparę w zasłonach i padł na dywan tuż obok niej. Libby spojrzała na niego nieprzytomnie. Nagle oprócz cichej muzyki z pokoju obok dotarł do niej jakiś inny odgłos. To kroki kogoś idącego korytarzem w jej stronę. Siedziała na podłodze z podwiniętymi nogami, otoczona stosami zeszytów. Rozejrzała się wokół siebie i ściągnęła brwi, jakby nie pamiętała, gdzie się właściwie znajduje. Nogi zupełnie jej zdrętwiały. Zerknęła na zegarek. Dochodziła czwarta. Od kilku godzin siedziała bez ruchu w tej samej pozycji.

– Libby? – To był Toby. – Dzwonię do ciebie i dzwonię... Co się dzieje? Czy Kit śpi? Wszystko z nią w porządku?

Libby podniosła się z podłogi. Znów poczuła napływające do oczu łzy. Popatrzyła na męża już przez zasłonę łez.

– Nie, ona nie śpi – jęknęła załamującym się głosem. – Ona odeszła, Toby. Już nie żyła, kiedy tu przyszłam.

Toby nagle się przygarbił, jakby spadł na niego znienacka cios niewidzialnej pięści.

– Och nie! Przecież wczoraj jeszcze nic jej nie było! Gdzie ona jest? Co się stało?

Libby kręciła wolno głową z boku na bok.

– Nie żyła już, kiedy tu przyszłam. Jest w sypialni. Wciąż ubrana. – Wskazała otwarte drzwi do drugiego pokoju. Westchnęła i rozejrzała się po stosach notesów, porozrzucanych wokół jej stóp. – Zostawiła je wszystkie, Toby.

– Co to?

– Jej pamiętniki. Właśnie je czytałam – zamilkła i znów ciężko odetchnęła. – Wszystko w nich jest, Toby. Kim była... co robiła... co się jej stało... wszystko. Kim był mój ojciec... Dlaczego nikomu o tym nie powiedziała?! Dlaczego nie powiedziała o tym nawet mnie?! Była zawsze taka surowa dla mnie... dla wszystkich...

– Jak to? Przecież wiesz, kim był twój ojciec... O czym ty mówisz?

Libby pochyliła się i podniosła jeden z pamiętników.

– Nie, to nie był mój tata. To... To ktoś o imieniu Earl. Muzyk jazzowy. – Westchnęła. – Toby... On... On był czarny. Był Amerykaninem. Czarnym Amerykaninem. Zginął podczas bombardowania w roku tysiąc dziewięćset czterdziestym drugim. Teraz zaczynam wszystko rozumieć. O to... – Uniosła dłoń ku miękkim pierścionkom włosów na skroniach. – Moje włosy... Moja skóra... Zawsze miałam ciemniejszą karnację niż reszta rodziny... Teraz wszystko jest dla mnie jasne. Grał w jazz-bandzie razem z... z tatą Juniora. Dlatego doznała takiego szoku tamtego popołudnia. Dlaczego zwyczajnie nie powiedziała mi o wszystkim?

Toby tylko kręcił głową w milczeniu. Po raz pierwszy w życiu zabrakło mu słów z wrażenia.

W tej samej chwili coś niezwykłego stało się z Libby. Nagle

zauważyła, że spada z niej przytłaczający ją do tej pory strach i ciężar życia. Mimo dojmującego uczucia smutku poczuła się lekka jak piórko. Teraz, po raz pierwszy w swoim życiu, była wolna od wszelkich niedopowiedzeń. Wreszcie wiedziała, kim jest. W końcu. Drżała z emocji, ogarnięta dziwną pewnością, że dopiero teraz, wbrew pozorom, coś się dla niej zaczyna, a nie kończy.

Wciąż jeszcze miała wiele pytań, ale teraz odpowiedź leżała przed nią, wypisana równym, eleganckim pismem matki. Całe życie Kit leżało przed nią jak na dłoni. Życie jej matki. Jej niezwykłe życie.

Ostatni wykonany przez nią gest świadczył o tym, że chciała, aby stało się ono również życiem Libby.

Spis treści